JEAN M. AUEL

Jean M. Auel est née le 18 février 1936 à Chicago. Après le lycée, elle épouse Ray Bernard Auel avec qui elle a cinq enfants. Elle occupe à cette époque un poste de cadre supérieur dans une importante entreprise d'électronique. Quelques années plus tard, elle décide de quitter son emploi, et se lance dans l'écriture du premier roman de la série *Les enfants de la Terre* qu'elle réécrira à quatre reprises jusqu'en septembre 1978. En septembre 1980, quand *Le Clan de l'Ours des Cavernes* sort enfin, c'est le succès immédiat. En un mois, plus de 100 000 exemplaires sont vendus. Jean M. Auel se documente toujours plus. Outre ses lectures et les cours qu'elle reprend à l'université, elle mène des recherches approfondies qui la conduisent sur les sites préhistoriques de France, d'Autriche, de Tchécoslovaquie, d'Ukraine, d'Union soviétique, de Hongrie et d'Allemagne. En 1990, elle participe, pendant quatre mois, à une campagne de fouilles organisée en Périgord. Elle choisit d'ailleurs la région des Eyzies pour cadre de *Refuges de pierre*, cinquième et avant-dernier tome de la saga *Les enfants de la Terre*. Le tome 6 des *Enfants de la Terre*, *Le Pays des grottes sacrées* a paru en 2011 aux Presses de la Cité et en 2012 en deux tomes chez Pocket.

Retrouvez l'actualité de l'auteur sur
www.jean-auel.net

Le Pays
des grottes sacrées

DU MÊME AUTEUR
CHEZ POCKET

LES ENFANTS DE LA TERRE

Jean M. Auel

Les Enfants de la Terre®

******

Le Pays
des grottes sacrées

(2e partie)

Traduction de
Jacques Bommarlat

PRESSES DE LA CITÉ

Titre original :
THE LAND OF PAINTED CAVES

© Jean M. Auel, 2011
Édition originale : Crown Publishers Inc., New York

© Rodica Prato d'après Jean Auel, pour la carte
© Palacios d'après Jean Auel, pour les cartouches
© Presses de la Cité, 2011, pour la traduction française
ISBN : 978-2-266-21669-2

À Raeann,
Première née, dernière citée, toujours aimée
Et à Frank qui se tient à son côté
Et aussi à Amelia, Bret, Alecia et Emory qui font honneur à leurs parents,
Avec tout mon amour.

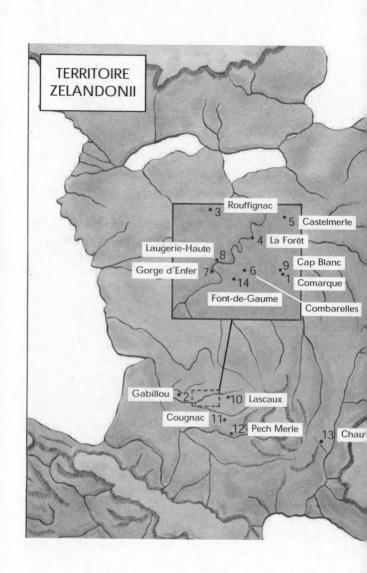

TERRITOIRE ZELANDONII

Rouffignac
3
5 Castelmerle
4 La Forêt
Laugerie-Haute
8
Cap Blanc
Gorge d'Enfer 7
6
9
14
1 Comarque
Font-de-Gaume
Combarelles

Gabillou 2
10 Lascaux
Cougnac 11
12 Pech Merle
13 Chau

SITES SACRÉS

1. Rocher à la Tête de Cheval, Septième Caverne des Zelandonii
2. Nouvelle petite grotte de Vue du Soleil, Vingt-Sixième Caverne des Zelandonii
3. Grotte du Mammouth
4. Grotte des Bois, partie Ouest de la Vingt-Neuvième Caverne
5. Cinquième Caverne des Zelandonii
6. Lieu des Femmes
7. Petite Vallée, Quatorzième Caverne des Zelandonii
8. Neuvième Caverne des Zelandonii
9. Cœur de Cheval
10. Grotte Blanche
11. Site sacré de la Quatrième Caverne des Zelandonii du Sud
12. Site sacré de la Septième Caverne des Zelandonii du Sud
13. Site sacré le plus ancien de la Grande Terre Mère
14. Profonde des Rochers de la Fontaine

LES ENFANTS DE LA TERRE

L'EUROPE À L'ÂGE GLACIAIRE

Étendue des glaciers et modification des côtes durant la période interstadiaire, tendance au réchauffement durant la glaciation de Würm du pléistocène supérieur, entre 35 000 et 25 000 ans avant notre ère.

N

Territoire Zelandonii

et

1

Ils décidèrent à l'unanimité que le moment était venu de chasser pendant quelques jours et de glaner de la nourriture pour réapprovisionner leur garde-manger et renouveler leur matériel, qui montrait d'importants signes d'usure. Ils étaient tout excités d'avoir trouvé un endroit où régnait une telle abondance.

— Je veux cueillir ces baies, dit Levela. Elles ont l'air à point.

— Oui, mais d'abord je tiens à confectionner un panier à me suspendre autour du cou pour avoir les mains libres, expliqua Ayla. Je veux en cueillir assez afin d'en faire sécher une partie pour les galettes de voyage, mais il me faut tresser une ou deux nattes pour le séchage.

— Tu veux bien fabriquer un panier pour moi ? demanda Zelandoni. Je peux participer à la cueillette.

— Moi aussi. Tu me feras un panier ? s'enquit Amelana.

— Montre-moi comment tu confectionnes les tiens, dit Beladora. Cueillir des deux mains est une bonne idée, mais je porte toujours le panier sur le bras.

— Je vous montrerai comment faire, et aux enfants aussi. Ils peuvent nous aider, répondit Ayla. Allons chercher des roseaux et des épis de lin.

— Et des racines pour le repas du soir, ajouta Beladora.

Loup regardait Jonayla et Ayla et il glapit finalement pour attirer l'attention de cette dernière. Il courait vers le pré, puis revenait à la même allure.

— Toi aussi, tu veux partir explorer et chasser, Loup ? Eh bien, vas-y, dit-elle en lui faisant un signe de main qui signifiait qu'il était libre d'aller où il voulait.

Les femmes passèrent l'après-midi à déraciner des plantes sur la berge boueuse du lac formé par le bras mort de la rivière : les grands roseaux, dont la cime plumeuse dépassait Jondalar et Kimeran, et le lin des marais, légèrement plus petit, dont les épis donnaient du pollen comestible. Les jeunes rhizomes et les tiges inférieures des deux plantes pouvaient être consommés crus ou cuits, de même que les petits bulbes qui poussaient sur les rhizomes. Par la suite, il était possible de broyer les vieilles racines séchées pour faire une sorte de pain, particulièrement bon quand la pâte était mélangée avec le pollen jaune savoureux des épis de lin, mais les plantes non comestibles étaient tout aussi importantes.

Avec les tiges creuses et souples des roseaux on pouvait tresser de grands paniers ou des nattes élastiques, presque moelleuses, plus agréables que les fourrures de couchage quand il faisait chaud, ou encore des nattes sur lesquelles étendre les fourrures quand il faisait froid. Avec les feuilles de lin, on confectionnait aussi des nattes pour divers usages : se coucher, s'asseoir ou se protéger les genoux. Elles permettaient de tresser non seulement des paniers, mais aussi des cloisons, des couvertures imperméables pour les habitations, des manteaux de pluie et des chapeaux. Quand elle séchait, la tige pleine du lin faisait un excellent tisonnier, sa cime brune devenait duveteuse et s'enflammait comme de l'amadou, faisant de la bourre pour le couchage, les coussins et les oreillers, ou un bon matériau absorbant pour les déjections des bébés ou les menstrues. Elles avaient trouvé un véritable marché à ciel ouvert dans ces massifs de plantes qui poussaient si abondamment au bord de l'eau.

Le reste de l'après-midi, les femmes tressèrent des paniers pour la cueillette des baies. Les hommes discutèrent de chasse et décidèrent de couper des pousses bien droites de jeunes arbres afin de confectionner de longues sagaies en remplacement de celles qui avaient été perdues ou brisées. Jondalar partit sur Rapide pour tenter de dénicher le troupeau qui avait laissé les traces découvertes plus tôt. En même temps, il chercherait les affleurements de silex qui, il en était certain, pouvaient se trouver dans la région. Ayla envisagea un instant de l'accompagner, mais elle était prise par le travail de fabrication des paniers et ne voulait pas interrompre sa tâche.

Le soir venu, bien que Jondalar ne fût pas encore de retour, ils se retrouvèrent pour le repas du soir et chacun exposa ses projets. Ils étaient tous en train de rire et de bavarder quand Jondalar entra dans le camp en arborant un large sourire.

— J'ai repéré un troupeau de bisons assez important, annonça-t-il à la cantonade, et j'ai trouvé aussi du silex qui semble de bonne qualité pour les nouvelles sagaies.

Il mit pied à terre et prit plusieurs grosses pierres grises dans les paniers de bât que Rapide portait sur ses flancs. Tout le monde se rassembla autour de lui pendant qu'il enlevait les couvertures de monte et le licou de l'étalon, puis le dirigeait vers l'eau d'une tape sur la croupe. Le cheval brun pataugea dans le lac, se désaltéra, ressortit, puis se laissa tomber sur la berge sablonneuse, roulant sur le dos d'un côté et de l'autre, ce qui fit rire l'assistance. C'était amusant de voir l'animal donner des coups de pied en l'air et se gratter le dos avec tant de plaisir.

Jondalar se joignit aux autres autour du feu et Ayla lui donna un bol de nourriture faite de viande séchée reconstituée, de racines, de tiges basses et de fleurs de lin, le tout cuit dans un bouillon de viande. Il lui sourit :

— Et j'ai aussi vu une compagnie de grouses. C'est l'oiseau dont je t'ai parlé, qui ressemble à un lagopède, si ce n'est que son plumage ne blanchit pas en hiver. Si nous en attrapons, nous pourrons utiliser les plumes pour les sagaies.

Ayla lui rendit son sourire.

— Et je pourrai préparer le plat préféré de Creb, ajouta-t-elle.

— Tu veux aller les chasser demain matin ? lui demanda Jondalar.

— Oui… répondit Ayla avant de froncer les sourcils. En fait, j'avais prévu de cueillir des baies…

— Va chasser la grouse, dit Zelandoni. Nous sommes assez nombreuses pour la cueillette.

— Et je surveillerai Jonayla, si tu veux, proposa Levela.

— Finis de manger, Jondalar, dit Ayla. J'ai vu de jolis galets ronds pour ma fronde dans le lit du ruisseau à sec. Je veux aller les ramasser avant que la nuit tombe. Je devrais emporter mon lance-sagaie. Il me reste quelques sagaies.

Le lendemain matin, au lieu de sa tenue habituelle, elle mit des jambières en daim, pareilles à des sous-vêtements masculins d'hiver, puis des chausses qui consistaient en un mocassin attaché à une guêtre souple enroulée autour de la cheville. Elle passa enfin une sorte de gilet également en daim dont elle serra bien le laçage de devant, qui maintenait convenablement la poitrine. Puis elle se fit rapidement des tresses pour être plus à l'aise et s'entoura la tête de sa fronde. Elle mit le support du lance-sagaie et des sagaies dans son dos, noua autour de sa taille la lanière à laquelle étaient attachés un bon couteau dans sa gaine, un petit sac rempli des galets qu'elle avait ramassés, un autre sac contenant divers ustensiles, dont son gobelet, et enfin une petite sacoche de secours contenant divers remèdes d'urgence.

Elle s'habilla rapidement, tout excitée. Elle ne s'était pas rendu compte combien elle avait envie de partir à la chasse. Elle prit sa couverture de monte, sortit de la tente, siffla Loup, puis elle se dirigea vers l'endroit où paissaient les chevaux. Grise était attachée par un long licou à un piquet fiché dans le sol pour l'empêcher d'aller trop loin ; elle avait tendance à s'égarer. Elle savait que Whinney ne s'éloignerait pas de la jeune jument. Jondalar avait laissé Rapide dans le même coin. Elle arrangea la couverture de monte sur le dos du cheval louvet et, après avoir pris Grise et Rapide par la longe, elle sauta sur la jument et chevaucha jusqu'au feu de camp. Elle balança la jambe, se laissa glisser à terre et alla à sa fille, assise près de Levela.

— Jonayla, tiens Grise, dit-elle en tendant la longe à la fillette. Elle va peut-être vouloir nous suivre. Nous ne serons pas partis longtemps.

Elle se retourna et vit Loup arriver vers elle en courant.

— Ah, te voilà ! dit-elle.

15

Pendant qu'Ayla embrassait sa fille, Jondalar se fourrait une dernière bouchée de racine de lin dans la bouche et une lueur s'alluma dans son œil quand il regarda sa compagne en tenue de cheval et de chasse, tout excitée à la perspective du départ. Comme elle est belle ! pensa-t-il. Il alla à la grosse outre, en remplit d'eau de plus petites pour les emporter et en versa aussi dans sa tasse. Il apporta le reste à Ayla, lui donna une petite outre et remit la tasse dans sa sacoche. Ils adressèrent quelques paroles d'adieu à ceux qui étaient assis autour du feu et montèrent sur leurs chevaux.

— J'espère que vous allez trouver vos lagopèdes ou vos grouses ! lança Beladora.

— Oui, bonne chasse, leur souhaita Willamar.

— En tout cas, bonne promenade, ajouta la Première.

Tout en regardant le couple s'en aller, chacun se laissait aller à ses propres pensées et sentiments le concernant. Willamar considérait Jondalar et sa compagne comme les enfants de Marthona, donc les siens, et il éprouvait à leur égard un tendre amour paternel. La Première avait un sentiment particulier pour Jondalar, qu'elle avait aimé et aimait encore d'une certaine façon, quoique ce fût maintenant comme un ami, presque comme un fils. Elle appréciait les multiples dons d'Ayla, l'aimait comme une amie et était contente d'avoir un collègue en qui elle voyait une égale. Elle était contente aussi que Jondalar ait trouvé une femme digne de son amour. Beladora et Levela en étaient aussi arrivées à aimer Ayla comme une amie chère, même si elle leur inspirait parfois un certain respect mêlé de crainte. Elles étaient sensibles au pouvoir de séduction magnétique de Jondalar, mais maintenant qu'elles avaient toutes les deux des compagnons et des enfants qu'elles aimaient, elles l'appréciaient plutôt comme un ami prévenant prêt à les aider chaque fois qu'elles le lui demanderaient.

Jonokol, les deux jeunes spécialistes du troc, et même Kimeran et Jondecam estimaient les talents de Jondalar, surtout dans le travail du silex et la fabrication des lance-sagaies, et l'enviaient un peu. Sa compagne était attirante et accomplie dans bien des domaines ; elle lui était cependant si dévouée que même pendant les Fêtes de la Mère elle ne choisissait que lui, mais il avait toujours eu la réputation d'avoir du succès auprès des femmes. Nombre d'entre elles continuaient à lui trouver un charme presque irrésistible, bien qu'il n'encourageât pas leurs avances.

Amelana, toujours envoûtée par Ayla, avait du mal à ne voir en elle qu'une femme avec qui se lier d'amitié ; elle avait pour elle une admiration sans bornes et aurait aimé lui ressembler. La jeune femme trouvait elle aussi Jondalar extrêmement séduisant et elle avait essayé à l'occasion de le lui montrer, mais il semblait ne pas l'avoir remarqué. Tous les autres hommes qu'elle avait rencontrés au cours de ce voyage lui accordaient au moins un regard appréciateur, alors qu'elle n'avait jamais réussi à obtenir de lui plus qu'un sourire amical mais détaché et elle ignorait pourquoi. En fait, Jondalar se rendait parfaitement compte qu'il lui plaisait. Quelques années plus tôt, plus d'une jeune fille avec qui il avait participé aux Premiers Rites avait tenté ensuite de continuer à éveiller son intérêt, bien qu'il ne lui fût pas permis d'avoir d'autres relations avec lui pendant un an. Il avait appris à décourager les tentatives de ce genre.

Ils s'éloignèrent sur leurs montures, escortés de Loup. Jondalar les mena vers l'est jusqu'à un endroit qui lui semblait familier. Il arrêta son cheval et montra à Ayla où il avait trouvé le silex, puis jeta un coup d'œil alentour et repartit dans une autre direction. Ils arrivèrent sur une lande couverte de fougère, de bruyère – les plantes favorites de la grouse – et d'herbe grossière parsemée de quelques taillis et roncières, non loin de la berge ouest du lac. Ayla sourit. Le lieu était semblable à la toundra, habitat du lagopède, et on pouvait aisément imaginer qu'une variété méridionale de l'oiseau vive dans cette région. Ils laissèrent les chevaux près d'un taillis de petits noisetiers qui entourait un gros arbre.

Loup avait remarqué quelque chose un peu plus loin. En alerte, résolu, il gémissait doucement.

— Vas-y, Loup. Trouve-les, dit Ayla.

Pendant qu'il s'élançait, elle fit glisser sa fronde de sa tête, prit deux galets dans son petit sac, en plaça un dans le godet de l'engin et saisit les deux extrémités. Elle n'eut pas à attendre longtemps. Dans un soudain tumulte d'ailes, Loup débusqua cinq grouses. Les oiseaux vivaient près du sol, mais pouvaient prendre leur essor à toute allure puis voler longtemps. Ils ressemblaient à des poules dodues dotées d'un camouflage marron et noir semé de blanc. Ayla lança une pierre à l'instant où elle aperçut le premier oiseau et une seconde avant que le premier ne touche le sol. Elle entendit un chuintement, puis vit la sagaie de Jondalar en transpercer un troisième.

S'ils n'avaient été que tous les deux à se déplacer comme d'ordinaire au cours de leur Voyage, cela aurait suffi, mais ils étaient maintenant seize, dont quatre enfants. Ayla avait si bien l'art d'accommoder ce gibier ailé que tout le monde voulait y goûter et bien que les volatiles aient été de bonne taille – six ou sept kilos – trois suffiraient difficilement à nourrir autant de monde. Elle aurait voulu que ce soit la saison de la ponte : elle aimait farcir les oiseaux avec leurs œufs et les mettre à rôtir ensemble. Les nids consistaient généralement en un creux dans le sol tapissé d'herbes ou de feuilles, mais il n'y avait pas d'œufs en cette période de l'année.

Ayla siffla Loup, qui revint en bondissant. Il était évident qu'il prenait plaisir à donner la chasse à ces volatiles.

— Peut-être pouvons-nous en trouver d'autres, dit-elle, avant de se tourner vers le chasseur quadrupède : Trouve-les, Loup. Trouve les oiseaux.

Le loup fila à nouveau dans le pré, suivi d'Ayla et de Jondalar. Une autre grouse ne tarda pas à s'envoler et bien qu'elle fût à quelque distance, Jondalar lança une sagaie avec son propulseur et réussit à l'abattre.

Puis, pendant que Jondalar s'occupait de celle qu'il avait tuée, un vol de quatre mâles prit son essor, reconnaissables au noir et brun de leur plumage, aux marques blanches sur leur queue et leurs ailes, aux jaune et rouge de leur bec et de leur crête. Ayla en abattit encore deux avec sa fronde ; elle manquait rarement son coup. Jondalar avait entendu les oiseaux s'envoler mais ne les avait pas vus et il tarda à armer son lance-sagaie. Il en blessa un et l'entendit glapir.

— Cela devrait suffire, dit Ayla, même si nous laissons le dernier à Loup.

Avec l'aide de Loup, ils retrouvèrent et ramassèrent les derniers des sept oiseaux abattus. L'un d'eux avait une aile brisée mais vivait encore. Ayla lui tordit le cou et retira la sagaie, puis fit comprendre à Loup qu'il lui revenait. L'animal le prit dans sa gueule et l'emporta hors de vue dans le pré. Avec des herbes résistantes en guise de corde, ils attachèrent les autres grouses deux à deux par les pattes et retournèrent à l'endroit où paissaient les chevaux. Ayla enroula de nouveau la fronde autour de sa tête tout en marchant.

À leur retour au camp, tout en préparant des hampes de sagaie, les chasseurs discutaient de la chasse aux bisons. Jondalar se joignit à eux pour achever les nombreuses sagaies dont ils avaient besoin. Après avoir taillé le silex en pointes en le frappant pour en enlever des éclats, ils fixèrent celles-ci aux hampes qu'ils empennèrent avec les plumes de grouse fournies par Ayla. De son côté, elle prit la large pelle formée d'une ramure dont tous se servaient pour débarrasser le foyer de ses cendres et diverses autres tâches. Elle n'était cependant pas faite pour creuser des trous. Pour cela, elle utilisa une sorte d'alêne, une lame pointue en silex bien solide attachée à l'extrémité d'une poignée en bois. Elle trouva un endroit à l'écart près de la plage et creusa un trou assez profond dans le sol sablonneux, alluma un feu à proximité et y plaça des grosses pierres pour les chauffer, puis entreprit de plumer les grouses.

La plupart des autres femmes vinrent l'aider. Les grandes plumes étaient données à ceux qui faisaient les sagaies, mais Ayla tenait à garder les autres. Beladora vida son petit sac des ustensiles qu'il contenait et le lui offrit pour les plumes. Tous aidèrent à vider et nettoyer chacune des six grouses en mettant de côté le cœur, le gésier et le foie. Ayla les enveloppa dans du foin frais et les remit dans chaque oiseau avant d'emmailloter les oiseaux eux-mêmes dans du foin.

Les pierres chaudes furent disposées dans le fond et sur les côtés de la fosse à l'aide de pinces en bois recourbé. On les recouvrit de terre, puis d'herbe fraîche et de feuilles que les enfants aidèrent à ramasser. On plaça les oiseaux dessus. On ajouta des tiges basses de roseau, des noix pilées, de bonnes racines riches en féculents, enserrées dans des feuilles vertes comestibles, et on les déposa sur les oiseaux. On les recouvrit ensuite d'autres herbes vertes et de feuilles, d'une nouvelle couche de terre et d'autres pierres chaudes. Une dernière couche de terre scella le tout. On les laissa cuire sans y toucher jusqu'au moment du repas du soir.

Ayla alla voir où en était la fabrication des sagaies. Certains faisaient des entailles à l'extrémité des hampes qui devait être placée contre le crochet à l'arrière du propulseur, d'autres collaient les plumes avec de la poix chauffée tirée de la résine de pin. Les plumes étaient maintenues en place avec de la fine ficelle en tendon qu'ils avaient apportée avec eux. Jonokol broyait du charbon de bois qu'il ajoutait et mélangeait à la poix avec de l'eau chaude. Puis il plongeait un bâton dans l'épais liquide noir ainsi obtenu et dessinait des motifs – qu'on appelait « abelans » – sur les hampes. Un abelan désignait à la fois une personne et son nom, le nom d'un esprit de la vie ; c'était une marque symbolique personnelle donnée à un enfant par un Zelandoni peu après sa naissance. Ce n'était pas de l'écriture, mais un usage symbolique de signes.

Jondalar avait confectionné des sagaies pour Ayla aussi bien que pour lui et il les lui donna pour qu'elle les marque de son abelan. Elle les compta ; il y en avait deux fois dix, vingt. Elle traça quatre lignes rapprochées sur chaque hampe. Sa marque personnelle. Puisqu'elle n'était pas née parmi les Zelandonii, elle avait choisi elle-même son abelan et opté pour des marques semblables aux cicatrices laissées, enfant, sur sa jambe par un lion des cavernes. C'est ainsi que Creb avait décidé que le Lion des Cavernes serait son totem.

Les marques servaient ensuite à identifier le chasseur qui avait abattu tel ou tel animal afin qu'il puisse lui être attribué et que la répartition de la viande soit équitable. Non pas que la personne qui avait tué la bête recevait toute la viande, mais elle choisissait en premier les morceaux qu'elle voulait et, plus important, on lui attribuait le mérite d'avoir fourni de la viande. Cela voulait dire louanges, reconnaissance et obligation de rendre. Les meilleurs chasseurs distribuaient souvent la majeure partie de leur viande uniquement pour accumuler du mérite, parfois à la grande consternation de leur compagne, mais on s'attendait à une telle attitude de leur part.

Levela envisagea de participer à la chasse ; Beladora et Amelana déclarèrent qu'elles se feraient un plaisir de surveiller Jonlevan en même temps que Jonayla, mais finalement Levela décida de ne pas y aller. Elle n'avait commencé à sevrer Jonlevan que depuis peu et elle l'allaitait encore de temps en temps. Elle n'avait pas chassé depuis la naissance de son fils et avait l'impression de manquer d'entraînement. Elle risquait de gêner plus que d'aider, pensait-elle.

Une fois les sagaies achevées, Jondalar avait utilisé presque tous les silex qu'il avait trouvés pour confectionner les pointes, les meilleures plumes avaient été fixées aux hampes pour aider les sagaies à voler droit et le moment était presque venu de prendre le repas qu'Ayla avait préparé. D'autres personnes avaient cueilli encore beaucoup de myrtilles, dont la plupart étaient en train de sécher sur des nattes tressées. Le reste cuisait sur des pierres chauffées dans le feu, dans un nouveau récipient solide tissé avec des feuilles de lin et des tiges de jonc qui poussaient dans un marais près du lac. Le sucre de la sauce obtenue provenait uniquement des fruits mais on y ajoutait souvent le parfum de fleurs, de feuilles et d'écorces de diverses plantes. Dans le cas présent, Ayla avait trouvé de la reine-des-prés, dont les petites fleurs formaient un tapis moutonnant et crémeux qui dégageait une senteur de miel, des fleurs bleues d'hysope très aromatiques, remarquable remède contre la toux, ainsi que des feuilles et des fleurs écarlates de bergamote. De la graisse était ajoutée pour rendre le tout plus nourrissant.

Le repas fut jugé délicieux, un véritable festin. La chair de la grouse les changeait de leur viande séchée habituelle, elle apportait une saveur nouvelle et la cuisson au four dans le sol l'avait attendrie, même celle, coriace, des vieux mâles. L'herbe dans laquelle elles étaient enveloppées avait ajouté sa propre saveur et la sauce à base de fruits enrichissait l'ensemble d'un agréable goût acidulé. Il y aurait moins de restes que d'ordinaire pour le repas du matin, mais assez quand même, surtout après adjonction de tiges basses et de rhizomes tendres de lin.

Tous étaient excités à la perspective de partir chasser le lendemain. Jondalar et Willamar ne pouvaient décider de la stratégie à adopter avec les autres avant de voir exactement où étaient les bisons. Comme il faisait encore jour, Jondalar résolut de suivre à nouveau les traces pour s'assurer qu'il parvenait encore à trouver le troupeau. Il ignorait quelle distance il pouvait avoir parcourue. Ayla et Jonayla l'accompagnèrent sur leurs montures, uniquement pour permettre aux chevaux de galoper un peu. Ils trouvèrent les bisons, mais pas tout à fait au même endroit. Jondalar se félicitait d'avoir encore suivi leur piste ; il était ainsi à même de mener les chasseurs directement à eux.

Le fond de l'air était toujours frais au petit matin, même au cœur de l'été. Et quand Ayla sortit de la tente, elle en sentit aussi l'humidité. Une brume froide flottait au ras du sol, une nappe de brouillard était suspendue au-dessus du lac. Déjà levées, Beladora et Levela alimentaient un nouveau feu. Leurs enfants aussi étaient réveillés et Jonayla se trouvait avec eux. Ayla ne l'avait pas entendue se lever, mais l'enfant était capable de ne pas faire de bruit du tout quand elle le voulait. Elle aperçut sa mère et arriva en courant.

Après avoir uriné, Ayla décida d'aller se tremper dans le lac avant de retourner à la tente. Elle ressortit de celle-ci peu après, vêtue de sa tenue de chasse. Ses allées et venues réveillèrent Jondalar, qui prit plaisir à rester sur son tapis de couchage à la regarder ; il avait été bien satisfait la veille au soir. Le gilet n'apportait pas beaucoup de chaleur, mais les chasseurs ne voulaient pas trop se vêtir, sachant que la température allait monter un peu plus tard. Lorsque la matinée était fraîche, ils restaient près du feu et buvaient une boisson chaude. Une fois partis, le mouvement les réchauffait. La grouse froide était tout aussi bonne que la veille. Une fois encore, on laissa Grise avec Jonayla, mais l'enfant ne voulait pas rester :

— Mère, laisse-moi venir avec vous, s'il te plaît. Tu sais bien que je sais monter Grise, implora la fillette.

— Non, Jonayla. Ce serait trop dangereux pour toi. Il peut arriver des choses auxquelles tu ne t'attends pas. Et puis tu ne sais pas encore chasser, répondit Ayla.

— Quand apprendrai-je ? demanda Jonayla avec ardeur.

Ayla se rappela le temps où elle était impatiente d'apprendre à chasser, bien que les femmes du Clan n'aient pas été censées le faire. Il lui avait fallu apprendre toute seule, en secret.

— Voilà ce que je vais faire, dit-elle. Je vais demander à Jondi de te fabriquer un lance-sagaie, un petit à ta taille, afin que tu puisses commencer à t'exercer.

— Vraiment, mère ? Tu me le promets ?

— Oui, je te le promets.

Jondalar et Ayla menèrent leurs chevaux par la bride au lieu de les monter pour que les autres suivent plus facilement. Il trouva les énormes bisons – dans les un mètre quatre-vingts à l'épaule, cornes gigantesques et pelage marron foncé uni – non loin de l'endroit où il les avait vus la veille au soir. C'était un troupeau d'importance moyenne, mais de toute façon ils ne voulaient pas le chasser entièrement. Eux-mêmes n'étaient pas nombreux et ils n'avaient besoin que de quelques bêtes.

On discuta un moment de la meilleure façon de les traquer et il fut décidé de faire le tour du troupeau, avec précaution pour ne pas l'alarmer, afin de voir comment se présentait le terrain. Aucun repli de terrain ne leur permettait de s'avancer au milieu des bêtes sans se faire voir, mais à un certain endroit il y avait le lit d'un ruisseau à sec aux berges assez hautes.

— Ça pourrait faire l'affaire, dit Jondalar, si nous allumons un feu à l'extrémité inférieure, mais pas avant de les avoir rabattus à proximité. Il faudrait donc préparer le feu et l'allumer avec une torche. Nous devrons ensuite les diriger par là.

— Tu crois vraiment que ça peut marcher ? Comment allons-nous les mener là où nous voulons ?

— Avec les chevaux et Loup. Dès qu'ils entreront dans la zone encaissée, l'un de nous pourra allumer le feu au bout pour les ralentir. D'autres attendront sur les berges ; le mieux sera sans doute qu'ils se couchent par terre et, quand les bêtes arriveront devant eux, qu'ils se lèvent en vitesse et se servent des lance-sagaies. Nous devrons ramasser du bois et l'entasser à l'extrémité de la ravine, puis trouver de l'amadou et d'autres allume-feu.

— Il semble que tu aies tout prévu, souligna Tivonan.

— J'ai réfléchi à tout ça et discuté de certaines possibilités avec Kimeran et Jondecam. Au cours de notre Voyage, avec les chevaux et Loup, nous choisissions généralement une ou deux bêtes du troupeau. Ils ont l'habitude de nous aider à chasser.

— C'est ainsi que j'ai appris à me servir du lance-sagaie à cheval, dit Ayla. Une fois, nous avons même abattu un mammouth.

— Cela me semble bien pensé, remarqua Willamar.

— À moi aussi, mais je ne suis pas bon chasseur, dit Jonokol. Je n'ai pas beaucoup chassé, du moins avant de participer à ce Voyage.

— Peut-être n'as-tu pas beaucoup chassé auparavant, mais tu es maintenant un chasseur plus que convenable, objecta Palidar.

Tous les autres en convinrent.

— Ce Voyage m'aura donc doublement profité. Non seulement je vais voir des Sites Sacrés fascinants, mais j'apprends à être bon chasseur, dit Jonokol, souriant.

— Bon, allons ramasser de l'herbe sèche et du bois à brûler, conclut Willamar.

Ayla et Jondalar apportèrent leur aide tandis que tous parcouraient les environs en quête de bois et autres matériaux combustibles, qu'ils disposaient ensuite à l'extrémité du lit du ruisseau asséché. Suivant la suggestion de Willamar, ils ajoutèrent une rangée de petit bois sur le devant pour faciliter la propagation du feu à travers le gros tas. Puis ils montèrent à cheval, firent signe à Loup et commencèrent à encercler le troupeau. Willamar chargea ensuite ses apprentis, Palidar et Tivonan, d'allumer un feu des deux côtés quand il le leur dirait.

— Dès que le feu aura pris, vous pourrez prendre position avec vos lance-sagaies, leur dit-il.

Les deux jeunes gens acquiescèrent et tous trouvèrent des endroits où attendre.

Et ils attendirent.

Chaque chasseur était dans son propre espace de silence et écoutait à sa manière. Les deux jeunes gens, tout excités à la perspective de la chasse, s'efforçaient d'entendre Ayla et Jondalar encercler le troupeau. Jonokol entra dans un état méditatif qui, comme il l'avait appris longtemps avant, le maintenait en alerte et conscient de ce qui se passait autour de lui. Il entendit Ayla et Jondalar crier au loin, et aussi les notes sonores au tempo décroissant d'un martin-pêcheur. Il chercha des yeux l'origine du bruit et aperçut le bleu vif et l'orange noisette du dessous du plumage de l'oiseau. Puis il entendit le croassement rauque d'un corbeau.

Kimeran revint par la pensée à la Deuxième Caverne des Zelandonii et espéra que tout le monde allait bien en son absence... mais pas trop quand même, sans sa gouverne. Cela aurait impliqué qu'il n'était pas un très bon chef. Jondecam songeait à sa sœur, Camora, et aurait aimé qu'elle n'habite pas si loin. Levela, sa compagne, avait exprimé le même sentiment, la veille au soir.

Un martèlement de sabots venant dans leur direction attira leur attention. De chaque côté du long tas de bois, les deux jeunes gens se tournèrent vers Willamar. Il avait la main levée, regardait dans l'autre direction et s'apprêtait à donner le signal. Un éclat de silex dans une main, un morceau de pyrite de fer dans l'autre, ils se préparaient tous les deux à faire jaillir une étincelle en les frappant l'un contre l'autre, sans anicroche, espéraient-ils. Ils s'y entendaient à allumer un feu de cette façon, mais l'excitation risquait de les rendre maladroits. Tous les autres tenaient leur lance-sagaie armé et prêt à tirer.

Quand les bisons s'élancèrent dans le lit asséché, une vieille femelle rusée essaya de prendre la tangente, mais Loup anticipa le mouvement. Il se précipita vers l'énorme bison et poussa un grondement effrayant en montrant les crocs. L'animal opta pour la voie de moindre résistance et descendit le lit du ruisseau.

À ce moment-là, Willamar donna le signal. Palidar fut le premier à faire jaillir une étincelle et se pencha pour attiser la flamme. Tivonan dut s'y reprendre à deux fois mais il eut bientôt allumé un feu crépitant au milieu du lit. Leurs deux foyers se rejoignant, le gros bois s'enflamma à son tour. Dès qu'ils furent certains que le feu avait bien pris, ils se précipitèrent en haut de la berge tout en armant leurs lance-sagaies.

Les autres chasseurs étaient prêts. Le feu avait déjà ralenti la course des bisons, qui beuglaient dans la plus grande confusion. Ils ne voulaient pas se jeter dans les flammes, mais leurs congénères à l'arrière du troupeau les poussaient en avant.

Les longs projectiles commencèrent à voler !

Une nuée de hampes en bois prolongées de pointes de silex aiguisées envahit le ciel. Chaque chasseur avait pris pour cible une bête différente et il la suivait attentivement des yeux à travers la fumée et la poussière. Ils lancèrent leur deuxième sagaie, dirigée en général vers le même bison que la première. Ils avaient chassé en chemin pendant tout l'été et s'étaient améliorés.

Jondalar repéra un mâle à grosse bosse couverte de laine et longues cornes noires pointues. Sa première

sagaie l'abattit et la deuxième l'immobilisa définitive-
ment. Il réarma en vitesse son lance-sagaie et visa une
femelle mais ne fit que la blesser.

La première sagaie d'Ayla atteignit un jeune mâle,
pas encore tout à fait adulte. Elle le regarda s'écrou-
ler, puis vit la sagaie de Jondalar toucher la femelle,
qui chancela mais ne tomba pas. Elle lui lança une
autre sagaie et la vit tituber à nouveau. Les premières
bêtes du troupeau franchissaient le mur de feu. Les
autres suivaient, abandonnant leurs congénères abattus.

C'était fini.

Tout s'était passé si vite que c'était difficile à croire.
Les chasseurs allèrent voir les pièces tuées : neuf
bisons en sang jonchaient le lit du ruisseau. L'examen
des sagaies révéla que Willamar, Palidar, Tivonan,
Jonokol, Kimeran et Jondecam avaient tué une bête
chacun. À eux deux, Jondalar et Ayla en avaient trois
à leur actif.

— Je ne m'attendais pas à un si beau tableau de
chasse, dit Jonokol en regardant les marques sur la
sagaie pour s'assurer que l'animal lui revenait. Nous
aurions peut-être dû coordonner nos efforts auparavant. C'est presque trop.

— Il est vrai que nous n'avions pas besoin d'autant,
mais nous aurons plus de viande à nous partager, dit
Willamar, qui n'aimait pas arriver les mains vides à
une Caverne. Ce ne sera pas perdu.

— Mais comment allons-nous les transporter tous ?
Trois chevaux ne peuvent tirer neuf bisons sur des
perches, fit remarquer Palidar.

La sagaie du jeune homme avait atteint un énorme
mâle et il ne voyait pas trop comment ils allaient
déplacer la bête, sans même parler des autres.

— Je crois que l'un de nous va devoir aller en avant à la prochaine Caverne et ramener du renfort, répondit Jondalar. Ça ne les dérangera sûrement pas. Ils n'auront pas à les chasser.

Il s'était posé la même question que Palidar, mais il avait plus d'expérience avec des animaux aussi énormes et savait qu'être plus nombreux faciliterait la tâche.

— Tu as raison, approuva Jondecam, mais je crois que nous allons devoir déplacer notre camp ici pour débiter les carcasses.

Il n'avait visiblement pas hâte de reprendre la route.

— Ça risque de contrarier Beladora, objecta Kimeran. Elle a entrepris plusieurs travaux de tissage et elle n'aura pas envie de déménager. Mais j'imagine qu'elle pourra aussi venir ici aider au dépeçage.

— Nous pouvons les dépecer ici, puis les débiter en grosses pièces, faire plusieurs voyages pour les rapporter à notre camp et commencer à faire sécher une partie de la viande, proposa Ayla. Nous pourrons ensuite apporter de la viande fraîche à la Caverne suivante et leur demander de nous aider à transporter le reste.

— Bonne idée, dit Willamar. Je vais confectionner des coupes avec les cornes.

— J'aimerais bien préparer de la colle pour fixer les pointes aux hampes en faisant bouillir quelques sabots, ajouta Jondalar. La poix n'est pas mal, mais les sabots et les os font une meilleure colle.

— Et on pourra confectionner de nouvelles outres avec les estomacs et se servir des intestins pour conserver la graisse, renchérit Ayla.

— Levela garde parfois aussi la viande coupée en morceaux dans des intestins bien nettoyés, observa Jondecam, et on peut s'en servir pour imperméabiliser les chapeaux et les chausses.

Ayla se rendit compte soudain à quel point ils étaient près de leur destination. Ils n'allaient pas tarder à laisser Amelana à sa Caverne, puis ils iraient voir le Site Sacré très ancien que la Première voulait tout particulièrement lui montrer ; il n'était pas loin. Ensuite, selon Willamar, deux jours suffiraient à les amener chez Beladora. Après quoi, ils reviendraient sur leurs pas et rentreraient chez eux.

Le retour serait aussi long que l'aller, mais, en regardant autour d'elle, Ayla eut le sentiment que la Mère leur fournirait tout ce qu'il fallait pour subvenir à leurs besoins durant le trajet de retour. Ils avaient les matières premières nécessaires pour remplacer leur matériel, leurs armes et leurs vêtements usés. Il y avait plus de viande qu'il n'en fallait pour en mettre à sécher et préparer des galettes de voyage, indispensables pour couvrir rapidement de longues distances, en hachant la viande déshydratée et en y ajoutant de la graisse et des baies séchées. Ils disposaient aussi des racines et tiges séchées de certaines plantes et de variétés de champignons connues de tous.

— Je suis déjà venue ici ! Je connais cet endroit ! s'exclama Amelana, excitée de voir un lieu familier, puis un autre.

Il était maintenant hors de question de s'arrêter pour se reposer ; enceinte ou pas, elle était impatiente d'arriver chez elle.

Le petit groupe de voyageurs arriva à un sentier bien marqué qui longeait un méandre de la rivière en forme de U. Une ancienne zone inondable s'était muée en un herbage plat, plus haut que le courant rapide, qui finissait brusquement au pied d'une falaise. Bon endroit pour laisser paître les chevaux, pensa Ayla.

Le large sentier escaladait transversalement le flanc de la falaise en contournant des buissons et des arbustes, dont les racines servaient parfois de marches. Le chemin n'était pas facile pour les chevaux, d'autant moins qu'ils traînaient les travois, mais elle se souvint combien Whinney avait eu le pied sûr lorsqu'elle était montée jusqu'à sa grotte, dans la vallée où elle l'avait trouvée.

Lorsque les voyageurs arrivèrent à une corniche en surplomb abritée dans une zone manifestement bien habitée, le sentier s'aplanit, peut-être grâce au travail humain, pensa Ayla. Beaucoup de gens, qui se livraient à des activités diverses, interrompirent leur tâche pour regarder l'étrange procession qui avançait vers eux, composée de personnes et de chevaux étonnamment dociles. Whinney portait le licou que Jondalar avait confectionné à son intention. Ayla aimait s'en servir lorsqu'ils allaient au-devant de situations inconnues et éventuellement perturbantes, mais elle menait à la fois Whinney et Grise, qui tiraient toutes les deux des travois. La Première était installée sur celui de Whinney, celui de Grise transportait un gros chargement de viande de bison. Willamar, ses deux aides et Amelana les accompagnaient.

Lorsque la jeune femme, de toute évidence enceinte, qui se trouvait parmi eux se détacha du groupe, elle éveilla l'attention.

— Mère ! Mère ! C'est moi ! cria-t-elle en courant vers une femme aux proportions appréciables.

— Amelana ? C'est toi, Amelana ? Que fais-tu ici ? demanda cette dernière.

— Je suis revenue à la maison, mère, et je suis si heureuse de te voir !

Elle se jeta au cou de sa mère, mais son gros ventre l'empêcha de se coller à elle. La femme lui rendit son étreinte, puis la repoussa à bout de bras en la tenant par les épaules pour regarder cette fille qu'elle avait cru ne jamais revoir.

— Tu es enceinte ! Où est ton compagnon ? Pourquoi es-tu revenue ? As-tu fait quelque chose de mal ? demanda sa mère.

Elle ne pouvait imaginer une femme enceinte parcourant une distance qu'elle savait être longue. Elle n'ignorait pas que sa fille pouvait se montrer impulsive et espérait qu'elle n'avait pas enfreint quelque tabou ou coutume, ce qui expliquerait qu'on la renvoie chez elle.

— Bien sûr que non, je n'ai rien fait de mal. Sinon, la Première parmi Ceux Qui Servent la Grande Mère ne m'aurait pas raccompagnée chez moi. Mon compagnon marche maintenant dans le Monde d'Après ; comme j'étais enceinte, je voulais rentrer à la maison et avoir mon enfant auprès de toi, expliqua Amelana.

— La Première est ici ? La Première t'a accompagnée ? s'étonna sa mère.

Elle se tourna pour regarder les nouveaux arrivants. Une femme descendait d'une sorte d'appareil tiré par un cheval. Elle était grosse, plus grande qu'elle, et en voyant le tatouage qu'elle portait sur le côté gauche du front elle sut qu'elle était une Zelandoni. Celle-ci s'avança vers elle avec une grande dignité et une présence indéniable, qui respirait l'autorité. À regarder de plus près le tatouage, les motifs qui ornaient ses vêtements, le pectoral et les colliers qu'elle portait, la mère d'Amelana comprit qu'elle était effectivement la Première.

— Pourquoi ne me présentes-tu pas à ta mère, Amelana ? dit celle-ci.

— Mère, je te prie de saluer la Première parmi Ceux Qui Servent la Grande Terre Mère, commença Amelana. Zelandoni, je te présente Syralana, de la Troisième Caverne des Zelandonii du Sud, Gardiens du Site Sacré le Plus Ancien, unie à Demoryn, l'Homme Qui Commande la Troisième Caverne, et mère d'Amelana et d'Alyshana.

Montrer à sa mère et à l'assistance qu'elle connaissait bien le chef spirituel de la Zelandonia lui procura une évidente satisfaction.

— Sois la bienvenue, Première parmi Ceux Qui Servent la Grande Mère, dit Syralana en s'avançant vers elle, les deux mains tendues. Ta venue est pour nous un grand honneur.

La Première lui prit les deux mains et répondit :

— Au nom de la Grande Terre Mère, je te salue, Syralana de la Troisième Caverne des Zelandonii du Sud, Gardiens du Site Sacré le Plus Ancien.

— N'es-tu venue de si loin que pour ramener ma fille à la maison ? ne put s'empêcher de demander Syralana.

— J'emmène mon acolyte faire son Périple de Doniate. C'est elle qui a les chevaux. Nous sommes venus voir votre Site Sacré le Plus Ancien. Il est connu même de nous, qui habitons loin au nord.

2

Syralana regarda avec une certaine appréhension la femme de haute taille qui tenait les deux chevaux par le licou. La Première le remarqua.

— Nous pourrons continuer les présentations plus tard, si cela ne te dérange pas, déclara-t-elle. Tu as dit que ton compagnon est l'Homme Qui Commande la Troisième Caverne ?

— Oui, c'est exact.

— Nous sommes venus aussi vous demander votre aide, bien que ce soit aussi une aubaine pour vous, dit Celle Qui Était la Première.

Un homme s'avança au côté de Syralana.

— Voici mon compagnon, annonça celle-ci. Demoryn, l'Homme Qui Commande la Troisième Caverne des Zelandonii du Sud, Gardiens du Site Sacré le Plus Ancien, je te prie de saluer la Première parmi Ceux Qui Servent la Grande Mère.

— Zelandoni la Première, notre Caverne a le plaisir de t'accueillir, toi et tes amis, dit-il.

— Permets-moi de te présenter notre Maître du Troc. Willamar, je te prie de saluer Demoryn, l'Homme Qui Commande la Troisième Caverne des Zelandonii du Sud.

— Je te salue, Demoryn, commença Willamar, les deux mains tendues.

Ils en terminèrent avec les salutations rituelles et Willamar poursuivit :

— Nous nous sommes arrêtés juste avant d'arriver ici pour chasser, nous réapprovisionner et vous offrir de la viande.

Le chef et d'autres eurent un hochement de tête approbateur. Eux-mêmes auraient fait de même.

— Nous avons trouvé un troupeau de bisons, nos chasseurs ont eu une chance exceptionnelle et nous voilà avec un embarras de richesses. Nous avons abattu neuf bisons ; or, nous ne sommes que seize, dont quatre enfants. C'est trop pour nous et, de toute façon, même avec l'aide des chevaux, nous ne pouvons transporter une telle quantité de viande, mais nous ne voulons pas gaspiller les cadeaux de la Terre Mère. Si vous pouvez envoyer des gens nous aider à acheminer la viande ici, nous aimerions la partager avec vous. Nous en avons une partie avec nous, d'autres surveillent le reste.

— Nous allons vous aider, bien entendu, et nous nous ferons un plaisir de partager votre bonne fortune, dit Demoryn avant de regarder Willamar de près, particulièrement le tatouage au milieu de son front. Maître du Troc, tu es déjà venu ici, je crois.

Willamar sourit.

— Pas précisément à votre Caverne, mais dans cette région, oui. La Première emmène son acolyte, celle qui se fait obéir des chevaux, faire son Périple de Doniate. Elle est unie au fils de ma compagne. Il est resté au camp pour garder la viande avec quelques autres. Amelana a eu de la chance que nous ayons projeté cette tournée avant qu'elle nous ait demandé de nous accompagner. Elle avait hâte de rentrer chez elle et voulait avoir son bébé ici, près de sa mère.

— Nous sommes contents qu'elle soit de retour parmi nous. Sa mère a été très triste quand elle est partie, mais elle était si décidée que nous n'avons pu lui opposer un refus. Je suis désolé que son compagnon voyage maintenant dans le Monde d'Après. Cela n'a pas dû être facile pour sa mère et sa famille, mais je ne suis pas désolé du retour d'Amelana. Après son départ, je ne pensais pas la revoir un jour et peut-être ne sera-t-elle pas aussi empressée de partir, la prochaine fois.

— Je crois que tu as raison, dit Willamar avec un sourire entendu.

— Je présume que vous allez vous rendre à la Première Caverne assister à la réunion des Zelandonia, dit le chef.

— Je n'ai pas entendu parler de cette réunion, répondit Willamar.

— Je supposais que c'était la raison de la venue de la Première.

— Je l'ignore, mais je ne sais pas tout ce que sait la Première.

Tous deux se tournèrent vers l'imposante femme.

— Savais-tu qu'il y avait une réunion des Zelandonia ? lui demanda Willamar.

— J'ai hâte d'y assister, répondit-elle avec un sourire énigmatique.

Willamar se contenta de secouer la tête. Qui pouvait vraiment connaître une Zelandoni ?

— Demoryn, si tu peux demander qu'on nous aide à décharger la viande que nous avons apportée et qu'on nous accompagne pour ramener ce qui reste, nos autres compagnons pourront venir aussi vous rendre visite.

Tout en aidant la Zelandoni à décharger ses effets personnels, Ayla lui demanda :

— Savais-tu qu'une réunion de Zelandonia devait avoir lieu près d'ici ?

— Je n'en étais pas certaine, mais de telles réunions ont généralement lieu à intervalles de quelques années et je pensais qu'il pouvait s'agir de l'une d'entre elles. Je n'ai pas voulu en parler parce que je ne tenais pas à donner de vaines espérances.

— Il semble que tu aies vu juste.

— Les chevaux inquiètent apparemment la mère d'Amelana, c'est pourquoi je ne t'ai pas encore présentée, se justifia la Première.

— Si les chevaux l'inquiètent, que va-t-elle penser de Loup ? Nous nous occuperons des présentations plus tard. Je vais dételer les perches de Whinney et retourner là-bas avec elle et Grise. Nous pourrons lui en fabriquer d'autres pour faciliter le transport de la viande. Il en reste tant. J'avais oublié combien un bison est gros. Peut-être pourrons-nous en apporter à la réunion des Zelandonia.

— Bonne idée. Je peux me déplacer sur les perches tirées par Whinney, Rapide et Grise transporteront de la viande sur les leurs, dit Zelandoni.

Ayla sourit par-devers elle. Le fait d'arriver sur un travois tiré par un cheval faisait toujours sensation et la Première aimait réussir ses entrées. Tout le monde semblait penser qu'il y avait là quelque magie. Qu'y avait-il de si étonnant ? Pourquoi les gens ne comprenaient-ils pas qu'ils pouvaient se lier d'amitié avec un cheval ? Surtout après avoir vu monter non seulement Jondalar et elle, mais aussi Jonayla. Il n'y avait là-dedans aucune magie. Il fallait de la détermination, des efforts et de la patience, mais pas de magie.

Ayla sauta sur le dos de Whinney, suscitant d'autres expressions de surprise. Elle n'était pas arrivée à cheval mais en menant sa monture par la longe. Tivonan et Palidar allaient repartir à pied avec les renforts de la Caverne, mais elle y serait beaucoup plus vite en y allant à cheval et commencerait aussitôt à fabriquer un travois.

— Où sont les autres ? s'enquit Jondalar quand elle arriva au campement.

— Ils arrivent. Je suis venue en avant préparer d'autres perches à tirer pour Whinney afin de faciliter le transport de la viande. Nous allons en apporter à l'autre Caverne, celle des Zelandonii Gardiens du Site Sacré le Plus Ancien. Amelana est de la Troisième Caverne du Sud, mais nous allons à la Première. Il s'y tient une réunion des Zelandonia et la Première le savait ! Ou du moins pensait-elle qu'il y en avait une. C'est incroyable tout ce qu'elle sait. Où est Jonayla ?

— Beladora et Levela la surveillent en même temps que leurs enfants. Cette viande a attiré tous les carnivores sur pattes ou ailés de la région et nous avons cru bon de garder les petits dans une tente, hors de vue. Protéger notre tableau de chasse nous mobilise tous, répondit Jondalar.

— Tu as tué les chapardeurs ?

— J'ai seulement essayé de les mettre en fuite en poussant des cris et en leur lançant des pierres.

Une bande de hyènes apparut au même instant, attirée par l'odeur de viande, et se dirigea droit sur les carcasses de bison. Sans y réfléchir à deux fois, Ayla détacha la fronde de sa tête, prit deux galets dans son petit sac et d'un mouvement fluide lança une première pierre à l'animal de tête. Un deuxième galet ne tarda pas à suivre. La première hyène était terrassée quand la seconde poussa un glapissement qui s'acheva en une sorte de ricanement. Les bandes de hyènes sont toujours menées par une femelle, mais toutes les femelles ont de pseudo-organes mâles et sont généralement plus grosses que les mâles. Sans leur meneuse, les hyènes cessèrent d'avancer et se mirent à courir en tous sens en grondant et en poussant leur hurlement pareil à un rire. Ayla arma son lance-sagaie et s'avança vers la meute indécise. Jondalar bondit devant elle.

— Qu'est-ce que tu fais ? demanda-t-il.

— Je vais chasser ces satanées hyènes, répondit-elle sur un ton de mépris avec une expression de dégoût.

— Je sais que tu détestes les hyènes, mais tu n'as pas à tuer toutes celles que tu vois. Ce sont des animaux comme les autres et elles ont leur place parmi les enfants de la Mère. Si nous tirons l'animal de tête à l'écart, les autres suivront probablement.

Ayla s'arrêta, le regarda et se détendit.

— Tu as raison, Jondalar. Ce ne sont que des animaux.

Leurs lance-sagaies armés, Jondalar prit une patte arrière de la bête abattue, Ayla l'autre, et ils se mirent à tirer. Elle remarqua que la hyène était encore en train d'allaiter, mais elle savait que les hyènes allaitent souvent pendant un an, au point que les petits ont presque atteint la taille adulte et que seule la couleur du pelage, plus foncée, permet de les différencier de leurs aînés. La meute suivait en reniflant, grognant et ricanant ; l'autre hyène qu'elle avait touchée boitait bas. Ils abandonnèrent le cadavre loin du campement et, en rebroussant chemin, remarquèrent que d'autres carnivores les avaient suivis.

— Très bien ! dit Ayla. Cela va peut-être en tenir certains à distance. Je vais me laver les mains. Ces animaux sentent mauvais.

La plupart du temps, les parents et amis zelandonii d'Ayla la considéraient comme une femme et une mère ordinaire et ne remarquaient même pas son accent, cependant, quand elle faisait quelque chose d'inhabituel, comme de prendre à parti une bande de hyènes et de tuer presque machinalement l'animal de tête avec sa fronde, ils prenaient soudain conscience de ce qui les différenciait. Elle n'était pas née zelandonii, son éducation avait été tout autre que la leur et sa manière inhabituelle de parler devenait perceptible.

— Nous devons couper quelques petits arbres pour fabriquer de nouvelles perches, comme l'a suggéré Zelandoni. Elle n'a pas envie d'avoir de la viande sanglante sur les siennes. Elle considère qu'elles lui appartiennent en propre, dit Ayla.

— C'est le cas. Personne d'autre ne songerait à s'en servir, confirma Jondalar.

Il fallut faire deux voyages pour emporter tout le produit de leur chasse, la plupart des carcasses traînées par les cornes et poussées par les membres de la Caverne voisine. Lorsque le camp fut levé, le soleil descendait vers l'horizon et blasonnait le ciel d'orange et de rouge. Les voyageurs prirent la viande qu'ils gardaient pour eux et se dirigèrent vers la Caverne. Ayla et Jondalar s'attardèrent un peu – à cheval, ils pourraient rattraper les autres facilement. Ils firent une dernière fois le tour du campement abandonné pour voir si personne n'avait rien oublié d'important.

Les traces de leur séjour étaient évidentes. Les allées et venues entre les tentes avaient tracé des sentiers qui menaient maintenant à des carrés d'herbe aplatie et jaunie ; des cercles noirs de charbon de bois marquaient l'emplacement des foyers ; là où des branches avaient été arrachées, des arbres montraient des cicatrices de bois clair et, ailleurs, des moignons pointaient vers le ciel comme s'ils avaient été rongés par un castor. Quelques déchets étaient éparpillés alentour, parmi lesquels un panier en lambeaux près de l'un des foyers et un tapis de couchage usé, devenu trop petit pour Jonlevar, abandonné au milieu d'une zone d'herbe aplatie où avait été dressée une tente. Des éclats et des pointes brisées de silex, des os et des épluchures de légumes épars jonchaient le sol, mais ils n'allaient pas tarder à se décomposer. Cependant, les grands massifs de roseaux et de lin des marais, quoique abondamment coupés, semblaient inchangés, de l'herbe verte allait bientôt recouvrir les parcelles jaunies et les cercles noircis des foyers, tandis que les arbres abattus laissaient de la place à de jeunes pousses. L'empreinte des humains était légère.

Ayla et Jondalar soupesèrent leurs outres et burent une rasade, puis Ayla éprouva le besoin de se vider la vessie avant de partir et fit le tour du bouquet d'arbres. S'ils avaient été pris par la neige en plein hiver, elle n'aurait pas hésité à se soulager dans un vase de nuit, même à la vue de tous.

Elle défit la lanière qui lui ceignait la taille et s'accroupit. En se relevant pour remonter sa culotte, elle eut la surprise de voir quatre hommes qui la regardaient. Elle était plus offensée qu'autre chose. Même s'ils étaient tombés sur elle par hasard, ils n'auraient pas dû rester là à la fixer des yeux. C'était très grossier. Puis elle remarqua certains détails : la saleté de leurs vêtements, leurs barbes peu soignées, leurs cheveux longs et poisseux et, surtout, leur air lubrique. Ce fut ce qui la mit en colère, alors qu'ils s'attendaient à ce qu'elle ait peur.

Peut-être aurait-elle dû.

— Vous n'avez donc pas la courtoisie de détourner le regard quand une femme urine ? dit-elle avec dédain en renouant la lanière autour de sa taille.

Sa remarque méprisante surprit les inconnus. D'abord parce qu'ils escomptaient qu'elle serait effrayée, ensuite parce qu'ils entendirent son accent. Ils en tirèrent des conclusions :

— C'est une étrangère. Probablement en visite. Il ne doit pas y avoir beaucoup de ses semblables dans les parages.

— Même s'il y en a, je n'en vois aucun, dit un autre avant de se diriger vers elle en la lorgnant.

Ayla se souvint soudain que, le jour où ils s'étaient arrêtés pour rendre visite aux Losadunaï, on leur avait appris qu'une bande de renégats harcelaient des femmes. Elle fit glisser sa fronde de sa tête et prit une pierre dans son sac, puis siffla Loup et les deux chevaux.

Les sifflements firent sursauter les quatre hommes, mais ce n'était que le début. Celui qui se dirigeait vers elle poussa un cri de douleur en recevant une pierre en pleine cuisse ; un deuxième galet atteignit un de ses comparses au bras et provoqua une réaction semblable. Tous deux portèrent la main au point d'impact.

— Comment, par l'enfer de la Mère, a-t-elle fait ça ? s'exclama le premier avec colère, avant d'ajouter, en regardant ses compagnons : Ne la laissons pas partir. Je veux la payer de retour.

Pendant ce temps-là, Ayla avait pris et armé son lance-sagaie avec lequel elle visait le premier homme. Une voix s'éleva, venant de l'autre côté du bouquet d'arbres :

— Estimez-vous heureux qu'elle n'ait pas pris vos têtes pour cible, sinon vous seriez déjà en train de parcourir le Monde d'Après. Elle vient de tuer une hyène avec une de ses pierres.

Les quatre hommes se retournèrent et se retrouvèrent face à un grand blond qui dirigeait vers eux un autre de ces curieux engins armés d'une longue sagaie. Il avait parlé dans la langue des Zelandonii, avec un accent lui aussi, pas le même que celui de la femme, mais il devait venir d'assez loin.

— Filons d'ici ! lança l'un des quatre en prenant ses jambes à son cou.

— Arrête-le, Loup ! ordonna Ayla.

Un gros loup qu'ils n'avaient pas vu prit soudain en chasse le fuyard. Il lui saisit la cheville entre ses crocs et le fit tomber, puis resta à côté de lui en grondant férocement.

— Quelqu'un d'autre a envie de se sauver ? demanda Jondalar, sarcastique.

Il toisa les quatre hommes et résuma brièvement la situation :

— Je subodore que vous avez causé pas mal de tracas par ici. Nous allons devoir vous conduire à la Caverne la plus proche pour voir ce qu'ils en pensent.

Loup à ses côtés, il leur confisqua leurs sagaies et leurs couteaux. Ils voulurent résister, peu habitués à ce qu'on les oblige à faire quoi que ce soit. Ayla lança à nouveau Loup sur eux. Ils se calmèrent aussitôt. Quand ils se mirent à avancer, Loup leur donna des petits coups de croc dans les talons en grondant. Encadrés par Ayla montée sur la jument louvette et Jondalar sur son étalon alezan brûlé, ils avaient peu de chances de s'échapper.

En cours de route, deux d'entre eux tentèrent toutefois de s'enfuir en courant dans des directions différentes. La sagaie de Jondalar frôla en sifflant l'oreille de celui qui semblait être le meneur et l'arrêta net. Une pierre expédiée par Ayla heurta l'autre dans le bas du dos, le déséquilibrant dans son élan et le faisant tomber.

— Nous ferions bien d'attacher ces deux-là ensemble par les mains, et peut-être aussi les deux autres, dit Jondalar. Apparemment, ils n'ont pas envie d'être confrontés aux habitants de la région.

Ils rentrèrent plus tard que prévu. Au couchant, le soleil embrasait le ciel d'une débauche de pourpres et de rouges profonds délavés quand ils arrivèrent à l'abri de pierre qu'habitait la Caverne.

— Ce sont eux ! s'écria une femme quand elle vit les quatre hommes. Ce sont eux qui m'ont violentée et qui ont tué mon compagnon quand il a essayé de les en empêcher. Ils ont pris nos provisions et nos tapis de couchage et m'ont laissée là. Je suis rentrée à la maison, mais j'étais enceinte et j'ai perdu le bébé.

— Comment les avez-vous rencontrés ? demanda Demoryn à Jondalar et Ayla.

— Au moment où nous nous apprêtions à partir, Ayla est allée se cacher derrière un bouquet d'arbres pour uriner, puis je l'ai entendue siffler Loup et les chevaux. Je suis allé voir ce qui n'allait pas et je l'ai trouvée qui tenait en respect ces quatre-là. À mon arrivée, deux d'entre eux massaient les bosses qu'elle leur avait faites avec sa fronde et elle avait son lance-sagaie armé et prêt à tirer.

— Des bosses ! C'est tout ? s'étonna Tivonan. Elle a tué une hyène avec ses pierres…

— Je ne voulais pas les tuer, seulement les arrêter, répondit Ayla.

— Lorsque nous sommes rentrés chez nous après notre Voyage, des jeunes gens semaient le trouble de l'autre côté du glacier, à l'ouest. Ils avaient violenté une jeune fille avant les Premiers Rites. Je me demandais si ces hommes n'en faisaient pas autant par ici, expliqua Jondalar.

— Ils ont fait bien davantage que semer le trouble et ils ne sont pas jeunes. Voilà des années qu'ils volent, violent et tuent, mais personne n'a jamais pu mettre la main sur eux, dit Syralana.

— La question est de savoir que faire d'eux, maintenant, dit Demoryn.

— Emmenez-les à la réunion des Zelandonia, suggéra la Première.

— Bonne idée, approuva Willamar.

— Mais vous devriez d'abord mieux les attacher. Ils ont déjà tenté de s'enfuir en venant ici. Je leur ai pris les sagaies et couteaux que j'ai pu trouver, mais il se peut qu'ils en aient d'autres. Et il faudrait que quelqu'un les surveille toute la nuit. Loup peut y aider, ajouta Ayla.

— Oui, tu as raison. Ce sont des hommes dangereux, dit Demoryn en retournant à l'abri. Les Zelandonia décideront ce qu'il convient d'en faire, mais il faut les empêcher de nuire, quoi qu'il en coûte.

— Tu te souviens d'Attaroa, Jondalar ? dit Ayla tandis qu'ils suivaient le chef de la Caverne.

— Je ne l'oublierai jamais. Elle a failli te tuer. Si Loup n'avait pas été là, elle l'aurait fait. Elle était brutale, je dirais même méchante. La plupart des gens sont convenables. Ils sont disposés à aider les autres, surtout s'ils ont des ennuis, mais il y en a toujours quelques-uns qui prennent ce qu'ils veulent, font du mal à autrui et semblent s'en moquer, répondit Jondalar.

— Je crois que Balderan prend plaisir à faire souffrir, dit Demoryn.

— C'est donc ainsi qu'il s'appelle ?

— Il a toujours eu mauvais caractère, reprit Demoryn. Même enfant, il aimait s'en prendre aux plus faibles que lui et, inévitablement, quelques garçons le suivaient et lui obéissaient.

— Pourquoi certains vont-ils avec des gens comme ça ? se demanda Ayla tout haut.

— Qui sait ? répondit Jondalar. Peut-être ont-ils peur d'eux et pensent-ils que s'ils se rangent de leur côté ils ne s'attaqueront pas à eux. À moins qu'ils ne soient de basse extraction et ne se sentent plus importants en faisant peur aux autres...

— Nous devons choisir des gens parmi nous pour les surveiller de près, dit Demoryn. Et monter la garde à tour de rôle afin de ne pas risquer de nous assoupir.

— Il faut aussi les fouiller une nouvelle fois. Peut-être ont-ils caché des couteaux avec lesquels ils pourraient couper leurs cordes et blesser quelqu'un, ajouta Ayla. Je prendrai mon tour de garde et, comme je l'ai dit, Loup pourra être utile. Il est très bon gardien. On a l'impression qu'il ne dort que d'un œil.

Ils les fouillèrent ; chacun avait caché sur lui au moins un couteau, dont ils prétendirent se servir uniquement pour manger. Demoryn avait songé à leur détacher les mains la nuit pour qu'ils dorment plus confortablement, mais la découverte des couteaux le fit changer d'avis. On leur apporta un repas et on les surveilla étroitement pendant qu'ils mangeaient. Ayla ramassa leurs couteaux quand ils eurent fini. Balderan essaya de ne pas se défaire du sien, mais un signal donné à Loup, qui se mit à gronder de manière menaçante, le décida à remettre l'instrument. En s'approchant de lui, Ayla vit qu'il bouillait de colère. Il arrivait à peine à se maîtriser. Il avait pu agir à sa guise presque toute sa vie, avait pris ce qu'il voulait en toute impunité, y compris la vie d'autrui. Il était maintenant physiquement contraint, forcé d'obéir, et il n'aimait pas ça.

Les visiteurs et la majeure partie de la Troisième Caverne Gardienne du Site Sacré le Plus Ancien suivirent vers l'amont une piste qui épousait les méandres de la rivière et avait creusé une gorge profonde dans le calcaire. Ayla remarqua que les membres de la Caverne locale échangeaient des regards et des sourires, comme s'ils partageaient un secret ou se préparaient à faire une surprise. Après une courbe serrée autour des hautes parois de la gorge, les visiteurs furent stupéfaits de voir au-dessus d'eux une arche de pierre, un pont naturel qui enjambait la rivière. Ceux qui ne l'avaient pas encore vue s'arrêtèrent, émerveillés par la formation rocheuse créée par la Grande Terre Mère. Ils n'avaient jamais rien vu de pareil.

— Cela a un nom ? s'enquit Ayla.

— Plusieurs, répondit Demoryn. Certains lui donnent celui de la Mère ou des Esprits du Monde d'Après. D'autres trouvent que cela ressemble à un mammouth. Nous l'appelons tout simplement l'Arche ou le Pont.

Quelque quatre cent mille ans plus tôt, une rivière souterraine avait creusé le calcaire et fini par ronger le carbonate de calcium de la roche, ouvrant cavernes et passages. Au fil du temps, le niveau de l'eau avait baissé, le sol avait été soulevé, et le conduit qui avait entamé la muraille de pierre était devenu une arche naturelle. La rivière actuelle franchissait ce qui avait été une barrière et était maintenant un pont, mais si haut qu'il était rarement utilisé. Nulle part ailleurs n'existait une formation rocheuse aussi impressionnante.

Le haut de l'arche était approximativement au même niveau que le sommet des falaises voisines, mais l'ancien canal avait aussi creusé des méandres plus près de la rivière maintenant en terrain plat. Pendant la saison humide, quand le niveau de l'eau était haut, les parois de la muraille calcaire restreignaient le flot et provoquaient une inondation, mais la plupart du temps le cours d'eau qui avait formé des cavernes et s'était frayé un chemin à travers la barrière calcaire était tranquille.

Le pré de forme circulaire qui se trouvait entre l'abri de pierre de la Première Caverne des Zelandonii Gardiens et le cours d'eau était entouré par les parois de la gorge. Dans la nuit des temps, il y avait eu là le méandre d'un bras mort dans l'ancien lit de la rivière. C'était maintenant une prairie où se mêlaient des herbes diverses, des buissons d'armoise aromatique et de l'ansérine, une plante à feuilles vertes comestibles ressemblant aux pieds palmés des canards et des oies qui sillonnaient les eaux de la rivière en été et porteuse d'une multitude de petites graines noires que l'on pouvait broyer entre des pierres, faire cuire et aussi manger.

Dans le fond du champ s'élevait un talus dont les cailloux coupants étaient mêlés à assez de terre pour alimenter les racines d'arbres des climats froids, pins, bouleaux et genévriers, souvent nanifiés. Au-dessus du champ, le vert sombre des arbres et arbustes qui poussaient sur la pente et le sommet de la falaise contrastait fortement avec le calcaire de celle-ci. Des buttes et des terrasses permettaient aux gens de se rassembler quand quelqu'un voulait communiquer une information à la communauté.

La Première Caverne des Zelandonii Gardiens du Site Sacré le Plus Ancien vivait sur une terrasse abritée par une saillie calcaire qui surplombait la zone inondable. Les Zelandonia tenaient leur réunion dans le pré en contrebas.

L'arrivée des visiteurs et des membres de la Troisième Caverne des Gardiens de la Caverne Sacrée fit sensation. Les Zelandonia avaient monté une sorte de pavillon, une grande tente partiellement ouverte sur les côtés ; elle protégeait du soleil et ses flancs arrêtaient le vent qui soufflait dans la gorge. L'un des acolytes avait vu la procession approcher et s'était précipité à l'intérieur, interrompant la réunion. Deux ou trois des principaux Zelandonia furent contrariés sur le moment, puis ils se tournèrent pour regarder les nouveaux arrivants et un frisson de peur les parcourut, qu'ils s'efforcèrent de dissimuler.

Montée sur Whinney, Ayla venait en tête. La Première lui avait demandé d'aller jusqu'à la tente où se tenait la réunion, ce qu'elle fit. Elle passa la jambe par-dessus l'encolure du cheval, se laissa glisser à terre et alla aider la Première à descendre du travois. Celle-ci avait une façon de marcher, ni rapide ni lente, qui témoignait d'une grande autorité. Les deux chefs méridionaux reconnurent immédiatement le symbolisme de ses tatouages faciaux, de sa tenue vestimentaire et de ses colliers ; ils avaient peine à croire que la Première parmi Ceux Qui Servaient la Grande Terre Mère soit venue à leur réunion. Ils l'avaient vue si peu souvent qu'elle était presque devenue un personnage mythique. Ils manifestaient un intérêt de pure forme à l'égard de son existence, estimaient faire partie des Zelandonia de plus haut rang et s'étaient même choisi une Première bien à eux. La voir de leurs propres yeux était impressionnant, mais son arrivée l'était plus encore. La maîtrise des chevaux était un fait sans précédent. Elle devait posséder des pouvoirs extraordinaires.

Ils s'approchèrent avec déférence, l'accueillirent les deux mains tendues et lui souhaitèrent la bienvenue. Elle leur rendit leurs salutations, puis entreprit de présenter plusieurs de ses compagnons et compagnes de voyage : Ayla et Jonokol, Willamar et Jondalar, les autres voyageurs et, enfin, les deux aides de Willamar et les enfants. Demoryn salua les deux plus importants des Zelandonia du cru, l'homme qui était le Zelandoni de sa Caverne et la femme qui était la Zelandoni de la Première Caverne des Gardiens du Site Sacré. Ayla avait demandé à Jonayla de maintenir Loup hors de vue, mais quand les présentations de rigueur furent finies, elle et l'enfant le firent venir et elle lut à nouveau la surprise et la peur sur les visages. Après qu'ils eurent été persuadés de se laisser présenter au loup, leurs craintes diminuèrent malgré une certaine appréhension. Les membres de la Première Caverne étaient alors descendus de leurs habitations à flanc de falaise pour se rassembler dans le pré et Ayla fut contente que les présentations soient remises à plus tard.

Les quatre hommes qu'ils amenaient pour que les Zelandonia décident de leur sort avaient été maintenus à l'écart avec les gens de la Troisième Caverne de Gardiens jusqu'à la fin des formalités.

— Vous savez qui sont ces hommes qui ont causé tant d'ennuis, volé, violé et tué ? demanda Demoryn au Zelandoni de la Caverne.

— Oui, répondit son interlocuteur. Nous venons juste de parler d'eux.

— Eh bien, nous les avons avec nous, annonça Demoryn.

Il fit signe à ceux qui avaient été désignés pour les surveiller. On les fit avancer. La femme qui les avait accusés d'avoir tué son compagnon et de l'avoir violentée arriva aussi et désigna l'un d'eux :

— Celui-ci s'appelle Balderan. C'est le meneur.

Tous les Zelandonia regardèrent les quatre hommes, dont les mains étaient attachées ensemble. Ils remarquèrent leur allure négligée, mais la Zelandoni de la Première Caverne ne voulait pas les juger seulement sur les apparences.

— Comment sais-tu qui ils sont ? demanda-t-elle.

— Parce que c'est moi qu'ils ont violentée après avoir tué mon compagnon, répondit la femme.

— Et tu es ?

— Aremina, de la Troisième Caverne des Zelandonii Gardiens du Site Sacré le Plus Ancien.

— Elle dit vrai, confirma le Zelandoni de la Troisième Caverne des Gardiens. Elle était alors enceinte et a perdu son bébé.

Il se tourna vers Demoryn.

— Nous parlions d'eux et essayions de trouver le moyen de leur mettre la main dessus. Comment avez-vous fait pour les capturer ?

— Ils ont tenté d'agresser l'acolyte de la Première, répondit Demoryn, mais ils ignoraient qui elle est.

— Et comment s'y est-elle prise pour leur faire entendre raison ? s'enquit la Zelandoni de la Première Caverne des Gardiens.

— Pourquoi ne le lui expliques-tu pas ? dit Demoryn en s'adressant à Willamar.

— Je n'étais pas là et je ne peux donc que vous rapporter ce que l'on m'a raconté, mais je le crois. Je sais qu'Ayla est une excellente chasseresse, tant à la fronde qu'au lance-sagaie, arme qui a été conçue par Jondalar, son compagnon. C'est également elle qui se fait obéir du loup et des chevaux, bien que son compagnon et sa fille en soient aussi capables. Apparemment, ces hommes ont essayé de l'agresser, elle s'est contentée de leur faire des bosses en leur lançant des pierres alors qu'elle peut tuer avec sa fronde si elle le veut. Jondalar est alors arrivé avec son lance-sagaie. Lorsque l'un d'eux a tenté de s'enfuir, elle a envoyé le loup à ses trousses. Je les ai vus chasser ensemble. Ces hommes n'avaient aucune chance.

— Tous ces visiteurs se servent du lance-sagaie – Jondalar leur avait promis de leur montrer comment faire – et quand ils sont allés chasser, ils ont eu une chance insolente, poursuivit Demoryn. Chacun a abattu un bison. Ils en ont tué neuf. Cela fait beaucoup de viande, les bisons sont de gros animaux. C'est pourquoi nous vous apportons un important chargement de viande, pour votre Caverne et pour la réunion des Zelandonia.

« Quant à ces hommes, après les avoir appréhendés, nous n'avons trop su que faire d'eux. Aremina estime qu'on devrait les tuer, puisqu'ils ont tué son compagnon. Peut-être a-t-elle raison. Mais nous ne savions pas qui devrait les tuer ni comment procéder. Nous savons tous comment tuer les animaux que la Grande Mère nous a donnés pour vivre, mais la Mère n'admet pas que l'on tue les gens. Nous ne savions pas si c'était à nous de les tuer. Si nous le faisions, ou si nous ne le faisions pas correctement, cela risquerait de porter malheur à notre Caverne. Nous avons pensé que les Zelandonia devraient décider de l'attitude à adopter et nous vous les avons donc amenés.

— Cela a été sage de votre part, approuva la Première. C'est une chance que vous teniez une réunion et que vous tous puissiez en discuter et parvenir à une décision, ajouta-t-elle en se tournant vers les Zelandonia présents.

Elle est en train de leur faire savoir qu'elle n'entend pas exercer le pouvoir bien qu'elle soit la Première, pensa Ayla, mais qu'elle s'intéressera à ce qu'ils font.

— J'espère que tu resteras là et que tu nous prodigueras tes conseils, dit la Zelandoni de la Première Caverne des Gardiens du Site Sacré.

— Merci. J'en serai contente. Ce n'est pas un problème facile à résoudre. Nous sommes ici parce que j'emmène mon acolyte faire son Périple de Doniate. J'espère que quelqu'un pourra nous guider à travers votre Site Sacré. Je ne l'ai vu qu'une fois mais je ne l'ai jamais oublié. Il est non seulement le Plus Ancien, mais aussi d'une beauté incroyable, tant la caverne elle-même que les peintures des parois. Elles font honneur à la Grande Mère, conclut la Première d'une manière sentie qui exprimait sa conviction.

— Bien sûr. Nous avons une Gardienne sur place qui se fera un plaisir de vous guider. Voyons maintenant ces hommes.

Tandis qu'on faisait avancer les quatre prisonniers, ils essayèrent de résister, mais Loup les surveillait et quand Balderan tenta de regimber, il le ramena à la raison en grondant et en lui donnant des petits coups de croc dans les chevilles et les jambes. Le malfaiteur bouillait manifestement de rage. Il détestait particulièrement l'homme et la femme étrangère capables de se faire obéir des chevaux et du loup et donc de lui. Pour la première fois de sa vie il avait peur, surtout de Loup. Il avait envie de tuer l'animal, qui avait tout autant envie de le tuer, lui. Le quadrupède savait que cet homme n'était pas pareil aux autres. Il était né avec un excès ou un manque de quelque chose qui le rendait différent et Loup savait de manière intuitive qu'il n'hésiterait pas à faire du mal à ceux qu'il aimait le plus.

Tous les membres des deux Cavernes ainsi que les Zelandonia voisins étaient maintenant rassemblés dans le pré au pied des falaises et l'arrivée des quatre prisonniers avait provoqué une grande agitation. Plusieurs personnes reconnurent Balderan :

— C'est lui ! cria une femme. Il m'a violée ! Les autres aussi !

— Ils m'ont volé de la viande que j'avais mise à sécher.

— Il a enlevé ma fille et l'a séquestrée pendant près d'une lune. Je ne sais pas ce qu'ils lui ont fait, mais elle n'a plus jamais été normale et elle est morte l'hiver suivant. À mon avis, il est responsable de sa mort.

Un quinquagénaire s'avança et parla :

— Je peux vous en apprendre sur lui. Il est né dans ma Caverne avant que je ne la quitte.

— J'aimerais entendre ce que cet homme a à dire, déclara la Première.

— Moi aussi, dit le Zelandoni de la Troisième Caverne des Gardiens.

— Balderan a eu pour mère une femme qui n'avait pas de compagnon. Au commencement, tout le monde a été content qu'elle ait un fils qui semblait solide et en bonne santé, un fils qui pourrait un jour contribuer au bien-être de la Caverne, mais, dès son plus jeune âge, il s'est montré incontrôlable. Il était fort et usait de sa force pour prendre ce qu'il voulait chaque fois qu'il le voulait. Au début, sa mère s'est excusée de son comportement. N'ayant pas de compagnon, elle espérait que son fils, qui devint vite un très bon chasseur parce qu'il aimait tuer, allait prendre soin d'elle dans sa vieillesse, mais elle constata qu'il ne prenait pas plus soin d'elle que de n'importe qui.

« Quand il arriva à la puberté, tous les gens de la Caverne étaient en colère contre lui et le craignaient. La mesure fut dépassée lorsqu'il prit des sagaies qu'un autre avait confectionnées. Quand celui-ci protesta et voulut les récupérer, Balderan le battit si sauvagement qu'il faillit en mourir. Il ne s'en est jamais tout à fait remis. C'est à ce moment-là que tout le monde s'est ligué et lui a demandé de s'en aller. Tous les hommes et la plupart des femmes se sont armés et l'ont chassé. Deux amis sont partis avec lui, des jeunes gens qui l'admiraient parce qu'il prenait ce qu'il voulait et refusait de travailler. L'un des deux est revenu avant la fin de l'été et a supplié qu'on le laisse reprendre sa place, mais Balderan a toujours réussi à se gagner des partisans.

« Il allait aux Réunions d'Été, s'installait dans une lointaine et mettait au défi des jeunes gens d'accomplir des actes téméraires pour prouver leur virilité. Il maltraitait toujours ceux qui semblaient faibles ou peureux, et quand il repartait il avait toujours quelques nouveaux partisans, séduits par son mauvais côté. Ils harcelaient de nouvelles Cavernes jusqu'à ce que leurs membres s'unissent pour les rechercher. Balderan et ses amis allaient alors plus loin et trouvaient d'autres Cavernes, et ils recommençaient à voler de la nourriture, des vêtements, des outils, des armes, et bientôt à violer des femmes.

Balderan ricana pendant ce récit. Peu lui importait ce qu'on disait de lui. Tout était vrai, mais il ne s'était encore jamais fait prendre et il n'appréciait pas du tout. Ayla l'observait attentivement et vit qu'il était fou de colère ; elle sentait sa peur et sa haine et était certaine que Loup les sentait aussi. Elle savait que si Balderan tentait de lui faire du mal, à elle, ou à Jonayla, Jondalar ou quiconque voyageait avec eux, Loup le tuerait. Elle savait que si elle donnait à Loup le signal de tuer cet homme, il le ferait et que tout le monde en serait sans doute content. Mais elle ne voulait pas que Loup s'en charge, car il aurait alors et pour toujours une réputation de tueur. Lorsqu'on raconte une histoire, elle a tendance à prendre des proportions excessives. Personne n'ignorait que les loups étaient capables de tuer. Elle voulait seulement qu'on raconte que Loup avait aidé à capturer cet individu et l'avait surveillé sans le tuer. C'était aux gens de décider eux-mêmes du sort de Balderan, et elle était curieuse de voir ce qu'ils allaient faire.

Ses trois compagnons n'étaient pas en colère, seulement effrayés. Ils savaient bien ce qu'ils avaient fait et il y avait ici assez de gens qui le savaient aussi. Celui qui se trouvait près de Balderan pensait à sa fâcheuse situation. Il avait toujours semblé facile de le suivre, de l'aider à prendre ce qu'il voulait et de faire peur aux gens. Bien entendu, Balderan lui faisait peur à lui aussi, parfois, mais voir les autres le craindre lui donnait un sentiment d'importance. Lorsqu'ils voyaient que ceux qui se lançaient à leurs trousses étaient déterminés, ils agissaient avec promptitude et parvenaient toujours à s'en sortir. Ils étaient persuadés qu'ils ne se feraient jamais prendre, mais l'étrangère avait bouleversé tout cela, avec ses armes et ses bêtes.

Nul doute que c'était une Zelandoni et ils n'auraient jamais dû s'en prendre à Une Qui Sert la Mère. Mais comment auraient-ils pu le deviner ? Elle n'était même pas tatouée. On disait qu'elle était un acolyte, mais un acolyte de la Première ? Balderan ignorait que la Première existait réellement. Il pensait que ce n'étaient que des histoires, comme les Légendes Anciennes. Et maintenant la plus puissante Zelandoni du monde était là avec son acolyte, qui exerçait un pouvoir magique sur les animaux et l'avait capturé. Qu'allaient-ils faire de lui ?

Comme s'il avait lu dans ses pensées, l'un des Zelandonia dit :

— Maintenant qu'ils sont là, qu'allons-nous faire d'eux ?

— Pour l'instant, nous devons les nourrir, trouver un endroit où les garder, et les faire surveiller jusqu'à ce qu'une décision ait été prise, répondit la Première avant de se tourner vers la Zelandoni de la Première Caverne des Gardiens du Site Sacré. Et peut-être devons-nous nous partager cette viande de bison…

Elle sourit à la femme pour lui faire savoir qu'elle lui avait délégué l'autorité, comme si elle avait su qu'elle était la Première de cette région, bien que personne ne le lui ait dit. La Zelandoni appela plusieurs personnes par leur nom et laissa aux chefs des deux Cavernes la responsabilité de décider comment procéder au partage de la viande tout en chargeant plusieurs autres Zelandonia de superviser le travail de dépouillement et de débit des animaux. Certains avaient déjà été dépouillés et on commençait à détailler la viande pour le repas du soir. D'autres emmenèrent Balderan et ses hommes vers la falaise.

Ayla siffla Loup et alla aider Jondalar à dételer les travois. Elle avait repéré un joli herbage un peu à l'écart et se demandait si elle pouvait y mener paître les chevaux. Elle posa d'abord la question à Demoryn, le chef de la Caverne d'Amelana.

— Nous n'avons pas eu de Réunion d'Été ici cette année et je pense donc que le pré n'a pas été piétiné, mais pour t'en assurer tu ferais bien d'interroger Zelandoni Première.

— Zelandoni Première ? Tu veux dire de la Première Caverne des Gardiens ?

— Oui, mais ce n'est pas pour cela qu'on l'appelle Zelandoni Première. C'est parce qu'elle est notre Première. C'est par hasard qu'elle se trouve être la Zelandoni de cette Caverne. À propos, je devrais aussi lui dire que j'ai envoyé un messager annoncer à une ou deux autres Cavernes que Balderan a été pris. Elles ont eu à se plaindre de lui plus que la plupart. Il se peut qu'elles envoient quelques-uns de leurs gens.

Ayla fronça les sourcils et se demanda combien d'autres Cavernes allaient faire de même. Peut-être devrait-elle chercher un endroit plus à l'écart ou élever un enclos pour les chevaux, comme elle l'avait fait à leurs Réunions d'Été. Elle décida d'en parler à Jondalar après s'être entretenue avec Zelandoni Première.

Ayla et Jondalar en touchèrent un mot aux autres voyageurs et ils décidèrent de se mettre à la recherche d'un endroit bien choisi pour dresser leur camp, comme le faisaient la plupart des Cavernes lorsqu'elles arrivaient tôt à une Réunion d'Été. La Première admit qu'Ayla avait une bonne intuition en pensant qu'il viendrait beaucoup de monde.

Ce soir-là, bien que les repas aient été préparés par les familles ou les groupes qui normalement les prenaient en commun, tous s'installèrent ensemble comme pour un festin. On apporta de la nourriture à Balderan et à ses complices et on leur détacha les mains pour qu'ils puissent manger. Ils parlèrent entre eux à voix basse pendant le repas. Plusieurs personnes les surveillaient, mais il est difficile de rester vigilant quand il n'y a rien d'autre à regarder que des hommes en train de manger. La nuit tombait à mesure que se déroulait le repas et ceux qui ne se connaissaient pas avaient envie de tisser des liens.

Ayla et Jondalar laissèrent Loup avec Jonayla pour qu'il se repose après avoir monté la garde et ils se dirigèrent vers l'habitation des Zelandonia. La Première y était venue pour parler d'une visite de la Caverne

Sacrée réservée à Ayla, Jonokol et quelques autres, une deuxième visite moins complète étant prévue pour les autres visiteurs, hormis les enfants.

Dans l'obscurité ils ne remarquèrent pas que les prisonniers les observaient. Balderan avait suivi du regard le grand compagnon de la femme acolyte et, à leur approche, il parla à ses hommes :

— Nous devons filer d'ici, dit-il, sinon nos jours sont comptés.

— Mais comment ? demanda l'un.

— Nous devons nous débarrasser de cette femme qui se fait obéir du loup.

— Le loup ne nous laissera pas nous approcher d'elle.

— Seulement s'il est dans les parages. Il ne l'accompagne pas toujours. Il reste parfois auprès de la fillette.

— Et cet homme qui est toujours avec elle ? Le visiteur avec lequel elle est arrivée. Il est grand et fort.

— J'ai connu des hommes comme lui, grands et musclés, mais trop calmes et trop débonnaires. L'avez-vous déjà vu en colère ? C'est un de ces gentils géants qui ont si peur de faire du mal à quelqu'un qu'ils évitent même les disputes. Si nous sommes rapides, nous pouvons nous emparer d'elle avant qu'il ne réagisse et menacer de la tuer s'il fait un geste. Je ne crois pas qu'il courra le risque de la mettre en danger. Le temps qu'il y réfléchisse, il sera trop tard. Nous aurons disparu, et elle avec nous.

— Avec quoi vas-tu la menacer ? Ils nous ont pris nos couteaux.

Balderan sourit, puis défit le lacet de cuir qui fermait sa chemise.

— Avec ça, dit-il en tirant le lacet hors de ses œillets. Je le lui passerai autour du cou.

— Et si ça ne marche pas ? demanda un autre.

— Nous n'avons rien à perdre.

Le lendemain, l'une des autres Cavernes de la région arriva, et dans la soirée deux autres encore. La Première vint voir Ayla le matin suivant. Jondalar sortit pour les laisser parler seule à seule.

— Nous allons devoir réfléchir aux mesures à prendre à l'encontre de ces hommes.

— Pourquoi aurions-nous à le faire ? demanda Ayla. Nous ne vivons pas ici.

— Mais c'est toi qui les as capturés. Que tu le veuilles ou non, tu es mêlée à tout cela. Peut-être est-ce la Mère qui l'a voulu, ajouta la Première.

Ayla lui lança un regard sceptique.

— Enfin, peut-être pas la Mère, mais les gens d'ici. Et je crois que c'est bien ainsi. Par ailleurs, nous devons leur parler de notre visite à leur Site Sacré. Tu vas être enchantée par cette grotte. Je l'ai déjà vue une fois et je veux y retourner. Il y a quelques passages difficiles, mais je n'aurai plus jamais l'occasion de la voir et je ne tiens pas à manquer celle-ci.

Cela intrigua Ayla et éveilla sa curiosité. Toutes ces marches au cours du Voyage semblaient avoir amélioré la santé de la Première, mais elle avait toujours besoin d'aide lorsqu'ils arrivaient en terrain difficile. Malgré tout cet exercice physique, elle était plus que replète. Elle portait son poids avec grâce et assurance, et s'il ajoutait à sa stature à bien des égards, il ne facilitait pas ses déplacements dans les endroits resserrés au sol inégal.

— Tu as raison, Zelandoni, mais je ne veux pas prendre de décision concernant Balderan, dit Ayla. Je ne crois pas que ce soit mon rôle.

— Tu n'as pas à en prendre. Nous savons tous ce qu'il convient de faire. Cet homme doit mourir. Sinon, il tuera d'autres gens. La question est de savoir qui se chargera de l'exécuter et de quelle manière. Tuer quelqu'un délibérément n'est pas aisé pour la plupart des gens et ne doit pas l'être. C'est pourquoi nous savons qu'il a un fond méchant, lui ignore cette vérité et, pour cette raison, je suis contente que toutes ces Cavernes se réunissent. Il est nécessaire que tous participent. Je ne veux pas dire que tous doivent le tuer, mais ils doivent en assumer la responsabilité. Et tous doivent savoir que c'est ce qu'il y a à faire de juste dans le cas présent. On ne devrait pas tuer sous l'empire de la colère ou par vengeance. Il est d'autres manières de procéder. Il n'y a pas d'autre solution en ce qui le concerne, mais quel est le meilleur moyen à adopter ?

Toutes deux gardèrent le silence.

— Il existe des plantes... dit Ayla au bout d'un moment.

— J'allais dire des champignons. On pourrait leur servir un repas à base de certains champignons.

— Et s'ils se méfient et décident de ne pas y toucher ? Tout le monde connaît l'existence des champignons vénéneux. Ils sont faciles à repérer et à éviter, fit remarquer Ayla.

— C'est vrai et si Balderan n'est pas bon, il n'est pas sot pour autant. À quelles plantes pensais-tu ?

— À deux qu'on trouve par ici ; je le sais parce que j'en ai vu. L'une est la berle à larges feuilles. Elle pousse dans l'eau. Elle est comestible, surtout les racines quand elles sont jeunes et tendres. Mais une autre plante, qui lui ressemble beaucoup, est mortelle. Je connais son nom en mamutoï. J'ignore comment vous l'appelez ici, mais je sais la reconnaître.

— Je connais cette plante. C'est la ciguë. Elle aussi pousse dans l'eau. Le même repas pourrait donc être préparé pour tout le Camp, tout le monde mangerait de la berle, sauf Balderan et ses hommes, qui auraient droit à la ciguë, réfléchit tout haut la Première avant d'ajouter : Je pensais à une chose : on pourrait leur servir aussi des champignons, des champignons comestibles. Peut-être croiraient-ils qu'ils sont vénéneux, les éviteraient-ils et ne feraient-ils pas attention aux légumes racines parce que, apparemment, tout le monde en mangerait.

— Cela me semble être une bonne solution, à moins que quelqu'un n'ait une meilleure idée, dit Ayla.

Son interlocutrice se tut à nouveau pour réfléchir, puis hocha la tête.

— Très bien, nous avons un plan, dit la Zelandoni Qui Était la Première. C'est toujours bon de prévoir.

Lorsque les deux femmes sortirent de la tente, il n'y avait personne dehors. Leurs compagnons de voyage étaient allés voir ce qui se passait à cette Réunion d'Été improvisée et proposer leur aide pour la préparation des repas. Pour une réunion destinée à juger des crimes.

D'autres gens arrivaient et le pré en contrebas de la falaise était peu à peu envahi. Mais la plus grosse surprise survint en fin d'après-midi. Ayla et la Première se trouvaient dans l'habitation des Zelandonia quand Jonayla arriva en courant et interrompit la réunion.

— Mère, mère, dit-elle, Kimeran m'a dit de venir te dire quelque chose…

— Me dire quoi, Jonayla ? répondit Ayla d'un ton sévère.

— La famille de Beladora est ici. Et quelqu'un d'étrange l'accompagne.

— La famille de Beladora ? Ce ne sont même pas des Zelandonii, mais des Giornadonii. Ils habitent loin, comment ont-ils pu arriver ici en un jour ou deux ? s'étonna Ayla avant de se tourner vers les autres : Je crois que je dois y aller.

— Je viens avec toi, dit la Première. Veuillez nous excuser.

— Ils n'habitent pas si loin que ça, observa Zelandoni Première en les accompagnant à la porte, et ils viennent souvent nous rendre visite. Tous les deux ans environ. Je crois qu'ils sont autant zelandonii que giornadonii, mais je ne sais s'ils sont venus à cause des messagers qui ont été envoyés. Ils prévoyaient sans doute de nous rendre visite de toute façon. Ils ont probablement été aussi surpris de trouver là leur parente qu'elle l'aura été de les voir.

Kimeran passait là et avait entendu Zelandoni Première.

— Ce n'est pas tout à fait exact, dit-il. Ils sont allés à la Réunion d'Été des Giornadonii, puis ont décidé d'assister à la vôtre et ils prévoyaient de venir ici ensuite. Ils étaient au Camp d'Été quand le messager leur a annoncé que nous étions ici. Ils ont su aussi que Balderan avait été capturé. Saviez-vous qu'il avait semé le trouble dans des Cavernes de Giornadonii ? Y a-t-il quelqu'un à qui il n'ait pas nui ?

— Une réunion va se tenir bientôt à ce propos, dit Zelandoni Première. Nous devons parvenir à une décision et vite.

Comme si cela lui était venu après coup, elle ajouta :

— Tu as dit qu'il y avait une personne bizarre avec eux ?

— Oui, mais vous allez voir par vous-mêmes.

Les présentations rituelles furent faites entre Ayla, la Première et les parents de Beladora, puis la Première demanda s'ils avaient déjà dressé leur camp.

— Non, nous venons d'arriver, répondit une femme qui se présenta comme étant Ginedora, la mère de Beladora.

Elles s'en seraient doutées, car elle en était la copie conforme, en plus âgée et légèrement plus replète.

— Il me semble qu'il y a de la place près de notre campement, dit la Première. Pourquoi n'allez-vous pas en prendre possession avant que quelqu'un d'autre ne le fasse ?

— Venez faire la connaissance de votre grand-mère, dit Beladora à ses enfants.

— Tu as eu des nés-ensemble ? Ce sont les tiens tous les deux ? Et en bonne santé ? demanda Ginedora.

Beladora hocha la tête.

— C'est merveilleux !

— Voici Gioneran, dit la jeune mère en levant la main du garçonnet de cinq ans aux cheveux châtain foncé et aux yeux marron-vert comme les siens.

— Il sera grand, comme Kimeran, remarqua Ginedora.

— Et voici Ginedela, dit Beladora en levant la main de sa blonde fille.

— Elle a les mêmes yeux et les mêmes cheveux que son père et c'est une beauté. Ils sont timides ?

— Allez saluer votre grand-mère. Nous avons fait une longue route pour la rencontrer, dit Beladora en les poussant en avant.

Ginedora s'agenouilla et ouvrit les bras. Ses yeux étaient brillants de larmes. Un peu à contrecœur, les deux enfants l'étreignirent rapidement. Elle en prit un dans chaque bras et une larme roula sur sa joue.

— J'ignorais que j'avais des petits-enfants, dit-elle. C'est l'inconvénient, quand on habite si loin. Combien de temps allez-vous rester ici ?

— Nous ne le savons pas encore, répondit Beladora.

— Allez-vous venir à notre Caverne ?

— Nous avons l'intention de le faire.

— J'espère que vous ne resterez pas seulement quelques jours. Vous êtes venus de si loin, revenez avec nous et restez le temps qu'il vous plaira.

— Nous devons y réfléchir. Kimeran est l'Homme Qui Commande notre Caverne. Il lui sera difficile de s'absenter longtemps.

Quand elle vit que sa mère avait à nouveau les larmes aux yeux, elle ajouta :

— Mais nous allons y réfléchir.

Ayla jeta un coup d'œil aux gens qui commençaient à dresser le camp. Elle remarqua un homme qui portait quelqu'un sur ses épaules. Il se pencha et l'aida à descendre. Elle crut d'abord que c'était un enfant, puis elle regarda mieux. C'était un homme de petite taille, les bras et les jambes trop courts. Elle tapota le bras de la Première et le lui montra du menton.

— Pas étonnant que la mère de Beladora semble si soulagée que les enfants de sa fille, nés en même temps, soient normaux. Cet homme est un accident de la nature. Comme certains arbres dont la croissance est retardée, je crois que c'est un nain, dit-elle.

— J'aimerais bien faire sa connaissance, pour en savoir plus. Mais ce serait comme le dévisager et j'imagine que cet homme est trop souvent objet de curiosité, dit Ayla.

3

Ayla s'était levée très tôt et avait rassemblé ses paniers de cueillette et préparé Whinney. Elle avertit Jondalar qu'elle allait chercher des légumes verts, des racines et tout ce qu'elle pourrait trouver pour le festin du soir, mais elle semblait distraite et mal à l'aise.

— Veux-tu que je t'accompagne ? demanda-t-il.

— Non ! répondit-elle sèchement avant d'adoucir le ton : J'aimerais que tu surveilles Jonayla. Beladora conduit ses enfants chez sa mère ce matin. Jondecam et Levela y vont aussi et emmènent Jonlevan, parce qu'ils sont apparentés. Je ne sais pas ce que fait Kimeran, et il se peut qu'il les rejoigne plus tard. Jonayla est presque de la famille, mais elle risque de se sentir abandonnée si elle ne peut pas jouer avec ses camarades habituels. J'avais pensé que tu pourrais monter Rapide et aller chevaucher avec elle et Grise ce matin.

— Bonne idée. Voilà un moment que nous n'avons pas fait de cheval. L'exercice fera du bien aux bêtes, répondit Jondalar.

Ayla lui sourit et frotta sa joue contre la sienne, mais elle avait encore le sourcil froncé et paraissait malheureuse.

Le jour se levait à peine quand elle partit, montée sur Whinney, et siffla Loup. Elle longea la berge de la rivière, examinant la végétation. Elle savait que les plantes qu'elle cherchait poussaient près de l'endroit où ils avaient campé, mais elle espérait ne pas avoir à aller si loin. Elle passa devant la Troisième Caverne ; elle était déserte. Tout le monde était à la réunion impromptue qui se tenait à la Première Caverne. Elle se demanda comment allait Amelana et si elle allait accoucher avant leur départ ; elle pouvait le faire d'un moment à l'autre. Elle espéra avec ferveur que ce serait un beau bébé, normal et sain.

Elle ne trouva ce qu'elle cherchait qu'à l'approche de leur campement précédent. L'eau stagnante de la rivière avait presque formé un bras mort, l'habitat convenant à la berle et à la ciguë. Elle arrêta sa jument et se laissa glisser à terre. Loup semblait content d'avoir, pour changer, sa maîtresse pour lui tout seul et il était d'humeur folâtre, s'intéressant aux odeurs captivantes.

Avec son couteau et son bâton à fouir, elle commença par ramasser des monceaux de berle. Puis, avec un autre instrument qu'elle avait façonné dans ce but, elle recueillit des racines et des plants de ciguë. Elle les enveloppa dans de longs brins d'herbe et les mit dans un panier séparé, confectionné spécialement à cet effet. Elle le laissa par terre pendant qu'elle rangeait la berle dans les paniers de bât de Whinney, puis arrima le panier de ciguë par-dessus. Elle siffla Loup, puis repartit vers l'amont, pressée de rentrer. En arrivant à l'endroit où la rivière était limpide, elle s'arrêta pour remplir son outre. Puis elle aperçut le lit à sec d'un affluent saisonnier, où les eaux devaient dévaler au moment des pluies. Les galets arrondis et lisses qui en jonchaient le fond étaient parfaits ; elle en choisit soigneusement quelques-uns et en remplit le petit sac pour sa fronde.

Elle se trouvait près d'un bouquet de pins et remarqua des petits monticules qui soulevaient la couche d'aiguilles et de brindilles sous les arbres. Elle les écarta, découvrit des champignons de pin beige rosé et en ramassa jusqu'à en avoir un joli tas. C'étaient de bons champignons, à la chair blanche et ferme, à l'odeur et au goût agréables, légèrement épicés, mais connus de peu de monde. Elle en remplit un troisième panier. Puis elle monta sur Whinney, siffla Loup et repartit en poussant la jument au galop pendant une partie du trajet. À son arrivée, tous étaient en train de préparer ou de prendre leur repas du matin. Elle se rendit directement au pavillon des Zelandonia et y entra avec deux de ses paniers. Seules les deux « Premières » étaient là.

— As-tu trouvé ce que tu cherchais ? demanda Celle Qui Était la Première.

— Oui. Voici quelques bons champignons de pin à la saveur assez inhabituelle que j'aime beaucoup, répondit Ayla avant de leur montrer le panier de ciguë : Ça, je ne l'ai jamais goûté.

— Heureusement. J'espère que tu ne le feras jamais.

— Dehors, dans le panier de Whinney, il y a de la berle. J'ai pris garde à ne pas les mélanger.

— Je vais la donner à ceux qui font la cuisine, répondit Zelandoni Première, plus grande et mince que sa consœur. Si elle n'est pas bien cuite, elle risque de ne pas avoir bon goût.

Elle observa Ayla un moment.

— Tout cela te met mal à l'aise, n'est-ce pas ?

— Oui. Je n'ai jamais ramassé délibérément une plante que je sais être nocive, sachant surtout qu'elle est destinée à être mangée.

— Mais tu sais que si on le laisse vivre, il fera encore du mal.

— Oui, je le sais, mais ça me contrarie quand même.

— Ça ne devrait pas, dit la Première. Tu rends service aux nôtres et tu en assumes la responsabilité. C'est un sacrifice, une Zelandoni doit en faire parfois.

— Je vais m'assurer qu'elle sera servie à ceux qui doivent la manger, annonça Zelandoni Première. C'est le sacrifice que je dois consentir. Ce sont mes gens et il leur a fait assez de mal comme ça.

— Et ses hommes ? s'enquit la Première.

— L'un d'eux, Gahaynar, demande ce qu'il peut faire pour réparer ses torts, répondit Zelandoni Première. Il dit qu'il regrette. J'ignore s'il tente d'échapper ainsi au châtiment qu'il sait imminent ou s'il est sincère. Je crois que je vais laisser la Mère en décider. S'il ne mange pas la racine et vit, je le laisserai partir. Si Balderan ne la mange pas et vit lui aussi, j'ai déjà parlé avec plusieurs personnes auxquelles il a nui personnellement et qui sont impatientes de le voir payer pour ses forfaits. Si nécessaire, je le leur livrerai, mais je préférerais la manière plus douce.

Quand Zelandoni Première alla chercher la ciguë, elle aperçut une ondulation sous le panier. Elle le souleva d'un geste rapide. Dessous se trouvait un serpent, un serpent extraordinaire.

— Regardez ça ! s'exclama-t-elle.

Ayla et la Première regardèrent et en eurent le souffle coupé. C'était un petit serpent, sans doute très jeune, et les bandes rouges qui couraient le long de son corps indiquaient qu'il n'était pas venimeux, mais dans la partie antérieure du corps les bandes se divisaient en Y. Le serpent avait deux têtes ! Il darda ses deux langues, tâtant l'air, puis commença à ramper, mais le mouvement était un peu irrégulier, comme s'il ne savait pas vraiment où aller.

— Vite, cherche quelque chose pour l'attraper avant qu'il disparaisse, dit la Première.

Ayla trouva une petite corbeille tressée.

— On peut se servir de ça ? demanda-t-elle à Zelandoni Première.

— Oui, très bien.

Le serpent chercha à s'échapper à l'approche d'Ayla, mais elle retourna la corbeille et l'immobilisa. Il rentra sa queue quand elle appuya fermement sur la corbeille pour l'empêcher de fuir.

— Qu'est-ce qu'on en fait ? demanda Zelandoni Première.

— Tu as quelque chose de plat que je pourrais glisser là-dessous ? s'enquit Ayla.

— Je ne sais pas. Le bord d'une pelle, ça irait ? Comme celle-ci ? demanda Zelandoni Première en ramassant la pelle qui servait à enlever les cendres du foyer.

— Oui, c'est parfait.

Ayla prit la pelle et la glissa sous la corbeille, puis elle les souleva en les maintenant l'une contre l'autre et les retourna.

— On pourrait trouver un couvercle pour cette corbeille ? Et de la ficelle pour l'attacher ?

Zelandoni Première trouva une autre corbeille, peu profonde, qu'elle tendit à Ayla. Celle-ci posa par terre la corbeille contenant le serpent, enleva la pelle et la remplaça par l'autre corbeille, puis ficela le tout. Les trois femmes allèrent ensuite prendre leur repas du matin.

Elles prévoyaient d'ouvrir la réunion lorsque le soleil serait au zénith, mais les gens commencèrent à arriver plus tôt sur le talus afin de trouver des places convenables pour mieux voir et entendre. Tout le monde savait que l'objet de la réunion était sérieux, mais il régnait néanmoins une atmosphère de fête, surtout en raison du plaisir d'être ensemble, d'autant plus que ce rassemblement n'était pas prévu. Et aussi parce qu'on était content que le fauteur de troubles ait été capturé.

Lorsque le soleil fut haut, l'aire de rassemblement débordait de monde. Zelandoni Première ouvrit la réunion et commença par souhaiter la bienvenue à la Première, ainsi qu'aux autres visiteurs. Elle expliqua que la Première était accompagnée de son acolyte et de son acolyte précédent, un Zelandoni à présent, qui accomplissaient leur Périple de Doniate et étaient venus voir le Site Sacré le Plus Ancien. Elle précisa que l'acolyte de la Première et son compagnon avaient capturé Balderan et trois de ses hommes lorsque ceux-ci avaient tenté de l'attaquer. Cette information déclencha un brouhaha de voix dans l'assistance.

— C'est la principale raison de la convocation de cette réunion, dit Zelandoni Première. Balderan a fait du mal et causé du chagrin à beaucoup d'entre vous pendant de longues années. Maintenant que nous l'avons entre nos mains, nous devons décider quoi faire de lui. Quel que soit le châtiment que nous lui infligerons, nous devons avoir la conviction qu'il est approprié.

— Tuons-le, proposa quelqu'un, assez fort pour que tout le monde entende, y compris la Zelandonia.

— C'est peut-être le châtiment qui convient, répondit Celle Qui Était la Première, mais qui va l'appliquer et comment, voilà la question. Si ce n'est pas fait comme il faut, ça risque de nous porter malheur à tous. La Mère a formellement interdit que des gens en tuent d'autres, si ce n'est dans des circonstances extraordinaires. En nous efforçant de trouver une solution au problème posé par Balderan, nous ne devons pas devenir comme lui.

— Comment l'a-t-elle capturé ? demanda quelqu'un.

— Demande-le-lui, dit la Première en se tournant vers Ayla.

Ce genre de situation la rendait toujours nerveuse, mais elle prit une profonde inspiration et essaya de répondre à la question :

— J'ai été chasseresse dès mon plus jeune âge et l'arme dont j'ai d'abord appris à me servir est une fronde… commença-t-elle.

Son accent surprit ceux et celles qui ne l'avaient pas encore entendue parler. Il était rare qu'un étranger ou une étrangère fasse partie de la Zelandonia et elle dut attendre pour continuer que les gens se taisent.

— Maintenant, vous le savez, je ne suis pas née zelandonii, dit-elle avec un sourire.

Son commentaire déclencha des petits rires dans l'assistance.

— J'ai été élevée à l'est, loin d'ici, et j'ai rencontré Jondalar quand il a effectué son Voyage.

Les gens se calmaient et s'installaient du mieux qu'ils pouvaient pour écouter ce qui promettait d'être une très bonne histoire.

— Quand Balderan et ses hommes m'ont vue, j'étais allée m'isoler derrière un bouquet d'arbres. Ils me regardaient. Une telle impolitesse m'a mise en colère et je le leur ai dit.

Nouveaux petits rires dans l'auditoire.

— Je garde en général ma fronde enroulée autour de la tête ; c'est une façon commode de la porter. Lorsqu'il a voulu m'agresser, je ne crois pas que Balderan ait compris que c'était une arme que je commençais à dérouler...

Elle joignit le geste à la parole, puis sortit de son petit sac deux des galets qu'elle avait ramassés dans le lit à sec du torrent, près de leur campement précédent. Elle rassembla les deux extrémités de la fronde, plaça une pierre dans le creux formé par l'usage au milieu de la bande de cuir. Elle avait déjà choisi une cible : un lièvre au pelage estival marron assis sur son arrière-train à côté d'un rocher près de son terrier. Au dernier moment, elle repéra aussi deux colverts, qui venaient de s'envoler de leur nid près de la rivière. Avec des gestes rapides et sûrs, elle lança la première pierre, puis la deuxième.

Les gens exprimèrent leur surprise :

— Vous avez vu ça ?

— Elle a tué ce canard en plein vol !

— Elle a tué aussi un lapin !

La démonstration leur avait donné la mesure de son adresse.

— Je ne voulais pas tuer Balderan... reprit Ayla.

— Mais elle aurait pu le faire, lâcha Jonokol, ce qui provoqua d'autres murmures.

— Je voulais seulement l'arrêter et j'ai donc visé la cuisse. Il doit avoir un beau bleu. J'ai touché l'autre au bras.

Elle siffla Loup, qui arriva immédiatement à son appel. Cela aussi déclencha une vague de commentaires dans l'assistance.

— Balderan et ses compagnons n'ont pas remarqué Loup, au début. Ce loup est mon ami et il m'obéit. Quand un troisième renégat a tenté de s'enfuir, j'ai demandé à Loup de l'arrêter. Il ne l'a pas attaqué ni n'a essayé de le tuer, il l'a mordu à la cheville et l'a fait trébucher. Puis Jondalar est apparu, avec son lance-sagaie.

« Lorsque nous avons ramené ces hommes ici, Balderan a tenté de s'échapper. Jondalar s'est servi de son lance-sagaie. Il lui a frôlé l'oreille, ce qui l'a arrêté net. Le tir de Jondalar est très précis.

Autres petits rires.

— Je t'avais dit qu'ils n'avaient aucune chance, confirma Willamar à Demoryn, assis à son côté.

— Lorsque j'ai vu comment ces hommes se comportaient avec moi, j'ai pensé qu'ils étaient sans doute des fauteurs de troubles, continua Ayla. C'est pourquoi nous vous les avons amenés, contre leur gré, bien sûr. C'est seulement en arrivant à la Troisième Caverne des Gardiens que nous avons compris tout le mal qu'ils avaient fait au fil des ans.

Elle s'interrompit, baissa les yeux. Il semblait évident qu'elle avait autre chose à dire :

— Je suis guérisseuse, j'ai aidé beaucoup de femmes à accoucher. Heureusement, la plupart des bébés sont parfaitement sains, mais certains enfants de la Mère ont un défaut de naissance. J'en ai vu. D'ordinaire, si le défaut est grave, ils ne survivent pas. La Mère les reprend parce qu'Elle seule peut y remédier, mais certains sont animés d'une forte volonté de vivre. Même affligés de défauts importants, ils vivent et souvent apportent beaucoup aux leurs.

« J'ai été élevée par un homme qui était un grand Mog-ur, le mot dont se servent les membres du Clan pour désigner un Zelandoni. Il n'avait l'usage que d'un bras, boitait, de naissance, et il n'avait qu'un œil. Son mauvais bras a été en plus abîmé par un ours des cavernes qui l'avait choisi et qui est devenu son totem. C'était un homme très sage, au service des siens et très respecté. Il y a aussi un garçon qui n'habite pas loin de notre Caverne et est né avec un bras déformé. Sa mère craignait qu'il ne soit jamais capable de chasser et ne devienne peut-être jamais un vrai homme, mais il a appris à se servir du lance-sagaie avec son bras valide, il est devenu bon chasseur et a gagné le respect de tous ; il a maintenant une compagne et ils sont heureux.

« Lorsqu'un enfant est mort-né ou quitte ce monde juste après sa naissance pour voyager dans celui d'Après, on ne devrait pas le pleurer ; la Mère l'a repris pour corriger ses défauts.

Ayla plongea la main dans la musette qu'elle portait à l'épaule et en sortit une petite corbeille fermée par un couvercle. Elle l'ouvrit et montra à bout de bras le serpent à deux têtes. Il y eut des exclamations de stupéfaction.

— Certains êtres vivants sont anormaux quand ils naissent et ça se voit.

Les gueules des deux têtes dardèrent leur langue.

— La seule manière pour ce serpent de corriger son défaut est de retourner à la Mère. Cependant, certains naissent parfois avec une anomalie et ça ne se voit pas. Lorsqu'on les regarde, ils semblent normaux, mais intérieurement ils ne le sont pas. Tout comme ce petit serpent, la seule façon de les faire revenir à la normale consiste à les renvoyer auprès de la Mère. Elle seule peut remédier à leurs défauts.

Balderan et ses hommes écoutaient aussi la harangue d'Ayla.

— Si nous voulons vivre, nous allons devoir saisir notre chance et vite, chuchota Balderan.

Il n'avait aucune envie d'être renvoyé auprès de la Mère. Pour la première fois de sa vie, il commençait à ressentir la peur qu'il avait si souvent fait naître chez autrui.

— Cela a été une façon tout à fait appropriée de parler de ce qu'il convenait de faire, dit Zelandoni Première en revenant au pavillon des Zelandonia en compagnie de la Première, d'Ayla et de Jonokol.

Loup suivait Ayla sans se presser, en réponse à son appel. Elle voulait qu'on sache que le quadrupède était un bon chasseur, mais aussi qu'il ne tuait pas au hasard.

— Les gens accepteront mieux la suite s'ils la conçoivent comme le renvoi de Balderan auprès de la Mère pour qu'Elle corrige ses défauts. Qu'est-ce qui t'y a fait penser ?

— Je l'ignore, répondit Ayla, mais quand j'ai vu le nain qui est arrivé avec la famille de Beladora, j'ai su qu'aucun remède ne pouvait l'aider à atteindre une taille normale, du moins à ma connaissance. Puis le petit serpent m'a fait comprendre que certaines choses ne peuvent être arrangées que par la Mère, et si ce n'est dans ce monde, alors peut-être dans celui d'Après.

— As-tu rencontré ce jeune homme ? demanda Zelandoni Première.

— Non, pas encore.

— Moi non plus, dit la Première.

— Eh bien, allons le voir maintenant.

Les trois femmes et leur compagnon se dirigèrent vers le campement des Giornadonii. Ils s'arrêtèrent au camp de la Neuvième Caverne pour prendre au passage Jondalar, Jonayla et Willamar, les seuls qui se trouvaient là. Beladora et Kimeran étaient au camp des Giornadonii avec leurs enfants. Ayla se demanda si la mère de Beladora allait réussir à les persuader de rentrer avec eux au foyer familial et d'y rester, bien que

Kimeran fût le chef de la Deuxième Caverne. Elle tenait à mieux connaître ses petits-enfants.

Les amis se saluèrent en se frottant les joues, puis se lancèrent dans les présentations rituelles à la mère de Beladora, au chef de la Caverne et à quelques autres. Le jeune homme s'approcha alors.

— Je voulais faire ta connaissance, dit-il à Ayla. J'ai apprécié ce que tu as dit à propos du serpent et de certaines personnes que tu connais.

— J'en suis contente, répondit Ayla, qui se pencha et prit ses deux petites mains bizarrement formées dans les siennes.

Ses bras et ses jambes étaient aussi trop courts. Sa tête semblait trop grosse pour lui.

— Je suis Ayla, reprit-elle, de la Neuvième Caverne des Zelandonii, Acolyte de la Première parmi Ceux Qui Servent la Grande Terre Mère, unie à Jondalar, Maître Tailleur de Silex, mère de Jonayla, Protégée de Doni. J'appartenais avant au Camp du Lion des Mamutoï, qui vivent loin à l'est. Adoptée par le Mamut, fille du Foyer du Mammouth, Choisie par l'Esprit du Lion, Protégée de l'Ours des Cavernes, amie des chevaux Whinney, Rapide et Grise, ainsi que du chasseur quadrupède Loup.

— Je suis Romitolo, de la Sixième Caverne des Giornadonii, dit-il avec un léger accent en zelandonii, langue qu'il parlait comme la sienne. Je te salue, Ayla de la Neuvième Caverne des Zelandonii. Tu possèdes beaucoup de liens peu ordinaires. Peut-être pourras-tu m'en dire davantage un jour. Mais d'abord j'aimerais te poser une question.

— Je t'en prie, dit Ayla, remarquant qu'il semblait ne pas éprouver le besoin d'énumérer tous ses noms et liens.

Il est assez unique pour s'en passer, pensa-t-elle. Il semble jeune et paraît pourtant sans âge.

— Que vas-tu faire du petit serpent ? demanda Romitolo. Vas-tu le renvoyer à la Mère ?

— Je ne pense pas. Je crois que la Mère le reprendra quand Elle sera prête à le recevoir.

— Tu as des chevaux et un loup, accepterais-tu de me laisser le petit serpent ? J'en prendrai soin.

Ayla garda le silence quelques instants, puis répondit :

— Je ne savais trop que faire de lui, mais c'est une bonne idée, si l'Homme Qui Commande ta Caverne n'y voit pas d'inconvénient. D'aucuns ont peur des serpents, même de ceux qui ne sont pas venimeux. Tu devras apprendre ce qu'il faut lui donner à manger ; peut-être pourrai-je t'y aider.

Elle tira de sa musette la petite corbeille tissée et la tendit à Romitolo. Appuyé contre sa jambe, Loup gémissait doucement.

— Tu aimerais faire la connaissance du loup ? Il ne te fera pas de mal. Quand il était petit, il s'est pris d'affection pour un garçon qui avait des problèmes avec l'organe qui pompe le sang. Je crois que tu le lui rappelles.

— Où est ce garçon, maintenant ?

— Rydag était très faible. Il voyage maintenant dans le Monde d'Après.

— Je m'affaiblis, je crois que je ne vais pas tarder à voyager moi aussi dans le Monde d'Après, dit Romitolo. J'y verrai désormais un retour auprès de la Mère.

Elle ne démentit pas. Il se connaissait sans doute, lui et son corps, mieux que personne.

— Je suis guérisseuse et j'ai aidé Rydag à se sentir mieux. Qu'est-ce qui ne va pas ? Peut-être pourrai-je aussi te soulager.

— Nous avons un bon guérisseur et il a probablement fait tout ce qui pouvait l'être. Il me donne des
remèdes pour alléger la douleur lorsque j'en ai besoin.
Je crois que je serai prêt à retourner à la Grande Mère
le moment venu, dit Romitolo avant de changer de
sujet : Comment puis-je faire la connaissance de ton
loup ? Que dois-je faire ?

— Seulement le laisser te renifler et peut-être te
lécher la main. Tu peux le flatter et toucher sa fourrure. Il est très gentil quand je le lui demande. Il adore
les bébés, dit Ayla, avant d'ajouter : Tu as vu les
perches sur lesquelles se déplace Celle Qui Est la Première ? Si tu veux monter dessus et être tiré par un
cheval, je me ferai un plaisir de t'emmener où tu veux.

— Ou, si tu as besoin qu'on te porte, j'ai les épaules
solides et j'ai déjà porté des gens de cette façon, offrit
Jondalar.

— Je vous remercie de vos propositions, mais je
dois dire que les déplacements me fatiguent. J'aimais
beaucoup cela. Maintenant, même si on me porte, ça
m'est pénible. J'ai failli ne pas participer à ce Voyage,
mais si je ne l'avais pas fait, il ne serait resté personne
pour m'aider et je ne peux me passer d'aide. J'aime
cependant qu'on vienne me voir.

— Sais-tu combien d'années tu as ? s'enquit Celle
Qui Était la Première.

— À peu près quatorze. J'ai atteint l'âge d'homme
il y a deux étés, mais les choses ont empiré depuis.

La Première hocha la tête.

— Quand un garçon arrive à l'âge d'homme, son
corps veut grandir, dit-elle.

— Et le mien ne sait pas grandir convenablement,
reconnut Romitolo.

— Mais tu sais penser et tout le monde ne peut en
dire autant, ajouta la Première. J'espère que tu vas

vivre encore de longues années. Je crois que tu as beaucoup à offrir.

Les trois femmes de la Zelandonia se retrouvèrent plus tard dans l'après-midi au campement des voyageurs. La vaste zone de rassemblement était trop animée. Ce qui avait commencé comme une réunion de Zelandonia voisins était devenu une Réunion d'Été impromptue, et ceux qui faisaient la cuisine avaient investi l'espace couvert du pavillon. Il n'y avait personne d'autre dans le camp à ce moment-là et elles s'installèrent donc dans la tente d'Ayla pour discuter tranquillement. Elles parlèrent néanmoins à voix basse.

— Doit-on servir la ciguë ce soir ou vaut-il mieux attendre demain soir ? interrogea la Première.

— Je ne crois pas nécessaire d'attendre. Finissons-en au plus vite, répondit Zelandoni Première. Et la berle doit être cuite pendant qu'elle est fraîche, même si elle peut se garder un certain temps. J'ai une assistante, pas tout à fait un acolyte, qui m'aide beaucoup. Je vais lui demander de la préparer.

— Tu vas lui dire ce que c'est et à quoi elle va servir ? s'enquit la Première.

— Bien sûr. Si elle ne savait pas ce qu'elle prépare ni pourquoi, ce pourrait être dangereux pour elle.

— Je peux me rendre utile ? demanda Ayla.

— Tu as déjà fait ta part, dit la Première. En cueillant les plantes, pour commencer.

— En ce cas, je vais aller retrouver Jondalar. Je ne l'ai pas vu de la journée. Quand allons-nous visiter le Site Sacré ?

— Il est préférable d'attendre quelques jours que toute l'affaire Balderan soit réglée.

Balderan et ses hommes avaient observé Ayla, Jondalar et le loup très attentivement mais discrètement. La nuit tombait et le moment auquel le repas du soir allait être servi approchait. On ne parlait pas vraiment de festin, mais ça allait être un repas communautaire auquel tout le monde prendrait part et il régnait l'atmosphère des grandes occasions.

Ayla et Jondalar ne savaient trop à quel endroit les prisonniers étaient détenus, cela dépendait de qui les surveillait. Alors qu'ils étaient en pleine conversation, ils faillirent se cogner à Balderan et à ses hommes.

Balderan jeta un rapide coup d'œil alentour et remarqua que le loup ne les accompagnait pas. Ceux qui étaient censés les garder semblaient distraits et ne pas faire attention à eux.

— C'est le moment ou jamais, allons-y ! dit-il.

Il s'élança brusquement, empoigna Ayla et, l'instant d'après, il lui avait passé son lacet de cuir autour du cou.

— N'approche pas, sinon je la tue ! cria-t-il en serrant le lacet.

Le souffle coupé, Ayla essayait de respirer.

Les trois autres hommes s'étaient armés de pierres qu'ils menaçaient de lancer ou peut-être d'utiliser pour la frapper ou taper sur quiconque tenterait de les arrêter. Balderan avait espéré ce moment. Il avait prévu comment les choses se dérouleraient et maintenant qu'il avait Ayla à sa merci, il en éprouvait une jouissance. Il allait la tuer, peut-être pas tout de suite, et y prendre plaisir. Il était certain de savoir comment le « gentil géant » allait réagir.

Mais Balderan ignorait que Jondalar avait cultivé ce calme et cette réserve par besoin de se maîtriser. Il s'était déjà laissé envahir par la colère et savait de quoi il était capable.

Comment quelqu'un peut-il oser essayer de faire du mal à Ayla ! fut sa première pensée. Ce fut pratiquement la seule dont il se souvint après coup.

En un instant, avant qu'aucun des quatre hommes ait seulement pensé faire un geste, Jondalar s'avança de deux grands pas et se retrouva derrière Balderan. Il se pencha, le saisit par les poignets et lui fit lâcher prise en lui cassant presque les bras. Puis il lâcha un de ses poignets, le fit pivoter sur lui-même et dans le même mouvement lui asséna un coup de tête au visage. Il s'apprêta à frapper de nouveau, mais l'autre s'écroula, étourdi, le sang coulant à flots de son nez cassé. Les trois autres renégats s'étaient inconsciemment groupés, incapables d'un geste de plus.

Balderan s'était totalement mépris sur le compte de Jondalar. Non seulement celui-ci était grand et fort, mais il avait des réflexes rapides. Il avait dû s'exercer à maîtriser un étalon fougueux. Rapide n'était pas un cheval domestiqué, seulement dressé. Jondalar avait vécu avec lui dès sa naissance et l'avait dompté, mais Rapide avait conservé l'instinct naturel d'un étalon sauvage extrêmement vigoureux et parfois têtu. Il fallait beaucoup de force pour le diriger et cela avait maintenu Jondalar en forme et sur le qui-vive.

Balderan avait doublé le lacet qui avait servi à fermer sa chemise. Il pendait encore au cou d'Ayla, où il avait imprimé des marques rouge vif, visibles même à la faible lumière des foyers situés à quelque distance. Des gens accouraient dans leur direction. Tout était arrivé si vite. Plusieurs Zelandonia, dont la Première, vinrent prêter main-forte à Ayla, qui essayait de calmer le loup. Jondalar ne la quittait pas d'une semelle.

Les gens auxquels Zelandoni Première avait parlé de la manière d'en user avec Balderan s'étaient rassemblés autour de lui, étendu au sol. Soudain, Aremina, la femme qui avait été violée et dont le mari avait été tué, lui décocha un coup de pied. Puis celle qui avait perdu sa fille après qu'elle eut été enlevée et maltraitée lui donna aussi un coup de pied. L'homme qui avait été battu par Balderan et ses hommes après avoir dû assister au viol de sa compagne et de sa fille le frappa au visage et lui cassa encore le nez. Les comparses de Balderan tentèrent de s'esquiver, mais ils furent encerclés et l'un d'eux reçut un coup de poing en plein visage.

Rien ne pouvait maintenant arrêter la foule en colère. Tous ceux qui avaient été victimes de Balderan et de ses hommes leur rendaient maintenant la monnaie de leur pièce et avec intérêt. La foule était déchaînée. Ça s'était passé si vite que d'abord personne ne sut quoi faire, puis les Zelandonia tentèrent d'intervenir pour faire cesser le massacre.

— Arrêtez ! Arrêtez ! Vous vous comportez comme Balderan ! criait Ayla.

Mais les gens n'écoutaient pas et se libéraient de leur frustration, de leur sentiment d'impuissance et d'humiliation.

Lorsque enfin ils se calmèrent et regardèrent autour d'eux, les quatre hommes étaient étalés à terre, couverts de sang. Ayla se pencha pour examiner Balderan ; il était mort, et deux autres aussi. La vie du quatrième, celui qui avait exprimé des regrets, ne tenait qu'à un fil. Au côté d'Ayla, Loup observait la scène, un grondement sourd dans la gorge, ne sachant trop quelle attitude adopter. Ayla s'assit par terre et passa les bras autour de son cou.

La Première s'approcha d'elle.

— Ce n'est pas du tout de cette façon-là que j'espérais que ça se passerait, dit-elle. Je ne m'étais pas rendu compte qu'il y avait tant de colère rentrée, mais j'aurais dû.

— Balderan l'a appelée sur lui, observa Zelandoni Première. S'il n'avait pas attaqué Ayla, Jondalar ne l'aurait pas frappé. Dès qu'il a été terrassé, ceux à qui il avait fait du mal n'ont pu se retenir. Ils savaient qu'il n'était pas invincible. Plus besoin de ciguë, maintenant. Je vais devoir m'assurer qu'on s'en débarrasse comme il faut.

Tout le monde était encore tendu et surexcité. Il fallut à tous un moment pour comprendre ce qui s'était passé. Ceux qui avaient participé au massacre éprouvaient des émotions diverses, certains de la honte et du chagrin, d'autres du soulagement, de l'excitation, voire de l'allégresse, sachant que Balderan avait enfin eu ce qu'il méritait.

Levela avait gardé Jonayla avec elle ; quand Loup était sorti en courant de la tente, la fillette avait voulu le suivre. À son retour, Ayla avait sur elle du sang de Balderan, ce qui effraya sa fille. Elle dut lui assurer que ce n'était pas le sien, mais celui d'un blessé.

Le lendemain matin, Jondalar alla voir les Zelandonia qu'on qualifiait toutes deux de « Première » pour les informer qu'Ayla souhaitait rester dans sa tente toute la journée. Son cou lui faisait encore mal, conséquence de la tentative de strangulation. Tous les Zelandonia locaux avaient discuté de la manière de venir en aide aux gens, se demandant s'ils devaient organiser une autre réunion ou attendre qu'ils viennent à eux.

Sur le chemin du retour, Jondalar se rendit compte qu'on le regardait, mais peu lui importait. Et il n'entendait pas les commentaires. Les hommes admiraient sa force, la rapidité de sa réaction ; les femmes l'admiraient tout court. Laquelle d'entre elles n'aurait voulu avoir un tel homme, si beau, si prompt à se précipiter pour défendre sa compagne ? S'il les avait entendues, cela l'aurait laissé froid. Tout ce qu'il voulait, c'était retourner auprès d'Ayla et s'assurer qu'elle allait bien.

Plus tard, on raconta l'histoire de l'attaque lancée par Balderan contre Ayla et de la réponse immédiate de Jondalar, et non celle de la mêlée qui s'en était suivie et avait abouti à la mise à mort de trois hommes et peut-être de quatre, bien que Gahaynar s'accrochât à la vie. Les Zelandonia devaient décider de la façon de se débarrasser des corps et se trouvaient devant un dilemme. Ils ne voulaient pas les honorer de quelque manière que ce soit et il n'y aurait pas de cérémonie, mais ils voulaient être certains que leurs esprits seraient rendus à la Mère. On finit par emporter les cadavres dans les montagnes et les laisser sur une crête, à la merci des charognards.

Les visiteurs des Cavernes voisines campèrent quelques jours de plus dans le pré, puis, la fièvre étant retombée, repartirent peu à peu reprendre leur vie quotidienne. Ils allaient avoir beaucoup de choses à raconter, principalement sur Celle Qui Était la Première et sur son acolyte, qui se faisait obéir d'un loup et de chevaux, qui avait trouvé un serpent à deux têtes et les avait aidés à se débarrasser de Balderan. Cependant, les versions concernant Balderan et sa bande varieraient sans doute en fonction du rôle joué par chacun dans les événements.

Impatiente de partir, Ayla s'agitait. Elle estima que le moment était bien choisi pour finir de faire sécher la viande de bison – cela l'occuperait. Elle tendit des cordes sur des pieux et alluma des feux à proximité. Attirés par la viande crue, des insectes risquaient de la gâter en y pondant leurs œufs. La fumée les éloignait et, par ailleurs, parfumait la viande. Puis elle entreprit de débiter les quartiers de bison en morceaux uniformes. Levela ne tarda pas à se joindre à elle, ainsi que Jondecam et Jondalar. Ayla montra à Jonayla comment découper la viande et lui donna une longueur de corde pour la mettre à sécher.

Willamar et ses deux assistants arrivèrent au campement vers midi, en proie à une grande excitation.

— Nous avons pensé que ce serait une bonne idée de longer la Grande Rivière vers le sud jusqu'à la Mer Méridionale, annonça Willamar. Après avoir parcouru tant de chemin, ce serait dommage de ne pas la voir et on nous a dit que c'était l'époque du troc des coquillages. Ils en ont, paraît-il, beaucoup, des petits ronds, de longs et jolis dentales, des pétoncles particulièrement beaux et même des bigorneaux. Nous pourrions en garder certains et les troquer à la Cinquième Caverne.

— Qu'avons-nous à donner en échange ? demanda Jondalar.

— J'allais vous en parler. Crois-tu pouvoir trouver quelques bons silex et tailler des lames et des pointes que nous pourrions troquer contre les coquillages ? On pourrait aussi échanger une partie de la viande que tu es en train de sécher, Ayla.

— Comment savez-vous que c'est la période du troc et comment connaissez-vous tous ces coquillages ? s'enquit Levela.

— Un homme du Nord vient d'arriver. Il faut que vous le rencontriez. Il pratique le troc lui aussi et a de superbes sculptures en ivoire, dit Willamar.

— J'ai connu un homme qui sculptait l'ivoire, dit Ayla, un peu mélancolique.

Jondalar dressa l'oreille. Il connaissait lui aussi ce sculpteur. C'était un artiste remarquable et talentueux et c'était lui qui avait failli lui prendre Ayla. À cette pensée, il en eut encore la gorge nouée.

— J'aimerais le rencontrer et voir ses sculptures et je veux bien voir la Mer Méridionale, dit-il. Je suis sûr que nous pouvons pratiquer quelques échanges. Quelles autres bonnes marchandises y aurait-il à troquer ?

— Presque tout ce qui est bien fait ou utile, surtout si ça sort de l'ordinaire, répondit Willamar.

— Comme les paniers d'Ayla, dit Levela.

— Mes paniers ? Pourquoi ? demanda Ayla, un peu surprise. Ils sont tout à fait communs, pas même décorés...

— Justement. Ils semblent tout à fait communs jusqu'à ce qu'on les regarde de plus près. Ils sont bien faits, parfaitement hermétiques et réguliers, et le tressage est inhabituel. Ceux qui sont étanches le restent longtemps ; les autres, au tressage plus lâche, tiennent aussi très bien le coup. Quiconque s'y connaît en paniers préférera les tiens à d'autres, plus tape-à-l'œil mais moins bien faits. Même tes paniers jetables sont trop bien pour être jetés !

Le compliment fit rougir Ayla.

— Je me contente de les fabriquer comme on m'a appris à le faire, dit-elle. Je ne pensais pas qu'ils avaient quoi que ce soit de remarquable.

Jondalar sourit.

— Je me souviens que lors de notre premier séjour chez les Mamutoï il y a eu des festivités, au cours desquelles on échangeait des cadeaux. Tulie et Nezzie ont proposé de te donner certains objets dont tu aurais pu faire présent ; tu as répondu que tu en avais confectionné toi-même beaucoup pour t'occuper et que tu voulais retourner les chercher dans ta vallée. Nous y sommes donc allés. Tulie, en particulier, a été étonnée par leur beauté et leur qualité. Et Talut a adoré sa robe en peau de bison. Les objets que tu fabriques sont beaux, Ayla.

Ayla était maintenant rouge comme une pivoine et ne savait que dire.

— Si tu n'en es pas persuadée, il te suffit de regarder Jonayla, ajouta Jondalar avec un sourire.

— Je n'ai pas été la seule à la faire. Elle a beaucoup de toi, aussi.

— J'espère bien.

— Il n'y a pas de doute que la Mère a mêlé ton esprit à celui d'Ayla, dit Levela. On le voit aux yeux de Jonayla. Ils ont exactement la même couleur que les tiens et cette nuance de bleu n'est pas très courante.

— Donc, tout le monde est d'accord : nous passerons par la Mer Méridionale sur le chemin du retour, glissa Willamar. Et je crois que tu devrais confectionner quelques paniers, Ayla. Tu pourras les échanger contre du sel et pas seulement des coquillages.

— Quand allons-nous voir l'homme aux sculptures ? demanda Jondecam.

— Si c'est le moment de faire une pause pour le repas de midi, nous pouvons y aller maintenant, répondit Willamar.

— J'ai encore quelques morceaux à préparer, dit Levela.

— Nous pouvons emporter un peu de bison pour le repas, remarqua Jondalar.

Il prit Jonayla dans ses bras et tous partirent avec Willamar pour l'abri des Zelandonia. Demoryn parlait à un inconnu et Amelana, enceinte jusqu'aux yeux et pleinement consciente du charme que cela lui donnait, lui souriait. Il lui rendit son sourire. Il était assez grand et bien bâti, cheveux châtains et yeux bleus, visage avenant et, pour Ayla, il avait en lui quelque chose de familier.

— J'ai amené nos autres compagnons de voyage, annonça Willamar avant de commencer les présentations.

En entendant « Jondalar, de la Neuvième Caverne des Zelandonii » et en voyant Jondalar déposer Jonayla par terre pour pouvoir lui serrer les mains, l'homme parut perplexe.

— Et voici sa compagne, Ayla, de la Neuvième Caverne des Zelandonii, auparavant du Camp du Lion des Mamutoï, fille du Foyer du Mammouth…

— Toi, je te connais, dit l'homme. Ou j'ai entendu parler de toi. Je suis Conardi, des Losadunaï, et vous avez tous les deux séjourné chez les Losadunaï il y a quelques années, non ?

— Oui, nous nous sommes arrêtés à la Caverne de Laduni sur le chemin du retour au cours de notre Voyage, confirma Jondalar, visiblement intrigué par cette rencontre fortuite.

Quiconque accomplissait un Voyage faisait généralement la connaissance de beaucoup de gens, mais il ne les revoyait ou ne rencontrait quelqu'un qui les connaissait que rarement.

— Nous avons tous entendu parler de vous deux à la Réunion d'Été suivante. Vous aviez fait forte impression, avec vos chevaux et votre loup, je m'en souviens, dit Conardi.

— Les chevaux sont ici, au camp, et Loup est en train de chasser, dit Ayla.

— Et cette jeune beauté doit être un ajout à la famille. À toi elle ressemble, dit Conardi au grand blond aux yeux bleu vif.

Il parlait zelandonii avec un léger accent et construisait ses phrases de façon légèrement différente, mais, Ayla s'en rappelait, leurs langues étaient très proches. De fait, il parlait bel et bien zelandonii, mais en y mêlant du losadunaï, sa propre langue.

— Willamar a dit que tu avais apporté des sculptures, reprit Jondalar.

— Oui, quelques-unes.

Conardi détacha un petit sac qu'il portait accroché à sa ceinture, l'ouvrit et en vida le contenu, plusieurs figurines en ivoire de mammouth, sur un plateau. Ayla en prit une, un mammouth dans lequel des lignes étaient incisées sans que la raison en soit claire. Elle le questionna donc.

— Je ne sais pas, dit-il. Ils les font toujours de cette façon. Elles n'ont pas été sculptées par des Anciens, mais à la manière des Anciens, surtout par de jeunes apprentis.

Ayla prit ensuite une figurine longue et mince. En la regardant de plus près, elle s'aperçut que c'était un oiseau, comme une oie en vol. Elle était simple et pleine de vie. La figurine suivante représentait une lionne debout ; du moins la tête, le haut du corps et les pattes de devant étaient-ils ceux d'un félin, alors que les jambes étaient humaines. Et, sur le bas-ventre de la créature dressée, était clairement dessiné un triangle allongé pointé vers le bas, un triangle pubien, signe distinctif de la femme. Bien qu'elle n'ait pas de seins, la figurine était bien celle d'une femme-lion.

La dernière figurine était indéniablement celle d'une femme, sans tête, seulement un trou par lequel était enfilé un cordon. Une main et des doigts étaient suggérés au bout des bras, les seins étaient énormes et placés très haut, les hanches larges. Le creux profondément incisé qui séparait les grosses fesses se prolongeait jusque devant et se terminait par une représentation si exagérée de la vulve que l'organe féminin semblait presque retourné.

— Elle a dû être sculptée par une femme qui avait déjà accouché, dit Ayla. On a parfois cette impression d'être coupée en deux.

— Tu as peut-être raison, Ayla. Les seins paraissent en effet pleins de lait, reconnut la Première.

— Tu destines ces figurines au troc ? demanda Willamar.

— Non, elles sont à moi. Ce sont des porte-bonheur, mais si vous en voulez, je peux les faire reproduire, répondit Conardi.

— À ta place, j'en ferais faire quelques-unes en plus pour les troquer. Je suis certain qu'elles seraient très demandées. Tu es Maître du Troc, Conardi ? demanda Willamar, qui avait remarqué que son interlocuteur ne portait pas le tatouage emblématique de la fonction.

— J'aime voyager et pratiquer l'échange parfois, mais je ne suis pas Maître du Troc. Tout le monde troque, mais chez nous personne n'en fait une spécialité.

— Si tu aimes voyager, tu peux t'en faire une. Je forme mes apprentis à cette fin. Ce long déplacement commercial est peut-être mon dernier. Me voilà à un âge où voyager perd son attrait. Je suis mûr pour m'installer à demeure avec ma compagne, ses enfants et petits-enfants, dont fait partie cette jolie fillette, ajouta-t-il en montrant Jonayla. Certains marchands emmènent leur compagne et leur famille avec eux, mais ma compagne dirigeait la Neuvième Caverne et n'était pas libre de se déplacer. Je rapportais toujours quelque chose à son intention. C'est pourquoi je t'ai demandé si tu destinais ces figurines à l'échange. Mais je suis sûr que je lui trouverai un cadeau lorsque nous irons à la Mer Méridionale pour troquer des coquillages. Aimerais-tu nous accompagner ?

— Quand partez-vous ?

— Bientôt, mais d'abord nous allons voir le Site Sacré le plus Ancien, répondit Willamar.

— Bonne idée. Belle caverne, peintures extraordinaires, mais j'ai vu plusieurs fois. J'y vais en avance, leur annoncer que vous arrivez, dit Conardi.

4

L'entrée de la caverne était très spacieuse mais asymétrique et plus large que haute. La partie droite, plus basse, était en partie surplombée par une saillie qui protégeait de la pluie et des chutes de pierres tombant parfois de la falaise. Du gravier s'était accumulé en un monticule conique sur la saillie à l'extrémité gauche de l'entrée et avait formé un éboulis dans la partie inférieure de la falaise.

Par cette entrée spacieuse, la lumière pénétrait assez profondément dans la caverne. Elle ferait une bonne habitation, pensa Ayla, mais elle n'était manifestement pas utilisée comme telle. En dehors du coin sous la corniche où flambait un petit feu devant un abri, rien ne montrait qu'on avait tenté de rendre l'endroit confortable. À leur approche, une Zelandoni sortit de l'abri et les salua.

— Au nom de la Grande Terre Mère, tu es la bienvenue à son Lieu Sacré le Plus Ancien, Première parmi Ceux Qui La Servent, dit-elle en tendant les deux mains.

— Je te salue, Gardienne de Son Site Sacré le Plus Ancien, répondit la Première. On m'a dit que les peintures y sont d'une grande beauté. J'ai moi-même fait des peintures et je suis honorée d'être invitée à voir ce Site Sacré.

La Gardienne sourit.

— Tu es donc une Zelandoni Peintre, dit-elle. Tu vas sûrement être un peu surprise par ce que tu vas voir dans cette caverne et peut-être apprécieras-tu plus que d'autres tout l'art de ces peintures. Les Anciens qui ont travaillé ici étaient fort habiles.

— Toutes les peintures de cette grotte ont été exécutées par des Anciens ? demanda le Zelandoni de la Dix-Neuvième Caverne.

La requête tacite dans la voix de Jonokol n'échappa pas à la Gardienne. Elle l'avait déjà entendue dans la bouche d'autres artistes en visite. Ils voulaient savoir s'il leur serait permis d'apporter leur contribution à l'ornement de la caverne et elle savait quoi répondre :

— Presque toutes, mais j'en connais quelques-unes plus récentes. Si tu te sens à la hauteur de la tâche, tu es libre d'apposer ta marque. Nous n'empêchons personne de le faire. C'est la Mère qui choisit. Tu sauras si tu as été choisi, répondit la Gardienne.

Bien que beaucoup aient posé la question, rares étaient ceux qui s'étaient sentis dignes d'ajouter au remarquable travail que l'on trouvait à l'intérieur.

Ce fut au tour d'Ayla de se présenter :

— Au nom de la Grande Mère de Tous, je te salue, Gardienne du Site Sacré le Plus Ancien, dit-elle en tendant les mains. Je m'appelle Ayla, Acolyte de la Première parmi Ceux Qui Servent la Grande Terre Mère.

Elle n'est pas encore prête à se défaire de son nom, telle fut la première pensée de la Zelandoni. Elle se rendit compte ensuite que la jeune femme s'était exprimée avec un accent inhabituel et elle sut que c'était la personne dont on lui avait parlé. La plupart des membres de sa Caverne trouvaient que tous les visiteurs parlaient le zelandonii avec un accent qu'ils croyaient être du nord, mais la façon de parler de cette femme était tout à fait différente. Elle s'exprimait bien, connaissait manifestement la langue, mais la façon dont elle formait certains sons différait de tout ce qu'elle avait entendu auparavant. Elle venait sans aucun doute de très loin.

Elle regarda la jeune femme plus attentivement.

Oui, pensa-t-elle, elle est séduisante, mais elle a un air étranger, des traits différents, le visage moins long, les yeux plus écartés. Ses cheveux ne sont pas fins comme ceux de tant de femmes zelandonii et, bien qu'elle soit blonde, leur couleur est particulière, plus foncée, plus proche de celle du miel ou de l'ambre. Etrangère et pourtant acolyte de la Première. Il est assez rare qu'une étrangère fasse partie de la Zelandonia, plus encore qu'elle soit acolyte de la Première. Mais peut-être compréhensible, du fait que c'est elle qui se fait obéir des chevaux et d'un loup. Et c'est elle qui a arrêté les hommes qui ont causé tant d'ennuis pendant tant d'années.

— Tu es la bienvenue au Site Sacré le Plus Ancien, Ayla, Acolyte de la Première, dit la Zelandoni en lui serrant les mains. Je devine que tu as parcouru plus de chemin pour voir ce site que personne ne l'a jamais fait.

— Je suis venue avec les autres… commença Ayla.

Voyant un sourire s'épanouir sur le visage de son interlocutrice, elle comprit. C'était son accent. La Gardienne évoquait la distance qu'elle avait parcourue lors de son Voyage avec Jondalar, et avant cela en venant de son Clan et peut-être même avant encore.

— Il se peut que tu aies raison, mais Jondalar a peut-être voyagé encore plus loin. Il est allé de chez lui au bout de la Grande Rivière Mère tout là-bas à l'est et au-delà, où il m'a rencontrée, puis il est revenu avant d'entreprendre ce Périple de Doniate avec nous.

Jondalar s'approcha à la mention de son nom et sourit en entendant Ayla décrire ses pérégrinations. La Gardienne n'était ni jeune et immature ni vieille, mais assez âgée pour posséder la sagesse apportée par l'expérience et la maturité, à peu près de l'âge des femmes qui lui plaisaient avant de connaître Ayla.

— Salut, respectée Gardienne du Site Sacré le Plus Ancien, dit-il, les mains tendues. Je suis Jondalar, de la Neuvième Caverne des Zelandonii, Tailleur de Silex de cette Caverne, uni à Ayla de cette même Caverne, qui est Acolyte de la Première. Fils de Marthona, ancienne Femme Qui Commande de la Neuvième Caverne. Né au foyer de Dalanar, Homme Qui Commande et fondateur du peuple des Lanzadonii.

Ainsi énuméra-t-il ses noms et liens familiaux importants. Les membres de la Zelandonia pouvaient simplement énoncer leurs attaches principales, mais il eût été trop désinvolte et peu courtois de se montrer si bref lors de présentations rituelles, surtout à une Zelandoni.

— Tu es le bienvenu, Jondalar, de la Neuvième Caverne des Zelandonii, dit-elle en lui prenant les mains et en le regardant dans les yeux, ces yeux d'un bleu incroyablement vif qui semblaient voir dans son esprit même et émouvaient sa féminité.

Elle ferma les yeux quelques instants pour retrouver son équilibre intérieur.

Pas étonnant que sa compagne ne soit pas encore prête à renoncer à son nom, pensa la Gardienne. Elle est unie à l'homme le plus fascinant que j'aie jamais rencontré. Je me demande si quelqu'un a prévu une Fête de la Mère en l'honneur de ces visiteurs du Nord... Dommage que mon temps de garde ne soit pas encore fini. On peut avoir besoin de moi ici et je ne puis assister aux Fêtes de la Mère.

Willamar, qui attendait de se présenter à la Gardienne, baissa la tête pour dissimuler un sourire. C'est une bonne chose que Jondalar ne remarque pas l'effet qu'il produit encore sur les femmes, pensa-t-il, et qu'Ayla, aussi perspicace soit-elle, ne semble pas s'en apercevoir. La jalousie avait beau être considérée d'un mauvais œil, il savait qu'elle habitait le cœur de beaucoup.

— Je suis Willamar, Maître du Troc de la Neuvième Caverne des Zelandonii, dit-il, son tour venu, uni à Marthona, qui dirigeait auparavant la Neuvième Caverne et mère de ce jeune homme. Bien qu'il ne soit pas né dans mon foyer, il y a été élevé et je le considère donc comme le fils de mon cœur. J'éprouve le même sentiment envers Ayla et sa petite fille, Jonayla.

Elle n'est pas seulement unie, elle a une enfant, une jeune enfant, pensa la Gardienne. Comment peut-elle seulement songer à devenir une Zelandoni, elle qui est déjà acolyte de la plus puissante Zelandoni de la Terre ? La Première doit voir en elle un fort potentiel, mais elle doit être tiraillée dans son for intérieur.

Seuls ces cinq visiteurs allaient pénétrer dans la caverne, cette fois-ci. Les autres en feraient une visite ultérieure et n'en verraient sans doute pas autant. Les Cavernes qui veillaient sur le Site Sacré n'aimaient pas que trop de gens y entrent en même temps. Il y avait des torches et des lampes près du foyer. Les rassembler et les préparer pour qu'elles soient à disposition quand il le fallait faisait partie du travail du Gardien ou de la Gardienne. Chacun en prit une, mais la Gardienne en distribua de supplémentaires, en mit d'autres dans un sac et ajouta quelques lampes en pierre et des petites vessies d'huile. Quand tout le monde eut de quoi s'éclairer, la Gardienne pénétra à l'intérieur.

Une lumière entrait dans la première salle, suffisante pour se faire une idée de l'immensité de la caverne et de son caractère désorganisé. Un ensemble chaotique de formations rocheuses en occupait l'espace. Des stalactites jadis attachées au plafond et les stalagmites correspondantes étaient tombées comme si le sol s'était dérobé sous elles ; certaines renversées, d'autres effondrées, d'autres encore brisées en morceaux. La façon dont elles étaient éparpillées donnait un sentiment d'immédiateté ; pourtant, tout était si figé dans le temps qu'elles étaient recouvertes d'une épaisse couche luisante couleur caramel de gel stalagmitique.

La Gardienne les entraîna vers la gauche en longeant la paroi et se mit à fredonner. Les autres suivirent en file indienne, d'abord la Première, puis Ayla, Jonokol et Willamar, Jondalar en dernier. Il était assez grand pour voir par-dessus les têtes et se considérait comme une sorte d'arrière-garde protectrice, sans avoir cependant la moindre idée de ce dont ils avaient besoin d'être protégés.

Même plus à l'intérieur de la grotte, la lumière qui provenait de l'entrée était suffisante pour que l'obscurité ne soit pas totale. La caverne baignait dans une pénombre profonde à laquelle les yeux finissaient par s'habituer. À mesure qu'ils s'enfonçaient dans les profondeurs de la grotte, la coloration de la roche éclairée au passage par leurs torches et leurs lampes variait, du blanc pur de fins glaçons récents au gris blanchâtre de vieux morceaux de glace grumeleux. Des draperies ondulantes pendaient du plafond, rayées de jaune, orange, rouge et blanc le long des plis. Des lumières cristallines accrochaient l'œil, reflétant et amplifiant la faible clarté, d'autres miroitaient sur le sol recouvert d'une pellicule blanche de calcite. De fantastiques sculptures enflammaient l'imagination et des colonnes blanches colossales luisaient, translucides et mystérieuses. La caverne était d'une beauté absolue.

Dans la lumière incertaine, ils atteignirent un endroit où l'espace semblait s'ouvrir. Les parois de la salle disparaissaient et devant eux, hormis un disque blanc brillant, le vide paraissait se prolonger sans fin. Ayla sentit qu'ils étaient entrés dans une salle encore plus vaste que la première. Alors que d'étranges et magnifiques stalactites pareilles à de longs cheveux blancs pendaient du plafond, le sol était exceptionnellement plat, comme le lac immobile qui l'avait jadis occupé. Mais il était jonché de crânes, d'ossements et de dents et creusé par endroits de légères dépressions dont les ours des cavernes avaient fait leurs lits.

La Gardienne, qui n'avait cessé de fredonner, chanta plus fort, au point qu'Ayla, à son côté, n'aurait jamais pensé qu'une telle puissance sonore fût possible, mais il n'y avait pas d'écho. Le bruit était absorbé par l'immensité de l'espace vide à l'intérieur de la falaise rocheuse. Puis Celle Qui Était la Première entonna le Chant de la Mère de sa voix profonde de contralto :

Des ténèbres, du Chaos du temps,
Le tourbillon enfanta la Mère suprême.
Elle s'éveilla à Elle-Même sachant la valeur de la vie,
Et le néant sombre affligea la Grande Terre Mère.
La Mère était seule. La Mère était la seule.

De la poussière de Sa naissance, Elle créa l'Autre,
Un pâle ami brillant, un compagnon, un frère.
Ils grandirent ensemble, apprirent à aimer et chérir,
Et quand Elle fut prête, ils décidèrent de s'unir.
Il tournait autour d'Elle constamment, Son pâle amant.

De ce seul compagnon Elle se contenta d'abord...

La Première hésita, puis se tut. Il n'y avait pas de résonance, aucun écho. La grotte leur signifiait que ce n'était pas un lieu pour les humains. Cet espace appartenait aux ours des cavernes. Elle se demanda si la salle vide était peinte. La Gardienne devait le savoir.

— Zelandoni qui garde cette caverne, dit-elle cérémonieusement, les Anciens ont-ils peint les parois de la salle qui s'ouvre devant nous ?

— Non. Il ne nous appartient pas de peindre cette salle. Nous pouvons y entrer au printemps, de même que les ours des cavernes pénètrent souvent dans notre partie de cette caverne, mais la Mère leur a alloué cette salle pour leur sommeil hivernal.

— Ce doit être la raison pour laquelle personne n'a décidé d'habiter ici, dit Ayla. En voyant cette grotte, j'ai pensé qu'il y ferait bon vivre et je me suis demandé pourquoi une Caverne ne s'y était pas installée. Maintenant, je le sais.

La Gardienne les conduisit sur la droite. Ils franchirent une petite ouverture qui menait dans une autre salle et, un peu plus loin, arrivèrent à une autre ouverture plus grande. Comme la première salle, celle-ci était encombrée par un chaos de stalagmites et de concrétions tombées au sol. Le sentier contournait ces obstacles et débouchait sur un espace haut et vaste au sol rouge sombre. Un promontoire formé d'un énorme éboulis dominait la salle marquée de plusieurs gros points rouges sur un rocher comme suspendu au plafond. Ils arrivèrent à une grande paroi, un mur presque vertical qui montait jusqu'en haut, couvert lui aussi de gros points rouges et de signes divers.

— Comment croyez-vous que ces points ont été dessinés ? demanda la Gardienne.

— On a dû se servir d'un gros tampon de cuir, de mousse ou de quelque chose de similaire, répondit Jonokol.

— Le Zelandoni de la Dix-Neuvième devrait regarder d'un peu plus près, dit la Première.

Ayla se souvint que celle-ci était déjà venue ici et connaissait sans doute la réponse. Willamar aussi, probablement. Ayla n'essaya pas de deviner, Jondalar non plus. La Gardienne leva la main les doigts tendus en arrière et la posa sur un point. Il avait à peu près la même taille que sa paume.

Jonokol observa plus attentivement les gros points. Ils étaient un peu flous, mais on distinguait vaguement les marques des premières phalanges des doigts tendus qui partaient des points en éventail.

— Tu as raison ! s'exclama-t-il. Ils ont dû préparer une pâte d'ocre rouge très épaisse et tremper leurs paumes dedans. Je ne crois pas avoir jamais vu de points dessinés de cette façon !

Son étonnement fit sourire la Gardienne, qui parut assez contente d'elle. Le fait de l'avoir vue sourire amena Ayla à remarquer que la partie de la caverne où ils se trouvaient semblait mieux éclairée. Elle regarda alentour et se rendit compte qu'ils se trouvaient de nouveau près de l'entrée. Ils auraient pu passer par là en arrivant au lieu de faire le tour par la grande « chambre à coucher » des ours, mais elle était certaine que la Gardienne avait ses raisons pour prendre le chemin qu'ils avaient emprunté. Près des gros points, il y avait une autre peinture qu'Ayla ne put déchiffrer, en dehors d'une ligne droite rouge au-dessus, barrée près du haut par une autre transversale.

Le sentier les mena parmi les blocs de pierre et des concrétions qui encombraient le milieu de la salle, jusqu'à une tête de lion peinte en noir sur la paroi opposée. C'était la seule peinture noire visible. À côté, un signe et des petits points, peut-être faits avec le doigt. Plus loin, une série de taches rouges de la taille de la paume. Elle les compta mentalement en se servant des mots à compter. Il y en avait treize. Au-dessus d'eux, un autre groupe de dix points au plafond. Pour les dessiner, il avait fallu grimper sur une concrétion avec l'aide d'amis ou d'apprentis, supposa-t-elle ; ils devaient donc avoir une importance particulière pour leur auteur, bien qu'elle ne pût en imaginer la raison.

Un peu plus loin s'ouvrait une alcôve. À l'entrée se trouvait un rocher, complètement couvert de gros points rouges. À l'intérieur de l'alcôve, on avait dessiné d'autres points rouges sur une paroi et, sur celle d'en face, un groupe de points, quelques lignes et d'autres marques, ainsi que trois têtes de cheval, dont deux jaunes. Parmi le fouillis de blocs et de stalagmites de l'autre côté, derrière des concrétions basses, la Gardienne montra un autre ensemble assez important de grosses taches rouges.

— N'y a-t-il pas une tête d'animal formée de points rouges au milieu de ces points ? demanda Jonokol.

— Certains le pensent, répondit la Gardienne en le gratifiant d'un sourire pour avoir su reconnaître le motif.

Ayla essaya de distinguer l'animal, ne vit que des points. Elle perçut cependant une nuance.

— Ces points n'ont-ils pas été dessinés par une personne différente ? Ils semblent plus gros.

— Tu as sans doute raison, répondit la Gardienne. Nous pensons que les autres l'ont été par une femme, ceux-ci par un homme. Il y a d'autres peintures, mais pour les voir nous devons retourner par où nous sommes venus.

Elle se remit à fredonner en les conduisant dans une petite salle parmi les concrétions centrales. Un grand dessin représentait la partie antérieure d'un cervidé, probablement un jeune mégacéros. Il avait une petite ramure palmée et une légère bosse sur le garrot. La Gardienne haussa la voix. La salle résonnait de son écho. Jonokol joignit sa voix à la sienne et ses gammes s'harmonisèrent doucement avec ses tons. Ayla se mit à siffler des chants d'oiseaux qui complétèrent la musique. Puis la Première entonna de nouveaux couplets du Chant de la Mère en baissant sa voix puissante de contralto, ajoutant ainsi une note profonde et riche à l'ensemble :

De ce seul compagnon Elle se contenta d'abord,
Puis devint agitée et inquiète en Son cœur.
Elle aimait Son pâle ami blond, cher complément
*   d'Elle-Même,*
Mais Son amour sans fond demeurait inemployé.
La Mère Elle était, quelque chose Lui manquait.

Elle défia le grand vide, le Chaos, les ténèbres,
De trouver l'antre froid de l'étincelle source de vie.
Le tourbillon était effroyable, l'obscurité totale.
Le Chaos glacé chercha Sa chaleur.
La Mère était brave, le danger était grave.

Elle tira du Chaos froid la source créatrice
Et conçut dans ce Chaos. Elle s'enfuit avec la force
*   vitale,*
Grandit avec la vie qu'Elle portait en Son sein,
Et donna d'Elle-Même avec amour, avec fierté.
La Mère portait Ses fruits, Elle partageait Sa vie.

Le vide obscur et la vaste Terre nue
Attendaient la naissance.
La vie but de Son sang, respira par Ses os.
Elle fendit Sa peau et scinda Ses roches.
La Mère donnait. Un autre vivait.

Les eaux bouillonnantes de l'enfantement emplirent
rivières et mers,
Inondèrent le sol, donnèrent naissance aux arbres.
De chaque précieuse goutte naquirent et feuilles,
Jusqu'à ce qu'un vert luxuriant renouvelle la Terre.
Ses eaux coulaient. Les plantes croissaient.

La Première cessa de chanter à un passage qui semblait conclure le chœur impromptu. Ayla s'arrêta aussi au bout d'un long trille mélodieux d'alouette, laissant poursuivre seuls Jonokol et la Gardienne, qui finirent sur une tonalité harmonieuse. Jondalar et Willamar se tapèrent sur les cuisses en connaisseurs.

— C'était merveilleux, dit Jondalar. Tout simplement splendide.

— Oui. Excellent, renchérit Willamar. Je suis sûr que la Mère a aimé autant que nous.

La Gardienne les emmena à travers une petite salle puis jusqu'à un autre renfoncement. De l'entrée, on distinguait la tête d'un ours peint en rouge. Lorsqu'ils se baissèrent pour franchir un passage bas, le reste du corps de l'ours leur apparut, puis la tête d'un autre émergea de l'obscurité. Après s'être redressés au bout du passage, ils aperçurent la tête d'un troisième, esquissée sous celle du premier. La forme de la paroi était habilement mise à profit pour ajouter de la profondeur à la représentation du premier et, bien que le deuxième fût entièrement dessiné, c'était un creux à l'endroit de l'arrière-train qui donnait cette impression. C'était presque comme si l'ours était sorti du Monde des Esprits à travers la paroi.

— Ce sont indéniablement des ours des cavernes, dit Ayla. La forme de leur front est caractéristique. Elle est telle depuis qu'ils sont petits.

— Tu as déjà vu des petits ours des cavernes ?

— Oui, parfois. Les gens parmi lesquels j'ai grandi avaient une relation particulière avec les ours des cavernes.

Dans le fond de la niche, ils distinguèrent deux ibex partiellement peints sur la paroi de droite. Des fissures dans la roche dessinaient leurs cornes et leur dos.

Ils franchirent le passage en sens inverse, remontèrent jusqu'à la hauteur du mégacéros, puis suivirent la paroi gauche jusqu'à un grand espace ouvert. Pendant qu'ils parcouraient la salle, Jonokol jeta un coup d'œil dans un renfoncement occupé par une concrétion ancienne dont le haut avait la forme d'une petite cuvette. Il y versa un peu d'eau de son outre. Ils revinrent sur leurs pas par le même chemin et arrivèrent finalement à la grande ouverture qui menait à la salle où dormaient les ours. Non loin de l'entrée de la caverne, sur une grosse colonne rocheuse qui séparait deux salles, face aux autres peintures de celle qui était encombrée de roches chaotiques, un panneau de vingt pieds de long sur dix de haut était couvert de gros points rouges ainsi que d'autres marques et signes, dont une ligne droite barrée près du haut.

La Gardienne les ramena dans la salle aux ours. Elle s'arrêta juste avant une ouverture.

— Il y a beaucoup de choses à voir ici, et je voudrais vous en montrer certaines, dit la Zelandoni en regardant Ayla. Celles-ci, pour commencer.

Elle leva sa torche. Des lignes rouges sur la paroi semblaient disposées au hasard. Ayla remplit soudain les vides mentalement et la tête d'un rhinocéros lui apparut. Elle distingua le front, la naissance des deux cornes, un courte ligne pour l'œil, le bout de son museau avec une ligne pour la bouche et l'esquisse du poitrail. La simplicité du dessin était frappante et pourtant l'animal clairement reconnaissable.

— C'est un rhinocéros ! s'exclama Ayla.

— Oui, et vous en verrez d'autres à l'intérieur de cette salle, dit la Gardienne.

Le sol était en roche dure, de la calcite, et des colonnes blanches et orangées empêchaient d'accéder à la paroi de gauche. Au-delà de ces colonnes il n'y avait presque pas de concrétions, sauf au plafond auquel s'accrochaient d'étranges structures rocheuses arrondies et des dépôts rougeâtres. Des blocs de pierre de toutes tailles étaient tombés du plafond. Un lourd fragment dont la chute avait provoqué un basculement du sol coupait une zone à peu près circulaire. Près de l'entrée, une petite esquisse rouge d'un mammouth ornait une sorte de pendentif rocheux.

Au-delà, dans le haut de la paroi, était représenté un petit ours rouge. Il était évident que l'artiste avait dû escalader la paroi pour le peindre. Dessous, sur un rocher en saillie, deux mammouths utilisaient le relief de la roche et, plus loin, un signe curieux apparaissait sur une autre avancée. Un extraordinaire panneau de peintures rouges, dont une représentant la partie antérieure d'un ours bien dessinée, ornait la paroi opposée. La forme du front et le port de tête permettaient de reconnaître l'ours des cavernes.

— Jonokol, cet ours ne ressemble-t-il pas beaucoup à celui que nous venons de voir ? demanda Ayla.

— Oui, j'imagine qu'il a été peint par la même personne.

— Mais je ne comprends pas le reste de la peinture. On dirait deux animaux réunis, si bien qu'il paraît avoir deux têtes, l'une sortant du poitrail de l'ours, mais il y a aussi un lion au milieu et une autre tête de lion devant l'ours. Je n'y comprends rien.

— Peut-être n'est-ce pas fait pour être compris par qui que ce soit en dehors de celui qui l'a peint, intervint la Première. L'artiste a fait preuve d'une grande imagination et peut-être a-t-il tenté de raconter une histoire maintenant oubliée. Aucune Légende Ancienne ou Histoire que je connais ne l'explique.

— Je crois que nous devons nous contenter d'apprécier la qualité du travail et laisser les Anciens conserver leurs secrets, dit la Gardienne.

Ayla acquiesça ; elle avait vu suffisamment de cavernes pour savoir que l'important n'était pas tant ce qui était représenté que le caractère accompli de l'œuvre.

Plus loin dans la galerie, au-delà de la deuxième tête de lion et d'une faille dans la paroi, se trouvait un panneau peint en noir : une tête de lion, un grand mammouth et enfin une silhouette peinte haut au-dessus du sol, celle d'un gros ours rouge, le contour du dos en noir. Comment l'artiste avait réussi à le peindre, voilà qui était mystérieux. Il était aisément visible d'en bas, mais celui qui avait effectué le travail avait dû grimper sur plusieurs hautes concrétions pour arriver là-haut.

— Avez-vous remarqué que tous les animaux sortent de la salle, sauf le mammouth ? dit Jonokol. C'est comme s'ils entraient dans un monde en venant de celui des Esprits.

La Gardienne se tenait juste à l'extérieur de la salle et elle se remit à fredonner, une mélodie similaire à celle du Chant de la Mère, tel que la Première l'avait interprété. Chaque Caverne de Zelandonii chantait ou récitait le Chant de la Mère. Il retraçait les commencements, l'origine du peuple, et si toutes les versions étaient similaires et racontaient la même histoire, celle de chaque Caverne différait toujours un peu des autres, et même d'un interprète à l'autre.

Comme à un signal, la Première entonna le couplet suivant du Chant, là où elle s'était arrêtée. Jonokol et Ayla s'abstinrent de joindre leurs voix à la sienne et se contentèrent de prendre plaisir à l'écouter :

Dans la douleur du travail, crachant du feu,
Elle donna naissance à une nouvelle vie.
Son sang séché devint la terre d'ocre rouge.
Mais l'enfant radieux justifiait toute cette souffrance.
Un bonheur si grand, un garçon resplendissant.

Les roches se soulevèrent, crachant des flammes de
   leurs crêtes.
La Mère nourrit Son fils de Ses seins montagneux.
Il tétait si fort, les étincelles volaient si haut,
Que le lait chaud traça un chemin dans le ciel.
La Mère allaitait, Son fils grandissait.

Il riait et jouait, devenait grand et brillant.
Il éclairait les ténèbres, à la joie de la Mère.
Elle dispensa Son amour, le fils crût en force,
Mûrit bientôt et ne fut plus enfant.
Son fils grandissait, il Lui échappait.

Elle puisa à la source pour la vie qu'Elle avait
   engendrée.
Le vide froid attirait maintenant Son fils.

La Mère donnait l'amour, mais le jeune avait d'autres
désirs.
Connaître, voyager, explorer.
Le Chaos La faisait souffrir, le fils brûlait de partir.

Il s'enfuit de Son flanc pendant que la Mère dormait
Et que le Chaos sortait en rampant du vide
tourbillonnant.
Par ses tentations aguichantes l'obscurité le séduisit.
Trompé par le tourbillon, l'enfant tomba captif.
Le noir l'enveloppa, le jeune fils plein d'éclat.

L'enfant rayonnant de la Mère, d'abord ivre de joie,
Fut bientôt englouti par le vide sinistre et glacé.
Le rejeton imprudent, consumé de remords,
Ne pouvait se libérer de la force mystérieuse.
Le Chaos refusait de lâcher le fils coupable de témérité.

Mais au moment où les ténèbres l'aspiraient dans le
froid
La Mère se réveilla et se ressaisit.
Pour L'aider à retrouver Son fils resplendissant,
La Mère fit appel à Son pâle ami.
Elle tenait bon, Elle ne perdait pas de vue Son rejeton.

Le son résonnait, le chant leur revenait en écho, pas
aussi fort qu'en d'autres endroits, pensa la Première,
mais avec d'intéressantes nuances, presque comme s'il
se dédoublait. Parvenue à un passage qu'elle jugea
approprié, elle s'arrêta de chanter. Le groupe poursuivit son chemin en silence.

Sur le côté droit de la caverne, ils arrivèrent à une
importante accumulation de pierre stalagmitique et de
rochers éboulés. Cette fois-ci, la Gardienne les
emmena vers le côté gauche de la grotte, au fond de la

Chambre des Ours. Au-delà des stalagmites et des blocs de pierre, un grand rocher en forme de lame pendait du plafond. Il marquait l'entrée d'une nouvelle salle dont la hauteur de plafond, importante au début, allait en s'amenuisant vers l'arrière. Une multitude de concrétions pendaient du plafond et des parois, contrairement à la Chambre des Ours, où il n'y en avait pas.

En arrivant au rocher suspendu en forme de lame, la Gardienne tapa sa torche sur une arête rocheuse pour qu'elle brûle et éclaire mieux, puis elle la leva afin que tous puissent voir la surface du panneau. Vers le bas, tourné vers la gauche, un léopard tacheté était peint en rouge. Ayla, Jondalar et Jonokol n'avaient encore jamais vu de léopard peint sur les parois d'un site sacré. Sa longue queue donnait à penser à Ayla que c'était probablement un léopard des neiges. À l'extrémité de la queue on voyait une épaisse coulée de calcite et à l'autre bout un gros point rouge. Personne ne s'expliquait la présence de ce point à cet endroit ni ce que signifiait ce léopard, mais c'en était un, à n'en pas douter.

On ne pouvait pas en dire autant de l'animal peint au-dessus, tourné vers la droite. On pouvait aisément confondre les épaules massives et la forme de la tête avec celles d'un ours, mais Ayla était certaine qu'il s'agissait d'une hyène à cause du corps fin, des longues pattes et des taches dans la partie supérieure du corps. Elle connaissait les hyènes et savait qu'elles avaient des épaules massives. La forme de la tête de l'animal peint ressemblait cependant à celle d'un ours des cavernes. Les dents solides et les puissants muscles de la mâchoire d'une hyène, capables de broyer des os de mammouth, avaient également développé une structure osseuse volumineuse, mais son museau était plus long. Le pelage de l'animal paraissait raide et rêche, surtout autour de la tête et des épaules.

— Vous voyez l'autre ours, plus haut ? demanda la Gardienne.

Ayla aperçut soudain une autre silhouette au-dessus de la hyène. Elle distingua la forme caractéristique d'un ours des cavernes tourné vers la gauche, dans la direction opposée à la hyène, dessinée en lignes rouges à peine visibles. Elle les compara.

— Je ne crois pas que l'animal tacheté soit un ours, mais une hyène, dit-elle.

— Certains le pensent, mais sa tête ressemble beaucoup à celle d'un ours, fit remarquer la Gardienne.

— Les têtes des deux animaux sont similaires, reprit Ayla, mais la hyène représentée a le museau plus long et pas d'oreilles. La touffe de poils raides sur le dessus de la tête est typique de la hyène.

La Gardienne ne contesta pas. Chacun avait le droit de penser ce qu'il voulait, mais l'acolyte avait fait d'intéressantes observations. La Zelandoni montra ensuite un autre félin caché sur le dessous étroit de la pierre suspendue et lui demanda de quel animal il s'agissait, selon elle. Ayla ne savait pas trop ; son pelage était dépourvu de taches et sa forme allongée pour entrer dans le peu d'espace disponible, la silhouette était très féline ou, à bien y réfléchir, pareille à celle d'une belette. Il existait d'autres animaux, qu'on lui avait dit être des ibex, mais elle n'en avait pas une idée aussi claire. On les conduisit ensuite de l'autre côté de la salle. Au début, ils virent beaucoup de concrétions, mais pas de peintures.

En continuant le long du passage, ils arrivèrent à un long panneau. Une formation calcaire avait orné la paroi de draperies et de filets rouges, orange et jaunes qui n'atteignaient pas tout à fait les épais monticules coniques situés dessous. Des concrétions pareilles à des ruisselets figés dans le temps semblaient couler des draperies, et sur les espaces intercalaires d'étranges signes avaient été peints.

Des lignes partaient de côté, en une sorte de long rectangle. Il rappela à Ayla une de ces créatures rampantes aux nombreuses pattes, peut-être une chenille. Sur l'espace libre suivant, des ailes étaient attachées de chaque côté d'une silhouette centrale. Cela pouvait être un papillon, l'étape suivante dans la vie de la chenille, mais ce n'était pas aussi bien exécuté que beaucoup d'autres peintures et un doute demeurait. Elle songea à poser la question à la Gardienne, mais elle pressentait qu'elle ne saurait pas.

À mesure qu'ils continuaient, la paroi était décorée de manière de moins en moins extravagante. La Gardienne se remit à fredonner jusqu'au moment où ils arrivèrent à un endroit surplombé par la roche. Des grappes de points y avaient été tracées, suivies par une frise de cinq rhinocéros. Il y avait bien d'autres signes et représentations d'animaux. Sept têtes et un animal entier, genre félin, peut-être des lions, ainsi qu'un cheval, un mammouth, un rhinocéros. Plusieurs empreintes de main et des points formaient des lignes et des cercles. Puis venaient encore des signes et l'esquisse d'un rhinocéros en noir.

Ils parvinrent ensuite à une autre lame de roche formant une cloison sur laquelle on voyait d'autres signes, le contour partiel d'un mammouth en noir ; une empreinte rouge de main en négatif avait été laissée à l'intérieur du corps de l'animal et une autre sur le flanc d'un cheval. Sur leur droite, deux grands amas de points. Sur leur gauche, un petit ours dessiné en rouge. Il y avait aussi un cerf rouge et quelques autres marques, l'ours étant cependant la figure principale. Il était représenté à peu près de la même façon que les autres ours rouges qu'ils avaient vus, mais en miniature. Le panneau en question marquait l'entrée d'une petite salle, dans laquelle il n'y avait guère la place de se tenir debout.

— Inutile d'entrer là, dit la Gardienne. C'est une toute petite salle et il n'y a pas grand-chose à voir. En plus, à l'intérieur, il faut se baisser ou s'accroupir.

Elle obliqua sur la gauche et suivit la paroi. La salle suivante était d'environ deux mètres plus basse que celle où ils se trouvaient, le sol incliné, le plafond haut par endroits, de nombreuses concrétions recouvraient les parois et le plafond. Certains signes – des empreintes de pattes, des marques de griffes et des os – attestaient que des ours des cavernes étaient venus là. Ayla crut entrevoir un dessin au loin, mais la Gardienne poursuivit son chemin sans se donner la peine de l'indiquer. Ils étaient apparemment dans l'antichambre d'une autre salle.

Celle-ci était basse. Au milieu s'ouvrait une dépression d'une dizaine de mètres de circonférence et de plus de trois mètres cinquante de profondeur. Ils la contournèrent par la droite sur un sol de terre brune.

— Quand le sol s'est-il affaissé ? s'enquit Jondalar.

Le sol sous leurs pieds paraissait assez solide, mais il se demandait si un nouvel affaissement ne risquait pas de se produire.

— Je l'ignore, répondit la Gardienne, mais les Anciens sont venus ici après.

— Comment le sais-tu ?

— Regarde là-haut, dit-elle en montrant une lame de roche lisse suspendue au plafond au-dessus de la dépression.

Tout le monde regarda. Du fait que la plupart des parois de cette salle et des rochers tombés du plafond étaient recouverts d'une couche de matériau tendre marron clair pareil à de l'argile, de la vermiculite – une altération chimique des constituants minéraux de la pierre en avait ramolli la surface –, les dessins étaient blancs. Ces dessins, des sortes de gravure, pouvaient être exécutés avec un bâton ou même le doigt en enlevant la couche d'argile superficielle, faisant ainsi apparaître une ligne d'un blanc pur.

Ayla remarqua qu'il y avait un grand nombre de dessins blancs dans cette salle. Sur la roche en surplomb, elle crut apercevoir un cheval et une chouette, la tête complètement tournée à cent quatre-vingts degrés, de sorte qu'on voyait son visage au-dessus de son dos. On savait que les chouettes faisaient cela, mais elle n'en avait jamais vu de représentation graphique, elle n'avait jamais vu aucun dessin de chouette dans une caverne.

— Tu as raison. Cela a dû être dessiné par les Anciens, car personne ne peut atteindre ce rocher maintenant, dit Jondalar.

La Gardienne lui sourit, charmée par son ton incrédule. Elle montra d'autres dessins gravés avec le doigt, puis elle les conduisit de l'autre côté de la dépression circulaire jusqu'à la paroi gauche. Bien que l'espace fût encombré de stalactites, de stalagmites et de formations pyramidales coniques, il n'était pas difficile de se déplacer à travers la salle et la plupart des décorations se trouvaient à la hauteur des yeux. Même à une certaine distance, la lumière de leurs torches éclairait de nombreuses gravures blanches, certaines grattées pour obtenir une surface blanche. Du milieu de la salle, ils distinguaient des mammouths, des rhinocéros, des ours, des aurochs, des bisons, des chevaux, une série de lignes incurvées et de marques de doigts sinueuses tracées sur des griffures d'ours.

— Combien d'animaux sont représentés dans cette salle ? demanda Ayla.

— J'en ai compté presque deux fois vingt-cinq, répondit la Gardienne en levant la main gauche, tous les doigts pliés, avant de l'ouvrir et de replier de nouveau les doigts.

Ayla se remémora l'autre façon de compter avec les doigts. Compter de cette manière pouvait être plus complexe que de recourir aux mots à compter, si l'on comprenait comment procéder. La main droite comptait les mots et, à chaque mot prononcé, on repliait un doigt ; la main gauche indiquait le nombre de fois où l'on était arrivé à cinq. La même main gauche, paume ouverte, tous les doigts repliés, ne signifiait pas cinq, comme elle l'avait appris en commençant à compter et comme Jondalar le lui avait montré en lui apprenant les mots à compter, mais vingt-cinq. Elle s'était familiarisée avec cette façon de compter au cours de sa formation et le concept l'avait étonnée. Employés de cette façon, les mots à compter étaient bien plus efficaces.

Il lui vint à l'esprit que les gros points pouvaient aussi être un moyen d'utiliser les mots à compter. Une empreinte de main représenterait cinq, une grosse marque faite avec la paume seule vingt-cinq ; deux signifieraient deux fois vingt-cinq, cinquante. Tant de marques sur une paroi indiquaient peut-être un nombre très important – encore fallait-il savoir le lire. Mais, comme tout ce qui concernait les Zelandonia ou presque, c'était sans doute plus complexe que cela. Chaque signe possédait plus d'un sens.

Tandis qu'ils faisaient le tour de la salle, Ayla vit un cheval magnifiquement exécuté et, derrière lui, deux mammouths, l'un en surimpression sur l'autre, la ligne de leur ventre arquée, ce qui la fit songer à l'arche massive à l'extérieur. Était-elle censée représenter un mammouth ? La plupart des animaux peints dans la salle semblaient être des mammouths, mais il y avait aussi beaucoup de rhinocéros. L'un en particulier attira son attention. Seule la moitié antérieure était gravée et elle paraissait émerger d'une fissure de la paroi, sortir du monde situé derrière la paroi. Il y avait aussi quelques chevaux, aurochs et bisons, mais pas de félins ni de cervidés. Et alors que la plupart des représentations animalières de la première partie de la caverne étaient en rouge – l'ocre rouge du sol et des parois –, dans cette partie-ci, elles étaient blanches, exécutées avec les doigts ou un objet dur, à l'exception de quelques-unes en noir sur la paroi droite dans le fond, dont un superbe ours.

Elles avaient l'air intéressantes et elle avait envie d'aller les voir de près, mais la Gardienne les emmena autour du cratère central vers une autre partie de la grotte. La paroi gauche était cachée par un amoncellement de gros blocs de pierre qu'Ayla distinguait à peine à la lumière des torches, ce qui lui rappela de taper la sienne sur la roche pour éliminer l'excès de cendre. La flamme jaillit de plus belle et elle se rendit compte qu'elle allait bientôt devoir allumer une autre torche.

La Gardienne se remit à fredonner à l'approche d'un autre espace bien moins haut de plafond. Celui-ci était si bas que quelqu'un y avait dessiné un mammouth avec le doigt en montant sur un rocher. Sur la droite, on distinguait une tête de bison, rapidement exécutée, puis trois mammouths et plusieurs autres dessins sur des roches pendant du plafond : deux grands rennes en noir, ombrés pour souligner leur contour, et un troisième, moins détaillé. Sur une autre partie de cette roche suspendue, deux gros mammouths noirs se faisaient face, mais seule la partie antérieure de celui de gauche était figurée. Celui de droite était colorié en noir et il avait des défenses – les seules qu'Ayla ait vues sur les mammouths peints dans cette caverne. D'autres dessins ornaient des roches suspendues plus loin vers le fond, à bonne distance du sol : un autre mammouth gravé de profil, un grand lion et un bœuf musqué, reconnaissable à ses cornes recourbées vers le bas.

Ayla était si concentrée sur les animaux peints qu'elle n'entendit la Gardienne et le Zelandoni de la Dix-Neuvième Caverne chanter que lorsque la Première joignit sa voix aux leurs. Juste capable d'imiter des chants d'oiseaux et des cris de bêtes et ne sachant pas chanter, elle se contenta cette fois-ci de les écouter :

À son retour, elle accueillit Son amant d'antan
Le cœur en peine et son histoire lui conta.
L'ami cher accepta de se joindre au combat,
Pour arracher Son enfant à son sort périlleux.
Elle lui parla de Son chagrin et du voleur tournoyant.

La Mère était épuisée, Elle devait se reposer,
Elle relâcha Son étreinte sur Son lumineux amant
Qui, pendant Son sommeil, la froide puissance affronta
Et pendant un temps vers sa source la refoula.
Son esprit était fort, mais trop long le combat.

Le pâle ami lumineux lutta de toutes ses forces,
Le conflit était âpre, la bataille acharnée.
Sa vigilance déclina, il ferma son grand œil,
Le noir l'enveloppa, lui vola sa lumière.
Du pâle ami exténué, la lumière expirait.

Quand les ténèbres furent totales, Elle s'éveilla avec
  un cri.
Le vide obscur cachait la lumière du ciel.
Elle se jeta dans la mêlée, fit tant et si bien
Qu'Elle arracha Son ami à l'obscurité.
Mais de la nuit le visage terrible gardait Son fils
  invisible.

Prisonnier du tourbillon, le fils ardent de la Mère
Ne réchauffait plus la Terre, le froid chaos avait gagné.
La vie fertile et verdoyante n'était que glace et neige,
Et un vent mordant soufflait sans trêve.
Aucune plante ne poussait plus, la Terre était
  abandonnée.

Bien que lasse et épuisée de chagrin, la Mère tenta
  encore
De reprendre la vie qu'Elle avait enfantée.
Elle ne pouvait renoncer, Elle devait lutter
Pour que renaisse la lumière glorieuse de Son fils.
Elle poursuivit sa quête guerrière pour ramener la
  lumière...

Quelque chose attira soudain l'œil d'Ayla et elle fut parcourue d'un frisson, pas exactement de peur, plutôt une sensation de déjà-vu. Un crâne d'ours des cavernes était posé sur la surface plate d'un rocher. Elle ne savait trop comment le rocher était arrivé là, au milieu de la salle. D'autres plus petits se trouvaient à proximité et elle supposa qu'ils étaient tombés du plafond, mais aucun d'eux n'avait un dessus aplani. Elle savait cependant comment le crâne était arrivé sur le rocher plat : quelqu'un l'y avait mis !

En se dirigeant vers le rocher, elle se souvint brusquement du crâne d'ours que Creb avait trouvé, un os enfoncé dans l'ouverture formée par l'orbite et la pommette. Ce crâne revêtait une grande importance pour le Mog-ur du Clan de l'Ours des Cavernes et elle se demanda si des membres du Clan étaient venus dans cette grotte. S'ils l'avaient fait, cette caverne avait dû posséder une grande signification. Les Anciens qui avaient peint les animaux de cette grotte étaient certainement des gens comme elle ; les membres du Clan ne peignaient pas, mais ils avaient pu déposer là un crâne. Et le Clan se trouvait là en même temps que les peintres anciens. Etaient-ils entrés dans cette caverne ?

En s'approchant, le regard fixé sur le crâne d'ours perché sur la pierre plate, avec deux énormes canines dépassant du bord, elle était intimement persuadée que l'Ancien qui l'avait placé là appartenait au Clan. Jondalar l'avait vue frissonner et il se dirigea vers le milieu de la salle où le crâne était posé sur le rocher et il comprit sa réaction.

— Ça va, Ayla ? demanda-t-il.

— Cette caverne devait compter beaucoup pour le Clan, dit-elle. Je ne peux m'empêcher de penser qu'ils en connaissaient l'existence. Peut-être s'en souviennent-ils encore.

Les autres s'étaient maintenant regroupés autour du rocher plat.

— Je vois que tu as trouvé le crâne. J'allais vous le montrer, dit la Gardienne.

— Des membres du Clan sont venus ici ? s'enquit Ayla.

— Des membres du Clan ? répéta la Gardienne en secouant la tête.

— Ceux que vous appelez les Têtes Plates.

— C'est curieux que tu poses la question. Nous voyons effectivement des Têtes Plates par ici, mais seulement à certaines périodes de l'année. Ils font peur aux enfants ; nous sommes cependant parvenus à une sorte de compréhension mutuelle, si tant est que ce soit possible avec des animaux. Ils gardent leurs distances et nous les laissons tranquilles dans la mesure où ils veulent seulement entrer dans la caverne.

— Je dois d'abord te dire que ce ne sont pas des animaux mais des humains. L'Ours des Cavernes est leur principal totem, ils disent être du Clan de l'Ours des Cavernes, fit remarquer Ayla.

— Comment peuvent-ils dire quoi que ce soit, ils ne parlent pas, répliqua la Gardienne.

— Si, ils parlent, mais pas comme nous. Ils emploient certains mots, mais parlent surtout avec les mains.

— Comment fait-on pour parler avec les mains ?

— Ils font des gestes avec leurs mains et leur corps.

— Je ne comprends pas, avoua la Gardienne.

— Je vais te montrer, dit Ayla en tendant sa torche à Jondalar. La prochaine fois que tu verras quelqu'un du Clan qui souhaite entrer dans la caverne, tu pourras lui dire ceci : « Je te salue et je tiens à te dire que tu es le bienvenu dans cette grotte, demeure des ours des cavernes. »

Elle accompagna ces mots des gestes appropriés.

— Ces gestes des mains signifient ce que tu viens de dire ? demanda la Gardienne.

— J'ai montré à la Neuvième Caverne, à notre Zelandoni et à tous ceux qui voulaient l'apprendre comment faire les quelques signes essentiels afin que, s'ils rencontrent des gens du Clan au cours de leurs déplacements, ils puissent communiquer au moins un peu. Je me ferai un plaisir de te montrer aussi quelques-uns de ces signes, mais mieux vaut sans doute attendre d'être sortis d'ici, il fera plus clair.

— J'aimerais en voir davantage, mais comment se fait-il que tu saches tout cela ?

— J'ai vécu parmi eux. Ils m'ont élevée. Ma mère et les siens, mon peuple, je suppose, sont morts durant un tremblement de terre. Je me suis retrouvée livrée à moi-même. J'ai erré seule jusqu'à ce qu'un membre du Clan me trouve et me ramène avec lui. Ils se sont occupés de moi, m'ont aimée et je leur ai rendu leur amour, expliqua Ayla.

— Tu ne sais pas qui est ton peuple ? s'étonna la Gardienne.

— Les Zelandonii sont mon peuple, maintenant. Avant, c'étaient les Mamutoï, les chasseurs de mammouths, et, avant encore, le Clan, mais je ne me souviens pas de celui dans lequel je suis née.

— Je vois. J'aimerais en savoir plus, mais nous n'avons pas encore fini la visite de cette caverne.

— Tu as raison, dit la Première. Continuons.

Pendant qu'Ayla pensait au crâne d'ours posé sur la pierre, la Gardienne avait montré à ses compagnons d'autres parties de la salle dans laquelle ils se trouvaient. Dans la suite de la visite, Ayla remarqua divers motifs, un grand panneau gratté représentant des mammouths, quelques chevaux, des aurochs et des ibex.

— Je dois t'avertir, Zelandoni Qui Est la Première, que la dernière salle est d'accès assez difficile. Il faut grimper de hautes marches et se baisser pour franchir un passage au plafond bas. Et il n'y a pas grand-chose à voir en dehors de quelques signes, un cheval jaune et quelques mammouths. Penses-y avant de continuer.

— Oui, répondit la Première. Inutile que je revoie la salle cette fois-ci. Je vais laisser aller les plus énergiques.

— Je vais attendre avec toi, dit Willamar. Je l'ai vue, moi aussi.

Lorsque le groupe fut à nouveau au complet, ils longèrent la paroi, maintenant sur leur gauche, sur laquelle avaient été grattées des silhouettes de mammouths et arrivèrent aux peintures noires qu'ils avaient aperçues de loin. À l'approche de la première, la Gardienne se remit à fredonner et les autres sentirent que la caverne répondait.

5

Ayla fut d'abord attirée par les représentations de chevaux, bien qu'elles n'aient pas été les premières sur la paroi. Depuis qu'elle avait appris l'existence de ces œuvres d'art pariétal, elle en avait vu de magnifiques, mais jamais rien de pareil à ces chevaux.

Dans cette caverne humide, la surface de la paroi était tendre. Sous l'action des agents chimiques et bactériens dont ni elle ni les artistes n'avaient la moindre idée, la couche superficielle de calcaire s'était décomposée en mondmilch, « lait de lune », un matériau à la texture douce, presque luxueuse, d'un blanc pur. On pouvait le gratter avec presque n'importe quoi, même la main, et le calcaire blanc et dur qui se trouvait dessous formait un support parfait pour dessiner. Les Anciens qui avaient peint ces parois ne l'ignoraient pas et savaient en tirer parti.

Il y avait quatre têtes de cheval peintes en perspective, l'une au-dessus de l'autre ; la paroi avait été soigneusement grattée, ce qui avait permis à l'artiste de montrer les détails et les particularités de chaque animal. La crinière dressée caractéristique, la ligne de la mâchoire, la forme du museau, une bouche ouverte ou fermée, une narine dilatée, tout cela était représenté avec une telle fidélité que les animaux semblaient presque vivants.

Ayla se tourna vers son compagnon pour lui montrer la peinture rupestre.

— Jondalar, regarde ces chevaux ! As-tu jamais rien vu de pareil ? On dirait qu'ils sont vivants.

Debout derrière elle, il l'enlaça de ses bras.

— J'ai déjà vu des beaux chevaux peints sur des parois, mais rien de comparable.

Il s'adressa à la Première :

— Merci de m'avoir emmené avec toi au cours de ce Voyage. S'il n'y avait eu que cela à voir, cela en aurait valu la peine.

Il se retourna vers la paroi.

— Et il n'y a pas que des chevaux. Regardez ces aurochs et ce combat de rhinocéros.

— Je ne crois pas qu'ils se battent, dit Ayla.

— Non, ils font cela aussi avant de partager les Plaisirs, intervint Willamar.

Il regarda la Première et se rendit compte qu'il leur arrivait la même chose. Alors que tous deux étaient déjà venus là, voir les peintures avec les yeux d'Ayla était comme les découvrir. La Gardienne ne put réprimer un sourire suffisant. Elle n'avait pas à préciser : « Je vous l'avais dit. » C'était ce que la fonction de Gardienne avait de plus gratifiant : voir non pas les œuvres elles-mêmes – elle les avait vues maintes fois –, mais la réaction des visiteurs.

— Voulez-vous en voir d'autres ? demanda-t-elle.

Ayla se contenta de la regarder et de sourire, mais c'était le plus charmant sourire que la Gardienne ait jamais vu. Quelle belle femme ! pensa-t-elle. Je comprends qu'elle plaise à Jondalar. Si j'étais un homme, elle me plairait aussi.

Après avoir contemplé les chevaux, Ayla put prendre le temps d'examiner le reste, et il y avait beaucoup à voir. Les trois aurochs à la gauche des chevaux côtoyaient des petits rhinocéros, un cerf et, sous l'affrontement des rhinocéros, un bison. À droite des chevaux s'ouvrait une alcôve trop petite pour que plus d'une personne y entre à la fois. À l'intérieur, il y avait d'autres chevaux, un ours ou peut-être un grand félin, un aurochs et un bison représenté avec une multitude de pattes.

— Regarde ce bison en train de fuir, dit Ayla. Il est vraiment en train de courir et de haleter. Et les lions ! ajouta-t-elle en riant.

— Qu'y a-t-il de si drôle ? demanda Jondalar.

— Tu ne vois pas ces deux lions ? La femelle en chaleur est assise et le mâle est très intéressé, mais pas elle. Ce n'est pas avec lui qu'elle veut partager les Plaisirs, aussi s'est-elle assise sur son arrière-train et ne le laisse-t-elle pas approcher. L'artiste qui les a représentés est si habile qu'on perçoit du dédain dans l'expression de la lionne et, bien que le mâle s'efforce de paraître grand et fort, vois comme il montre les dents. Il sait qu'elle ne le trouve pas à son goût et il a un peu peur d'elle. Comment peut-on arriver à un tel résultat ? À une telle justesse ?

— Comment sais-tu tout cela ? s'enquit la Gardienne.

Personne n'avait encore donné une telle explication, mais la description semblait tout à fait exacte, les deux félins paraissaient effectivement arborer les expressions évoquées par Ayla.

— Lorsque j'ai appris toute seule à chasser, je les ai observés, expliqua-t-elle. Je vivais alors avec le Clan et les femmes du Clan ne chassent pas. Plutôt que de chasser des bêtes à manger, puisque je n'aurais pas pu les ramener et qu'elles auraient été gaspillées, j'ai donc décidé de chasser les carnivores qui volaient notre nourriture. Cela m'a valu de gros ennuis quand on l'a découvert.

La Gardienne avait recommencé à fredonner et Jonokol brodait des harmonies autour de sa ligne mélodique. La Première s'apprêtait à joindre sa voix aux leurs quand Ayla ressortit de l'alcôve.

— C'est les lions que j'ai préférés, dit-elle. Je crois que ce lion frustré ferait comme ça...

Elle se mit à gronder de plus en plus fort, puis laissa échapper un terrible rugissement. Le son se répercuta sur la roche de la caverne jusqu'au bout du passage devant eux et dans la salle au crâne d'ours.

Effrayée et surprise, la Gardienne eut un mouvement de recul.

— Comment fait-elle cela ? demanda-t-elle, incrédule, à la Première et à Willamar.

Ils se bornèrent à hocher la tête.

— Elle continue de nous surprendre, dit Willamar quand Ayla et Jondalar se furent éloignés. Si tu écoutes bien, ce n'est pas si fort que ça en a l'air, mais elle a quand même de la voix !

De l'autre côté de l'alcôve, un panneau était principalement consacré aux rennes, des mâles. Même les rennes femelles possèdent des ramures, mais elles sont petites. Les six rennes représentés sur le panneau arboraient des bois bien développés, avec des andouillers bruns, et incurvées vers l'arrière. Il y avait également un cheval, un bison et un aurochs. Toutes les peintures ne semblaient pas avoir été exécutées par la même personne. Le bison était assez raide et le cheval paraissait grossier, surtout après avoir vu les superbes exemples précédents. Cet artiste-là manquait de talent.

La Gardienne se dirigea vers une ouverture sur la droite menant à un étroit passage qu'il fallait emprunter en file indienne en raison de la forme des parois et des roches suspendues au plafond. Sur le côté droit, un mégacéros, le cerf géant caractérisé par une bosse sur le garrot, une petite tête et un cou sinueux, était intégralement dessiné en rouge. Ayla se demanda pourquoi ces artistes les avaient représentés sans leurs ramures, puisque celles-ci lui semblaient être leur caractère essentiel, et quelle était la fonction de la bosse.

Sur le même panneau, en position verticale, la tête en haut, une ligne esquissait le dos et les deux cornes frontales d'un rhinocéros, avec deux arcs pour les oreilles. Sur le côté gauche de l'entrée, on distinguait la silhouette de la tête et du dos de deux mammouths. Plus à gauche sur la paroi, deux autres rhinocéros faisaient face à des directions opposées. Celui tourné vers la droite était complet. Une large bande noire entourait la partie médiane de son corps, comme c'était le cas de beaucoup d'autres rhinocéros représentés dans cette grotte. Au-dessus de lui, celui tourné vers la gauche était suggéré uniquement par la ligne du dos et les deux petits arcs des oreilles.

Ayla trouva encore plus intéressante la série de foyers le long du passage, qui avaient sans doute servi à produire le charbon de bois utilisé pour dessiner. Les feux avaient noirci les parois voisines. S'agissait-il des foyers des Anciens, des artistes qui avaient si magnifiquement orné cette caverne ? Leur présence leur donnait plus de réalité, celle de personnes et non d'esprits d'un autre monde. Le sol s'inclinait fortement et trois dénivellations brusques d'un mètre coupaient le passage. Le milieu du couloir comportait des gravures faites avec les doigts et non des dessins en noir. Juste avant la deuxième dénivellation, on pouvait voir trois triangles pubiens, avec une fente vulvaire à la pointe tournée vers le bas, deux sur la paroi droite, un sur la gauche.

La Première commençait à être fatiguée, mais elle savait qu'elle ne referait jamais le voyage et que, même si elle l'entreprenait de nouveau, elle ne serait plus capable de parcourir toute la caverne. Jondalar et Jonokol, l'un de chaque côté, l'avaient aidée à franchir les dénivellations et les passages les plus escarpés. Bien que cette marche lui ait été pénible, Ayla remarqua qu'elle ne parlait jamais d'abandonner. À un certain moment, elle l'entendit dire, presque à elle-même, qu'elle ne reverrait jamais cette caverne.

La marche avait certes amélioré sa santé, mais elle était assez bonne guérisseuse pour savoir qu'elle n'était plus en aussi bon état ni aussi vaillante que dans sa jeunesse. Elle était bien décidée à voir cette caverne entièrement pour la dernière fois.

Le dernier panneau du couloir se trouvait juste avant la dernière dénivellation : sur la droite, quatre rhinocéros en partie peints, en partie gravés. L'un était difficile à distinguer, deux assez petits avaient une bande noire autour du ventre et les oreilles typiques. Le dernier était beaucoup plus grand, mais incomplet. Un gros ibex mâle, identifié par ses cornes incurvées en arrière sur presque toute la longueur du corps, était peint en noir sur un pan de roche pendant du plafond au-dessus d'eux. Sur le côté gauche, la paroi avait été grattée afin de préparer la surface pour dessiner plusieurs animaux : six chevaux entiers ou partiels, deux bisons et deux mégacéros, dont l'un complet, deux petits rhinocéros ainsi que plusieurs lignes et marques.

Venait ensuite la déclivité la plus forte : sur quatre mètres se succédaient des terrasses irrégulières formées par l'écoulement de l'eau et des dépressions dans la terre qui tapissait le sol de la caverne, creusé de gros trous d'ours. Jondalar, Jonokol, Willamar et Ayla durent s'y mettre à quatre pour aider la Première à descendre. Il allait être tout aussi difficile de la ramener en haut, mais tous étaient déterminés à lui permettre d'achever la visite. La lumière des torches se reflétait dans les pans de roche suspendus au plafond, dépourvus de toute décoration. La paroi ne présentait que quelques peintures.

La Gardienne se remit à fredonner et la Première joignit sa voix à la sienne, puis Jonokol fit de même. Ayla attendait. Ils se tournèrent d'abord vers la paroi de droite, mais pour une raison qui échappait à Ayla, cela ne résonnait pas bien. Un panneau comportait trois rhinocéros noirs, un avec sa bande noire autour de la partie centrale, un autre seulement esquissé et un troisième dont seule la tête était représentée, trois lions, un ours, une tête de bison et une vulve. Elle avait l'impression que ces dessins racontaient une histoire, peut-être à propos de femmes, et elle aurait aimé la connaître. Ils se tournèrent pour faire face à la paroi de gauche. La caverne renvoyait maintenant l'écho.

De prime abord, le premier pan de la paroi de gauche semblait divisé en trois volets principaux. Pour commencer, trois lions côte à côte, tournés vers la droite, montrés en perspective par la ligne du dos. Le troisième, le plus gros, peint en noir, avait environ deux mètres cinquante de long et la présence du scrotum ne laissait aucun doute sur son sexe. Celui du milieu, dessiné en rouge, était aussi manifestement un mâle. Le plus proche et le plus petit était une femelle. En y regardant de plus près, Ayla eut des doutes. Il n'y avait pas de troisième tête et peut-être la silhouette n'était-elle là que pour la perspective, auquel cas il n'y avait que deux lions. Quoique simple, le dessin était très expressif. Au-dessus de leur dos, elle distinguait vaguement trois mammouths gravés avec le doigt. Les lions prédominaient dans cette partie de la caverne. À droite des félins, étaient représentés un rhinocéros et, à droite de celui-ci, trois autres lions tournés vers la gauche, qui paraissaient regarder les autres lions, puis deux rhinocéros, ce qui donnait un certain équilibre au panneau.

Toutes les peintures de cette partie de la grotte étaient situées à un niveau que l'on pouvait atteindre en étant debout sur le sol, à l'exception d'un mammouth gravé en hauteur sur la paroi. Beaucoup de peintures recouvraient des marques de griffes d'ours, mais il y avait aussi de telles marques par-dessus les peintures. Des ours étaient donc venus là après le départ des humains.

Une niche s'ouvrait au milieu de la partie suivante. Sur sa gauche, des points figurant des lions noirs étaient en surimpression sur des lions rouges à la teinte passée. Venait ensuite une section avec un rhinocéros à cornes multiples, huit en perspective, si bien qu'il semblait y avoir huit animaux, et bien d'autres rhinocéros. À droite de ce panneau, une niche abritait la peinture d'un cheval. Deux rhinocéros noirs et un mammouth étaient peints au-dessus, ainsi que des animaux sortant des profondeurs de la roche, le cheval émergeant de la niche, un gros bison s'échappant d'une fissure, de l'Autre Monde, puis des mammouths et un rhinocéros.

Des lions et des bisons, les premiers pourchassant les seconds, occupaient principalement la section à droite de la niche. Les lions donnaient l'impression d'attendre un signal pour bondir sur les bisons rassemblés en troupeau sur le côté gauche. Ils étaient superbement féroces, tels qu'Ayla les connaissait, le lion des cavernes étant son totem. À ses yeux, c'était la salle la plus spectaculaire de toute la grotte. Il y avait tant à voir qu'elle ne pouvait s'imprégner de tout. Le grand panneau se terminait par une arête, qui formait une sorte de deuxième niche peu profonde où un rhinocéros noir émergeait du Monde des Esprits. De l'autre côté de la niche, un bison était représenté la tête de face, le corps de profil, sur une partie perpendiculaire de la paroi, ce qui produisait un effet saisissant.

Sous le bison, deux têtes de lion et la partie antérieure d'un autre lion tourné vers la droite occupaient une cavité triangulaire. Au-dessus des lions, des traînées rouges figuraient les blessures et le sang coulant de la bouche d'un rhinocéros noir. Au-delà, un large pan de rocher suspendu marquait l'endroit où le plafond descendait jusqu'à être perpendiculaire à la paroi. Trois lions et un autre animal étaient représentés sur sa surface interne, mais visibles de la salle. Juste avant que le plafond commence à s'abaisser, une saillie rocheuse descendant à la verticale se terminait par une pointe arrondie. Ses quatre faces étaient richement décorées.

— Pour comprendre pleinement, il faut tout voir, expliqua la Gardienne en montrant à Ayla l'ensemble de la composition.

Il s'agissait de la partie antérieure d'un bison sur des jambes humaines, au milieu desquelles on distinguait une grande vulve ombrée de noir et fendue d'une ligne gravée verticale à la pointe inférieure, autrement dit le bas d'un corps de femme surmonté d'une tête de bison. Un lion figurait à l'arrière de la roche suspendue.

— La forme de cette roche m'a toujours semblé évoquer l'organe masculin.

— C'est exact, convint Ayla.

— Il y a d'intéressantes peintures dans deux petites salles. Si tu veux, je vais te les montrer.

— Volontiers. Je tiens à en voir le plus possible avant de partir.

— Derrière la roche phallique, tu peux voir trois lions. Et après le rhinocéros blessé, un passage mène à un superbe cheval, expliqua la Gardienne en lui ouvrant le chemin. Et voilà un gros bison, au bout du panneau. Dans cette zone, un gros lion et des petits chevaux. Il est très difficile d'accéder de l'autre côté.

Ayla retourna vers l'entrée de la salle où la Première s'était assise sur un rocher pour se reposer. Les autres n'étaient pas loin.

— Qu'en penses-tu, Ayla ? demanda-t-elle.

— Je suis contente que tu m'aies amenée ici. Je crois que c'est la plus belle caverne que j'aie jamais vue. C'est plus qu'une caverne, mais je ne connais pas les mots pour le dire. Lorsque je vivais avec le Clan, j'ignorais que l'on pouvait représenter ce que l'on voyait dans la réalité.

Elle chercha des yeux Jondalar et sourit en le voyant. Il s'approcha et passa le bras autour de sa taille, comme elle le désirait. Elle avait besoin de partager ses impressions avec lui.

— Lorsque je suis allée habiter avec les Mamutoï, j'ai vu ce que Ranec était capable de faire avec l'ivoire et d'autres avec du cuir, des perles et parfois seulement un bâton pour laisser des marques sur un sol lisse, et cela m'a stupéfiée.

Elle s'arrêta et regarda le sol argileux humide de la caverne. Tous s'étaient rassemblés au même endroit avec leurs torches allumées. La lumière ne se diffusait pas très loin et les animaux peints sur les parois n'étaient que de vagues silhouettes dans la pénombre, comme ceux qui étaient entrevus fugitivement en pleine nature par la plupart des gens.

— Au cours de ce voyage et avant, nous avons vu d'autres peintures et dessins qui étaient beaux et d'autres qui l'étaient moins, mais tout aussi remarquables. Je ne sais pas comment on les exécute et encore moins pourquoi. Je crois qu'ils l'ont été pour plaire à la Mère, et je suis certaine qu'ils ont dû Lui plaire, et peut-être aussi pour raconter Son histoire et d'autres aussi. Peut-être les artistes les exécutent-ils uniquement parce qu'ils en sont capables. Comme Jonokol : il pense à quelque chose à peindre, il s'en croit capable et le fait. Il en va de même quand tu chantes, Zelandoni. La plupart des gens sont plus ou moins capables de chanter, mais personne aussi bien que toi. Lorsque tu chantes, je n'ai qu'une envie, t'écouter. Ça me procure une sensation de bonheur. J'éprouve la même quand je regarde ces cavernes peintes. Et aussi quand Jondalar me regarde avec amour. J'ai l'impression que ceux qui ont fait ces peintures me regardent avec amour.

Elle regarda par terre parce qu'elle refoulait ses larmes. Elle était d'ordinaire capable de se maîtriser, mais cette fois-ci elle y parvenait difficilement.

— Je crois que c'est également ce que doit éprouver la Mère, conclut-elle, ses yeux brillant dans la clarté dansante des torches.

Je sais maintenant pourquoi elle est unie, pensa la Gardienne. Elle sera une Zelandoni remarquable, elle l'est déjà, mais elle ne peut l'être sans lui. Peut-être est-ce cela que la Mère voulait qu'elle soit.

Elle se mit ensuite à fredonner. Jonokol joignit sa voix à la sienne. Son chant faisait toujours apparaître meilleur celui des autres. Willamar s'y mit lui aussi, reprenant l'air par monosyllabes. Sa voix complétait bien leur chant. Puis Jondalar se joignit à eux. Il avait une belle voix, mais ne chantait que lorsque d'autres le faisaient. Ensuite, le chœur résonnant dans la caverne si magnifiquement décorée, Celle Qui Était la Première parmi Ceux Qui Servaient la Grande Terre Mère reprit le Chant de la Mère là où elle s'était arrêtée :

Son lumineux ami était prêt à affronter
Le voleur qui gardait captif l'enfant de Son sein.
Ils luttèrent ensemble pour Son fils adoré.
Leurs efforts furent couronnés de succès, la lumière
*   revint.*
Sa chaleur réchauffait sa splendeur retrouvée.

Les lugubres ténèbres s'accrochaient à l'éclat du fils,
La Mère ripostait, refusait de reculer.
Le tourbillon tirait, Elle ne lâchait pas.
Il n'y avait ni vainqueur ni vaincu.
Elle repoussait l'obscurité, mais Son fils demeurait
*   prisonnier.*

Quand Elle repoussait le tourbillon et faisait fuir le
*   Chaos,*
La lumière de Son fils brillait de plus belle.
Quand Ses forces diminuaient, le néant noir prenait
*   le dessus,*
Et l'obscurité revenait à la fin du jour.
Elle sentait la chaleur de Son fils, mais le combat
*   demeurait indécis.*

La Grande Mère vivait la peine au cœur
Qu'Elle et Son fils soient à jamais séparés.
Se languissant de Son enfant perdu,
Elle puisa une ardeur nouvelle dans Sa force de vie.
Elle ne pouvait se résigner à la perte du fils adoré.

Quand Elle fut prête, Ses eaux d'enfantement
Ramenèrent sur la Terre nue une vie verdoyante.
Et Ses larmes, abondamment versées,
Devinrent des gouttes de rosée étincelantes.
Les eaux apportaient la vie, mais Ses pleurs n'étaient
   pas taris.

Ses montagnes se fendirent dans un grondement de
   tonnerre,
Et par la vaste caverne qui s'ouvrit dans Ses
   profondeurs,
Elle fut de nouveau mère,
Donnant vie à toutes les créatures de la Terre.
D'autres enfants étaient nés, mais la Mère était
   épuisée.

Chaque enfant était différent, certains petits,
   d'autres grands,
Certains marchaient, d'autres volaient, certains
   nageaient, d'autres rampaient.
Mais chaque forme était parfaite, chaque esprit
   complet,
Chacun était un modèle qu'on pouvait répéter.
La Mère le voulait, la Terre verte se peuplait.

Les oiseaux, les poissons et les autres animaux,
Tous restèrent cette fois auprès de l'Éplorée.
Chacun d'eux vivait où il était né
Et de la Terre Mère partageait l'immensité.
Près d'Elle ils demeuraient, aucun ne s'enfuyait.

Ils étaient Ses enfants, ils l'emplissaient de fierté
Mais ils sapaient la force de vie qu'Elle portait en Elle.
Il Lui en restait cependant assez pour une dernière
   création,

Un enfant qui se rappellerait qui l'avait créé,
Un enfant qui saurait respecter et apprendrait à
  protéger.

Première Femme naquit adulte et bien formée,
Elle reçut les Dons qu'il fallait pour survivre.
La Vie fut le premier, et comme la Terre Mère
Elle s'éveilla à elle-même en en sachant le prix.
Première Femme était née, première de sa lignée.

Vinrent ensuite le Don de Perception, d'apprendre,
Le désir de connaître, le Don de Discernement.
Première Femme reçut le savoir qui l'aiderait à vivre
Et qu'elle transmettrait à ses semblables.
Première Femme saurait comment apprendre,
  comment croître.

La Mère avait presque épuisé Sa force vitale.
Pour transmettre l'Esprit de la Vie,
Elle fit en sorte que tous Ses enfants procréent,
Et Première Femme reçut aussi le Don d'Enfanter.
Mais Première Femme était seule, elle était la seule.

La Mère se rappela Sa propre solitude,
L'amour de Son ami, sa présence caressante.
Avec la dernière étincelle, Son travail reprit,
Et, pour partager la vie avec Femme,
Elle créa Premier Homme.
La Mère à nouveau donnait, un nouvel être vivait.

Femme et Homme la Mère enfanta
Et pour demeure Elle leur donna la Terre,
Ainsi que l'eau, le sol, toute la création,
Pour qu'ils s'en servent avec discernement.
Ils pouvaient en user, jamais en abuser.

Aux Enfants de la Terre, la Mère accorda
Le Don de Survivre, puis Elle décida
De leur offrir celui des Plaisirs,
Qui honore la Mère par la joie de l'union.
Les Dons sont mérités quand la Mère est honorée.

Satisfaite des deux êtres qu'Elle avait créés,
La Mère leur apprit l'amour et l'affection.
Elle insuffla en eux le désir de s'unir,
Le Don de leurs Plaisirs vint de la Mère.
Avant qu'Elle eût fini, Ses enfants L'aimaient aussi.
Les Enfants de la Terre étaient nés,
la Mère pouvait se reposer.

Quand ils eurent fini, il se fit un profond silence. Tous sentaient plus que jamais le pouvoir de la Mère et du Chant de la Mère. Ils regardèrent à nouveau les peintures et se rendirent mieux compte que les animaux semblaient sortir des fissures et des ombres de la caverne, comme si la Mère était en train de les créer, leur donnait naissance, les amenait de l'Autre Monde, le Monde des Esprits, Son vaste monde souterrain.

Un bruit leur glaça alors le sang, le vagissement d'un lionceau. Il se mua en l'appel lancé à sa mère par un jeune lion, puis fit place aux premières tentatives de rugir d'un jeune mâle et enfin aux grognements qui précèdent le rugissement à pleins poumons du lion revendiquant ses droits.

— Comment fait-elle ça ? demanda la Gardienne. On dirait un lion aux différentes étapes de sa croissance. Comment sait-elle tout cela ?

— Elle a élevé un lion, s'est occupée de lui pendant qu'il grandissait et lui a appris à chasser avec elle. Elle a rugi avec lui, expliqua Jondalar.

— Elle t'a dit cela ? s'enquit la Gardienne, une ombre de doute dans la voix.

— Oui, en quelque sorte. Il est revenu la voir alors que j'étais en train de me remettre de mes blessures dans sa vallée, mais il n'a pas aimé me voir là et a attaqué. Ayla s'est placée devant lui ; il s'est arrêté net. Ensuite elle s'est roulée par terre et l'a serré dans ses bras, elle est montée sur son dos et l'a chevauché, comme elle fait avec Whinney. Sauf que je ne crois pas qu'il serait allé où elle voulait, mais seulement où il avait envie de la conduire. Il l'a néanmoins ramenée. Je l'ai interrogée et elle m'a expliqué.

Le récit était assez simple pour être convaincant. La Gardienne se borna à hocher la tête.

— Nous devrions allumer de nouvelles torches, dit-elle. Il devrait en rester au moins une pour chacun et j'ai aussi quelques lampes.

— Il vaut mieux attendre d'être tous sortis de ce passage avant de les allumer, fit observer Willamar.

— Oui, tu as raison, dit Jonokol. Veux-tu tenir la mienne ? demanda-t-il à la Gardienne.

Jondalar, Ayla, Willamar et lui hissèrent littéralement la Première en haut des dénivellations les plus fortes, tandis que la Gardienne tenait les torches à bout de bras pour éclairer le chemin. Elle en jeta une presque entièrement consumée dans l'un des foyers alignés le long des parois. Lorsqu'ils arrivèrent aux chevaux peints, chacun prit une torche neuve. La Gardienne éteignit celles qui étaient déjà en partie brûlées et les remit sur le châssis qu'elle portait sur son dos, puis ils reprirent en sens inverse le chemin par lequel ils étaient arrivés. Personne ne parlait beaucoup, ils se contentaient de regarder à nouveau les animaux devant lesquels ils passaient. Avant d'atteindre l'entrée, ils remarquèrent combien la lumière pénétrait profondément dans la caverne. À l'entrée, Jonokol s'arrêta.

— Veux-tu me reconduire dans cette vaste salle ? demanda-t-il à la Gardienne.

— Bien sûr, répondit-elle sans lui demander pourquoi.

Elle le savait.

— J'aimerais bien t'accompagner, Zelandoni de la Dix-Neuvième Caverne, dit Ayla.

— Cela me ferait aussi plaisir. Tu pourras tenir ma torche, dit-il en souriant.

C'était la Gardienne qui avait trouvé la Grotte Blanche et il était la première personne à qui elle la montrait. Il savait qu'il allait peindre sur ces belles parois, bien qu'il eût peut-être besoin d'aide pour cela. Ils repartirent tous trois dans la deuxième salle de la Caverne de l'Ours pendant que les autres sortaient à l'air libre. La Gardienne leur fit suivre un trajet plus court ; elle savait où le conduire : à l'endroit qu'il avait regardé à leur arrivée dans cette partie de la grotte. Il trouva le renfoncement à l'écart et l'ancienne concrétion.

Après avoir sorti un couteau en silex, il se dirigea vers la stalagmite surmontée d'une cuvette et à sa base, d'un geste sûr, il grava le front, les naseaux, la bouche, la mâchoire, la joue, puis deux lignes vigoureuses pour la crinière et le dos d'un cheval. Il regarda l'esquisse un moment, puis grava au-dessus du premier la tête d'un deuxième cheval, tournée de l'autre côté. La roche était un peu plus dure à cet endroit et la ligne du front ne fut pas aussi précise, mais il revint sur l'ouvrage et traça les poils de la crinière à intervalles assez grands. Puis il se recula pour contempler son œuvre.

— J'avais envie d'ajouter quelque chose à cette grotte, mais je ne savais trop si je devais attendre que la Première ait entonné le Chant de la Mère dans les profondeurs de la grotte, expliqua le Zelandoni de la Dix-Neuvième Caverne des Zelandonii.

— Je t'ai dit que la Mère en déciderait et que tu saurais, dit la Gardienne. Maintenant, je sais. C'était opportun, remarqua-t-elle.

— C'est ce qu'il fallait faire, confirma Ayla. Peut-être est-il temps que je cesse de t'appeler Jonokol et que je commence à dire « Zelandoni de la Dix-Neuvième Caverne ».

— Devant tout le monde peut-être, mais entre nous j'espère que je serai toujours Jonokol et toi Ayla.

— Je le souhaite aussi, dit Ayla avant de se tourner vers la Gardienne. Dans mon esprit, tu es la Gardienne, mais si ça ne te fait rien, j'aimerais connaître le nom que tu portais à la naissance.

— On m'a appelée Dominica et, pour moi, tu resteras toujours Ayla quoi qu'il arrive, même si tu deviens la Première.

Ayla secoua la tête.

— C'est peu probable. Je suis étrangère et j'ai un accent bizarre.

— Peu importe. Nous reconnaissons la Première ou le Premier pour ce qu'ils sont, même si nous ne les connaissons pas. Et j'aime bien ton accent. Il te rend distincte des autres, comme doit l'être Celle Qui Est la Première, dit Dominica avant de les conduire hors de la grotte.

Toute la soirée Ayla songea à cette caverne extraordinaire. Il y avait tant à voir, à comprendre, qu'elle aurait aimé y retourner. Ils parlaient de ce qu'il convenait de faire avec Gahaynar, alors qu'elle ne cessait de revenir à la grotte par la pensée. Gahaynar paraissait se remettre des coups reçus. Il allait en conserver des cicatrices le restant de ses jours, mais ne semblait pas en vouloir à ceux qui l'avaient rossé. Il semblait plutôt reconnaissant, non seulement d'être encore en vie mais aussi du fait que les Zelandonia prenaient soin de lui.

Il connaissait ses forfaits, même s'il était seul dans ce cas ; Balderan et les autres n'avaient pas fait bien pire et ils étaient morts. Il ignorait pourquoi il avait été épargné, si ce n'est que, tandis que Balderan projetait de tuer l'étrangère, il avait prié dans son for intérieur la Mère de le sauver. Il savait qu'ils ne s'échapperaient pas et ne voulait pas mourir.

— Il semble vouloir sincèrement réparer ses torts, dit Zelandoni Première. Peut-être parce qu'il sait maintenant qu'on peut lui faire payer ses actions, la Mère paraît décidée à l'épargner.

— Quelqu'un sait-il dans quelle Caverne il est né ? s'enquit la Première. A-t-il de la famille ?

— Oui, il a sa mère, répondit l'un des autres Zelandonia. Je ne lui connais pas d'autre parent. Je crois qu'elle est très vieille et perd la mémoire.

— Voilà donc la solution, dit la Première. Il faut le renvoyer dans sa Caverne pour qu'il s'occupe de sa mère.

— Mais en quoi réparera-t-il ainsi ses torts ? C'est sa mère, fit remarquer un autre Zelandoni.

— La tâche ne lui sera pas nécessairement facile si l'état de sa mère continue de se détériorer. Cela épargnera à sa Caverne de prendre soin d'elle et donnera à Gahaynar quelque chose à faire de louable. Il n'y a sans doute jamais songé au côté de Balderan, en prenant ce qu'il voulait sans avoir à travailler. Il faut l'obliger à travailler, à chasser pour son compte ou du moins à participer aux chasses communautaires de sa Caverne, et à subvenir lui-même aux besoins de sa mère.

— J'imagine que s'occuper d'une vieille femme, même si c'est sa mère, n'est pas le genre de choses qu'un homme aime faire, dit l'autre Zelandoni.

Ayla n'avait écouté qu'à moitié, mais elle avait saisi l'essentiel et trouva l'idée bonne. Elle se remit ensuite à penser au Site Sacré le Plus Ancien. Elle décida finalement de retourner dans la caverne le lendemain ou le surlendemain, seule ou peut-être avec Loup.

Le lendemain en fin de matinée, Ayla demanda à Levela de bien vouloir veiller une nouvelle fois sur Jonayla et s'assura que la viande de bison qu'elle avait accrochée sur les fils séchait correctement. Elle estima que le moment était bien choisi pour revoir le Site Sacré.

— J'emmène Loup et je retourne à la grotte. Je veux la voir encore une fois avant de partir. Qui sait quand nous reviendrons, peut-être jamais.

Elle empaqueta plusieurs torches et deux lampes de pierre ainsi que des mèches en lichen et des sections d'intestin remplies de graisse qu'elle plaça dans un petit sac en cuir doublé. Elle vérifia qu'elle avait tout le nécessaire pour faire du feu : pierre à feu et silex, amadou, petit bois et quelques bûchettes. Elle remplit son outre et prit une tasse pour elle et un bol pour Loup. Elle emporta aussi son sac à médecines avec quelques sachets de tisane supplémentaires, même si elle ne pensait pas préparer des infusions dans la grotte, un bon couteau, quelques vêtements chauds, mais rien pour se chausser. Elle marchait pieds nus habituellement et ses plantes de pied étaient presque aussi dures que des sabots.

Elle siffla Loup et s'engagea dans le sentier menant à la caverne. À l'entrée, elle jeta un coup d'œil à l'abri. Aucun feu n'avait été allumé dans le foyer et l'endroit où dormait la Gardienne était désert. Absente ce jour-là. On l'avertissait généralement de la venue des visiteurs, mais Ayla avait décidé d'y aller sans prendre de dispositions préalables.

Elle fit un petit feu dans le foyer et alluma une torche, puis, la tenant à bout de bras, elle se mit en marche et fit signe à Loup de la suivre. Elle constata une fois encore à quel point la caverne était vaste et les premières salles chaotiques. Des colonnes de pierre détachées du plafond et renversées, d'énormes blocs de roche et des éboulis jonchaient le sol. La lumière pénétrait assez loin à l'intérieur et elle emprunta le même chemin que la première fois, sur la gauche puis tout droit dans l'immense salle où venaient dormir les ours. Loup restait à son côté.

Elle longea le côté droit du passage, sachant qu'en dehors de la vaste salle à main droite qu'elle projetait de visiter au retour il n'y avait pas grand-chose à voir avant d'arriver à mi-longueur de la caverne. Elle n'envisageait pas de rester trop longtemps dans la grotte ni d'essayer de tout revoir. Elle entra dans la salle aux ours et suivit la paroi droite jusqu'à la salle suivante, puis se mit à la recherche de l'épais rocher en forme de lame suspendu au plafond.

Il était tel qu'elle se le rappelait, orné du léopard à longue queue et de l'autre animal peint en rouge. Était-ce une hyène ou un ours ? La forme de la tête lui donnait l'allure d'un ours des cavernes, mais le museau était plus long et la touffe sur le dessus de la tête ainsi que l'espèce de crinière faisaient plutôt songer aux poils raides de la hyène. Aucun des autres ours représentés dans cette caverne n'avait de longues pattes fines, il suffisait de regarder celui qui était peint au-dessus de l'autre animal.

Je ne sais pas ce que l'artiste voulait dire dans cette peinture, pensa-t-elle, mais à mon avis cela ressemble bien à une hyène, bien que ce soit la seule que j'aie jamais vue représentée dans une grotte. Mais je n'ai jamais vu non plus de léopard. Il y a là un ours, une hyène et un léopard, tous trois des animaux forts et dangereux. Je me demande ce que les conteurs itinérants diraient de cette scène ?

Ayla passa sans s'attarder devant la série suivante de peintures : des insectes sans doute, une succession de rhinocéros, de lions, de chevaux et de mammouths, des signes, des points, des empreintes de main ; le dessin en rouge du petit ours, si semblable aux autres ours de la caverne mais de taille plus réduite, la fit sourire. Elle se souvint qu'à cet endroit la Gardienne avait tourné à gauche et continué de longer la paroi droite. L'espace suivant témoignait de la présence d'ours des cavernes et le sol était plus bas de plus d'un mètre cinquante ; il menait à la salle d'après, celle qui était creusée d'une profonde dépression en son centre.

C'était la salle où tous les dessins ou gravures étaient en blanc, la couche tendre de vermiculite marron clair ayant été grattée pour atteindre la roche blanche sous-jacente. Parmi toutes ces gravures, elle remarqua particulièrement le rhinocéros émergeant d'une fissure et resta là à le contempler. Pourquoi les Anciens peignaient-ils ces animaux sur les parois des cavernes ? se demanda-t-elle. Pourquoi Jonokol a-t-il voulu dessiner deux chevaux dans la salle voisine de l'entrée de la grotte ? Quand il l'a fait, il n'avait pas l'esprit ailleurs, comme les Zelandonia qui buvaient leur infusion dans le Site Sacré de la Septième Caverne des Zelandonii de la Partie Sud. Les artistes ne seraient sans doute pas capables d'exécuter des peintures aussi remarquables s'ils n'étaient pas concentrés sur l'ouvrage. Il leur fallait penser à ce qu'ils faisaient.

Peignaient-ils pour eux-mêmes ou pour montrer leurs œuvres ? À qui ? Aux autres membres de leur Caverne ou aux autres Zelandonia ? Les grandes salles de certaines cavernes pouvaient héberger un grand nombre de gens et des cérémonies s'y déroulaient parfois, mais beaucoup de ces peintures se trouvaient dans des petites grottes ou dans des espaces réduits de grottes plus vastes. Elles avaient dû être exécutées pour elles-mêmes, devaient avoir leur raison d'être. Les artistes étaient-ils en quête de quelque chose dans le monde spirituel ? Peut-être de leur esprit animal, comme son lion totémique, ou d'un esprit animal qui les rapprocherait de la Mère ? Chaque fois qu'elle interrogeait Zelandoni à ce propos, elle n'obtenait jamais de réponse satisfaisante. Était-elle censée la trouver toute seule ?

Loup ne s'éloignait pas et longeait la paroi suivie par Ayla. Elle portait la seule lumière qu'il y avait dans toute cette caverne noire comme un four, et même si les sens de l'animal autres que la vue lui apportaient plus d'informations sur son environnement que la clarté de l'unique torche, il aimait aussi y voir.

La hauteur de plafond en nette diminution l'avertit qu'elle était arrivée dans la partie suivante de la caverne. Les mammouths, bisons, cerfs représentés sur les parois et les roches suspendues étaient plus nombreux, certains gravés en blanc, d'autres peints en noir dans un coin. C'était la salle où un crâne d'ours des cavernes trônait sur un rocher plat et Ayla retourna le voir. Elle resta là un moment, songeant de nouveau à Creb et au Clan, avant de continuer la visite. Des talus d'argile grise semblaient entourer cette salle ; elle grimpa dessus pour gagner la dernière salle, celle où la Première n'était pas entrée. Elle remarqua des empreintes d'ours sur l'argile, qu'elle n'avait pas vues la première fois. Deux hautes marches l'amenèrent dans l'autre salle.

Elle se retrouva au milieu, le plafond étant trop bas sur le pourtour pour se tenir debout. Elle estima qu'il était temps d'allumer une autre torche, frotta celle qu'elle avait déjà, presque entièrement consumée, contre le plafond pour l'éteindre. Puis elle en fourra le bout restant dans le châssis qu'elle portait sur le dos. Il lui fallut se baisser pour continuer à suivre le sentier naturel ; à la base d'une roche suspendue, elle aperçut une rangée horizontale de sept points rouges à côté d'une série de noirs. Au bout d'une dizaine de mètres, elle put à nouveau se tenir droite.

Plusieurs marques noires montraient que d'autres avaient raclé leurs torches à cet endroit. À l'arrière, le plafond s'inclinait vers le sol. Il était recouvert d'une fine couche jaunâtre de pierre ramollie qui avait formé des vermiculures. Sur ce plan incliné, on avait esquissé un cheval avec deux doigts. L'artiste avait dû se tenir la tête penchée en arrière pour travailler et n'avait pas pu avoir une vue d'ensemble de l'esquisse pendant son exécution. Elle était légèrement disproportionnée, mais c'était le tout dernier dessin de la caverne. Ayla remarqua aussi deux mammouths ébauchés sur le plafond incliné.

Tout en se retournant pour rebrousser chemin, elle se demanda un instant s'il n'y avait pas moyen de sortir de la caverne de ce côté-là. Tandis qu'elle marchait plus près de la paroi, suivie de Loup, elle sentit ses pieds s'enfoncer dans l'argile froide du sol. En sortant de la dernière salle, la paroi qui s'était trouvée sur sa droite était maintenant sur sa gauche. Elle passa devant le panneau des mammouths, puis arriva à celui des chevaux peints en noir qu'elle voulait revoir.

Elle examina la paroi plus attentivement cette fois-ci. La couche d'argile brune avait été grattée sur une grande partie du panneau pour dégager la roche calcaire blanche. La coloration noire produite par du charbon de bois était plus foncée à certains endroits, plus claire à d'autres, pour que les chevaux et les autres animaux aient l'air plus vivants. Elle avait été attirée par les chevaux, mais les premiers animaux sur le panneau étaient des aurochs. Les lions à l'intérieur de la niche la firent encore sourire. Ce jeune mâle ne plaisait décidément pas à la femelle, assise et résolue à ne pas bouger de là !

Ayla longea lentement la paroi peinte et arriva à l'entrée d'une longue galerie qui menait à la dernière salle, où elle vit le cervidé géant peint tout en haut. C'était là aussi que les foyers à charbon de bois s'alignaient le long de la paroi. Le passage commençait à descendre. En franchissant la dernière dénivellation importante et en arrivant à la dernière salle, elle ralentit encore le pas. Elle adorait les lions, peut-être parce qu'ils étaient son animal totémique, et ceux-là étaient d'un grand réalisme. Elle arriva au bout et examina la dernière roche suspendue, celle dont la forme évoquait un organe sexuel masculin. Une vulve était peinte dessus, avec des jambes humaines, et la créature était mi-bison, mi-lion. Elle avait la certitude que l'on avait voulu raconter une histoire. Elle tourna finalement les talons et revint sur ses pas ; à l'entrée de la salle, elle s'arrêta et regarda autour d'elle.

Elle voulait garder le souvenir du chant de la Première dans la caverne. Elle ne savait pas chanter, mais sourit en pensant à ce qu'elle était capable de faire. Elle pouvait rugir comme elle l'avait fait, la première fois qu'elle était venue là. À l'exemple des lions, elle se mit en voix avant de laisser échapper son rugissement, le meilleur dont elle était capable – Loup eut même un mouvement de recul.

Ils avaient prévu de prendre le chemin du retour tôt, mais Amelana commença à avoir des contractions de bon matin et, évidemment, les Zelandonia en visite ne purent partir. Le soir, elle donna naissance à un beau bébé, un garçon, et sa mère prépara un repas du soir pour célébrer sa naissance. Ils ne partirent que le lendemain matin et les adieux furent assez mélancoliques.

La composition du groupe de voyageurs avait changé. Maintenant que Kimeran, Beladora et les deux enfants étaient partis et qu'Amelana ne les accompagnait plus, ils se comptaient onze et il leur fallut s'organiser différemment. Jonayla n'avait plus que Jonlevan, d'un an son cadet, avec qui jouer, et ses amis lui manquaient. Jondecam regrettait Kimeran, son oncle, qui était pour lui plus comme un frère, et il ne s'était pas rendu compte jusque-là à quel point ils s'entendaient bien quand ils travaillaient ensemble. La pensée qu'il ne le reverrait peut-être plus jamais l'attristait. Les seules femmes étaient Ayla, Levela et la Première ; l'absence de Beladora leur était pénible et les facéties de la jeune Amelana leur manquaient. Il leur fallut un certain temps pour reprendre plaisir au quotidien.

Ils suivirent la rivière vers l'aval et, parvenus à son confluent avec le cours d'eau plus important, ils longèrent celui-ci vers le sud. Ils aperçurent la Mer Méridionale un jour entier avant d'y arriver, mais le panorama ne se limitait pas à la vaste étendue marine. Ils virent des troupeaux de rennes, de mégacéros, une multitude de mammouths femelles avec leurs petits de tous âges, et une bande de rhinocéros laineux. Ils assistèrent aussi aux prémices du rassemblement de divers ongulés, comme l'aurochs et le bison, à l'approche de l'hiver, moment où des milliers de ces animaux se réunissaient pour se battre et s'accoupler. Les chevaux se dirigeaient vers leurs pâturages hivernaux. Une brise fraîche venait du large ; la Mer Méridionale était une mer froide et en regardant cette étendue d'eau glacée, Ayla se rendit compte que le changement de saison approchait.

Ils trouvèrent les marchands dont Conardi avait parlé, et Conardi lui-même. Il fit les présentations et les paniers d'Ayla eurent beaucoup de succès auprès des commerçants. Pour des gens comme eux, qui transportaient des marchandises, des emballages bien faits étaient indispensables. Une fois le camp dressé, Ayla passa la première soirée à fabriquer d'autres paniers. Les pointes et outils en silex de Jondalar furent aussi très appréciés. Le savoir-faire et l'expérience de Willamar en matière de troc se manifestèrent. Il forma une sorte de guilde, dont Conardi fit partie.

Il proposait des articles complémentaires, par exemple de la viande séchée et le panier pour la transporter. Il fit l'acquisition d'un grand nombre de coquillages pour confectionner des perles et fut content d'avoir des paniers d'Ayla pour les ranger. Il se procura aussi du sel pour Ayla, un collier pour Marthona, fait par l'un des ramasseurs de coquillages, et d'autres articles dont il ne parlait pas à tout le monde.

Une fois les échanges terminés, ils prirent le chemin du retour. Ils se déplaçaient plus vite qu'à l'aller. D'une part, ils connaissaient le trajet et n'avaient pas à s'arrêter pour visiter des cavernes peintes. D'autre part, le changement de temps imminent les incitait à ne pas traîner. De plus, ils avaient d'importantes provisions et n'étaient donc pas dans l'obligation de chasser aussi souvent. Ils retournèrent cependant voir Camora. Elle fut très déçue d'apprendre que Kimeran avait changé ses projets et séjournait avec les proches de sa compagne. Elle et Jondecam parlèrent de lui comme s'il était parti pour de bon, jusqu'à ce que la Première leur rappelle qu'il avait l'intention de revenir.

Il fallut attendre encore en arrivant à la Grande Rivière car une tempête rendait la traversée trop difficile. Ils étaient anxieux à l'idée de rester bloqués du mauvais côté de la rivière pour la saison. La tempête prit fin et ils effectuèrent la traversée, bien que le cours d'eau fût encore agité. Il leur fallut remonter à pied vers l'amont parce qu'il n'y avait pas de radeaux.

Quand ils aperçurent enfin l'énorme abri de pierre qu'était la Neuvième Caverne, ils distinguèrent également les sentinelles postées là pour les guetter et un feu fut allumé pour signaler leur arrivée. Presque toute la communauté de la Caverne vint à leur rencontre.

6

Ayla gravit le sentier escarpé menant en haut de la falaise. Elle portait un chargement de bois dans un panier suspendu à une sangle passée autour de son front et elle le déposa près d'une colonne de basalte battue par les intempéries qui semblait pousser suivant un angle précaire au bord de la falaise calcaire. Elle s'arrêta pour contempler le panorama. Elle avait eu beau le voir souvent au cours de l'année écoulée, tandis qu'elle notait les levers et couchers de la lune et du soleil, ce point de vue bien dégagé ne manquait jamais de l'émouvoir. En contrebas, la Rivière déroulait ses méandres du nord au sud. Des nuages sombres serraient de près les crêtes des collines de l'autre côté du cours d'eau et les cachaient à moitié. Il était probable que le ciel se dégage à l'aube le lendemain, moment auquel elle devait voir où le soleil se levait pour comparer avec la veille.

Elle se tourna de l'autre côté. Le soleil, d'une luminosité aveuglante, déclinait ; il allait bientôt se coucher et le ventre rosé des quelques nuages blancs floconneux annonçait un spectacle grandiose. Elle continua de parcourir l'horizon du regard. Elle regrettait presque que la vue soit dégagée à l'ouest. Je n'aurai pas d'excuse pour ne pas remonter ici cette nuit, pensa-t-elle en repartant vers la Neuvième Caverne.

À son arrivée, son logis sous le surplomb calcaire était froid et désert. Jondalar et Jonayla avaient dû aller prendre leur repas du soir chez Proleva ou peut-être chez Marthona. Elle était tentée de les rejoindre, mais à quoi bon s'il lui fallait de toute façon ressortir ?

Elle trouva de l'amadou, un silex et une pierre à feu près du foyer refroidi et fit du feu. Quand il brûla bien, elle y déposa des pierres de cuisson, puis jeta un coup d'œil à l'outre, qui heureusement était pleine. Elle versa de l'eau dans un bol en bois pour préparer une infusion. Elle fouilla autour du foyer et trouva de la soupe froide dans un panier à tressage serré qui avait été enduit d'argile pour faciliter la cuisson et rendre le récipient encore plus étanche, pratique adoptée par la plupart des femmes depuis quelques années. Avec une louche taillée dans une corne d'ibex, elle préleva une partie du contenu en ramassant bien le fond et prit avec les doigts quelques morceaux de viande froide et une racine un peu ramollie, puis approcha le pot du feu et, avec des pincettes en bois recourbé, poussa quelques braises autour.

Elle alimenta le feu avec un peu de petit bois, puis s'assit en tailleur sur un coussin en attendant que les pierres chauffent pour amener l'eau à ébullition et ferma les yeux. Elle était fatiguée. L'année précédente avait été particulièrement éprouvante pour elle car elle avait dû souvent veiller la nuit. Elle faillit s'assoupir.

D'une pichenette, elle projeta sur les pierres de cuisson quelques gouttes d'eau qui s'évaporèrent en sifflant, puis avec les pincettes en bois aux extrémités noircies, elle prit une pierre dans le feu et la laissa tomber dans le bol d'eau. L'eau bouillonna et dégagea un nuage de vapeur. Elle ajouta une deuxième pierre, puis une troisième, attendit quelques instants, préleva un plein bol d'eau fumante, y jeta quelques pincées de feuilles séchées prélevées dans l'un des paniers fermés alignés sur une étagère près du foyer et reposa le bol en attendant que la tisane infuse.

Elle vérifia le contenu d'un petit sac suspendu à une cheville fichée dans l'un des poteaux de soutènement : deux petits morceaux plats de ramure de mégacéros et un burin en silex dont elle se servait pour entailler les plaques de corne. Elle s'assura que l'extrémité biseautée de l'outil était toujours bien affûtée, car elle s'épaufrait à l'usage. En guise de poignée, l'autre extrémité avait été insérée dans un bout de ramure de chevreuil ramolli dans l'eau bouillante, qui avait durci à nouveau en séchant. Sur l'une des deux plaques de corne elle avait consigné les couchers du soleil et de la lune ; sur la deuxième, elle avait fait des marques indiquant le nombre de jours écoulés d'une pleine lune à la suivante, d'autres montrant l'absence de lune et deux demi-disques tournés en sens inverse. Elle attacha le petit sac à la lanière passée autour de sa taille, puis versa à la louche un peu de soupe chaude dans un bol en bois et but, en s'arrêtant de temps en temps pour manger un morceau de viande.

Dans son coin à dormir, elle alla chercher son manteau doublé de fourrure à capuchon et s'en enveloppa les épaules – il faisait froid la nuit, même en été –, prit la tasse d'infusion et sortit du gîte. Elle retourna vers le sentier qui montait à l'arrière de l'abri, juste après le bord du surplomb, et commença à grimper en se demandant où était Loup. Il était souvent son seul compagnon au cours de ses longues nuits de veille, couché par terre à ses pieds quand elle restait assise au sommet de la falaise, emmitouflée dans des vêtements chauds.

Non loin de l'étrange roche penchée profondément enchâssée dans le haut de la falaise, le sol portait les marques circulaires noires couvertes de charbon de bois calciné et entourées de pierres des foyers ; quelques gros galets faisaient de bonnes pierres de cuisson. À côté d'un affleurement rocheux, une dépression avait été creusée dans le calcaire friable près de la colonne penchée. Un grand panneau d'herbe sèche tressée était appuyé contre la pierre pour protéger de la pluie. Dessous étaient rangés deux ou trois bols, dont un pour la cuisson, et un sac de cuir contenant quelques objets : un couteau en silex, deux sachets de tisane, de la viande séchée. Tout près, une fourrure roulée renfermait une pochette de cuir brut contenant le matériel nécessaire à faire du feu, une lampe en pierre rudimentaire, quelques mèches et quelques torches.

Ayla mit de côté la pochette ; elle n'allumerait pas de feu avant le lever de lune. Elle étala la fourrure et s'installa à sa place habituelle, le dos calé contre l'affleurement, afin d'observer l'horizon à l'ouest. Elle prit dans son petit sac les plaques en corne et le burin de silex, regarda attentivement ce qu'elle avait consigné jusque-là concernant le coucher du soleil, puis tourna à nouveau les yeux vers l'occident.

La nuit précédente, le soleil s'est couché juste à gauche de cette petite éminence, se dit-elle en plissant les yeux pour ne pas être éblouie.

L'astre du jour glissa derrière une brume poussiéreuse proche du sol, qui atténua l'incandescence du disque rouge. Il était aussi rond que sa compagne nocturne quand elle était pleine. Les deux orbes célestes étaient parfaitement circulaires, les seuls cercles parfaits de son environnement. La brume permettait de mieux voir le soleil et de situer avec précision le lieu de son coucher sur la ligne d'horizon découpée par la silhouette des collines. Dans la lumière affaiblie, elle fit une entaille sur sa plaque de corne.

Puis elle se tourna vers l'est, du côté de la Rivière. Les premières étoiles avaient fait leur apparition dans le ciel de plus en plus sombre. La lune n'allait pas tarder à se montrer, elle le savait, bien qu'il arrivât parfois qu'elle se lève avant le coucher du soleil ; parfois même, elle présentait en plein jour une face plus pâle sur le fond bleu clair du ciel. Elle avait observé le lever et le coucher du soleil pendant près d'un an et, si elle détestait être séparée de Jondalar et de Jonayla comme l'exigeait cette étude des corps célestes, les connaissances qu'elle avait acquises la fascinaient. Ce soir, cependant, elle se sentait perturbée. Elle avait envie de rentrer au logis, de se glisser entre ses fourrures avec Jondalar, envie qu'il la tienne dans ses bras, la caresse et lui procure ces sensations que lui seul savait éveiller. Elle se leva, se rassit et tenta de trouver une position plus confortable pour se préparer à sa longue nuit solitaire.

Pour passer le temps et rester plus facilement éveillée, elle se concentra sur la répétition à voix basse de quelques-unes des nombreuses chansons, histoires et légendes qu'elle avait confiées à sa mémoire. Bien que celle-ci fût excellente, il lui fallait retenir une grande quantité d'informations. Elle n'avait pas une voix mélodieuse et elle n'essayait pas de les chanter comme le faisaient beaucoup de Zelandonia. Zelandoni lui avait dit cependant qu'il n'était pas nécessaire de chanter à condition de connaître les paroles et leur sens. Le loup, somnolant près d'elle, semblait aimer le ronronnement monotone de sa voix douce, mais même lui n'était pas avec elle ce soir.

Elle décida de réciter une de ces histoires, une histoire qui parlait du temps jadis, une histoire qui lui donnait particulièrement du fil à retordre. C'était l'une des premières fois qu'étaient mentionnés ceux que les Zelandonii appelaient les Têtes Plates, ceux qu'elle considérait comme formant son Clan, mais son esprit partait sans cesse à la dérive. L'histoire était pleine de noms qui ne lui étaient pas familiers, d'événements qui ne signifiaient rien pour elle et de concepts qu'elle ne comprenait pas tout à fait ou dont elle ne reconnaissait pas la vérité. Elle pensait sans arrêt à ses propres souvenirs, à sa propre histoire, à ses premières années avec le Clan. Peut-être ferait-elle mieux de passer à une légende. C'était plus facile. Elles racontaient souvent des histoires drôles, parfois tristes, qui expliquaient ou illustraient des coutumes et des comportements.

Elle entendit un bruit ténu, une respiration haletante, et se retourna : Loup gravissait le sentier et venait la retrouver. Il bondit vers elle, manifestement heureux de la voir. Elle éprouvait le même sentiment.

— Salut, Loup, dit-elle en ébouriffant son épaisse fourrure autour de son cou.

Elle lui sourit et le regarda dans les yeux en lui tenant la tête.

— Comme je suis contente de te voir. Je suis d'humeur à avoir de la compagnie, ce soir.

Il lui lécha le visage, puis lui prit tendrement la mâchoire entre ses crocs.

— Je crois que toi aussi tu es content de me voir. Jondalar et Jonayla sont sûrement rentrés et elle dort probablement. Ça me rassure de savoir que tu veilles sur elle, Loup, quand je ne peux pas être là.

Le loup s'installa à ses pieds, elle se serra dans son manteau, se renversa en arrière pour attendre le lever de la lune et essaya de se concentrer sur la Légende d'un des ancêtres des Zelandonii, mais au lieu de cela elle se rappela le jour où elle avait failli perdre Loup au cours de leur Voyage. Ils étaient en train d'effectuer la traversée périlleuse d'une rivière en crue et avaient été séparés de lui. Elle se souvint de s'être mise à sa recherche, frigorifiée, trempée et affolée à l'idée de l'avoir perdu. Elle ressentit à nouveau la terreur qu'elle avait éprouvée en le retrouvant, inconscient, craignant qu'il ne soit mort. Jondalar les avait rejoints et, bien que lui aussi fût transi et encore mouillé, il s'était occupé de tout. Elle avait si froid, était si épuisée, qu'elle avait été incapable de faire quoi que ce soit. Il avait construit un abri, les avait portés à l'intérieur, elle et le loup à moitié noyé, avait veillé sur les chevaux, pris soin d'eux tous.

Elle s'arracha à ce souvenir, revint au présent, se languissant de Jondalar.

Je pourrais essayer de compter, pensa-t-elle.

Elle commença à prononcer les mots à compter, un, deux, trois, se rappela le plaisir qu'elle avait éprouvé quand Jondalar les lui avait appris. Elle avait immédiatement compris cette notion abstraite et commencé à compter les objets qu'elle voyait dans sa caverne : elle avait un coin pour dormir, deux chevaux, un, deux... Jondalar a les yeux si bleus...

Suffit, se dit-elle. Elle se leva et se dirigea vers la colonne de pierre qui semblait en équilibre précaire au bord de la falaise. L'été précédent, plusieurs hommes avaient tenté de la faire basculer et n'y avaient pas réussi. C'était la pierre que Jondalar et elle avaient vue d'en bas à leur arrivée, celle qui se découpait sur le fond du ciel. Elle se souvenait vaguement de l'avoir d'abord rêvée.

Elle posa la main près de la base de la grosse pierre et la retira précipitamment. À son contact, elle avait senti des picotements au bout des doigts. Dans la faible clarté de la lune, la pierre paraissait avoir bougé légèrement, s'être penchée davantage vers le bord, et elle semblait luire. Elle se recula sans quitter des yeux la colonne de pierre. Ce devait être un effet de son imagination. Elle secoua la tête et ferma les yeux, puis les ouvrit. La pierre paraissait tout ce qu'il y a d'ordinaire. Elle tendit la main pour la toucher à nouveau. La sensation produite était bien celle de la roche, mais en laissant la main sur la pierre rugueuse elle sentit encore un picotement.

— Loup, je crois que cette nuit le ciel pourra se passer de moi, dit-elle. Je commence à voir des choses qui n'existent pas. Et regarde ! La lune est déjà là et j'ai manqué son lever. De toute façon, je ne fais rien de bon, ce soir.

Elle descendit le sentier avec précaution, éclairée par la lune et les étoiles, Loup ouvrant la marche. Elle jeta encore un coup d'œil au rocher incliné. Il semble toujours luire, pensa-t-elle. J'ai peut-être trop regardé le soleil. Zelandoni lui avait bien dit de faire attention.

Ayla entra sans bruit dans son habitation. C'était beaucoup plus sombre à l'intérieur, mais elle y voyait grâce au reflet sur le toit du logis d'un grand feu communautaire qui avait été allumé en début de soirée et flambait encore. Tout le monde paraissait dormir, une petite lampe donnait un peu de lumière. On en allumait souvent une pour Jonayla. Il lui fallait plus de temps pour s'endormir dans l'obscurité totale. La mèche de lichen trempée dans la graisse fondue brûlait assez longtemps et c'était bien commode quand Ayla rentrait tard dans la nuit. Elle regarda derrière la cloison où Jondalar dormait. Jonayla s'était encore faufilée près de lui. Elle leur sourit et se dirigea vers le lit de Jonayla, ne voulant pas les déranger. Puis elle s'arrêta, secoua la tête et retourna à leur lit.

— C'est toi, Ayla ? demanda Jondalar d'une voix ensommeillée. C'est déjà le matin ?

— Non, je suis revenue plus tôt, cette nuit, dit-elle en prenant dans ses bras l'enfant blonde pour la remettre dans son lit.

Elle la borda et déposa un baiser sur sa joue, puis retourna au lit qu'elle partageait avec Jondalar. Il était réveillé, appuyé sur un coude.

— Pourquoi as-tu décidé de rentrer plus tôt ?

— Je n'arrivais pas à me concentrer.

Elle lui sourit, sensuelle, et se déshabilla, puis se glissa à côté de lui. La place laissée par sa fille était encore chaude.

— Tu te souviens de m'avoir dit un jour que chaque fois que j'avais envie de toi, il me suffisait de faire ça ? dit-elle avant de lui donner un long baiser.

La réaction de Jondalar ne se fit pas attendre.

— C'est toujours vrai, dit-il d'une voix rauque.

Les nuits avaient été longues et solitaires pour lui aussi. Jonayla était mignonne et câline, et il l'aimait, mais c'était une enfant et la fille de sa compagne, pas sa compagne. Pas la femme qui éveillait son désir et l'avait toujours si bien satisfait.

Il la prit dans ses bras avec passion, baisa sa bouche, son cou puis son corps avec ardeur. Elle était tout aussi pleine de désir, aussi ardente, et éprouvait un besoin presque désespéré de sentir son corps. Il l'embrassa de nouveau, lentement, explora sa bouche avec sa langue, puis son cou, se pencha sur l'un de ses seins, en prit le bout dans sa bouche. Des vagues de plaisir parcoururent Ayla. Cela faisait longtemps qu'ils n'avaient pas trouvé le temps de jouir du Don des Plaisirs fait par la Mère.

Il suça le mamelon, puis l'autre, lui caressa les seins. Elle éprouvait des sensations jusqu'au tréfonds

160

d'elle-même, à l'endroit qui brûlait d'envie de lui. Il posa la main sur son ventre et le caressa doucement. Il avait une certaine mollesse qu'il aimait, une légère rondeur qui la rendait encore plus féminine. Quand il posa la main sur la toison de son pubis, puis passa un doigt dans le haut de sa fente et commença un lent mouvement circulaire, elle eut l'impression de fondre dans un océan de plaisir. Lorsqu'il atteignit l'endroit le plus sensible, des frissons la parcoururent, elle gémit et cambra le dos.

Il descendit plus bas, trouva l'entrée de sa caverne chaude et humide, y introduisit son doigt. Elle écarta les jambes pour lui faciliter l'accès. Il vint se placer entre elles, se baissa et goûta au fruit tant désiré. C'était le goût qu'il connaissait, le goût d'Ayla qu'il aimait. Des deux mains, il ouvrit ses pétales et la lécha avec sa langue chaude, explora sa fente et ses replis jusqu'à trouver le bouton, qui s'était durci un peu. Chacun de ses mouvements était pour elle un embrasement délicieux à mesure que le désir croissait en elle. Elle n'avait plus conscience de rien, hormis de Jondalar et de la marée montante du plaisir qu'il lui donnait.

Son membre viril glorieusement dressé aspirait à la délivrance. Le souffle d'Ayla s'accéléra, chaque respiration accompagnée d'un gémissement, puis elle atteignit un sommet et se sentit déborder. Il sentit sa chaleur humide, se recula et la pénétra. Elle était prête et se cambra pour mieux le prendre en elle. En sentant son membre glisser dans son puits chaud et accueillant, il gémit de plaisir. Cela faisait si longtemps…

Elle s'ouvrit entièrement et quand il se sentit baigner dans cette chaleur féminine, il fut soudain reconnaissant que la Mère l'ait conduit à elle, lui ait permis de trouver cette femme. Il avait presque oublié à quel point ils s'accordaient bien. Il connaissait les délices suprêmes en s'abîmant en elle encore et encore. Elle se donnait à lui, jouissait des sensations qu'il lui procurait. Soudain, presque trop tôt, elle sentit le plaisir monter. Il s'intensifia puis les emporta en une décharge volcanique.

Ensuite, ils se reposèrent, mais leur violent désir mutuel n'était pas tout à fait apaisé. Ils s'aimèrent encore, langoureusement, en prolongeant chaque toucher, chaque caresse, jusqu'au moment où, ne pouvant plus se retenir, ils se laissèrent déborder par une nouvelle explosion d'énergie. Quand Ayla s'apprêta à s'endormir à côté de Jondalar sous leurs chaudes fourrures, elle vit un rai de lumière matinale filtrer à travers le plafond. Elle était plus que comblée, elle se sentait rassasiée.

Elle regarda Jondalar. Il avait les yeux clos, un sourire béat éclairait son visage. Elle ferma les yeux elle aussi. Pourquoi avait-elle tant attendu ? s'étonna-t-elle. Elle essaya de se rappeler combien de temps cela faisait. Elle rouvrit brusquement les yeux. Ses herbes médicinales ! Quand les avait-elle prises pour la dernière fois ? Elle n'avait pas à s'en soucier quand elle allaitait, sachant qu'il était peu probable qu'elle tombe enceinte durant cette période, mais Jonayla était sevrée depuis plusieurs années. Elle avait pris l'habitude de faire une infusion d'herbes contraceptives, mais s'était montrée négligente dernièrement. Elle avait quelquefois oublié de la préparer, mais elle était persuadée qu'une femme ne pouvait concevoir sans un homme et, comme elle avait passé ses nuits sur la falaise et n'avait pas partagé très souvent les Plaisirs avec Jondalar, elle ne s'était pas inquiétée.

Sa formation d'acolyte avait été éprouvante et avait exigé des périodes de jeûne, la privation de sommeil et d'autres restrictions, en particulier l'abstinence des Plaisirs durant un certain temps. Pendant près d'un an, elle avait veillé la nuit pour étudier les mouvements des objets célestes. Mais cet apprentissage rigoureux était presque terminé. Son année d'observation du ciel nocturne allait bientôt s'achever, au Long Jour d'Été exactement, moment auquel elle pourrait être agréée comme acolyte à part entière. Elle était déjà habile dans l'art de guérir, sinon sa formation aurait duré beaucoup plus longtemps, ce qui ne l'empêcherait pas de ne jamais cesser d'étudier.

Ensuite, à tout moment, elle pourrait devenir Zelandoni, bien qu'elle eût maintenant des doutes. Pour cela, il fallait qu'elle soit « appelée », processus mystérieux que personne n'était en mesure d'expliquer mais dont tous les Zelandoni avaient fait l'expérience. Quand un acolyte prétendait avoir été appelé, l'aspirant doniate subissait un examen probatoire devant d'autres Zelandonia, qui acceptaient ses prétentions ou les rejetaient. Si elles étaient acceptées, on trouvait une place à Celui qui Sert la Mère fraîchement émoulu, d'assistant d'un ou d'une Zelandoni. Si elles étaient rejetées, l'acolyte restait un acolyte mais on lui donnait généralement des explications afin qu'il comprenne mieux l'appel la prochaine fois qu'il le sentirait. Certains acolytes n'atteignaient jamais la position de Zelandoni et se contentaient de la leur, mais la plupart désiraient être appelés.

Avant de s'endormir, elle songea aux Plaisirs. Elle était la seule à être convaincue qu'ils étaient à l'origine d'une vie nouvelle qui se développait dans les entrailles d'une femme. Si elle était enceinte, elle serait sans doute trop occupée par son nouveau bébé pour penser à un quelconque appel.

L'avenir le dira, ce qui est fait est fait, inutile de s'inquiéter de savoir si je suis enceinte ou non maintenant, se dit-elle. Et serait-ce si ennuyeux d'avoir un autre enfant ? Un bébé, ça pourrait être bien.

Elle ferma les yeux et se détendit à nouveau, puis sombra dans un sommeil bienheureux.

Ce fut l'un des enfants qui remarqua le premier les signaux de fumée lancés par la Troisième Caverne et les indiqua à sa mère, qui les montra à sa voisine, et toutes deux se rendirent chez Joharran. Avant même qu'elles y soient parvenues, d'autres avaient aussi vu les signaux. Proleva et Ayla sortaient du logis au moment où la petite foule y arrivait. Elles levèrent les yeux, un peu surprises.

— De la fumée qui monte du Rocher des Deux Rivières, dit l'un.

— Des signaux de la Troisième Caverne, dit un autre en même temps.

Joharran suivit sa compagne. Il gagna le bord de la corniche rocheuse.

— Ils vont envoyer un messager, déclara-t-il.

Le messager arriva peu après, hors d'haleine.

— Des visiteurs ! lança-t-il. De la Vingt-Quatrième Caverne des Zelandonii du Sud, y compris leur principale Zelandoni. Ils se rendent à notre Réunion d'Été, mais veulent s'arrêter à plusieurs Cavernes en cours de route.

— Ils viennent de loin, remarqua Joharran. Il va leur falloir une habitation.

— Je vais aller le dire à la Première, proposa Ayla.

Mais je ne partirai pas avec tous les autres cette année, pensa-t-elle en prenant le chemin du logis de Zelandoni. Je dois attendre le Long Jour d'Été. Elle en était un peu désolée. J'espère que les visiteurs ne quitteront pas la Réunion trop tôt, mais ils sont venus de très loin et devront peut-être repartir assez vite pour rentrer chez eux avant l'hiver. Ce serait dommage.

— Je vais jeter un coup d'œil à la grande aire de rassemblement de l'autre côté, annonça Proleva. Ils seraient bien là, mais ils vont avoir besoin au moins d'eau et de bois pour faire du feu. Combien sont-ils ?

— À peu près autant que dans une petite Caverne, répondit le messager.

Cela peut représenter une trentaine de personnes, peut-être plus, pensa Ayla, recourant mentalement à la technique qu'elle avait apprise au cours de sa formation pour compter les nombres les plus importants. Compter avec les doigts et les mains était plus compliqué qu'en se servant des mots à compter et il fallait comprendre comment faire, mais comme tout ce qui concernait les Zelandonia, c'était encore plus complexe qu'il n'y paraissait. Cela pouvait vouloir dire quelque chose de complètement différent. Chaque signe avait plus d'une signification.

Après avoir annoncé la nouvelle à la Première, Ayla partit rejoindre Proleva de l'autre côté de la grande saillie en surplomb et en profita pour apporter du bois. Se procurer du combustible pour faire du feu exigeait une attention et des efforts constants. Tout le monde, même les enfants, ramassait tout ce qui pouvait brûler : bois, broussailles, herbe, bouses séchées, et on conservait la graisse de tous les animaux que l'on chassait, y compris un carnivore de temps à autre. Pour vivre dans des régions froides, le feu était indispensable, tant pour se chauffer que pour s'éclairer, sans parler de cuire les aliments afin de les rendre plus faciles à mâcher et plus digestes. Bien qu'on utilisât un peu de graisse pour la cuisine, celle-ci servait le plus souvent à faire du feu. Nourrir le feu était astreignant mais essentiel pour entretenir la vie des bipèdes tropicaux dont l'évolution s'était déroulée sous des climats plus chauds et qui s'étaient disséminés autour du monde.

— Ah, te voilà, Ayla ! dit Proleva. Je pensais que nous mettrions à la disposition des visiteurs l'endroit proche du ruisseau alimenté par la source qui sépare la Neuvième Caverne d'En-Aval, mais je me suis posé des questions à propos des chevaux. Ils sont trop près de l'endroit dont je parle ; crois-tu qu'il serait possible de les déplacer ? Cette proximité risque de déconcerter nos visiteurs.

— J'y songeais justement, et pas seulement à cause des visiteurs. Les chevaux seraient gênés par la présence de tant d'inconnus. Je crois que je vais les conduire pour l'instant dans la Vallée du Bois.

— Bonne idée.

Les visiteurs arrivèrent, se présentèrent, furent installés dans leur espace de vie provisoire et nourris, après quoi tout le monde se sépara en plusieurs groupes. L'un, composé de la Première et d'Ayla, des Zelandonia des visiteurs et de leurs acolytes, des Zelandonia des Troisième, Quatorzième et Onzième Cavernes, et de quelques autres, retourna à l'aire de réunion, de l'autre côté de l'immense abri. Un feu avait été allumé avant que les voyageurs soient partis manger et quelqu'un l'alimenta de nouveau, puis mit de l'eau dans un grand récipient et des pierres de cuisson dans le feu. Chacun apporta sa tasse pour boire l'infusion en préparation et les conversations allèrent bon train.

Les visiteurs parlaient de leurs voyages et tous échangeaient des idées sur les rituels et la médecine. La Première suscita un grand intérêt en évoquant la boisson contraceptive. Ayla dit de quelles herbes elle se servait, les décrivant soigneusement afin d'éviter toute confusion avec des plantes similaires. Elle parla un peu du long Voyage qu'elle avait fait à partir du pays des chasseurs de mammouths et on comprit que c'était une étrangère venue de loin. Son accent ne surprit pas outre mesure les visiteurs parce que eux aussi parlaient avec un accent, tout en pensant que c'étaient les Zelandonii du Nord qui en avaient un. Ayla trouva leur façon de parler approchante de celle des gens qu'ils avaient rencontrés au cours de son Périple de Doniate, et cela lui rappela la manière dont Beladora, la compagne de Kimeran, prononçait certains mots.

Comme la soirée tirait à sa fin, la Zelandoni principale des visiteurs dit :

— Je suis contente de mieux te connaître, Ayla. Nous avons entendu parler de toi jusque chez nous et je crois que nous sommes sans doute la Caverne la plus éloignée où on se réclame encore de faire partie des Enfants de Doni. Et où on reconnaît la Première parmi Ceux Qui Servent la Mère, ajouta-t-elle en se tournant vers l'imposante Première.

— J'imagine que tu es considérée comme la Première de ton groupe de Zelandonii du Sud, répondit celle-ci. Nous, nous vivons trop loin pour que vous me reconnaissiez ce titre.

— Peut-être le suis-je localement, mais nous continuons à considérer cette région comme notre pays d'origine, et toi comme la Première. C'est dit dans nos Histoires et Légendes Anciennes, dans nos enseignements. C'est l'une des raisons de notre venue : renouer les liens.

Et décider si tu veux les conserver, pensa la Première. Elle avait remarqué chez certains des visiteurs des expressions qui, sans être dédaigneuses, étaient à tout le moins dubitatives, et elle avait surpris des conversations à voix basse dans ce qui était sans doute un dialecte des Zelandonii du Sud, mettant en question certaines des façons de faire des Zelandonia du Nord, critiques émises surtout par un jeune homme. Il pensait probablement que personne ici ne comprenait la variante du zelandonii qu'ils parlaient – rares étaient ceux qu'ils avaient rencontrés qui la comprenaient –, mais la Première avait pas mal voyagé dans ses jeunes années, et plus récemment avec Ayla. Elle avait accueilli de nombreux visiteurs venus de loin et apprenait les langues assez facilement, surtout les variantes du zelandonii. Elle jeta un coup d'œil à Ayla, qui, elle le savait, était particulièrement douée pour les langues et capable d'en assimiler une nouvelle, même bizarre, plus vite que quiconque.

Ayla perçut le regard de son mentor et son coup d'œil en direction du jeune homme. Elle hocha la tête discrètement pour lui confirmer qu'elle aussi avait compris ce qu'il disait.

— Je suis charmée de te connaître, dit la Première. Peut-être pourrons-nous vous rendre visite un jour.

— Vous serez toutes les deux les bienvenues, répondit la Zelandoni.

La grosse femme sourit, tout en se demandant combien de temps encore elle serait capable de faire des voyages, surtout des longs.

— Vous avez apporté de nouvelles idées intéressantes que j'ai eu plaisir à découvrir et je vous en remercie, dit-elle.

— J'ai été très contente que vous nous fassiez connaître vos remèdes, ajouta Ayla.

— J'ai appris beaucoup, moi aussi. Je suis particulièrement heureuse de savoir comment dissuader la Mère d'accorder à une femme le bonheur d'enfanter. Il en est qui ne devraient plus porter d'autre enfant, en raison de leur santé ou pour le bien de leur famille, expliqua la Zelandoni.

— C'est Ayla qui a apporté ces connaissances, reconnut la Première.

— J'aimerais donc lui donner quelque chose en échange, et à toi aussi, Première parmi Ceux Qui Servent la Mère. J'ai une mixture qui possède des propriétés remarquables. Je vais vous la laisser pour que vous l'essayiez, répondit la Zelandoni de la Vingt-Quatrième Caverne du Sud. Ne l'ayant pas prévu, je n'en ai qu'un sachet avec moi, mais je pourrai en préparer à mon retour.

Elle ouvrit son sac de voyage, en sortit sa boîte de remèdes et en tira un petit sac, qu'elle leur tendit.

— Vous trouverez certainement cela intéressant et peut-être utile.

La Première indiqua qu'elle devait le donner à Ayla.

— C'est très puissant. Sois prudente quand tu en feras l'essai, dit la visiteuse en le remettant à la jeune femme.

— Cela se prépare en décoction ou en infusion ? demanda Ayla.

— Ça dépend de ce que tu veux. Chaque préparation lui confère des propriétés différentes. Je t'en donnerai la composition plus tard, mais j'imagine que tu l'auras alors découverte par toi-même.

Ayla avait hâte d'en savoir plus. Elle examina le petit sac. En cuir souple et fermé par un cordon apparemment tressé avec les longs crins d'une queue de cheval. Elle défit les nœuds bizarres qui avaient été enfilés dans les œillets percés dans le haut de la pochette et l'ouvrit.

— Je suis sûre de l'un des ingrédients, dit-elle en reniflant le contenu. De la menthe !

Le parfum lui rappela aussi la forte infusion qu'ils avaient goûtée quand ils avaient rendu visite à l'une des Cavernes des Zelandonii du Sud. Elle referma la pochette et refit les nœuds à sa manière.

La visiteuse sourit. Elle se servait de la menthe pour caractériser cette mixture, mais le mélange était bien plus puissant que cette herbe inoffensive. Elle espérait être encore là quand quelqu'un l'essaierait. Cela lui permettrait d'évaluer le savoir-faire et les connaissances des Zelandonia du Nord.

Ayla sourit à Zelandoni.

— J'en ai peut-être un autre en route.

Elles avaient parlé d'enfants et c'était la Première qui avait abordé le sujet.

— Je me posais la question. Tu n'as pas l'air de devenir grosse, comme moi – je doute que tu le sois jamais –, mais tu sembles te remplir par endroits. Combien de périodes lunaires as-tu manquées ?

— Juste une ; elle aurait dû venir il y a quelques jours. Et je me sens parfois un peu nauséeuse le matin.

— J'ai bien l'impression que tu vas avoir un bébé. Ça te fait plaisir ? demanda Zelandoni.

— Oh oui. Je voulais un autre enfant, même si j'ai à peine le temps de m'occuper de celle que j'ai déjà. Heureusement que Jondalar prend si bien soin d'elle.

— Tu lui as déjà annoncé la nouvelle ?

— Non. C'est trop tôt. On ne sait jamais. Je sais qu'il aimerait avoir un autre enfant dans son foyer et je ne veux pas lui faire une fausse joie. L'attente est déjà assez longue à partir du moment où ça commence à se voir, sans la prolonger encore.

Ayla pensa à la nuit où elle était rentrée tôt de la falaise et se rappela combien tous les deux avaient été heureux. Puis elle se souvint de la première fois où elle avait partagé les Plaisirs avec Jondalar. Elle sourit par-devers elle.

— Qu'est-ce qu'il y a de drôle ? s'enquit Zelandoni.

— Je pensais à la première fois où Jondalar m'a révélé le Don des Plaisirs, là-bas dans ma vallée. Jusque-là, j'ignorais absolument tout des Plaisirs, et même qu'ils puissent exister. À l'époque, c'est tout juste si je pouvais communiquer avec Jondalar. Il m'avait appris à parler le zelandonii, mais une grande partie de sa langue et la plupart de ses manières m'étaient encore complètement étrangères. Comme une mère se doit de le faire, Iza m'avait expliqué comment les femmes du Clan usaient d'un certain signal pour encourager un homme, tout en pensant sans doute que je n'en aurais jamais besoin.

« J'ai lancé le signal à Jondalar, mais il n'a pas réagi. Par la suite, il m'a de nouveau montré les Plaisirs, parce qu'il le voulait, non parce que je le voulais, et je continuais de penser qu'il ne comprendrait jamais mes signaux quand j'avais envie de lui. Je me suis finalement mise à lui parler comme le faisaient les femmes du Clan. Je me suis assise devant lui, la tête baissée, et j'ai attendu qu'il me dise que je pouvais parler, mais il n'a pas compris ce que je voulais. Je le lui ai révélé, finalement. Il a dit qu'il n'était pas certain d'en être capable, mais qu'il était prêt à essayer. En fait, il n'a eu aucun mal à y arriver, dit Ayla, souriant de sa propre innocence.

Zelandoni sourit, elle aussi.

— Il a toujours été obligeant, dit-elle.

— Je l'ai aimé dès que je l'ai vu, avant même de le connaître. Il a été si gentil avec moi, Zelandoni, en particulier quand il me révélait le Don des Plaisirs de la Mère. Je lui ai demandé un jour comment il pouvait connaître certaines choses sur moi que j'ignorais moi-même. Il m'a finalement avoué que quelqu'un l'avait initié, une femme plus âgée que lui, mais je voyais qu'il était profondément troublé. Il t'aimait vraiment, tu sais. Il t'aime toujours, à sa manière.

— Je l'aimais aussi et je l'aime toujours, à ma manière. Mais je ne crois pas qu'il m'ait jamais aimée comme il t'aime.

— J'ai été absente si souvent, surtout la nuit, que ça m'étonne d'être enceinte.

— Peut-être te trompes-tu quand tu penses que son essence se mélange à la tienne en toi, Ayla. Il se peut que ce soit la Mère qui amorce une vie nouvelle en choisissant l'esprit d'un homme et en le mêlant au tien, dit Zelandoni, songeuse.

— Non, je crois que je sais quand cet enfant a été conçu. Une nuit, je suis rentrée tôt ; je n'arrivais pas à me concentrer et j'ai oublié de préparer ma tisane spéciale. Je commence maintenant à aimer la pluie, surtout la nuit, quand il me faut rentrer à la maison parce que je n'y vois rien. Je serai contente, une fois cette année d'observation finie.

La jeune femme observa son mentor puis lui posa la question qui lui brûlait les lèvres :

— Tu m'as dit que tu avais songé à t'unir. Pourquoi ne l'as-tu pas fait ?

— Oui, j'ai failli m'unir, jadis, mais il a été tué dans un accident de chasse, répondit la doniate. Après sa mort, je me suis immergée dans mon apprentissage. Aucun autre homme ne m'a donné envie de m'unir... sauf Jondalar. Il fut un temps où j'envisageais de le faire avec lui – il insistait tant et tu sais comme il peut se montrer persuasif –, mais tu sais aussi que cela m'était interdit. J'étais sa femme-donii et puis j'étais très jeune. Nous aurions dû probablement quitter la

Neuvième Caverne et il n'aurait pas été facile de trouver un nouvel endroit où nous installer. J'avais le sentiment que c'était injuste de lui imposer ce départ ; sa famille a toujours beaucoup compté pour lui. Ça lui a été assez pénible d'aller vivre avec Dalanar. Et je n'avais pas envie de partir non plus. Sais-tu que j'ai été sélectionnée pour la Zelandonia et que j'ai commencé mon apprentissage avant même d'être une femme ? Je ne sais trop à quel moment je me suis rendu compte que la Zelandonia était plus importante à mes yeux qu'une union. Et c'est très bien ainsi. Doni ne m'a jamais accordé le bonheur d'enfanter et j'aurais été, je le crains, une compagne sans enfants.

— Je sais que la Zelandoni de la Deuxième Caverne a eu des enfants, mais je ne crois pas avoir jamais vu une Zelandoni enceinte…

— Certaines tombent enceintes, pourtant. Elles font généralement en sorte de perdre le bébé au cours des premières lunes avant d'avoir le ventre trop rond. D'aucunes mènent leur grossesse à terme, puis confient l'enfant à une autre pour qu'elle l'élève, souvent une femme stérile qui désire ardemment avoir un enfant. Celles qui sont unies gardent d'ordinaire le bébé, mais rares sont les femmes de la Zelandonia à l'être. C'est plus facile pour les hommes. Ils peuvent se décharger de l'essentiel des soins de l'enfant sur leur compagne. Tu sais combien cela peut être difficile. Les contraintes qui pèsent sur une femme unie, surtout si elle devient mère, sont souvent en conflit avec les exigences de la Zelandonia.

— Oui, je sais cela, dit Ayla.

Tous les membres de la Neuvième Caverne attendaient, en proie à une grande excitation. Le départ pour la Réunion d'Été était prévu le lendemain et tous s'affairaient aux préparatifs de dernière minute. Ayla aidait Jondalar et Jonayla à faire les bagages et décidait de ce qu'il fallait emporter ou laisser là, de l'endroit où le ranger ; elle le faisait en partie pour passer davantage de temps en leur compagnie. Marthona s'était aussi jointe à eux. C'était la première fois qu'elle n'allait pas à une Réunion d'Été avec sa Caverne ; elle n'était plus capable de marcher très loin. Elle voulait assister aux préparatifs pour ne pas se sentir complètement exclue. Ayla regrettait de ne pouvoir s'y rendre, elle non plus, mais elle se faisait du souci pour Marthona et était contente de rester là pour s'occuper d'elle.

La vieille femme avait toujours l'esprit vif, mais sa santé déclinait et elle était percluse d'arthrite au point d'être parfois presque incapable de marcher ou même de travailler à son métier à tisser.

Je pourrai partir plus tard, après le Long Jour d'Été, pensa Ayla. Elle aimait Marthona à la fois comme amie et comme mère et elle appréciait sa sagesse pondérée et ses traits d'esprit, pourtant pas toujours aimables. C'était l'occasion de passer davantage de temps avec elle. Ayla pensa que cela compenserait son absence, même partielle, à la Réunion d'Été et décida de trouver le moyen d'être plus souvent avec les membres de sa famille à leur retour. Cependant, si elle ne menait pas à bien son projet de consigner les mouvements du soleil et de la lune cette année, il lui faudrait tout recommencer l'année suivante. Tout serait terminé peu après le Long Jour d'Été. Elle était revenue un peu plus tôt l'année précédente pour mettre son projet à exécution.

L'hiver était la saison la plus difficile pour effectuer des observations. Certains jours, le ciel était si orageux qu'il était impossible de voir le soleil ou la lune, mais il avait été dégagé pendant le Court Jour d'Hiver et les Jours Égaux d'Automne et de Printemps, ce qui était bon signe. Zelandoni l'avait aidée lors du Jour Égal d'Automne. Elles avaient veillé toutes les deux plus d'une journée et une nuit en se servant de mèches spéciales dans une lampe sacrée pour déterminer que le temps écoulé entre le lever et le coucher du soleil était le même qu'entre son coucher et le lever suivant. Ayla s'était chargée de ces observations le Jour Égal du Printemps suivant, sous la houlette de Zelandoni. Comme elle avait eu la chance de voir les moments charnières de la saison froide, elle ne voulait pas renoncer maintenant.

— J'aimerais parfois que nous n'ayons ni chevaux ni travois, dit Jondalar. Cela nous simplifierait la tâche si nous n'avions à nous soucier que de ce que nous pouvons porter sur notre dos. Tous nos amis et parents ne seraient pas là à nous demander si nous pouvons prendre « juste » quelques-unes de leurs affaires… Ces quelques affaires finissent par faire un lourd fardeau.

— Tu ne disposeras pas de Whinney cette année ; dis-leur donc que tu n'as pas autant de place, suggéra Ayla.

— Dis-leur tout simplement non, Jondi, renchérit Jonayla. C'est ce que je réponds à tous ceux qui me demandent.

— Bonne idée, Jonayla, approuva Marthona, mais n'as-tu pas demandé à emporter quelques affaires de Sethona ?

— Mais, grand-maman, c'est ma proche cousine et ma meilleure amie ! s'insurgea Jonayla, indignée.

— Tout le monde dans la Neuvième Caverne est devenu mon « meilleur ami » ou aimerait se croire tel, dit Jondalar. Ce n'est pas facile de dire non. Il se peut qu'un jour j'aie un service à demander à quelqu'un et il se souviendra de mon refus, alors que tout ce qu'il voulait, c'était que quelques-unes de ses affaires soient portées par l'un des chevaux.

— S'il s'agit de si peu de chose, pourquoi ils ne les portent pas eux-mêmes ? fit remarquer Jonayla.

— Nous y voilà. Ce n'est pas toujours si peu de chose. Il s'agit en général de ce qui est lourd et volumineux, des affaires qu'ils n'emporteraient sans doute pas s'il leur fallait les porter eux-mêmes, reconnut Jondalar.

Le lendemain matin, Ayla, montée sur Whinney, accompagna la Neuvième Caverne sur un bout de chemin.

— Quand crois-tu pouvoir nous rejoindre ? s'enquit Jondalar.

— Après le Long Jour d'Été, mais je ne sais pas exactement quand. Je suis un peu préoccupée par Marthona. Cela dépendra peut-être de son état et de qui est rentré pour l'aider. Quand crois-tu que Willamar reviendra ?

— Ça dépend de l'endroit où les gens ont décidé d'organiser leur Réunion d'Été, répondit Jondalar. Il n'a pas fait beaucoup de longs trajets depuis ton Périple de Doniate, mais il en projetait un plus long que d'habitude cette année. Il disait qu'il souhaitait rendre visite au plus grand nombre de gens possible, tant les Zelandonii des Cavernes les plus éloignées que d'autres. Plusieurs personnes l'ont accompagné et il prévoyait d'en prendre quelques autres avec lui en cours de route. Peut-être est-ce sa dernière longue tournée commerciale.

— C'est ce qu'il a dit, je crois, quand il nous a accompagnés pendant mon Périple de Doniate.

— Cela fait un certain temps qu'il le répète chaque année. Là, je crois qu'il s'est résolu à nommer un nouveau Maître du Troc et il n'arrive pas à décider lequel de ses apprentis choisir. Il va les observer au cours de cette tournée.

— Il devrait les nommer tous les deux, dit Ayla. J'essaierai de venir pour une visite, mais je vais être occupée. Je dois prendre des dispositions pour agrandir notre logis afin que Marthona et Willamar puissent emménager avec nous à l'automne.

Elle se tourna vers sa fille et l'embrassa.

— Sois gentille, Jonayla. Écoute Jondalar et aide Proleva, recommanda-t-elle.

— Je le ferai, mère. J'aurais aimé que tu viennes avec nous.

— Moi aussi, Jonayla. Tu vas me manquer.

Ayla et Jondalar s'embrassèrent et elle resta contre lui un moment.

— Toi aussi tu vas me manquer, Jondalar. Même Rapide et Grise vont me manquer.

Elle donna une caresse d'adieu à chaque cheval et lui enlaça l'encolure.

— Et je suis certaine qu'ils vont manquer aussi à Whinney et à Loup.

Jonayla tapota Whinney et la gratta à l'un de ses endroits favoris, puis elle se pencha et étreignit Loup. L'animal frétilla de plaisir et lui lécha le visage.

— Pouvons-nous emmener Loup avec nous, mère ? Il va tant me manquer ! demanda Jonayla, dans une ultime tentative.

— En ce cas, c'est à moi qu'il manquerait, Jonayla. Non, il est préférable qu'il reste là. Tu le reverras plus tard dans l'été.

Jondalar souleva Jonayla de terre et la hissa sur Grise. Elle comptait maintenant six ans et était capable de monter seule sur le dos d'un cheval s'il y avait une grosse pierre ou une souche d'arbre à proximité, mais dans le cas contraire il lui fallait toujours de l'aide. Jondalar monta sur Rapide et prit Grise par la longe, puis rattrapa rapidement les autres. Restée seule avec Whinney et Loup, Ayla regarda Jondalar et Jonayla s'éloigner et elle ne put retenir ses larmes.

Elle sauta finalement sur le dos de sa jument louvette et chevaucha une partie du chemin, puis s'arrêta et regarda encore la Neuvième Caverne s'en aller. Ils cheminaient à une allure régulière, déployés en une file irrégulière. Montés sur leurs chevaux, Jondalar et Jonayla fermaient la marche en tirant les travois.

La Réunion d'Été se tenait au même endroit que la première fois où Ayla y avait assisté. Les lieux lui avaient plu et elle avait espéré que Joharran choisirait pour dresser le camp le même site que celui qui avait été utilisé par la Neuvième Caverne cette fois-là. Joharran avait toujours aimé être au cœur des choses et le site choisi pour le camp était un peu éloigné des principales activités, mais ces dernières années il appréciait d'être plus en lisière, ce qui assurait une plus grande sécurité aux chevaux. Et il aimait de plus en plus avoir de l'espace. S'il choisissait l'ancien site, ils disposeraient de toute la place nécessaire pour leur Caverne, beaucoup plus importante que la moyenne, et aussi pour les chevaux. Ayla regarda un moment les siens s'éloigner, puis elle tourna bride, donna le signal du départ à Loup et retourna à la Neuvième Caverne.

Ayla avait ignoré combien l'énorme abri pouvait paraître abandonné quand tant de gens étaient absents, même si des membres de Cavernes voisines étaient venus y séjourner. La plupart des logis étaient fermés et l'abri avait l'air désert. Les outils et le matériel de la grande zone artisanale avaient été démontés et emportés ou rangés, laissant des espaces vides. Le métier à tisser de Marthona était l'un des seuls appareils restants.

Ayla avait demandé à Marthona de s'installer chez eux. Elle tenait à se trouver à proximité si la mère de Jondalar avait besoin de quelque chose, surtout la nuit, et Marthona s'était empressée d'accepter. Comme elle et Willamar projetaient déjà d'emménager avec eux à l'automne, cela lui donnait la possibilité de trier les affaires qu'elle voulait conserver et celles dont elle souhaitait se débarrasser, car elle ne pouvait tout emporter dans leur nouveau logis, plus exigu. Elles parlèrent ensemble longuement et Marthona fut heureuse d'apprendre qu'Ayla était de nouveau enceinte.

La plupart de ceux qui étaient restés là étaient vieux, ou immobilisés pour une raison quelconque. Parmi eux se trouvaient un chasseur à la jambe cassée, un autre qui se remettait d'un coup de corne donné par un aurochs qui s'était brusquement attaqué à lui et une femme enceinte qui avait déjà perdu trois bébés avant la naissance et à qui on avait conseillé de rester allongée si elle voulait avoir une chance d'arriver au terme de sa grossesse. Sa mère et son compagnon lui tenaient compagnie.

— Je suis contente que tu sois là cet été, Ayla, dit Jeviva, la mère de la femme enceinte. Jeralda a gardé son dernier bébé six mois, jusqu'à ce que Madroman s'en mêle. Il lui a conseillé de prendre de l'exercice. Je crois qu'elle a perdu le bébé à cause de lui. Toi au moins, tu connais la grossesse, tu as déjà un enfant.

Ayla regarda Marthona en se demandant si elle savait quelque chose de la façon dont Madroman avait traité Jeralda. Quant à elle, elle n'avait entendu parler de rien. Il était revenu à la Neuvième Caverne l'année précédente en apportant beaucoup de ses affaires, comme s'il prévoyait de rester un certain temps, puis il était parti brusquement, environ une lune plus tôt. À l'époque, un messager d'une autre Caverne était arrivé pour demander à Ayla de venir soigner quelqu'un qui s'était cassé le bras, sa réputation d'être habile à réduire les fractures s'étant propagée. Elle était restée absente quelques jours et, à son retour, Madroman avait disparu.

— La grossesse de Jeralda est très avancée ? demanda Ayla.

— Ses périodes lunaires n'étaient pas régulières et elle avait repéré du sang ; nous n'avons pas fait très attention et ne savons pas trop quand cette vie a commencé, dit Jeviva. Je crois qu'elle est plus grosse que quand elle a perdu son dernier, mais peut-être me fais-je des idées.

— Je viendrai l'examiner demain, mais je ne crois pas être capable de dire grand-chose. Zelandoni a-t-elle une idée de la raison pour laquelle elle a perdu ses trois premiers ? s'enquit Ayla.

— Tout ce qu'elle a dit, c'est que Jeralda a l'utérus glissant et qu'elle a tendance à les perdre trop facilement. Le dernier ne semblait pas avoir quoi que ce soit d'anormal, si ce n'est qu'il était né trop tôt. Il était vivant à la naissance et il a vécu un jour ou deux, puis il a cessé de respirer.

Jeviva détourna la tête et essuya une larme. Jeralda passa le bras autour de sa mère et son compagnon les tint toutes les deux enlacées un moment. Ayla regarda la petite famille se resserrer au souvenir de ce chagrin. Elle espérait que cette grossesse-ci arriverait à terme.

Joharran avait désigné deux hommes chargés de rester là et de chasser pour les gens demeurés à la Neuvième Caverne et de manière générale pour aider quand ils le pouvaient. Ils allaient être remplacés dans une lune. Jonclotan, le compagnon de Jeralda, s'était quant à lui proposé spontanément pour aller chasser. Les deux autres avaient eu la malchance de perdre le concours organisé par le chef pour décider qui resterait. Le plus âgé s'appelait Lorigan, le plus jeune, Forason. Ils avaient bougonné, mais avaient fini par accepter leur sort, sachant qu'ils n'auraient pas à participer au concours l'année suivante.

Ayla n'avait pas chassé depuis quelque temps, mais n'avait pas perdu la main. Forason, qui était très jeune, eut d'abord des doutes sur l'aptitude à chasser de l'acolyte de la doniate et il crut qu'elle les gênerait, d'autant plus qu'elle avait insisté pour emmener le loup avec elle. Lorigan se borna à sourire. À la fin de la première journée, le jeune homme était confondu par ses prouesses, tant avec le lance-sagaie qu'avec la fronde, et étonné par l'attitude coopérative de l'animal. Sur le chemin du retour, son aîné lui expliqua que c'était elle et Jondalar qui avaient mis au point le lance-sagaie et l'avaient rapporté avec eux en revenant de leur Voyage. Forason eut le bon sens de paraître embarrassé.

Mais la plupart du temps, Ayla restait à proximité du vaste abri. Ceux qui se trouvaient là prenaient en général le repas du soir en commun. Lorsqu'ils étaient tous rassemblés autour du feu, l'endroit paraissait moins vide. Les vieux et les infirmes étaient ravis d'avoir une vraie guérisseuse pour s'occuper d'eux. Cela leur procurait un sentiment de sécurité inhabituel.

La plupart des étés, on laissait des instructions les concernant aux plus aptes ou aux chasseurs. Au mieux, un acolyte restait là pour des raisons similaires à celles d'Ayla, mais le plus souvent il n'était pas aussi compétent.

Ayla adopta une vie régulière. Elle dormait tard dans la matinée, puis, l'après-midi, elle rendait visite à chacun, écoutait les plaintes, donnait des remèdes, préparait des cataplasmes et faisait tout ce qu'elle pouvait pour améliorer l'état de ses patients. Cela l'aidait à passer le temps. Les liens se resserraient, ils se racontaient mutuellement leur vie ou échangeaient des histoires qu'ils avaient entendues. Ayla s'exerçait à conter les Légendes Anciennes et les Histoires qu'elle apprenait ou bien narrait des incidents de sa vie passée, toutes choses que les autres adoraient écouter. Elle parlait toujours avec son accent étrange, et même s'ils y étaient si habitués qu'ils ne l'entendaient plus vraiment, cela contribuait néanmoins à lui donner un côté mystérieux et exotique, séduisant. Ils l'avaient pleinement acceptée comme une des leurs, mais ils se plaisaient à raconter des histoires sur elle parce qu'elle sortait de l'ordinaire et que, par association, ils avaient ainsi l'impression de se distinguer.

Lorsqu'ils se retrouvaient au soleil en fin d'après-midi, les histoires d'Ayla étaient particulièrement demandées. Elle avait mené une vie très intéressante et ils ne se lassaient jamais de lui poser des questions sur le Clan, de lui demander de leur montrer comment ses membres prononçaient certains mots ou de leur exposer certaines de leurs conceptions. Ils aimaient aussi écouter les chansons et histoires familières entendues dans leur jeunesse. Beaucoup parmi les plus âgés connaissaient certaines Légendes aussi bien qu'elle et étaient prompts à relever ses erreurs, mais du fait que plusieurs d'entre eux venaient d'autres Cavernes, chacun avait souvent sa propre version. Ils discutaient et se chamaillaient parfois sur la question de savoir quelle interprétation était la plus correcte. Ça ne gênait pas Ayla. Les diverses versions l'intéressaient et les discussions l'aidaient à mieux se souvenir. C'étaient des moments paisibles et le temps s'écoulait sans hâte. Ceux qui étaient valides partaient cueillir des fruits, des légumes, des fruits oléagineux et des grains de saison pour améliorer l'ordinaire et constituer des réserves pour l'hiver.

Chaque soir, juste avant le coucher du soleil, Ayla grimpait au sommet de la falaise avec les plaques de corne sur lesquelles elle consignait ses observations. Elle avait pris l'habitude de laisser Loup avec Marthona la nuit et elle avait montré à celle-ci comment l'envoyer la chercher en cas de besoin. Ayla voyait le soleil se déplacer presque imperceptiblement pour disparaître derrière l'horizon occidental un peu plus à droite chaque jour.

Avant que Zelandoni ne lui ait confié cette tâche, elle n'avait pas vraiment prêté attention aux mouvements célestes de ce genre. Elle avait seulement remarqué que le soleil se levait à l'est et se couchait à l'ouest, que la lune passait par différentes phases. Comme la plupart des gens, elle savait qu'on voyait parfois l'astre nocturne durant le jour, mais qu'on ne le remarquait guère parce qu'il était très pâle.

Elle en savait maintenant beaucoup plus. C'était pour cela qu'elle notait les points de l'horizon où le soleil se levait et se couchait, la position de certaines constellations et étoiles et le moment des levers et couchers de lune. C'était la pleine lune et, s'il n'était pas rare que la lune soit pleine le Court Jour d'Hiver ou le Long Jour d'Été, ce n'était pas non plus très courant.

L'un d'eux coïncidait avec la pleine lune peut-être tous les dix ans, mais du fait que la lune était toujours en opposition par rapport au soleil, elle se levait invariablement au moment où celui-ci se couchait, et parce que le soleil était haut dans le ciel estival, la pleine lune restait basse sur l'horizon toute la nuit. Assise face au sud, Ayla tournait la tête à droite et à gauche pour suivre les deux astres en même temps.

Le premier soir où le soleil semblait s'être couché à la même place que la veille, elle n'était pas sûre d'avoir bien vu. Était-il assez loin à droite sur l'horizon ? Le nombre de jours écoulés était-il le bon ? Était-ce le moment ? Elle observa certaines constellations et la lune, puis décida d'attendre le lendemain soir. Quand le soleil se coucha encore au même endroit, elle éprouva une telle exaltation qu'elle aurait voulu que Zelandoni soit avec elle pour profiter de ces instants.

7

C'est tout juste si elle attendit que Marthona se réveille, le lendemain matin, pour lui annoncer que le temps du Long Jour d'Été était venu. La réaction de la mère de Jondalar fut mitigée. Elle était contente pour Ayla, mais savait aussi que celle-ci ne tarderait pas à partir pour la Réunion d'Été et la laisserait seule. Pas vraiment seule, puisque tous les autres seraient encore là, mais la compagnie d'Ayla avait été si merveilleuse qu'elle avait à peine remarqué l'absence de tant de ses proches. Elle avait même constaté que les infirmités qui l'empêchaient de se rendre à la Réunion semblaient s'atténuer. Les talents de guérisseuse de la jeune femme, ses tisanes, cataplasmes, massages et autres soins avaient apparemment été efficaces. Marthona se sentait beaucoup mieux. Ayla allait beaucoup lui manquer.

Le soleil parut ne pas s'écarter de sa trajectoire, se coucher presque au même endroit pendant sept jours. Ayla n'en était certaine que pour trois jours. Il semblait y avoir eu un léger écart les deux jours précédents et les deux suivants, quoique inférieur à la normale. Elle fut alors stupéfaite de voir que le point où le soleil se couchait revenait en arrière. Il était fascinant d'assister à ce changement de direction et de penser qu'il allait rebrousser chemin jusqu'au départ, le Court Jour d'Hiver.

Elle avait observé le Court Jour d'Hiver précédent avec Zelandoni et plusieurs autres personnes, mais elle n'avait pas éprouvé le même sentiment d'exaltation, bien que ce jour-là ait été plus important pour la plupart des gens. C'était le Court Jour qui annonçait la fin des frimas hivernaux et le retour de la chaleur estivale, et il était célébré avec enthousiasme.

Mais ce Long Jour d'Été revêtait une grande importance pour Ayla. Elle avait observé le phénomène elle-même et en ressentait une grande satisfaction et du soulagement. Cela voulait également dire que son année d'observation s'achevait. Elle allait monter sur la falaise quelques jours encore et continuer à consigner ses observations, uniquement pour voir si, et comment, le lieu du coucher changeait, mais elle pensait déjà à son départ pour la Réunion d'Été.

Le lendemain soir, après s'être assurée que le soleil revenait en arrière, elle se sentit agitée, là-haut à son poste d'observation. Elle avait été nerveuse toute la journée et pensa que c'était peut-être à cause de sa grossesse ou parce qu'elle était soulagée de savoir qu'il ne lui restait plus beaucoup de nuits en solitaire à regarder le ciel. Elle tenta de se calmer en reprenant les paroles du Chant de la Mère. C'était son chant favori, mais plus elle se répétait les couplets, plus elle ressentait une tension.

Pourquoi suis-je si perturbée ? Je me demande si un orage n'est pas en train de se préparer. Cela me fait parfois cet effet.

Elle se rendit compte qu'elle parlait toute seule.

Peut-être devrais-je méditer, pensa-t-elle. Ça devrait m'aider à me détendre. Je vais me faire une infusion.

Elle retourna à l'endroit où elle s'était installée, ranima le feu, remplit un petit récipient de cuisson avec l'eau de son outre et passa en revue les plantes qu'elle transportait dans un petit sac accroché à la lanière qui lui entourait la taille. Elle rangeait les feuilles séchées en petits paquets attachés par des ficelles de types et diamètres variés, à l'extrémité desquelles elle faisait un certain nombre de nœuds pour les reconnaître, comme le lui avait montré Iza.

Même à la lueur du feu et au clair de lune, il faisait trop sombre pour différencier les plantes entre elles et elle dut se fier à son toucher et à son odorat. Elle se souvint de son premier sac à médecines, que lui avait donné Iza. Il était fait d'une peau entière et imperméable de loutre, dont les entrailles avaient été retirées par l'ouverture du cou. Elle l'avait copié à plusieurs reprises et avait encore en sa possession le dernier exemplaire qu'elle avait confectionné, alors qu'elle vivait au Clan. Il avait beau être usé et miteux, elle n'arrivait pas à s'en débarrasser. Elle avait songé à en faire un neuf. C'était un sac à médecines du Clan, doté d'un pouvoir unique. Même Zelandoni avait été impressionnée quand elle l'avait vu pour la première fois, se rendant compte rien qu'à son aspect qu'il avait quelque chose de spécial.

Ayla choisit deux petits paquets. La plupart de ses plantes étaient médicinales, mais certaines avaient un effet léger et pouvaient sans inconvénient être bues en infusion pour le plaisir, comme la menthe ou la camomille, recommandées contre les maux d'estomac et pour faciliter la digestion tout en étant agréablement parfumées. Elle opta pour un mélange mentholé qui contenait une plante relaxante, chercha le paquet et le huma. C'était bien de la menthe. Elle en versa un peu dans le creux de sa main, le jeta dans l'eau fumante et, après avoir laissé infuser un moment, elle remplit sa tasse. Elle la vida parce qu'elle avait soif et se versa une deuxième tasse, qu'elle but à petites gorgées. Le mélange lui parut un peu éventé. Il va falloir que je cueille de la menthe fraîche, pensa-t-elle, mais ce n'est pas si mauvais que cela.

Quand elle eut fini, elle se mit à respirer à fond, comme on le lui avait appris. Lentement, profondément, se dit-elle. Pense à la couleur claire, à un ruisseau d'eau claire coulant sur des galets ronds, pense à un ciel clair sans nuages, à la lumière du soleil, pense au vide.

Elle se retrouva en train de fixer la lune, qui n'était pas encore à son premier quartier la dernière fois qu'elle l'avait regardée mais était maintenant grosse et ronde dans le ciel nocturne. Elle semblait croître, emplir son champ de vision, et elle se sentit attirée en elle de plus en plus vite. Elle réussit à en arracher son regard et se leva.

Elle se dirigea lentement vers le gros rocher incliné.

Cette pierre luit ! Non, c'est encore un effet de mon imagination. C'est seulement le clair de lune. La roche est différente des autres, peut-être réfléchit-elle mieux la clarté de la pleine lune.

Elle ferma les yeux, longtemps, lui sembla-t-il. Quand elle les rouvrit, la lune l'attira de nouveau, l'énorme pleine lune l'aspirait. Elle regarda alentour. Elle volait ! Sans faire de vent ni de bruit. Elle regarda en bas. La falaise et la rivière avaient disparu et le paysage lui était inconnu. Elle crut un instant qu'elle allait tomber. Elle avait le vertige. Tout tournait. Des couleurs vives formaient autour d'elle un vortex de lumière chatoyante qui tourbillonnait de plus en plus vite.

Ça s'arrêta soudain et Ayla se retrouva en haut de la falaise. Elle se prit à se concentrer sur l'énorme lune qui grossissait encore, emplissait de nouveau son champ de vision. Attirée en elle, elle se remit à voler, à voler comme elle le faisait quand elle aidait son Mamut. Elle baissa les yeux et vit la pierre. Elle était vivante, rutilante de spirales de lumière palpitante. Elle se sentait aspirée par elle, happée par le mouvement. S'échappant du sol, des lignes d'énergie tournoyaient autour de l'énorme colonne de pierre en équilibre précaire, puis disparaissaient en une couronne de lumière à son sommet. Elle flottait juste au-dessus du rocher luisant, le regard fixé sur lui.

Il était plus brillant que la lune et éclairait les parages. Il n'y avait pas un souffle de vent, pas la moindre brise, aucune feuille ou branche ne bougeait, mais le sol et l'air autour d'elle étaient animés d'un mouvement empli de formes et d'ombres qui voltigeaient en tous sens, de formes sans substance qui fulguraient au hasard, distillant une faible énergie semblable à la lueur de la pierre. À mesure qu'elle regardait, le mouvement se précisait, s'orientait vers un but. Les formes se dirigeaient vers elle, la pourchassaient ! Elle éprouva une sensation de picotement, ses cheveux se dressèrent sur sa tête. L'instant d'après, elle dévalait le sentier escarpé en trébuchant, glissant, emportée par la peur. En arrivant à l'abri, elle courut vers l'entrée éclairée par le clair de lune.

Couché près du lit de Marthona où elle lui avait dit de rester, Loup leva la tête et gémit.

Ayla continua sa course vers la Rivière du Bas, puis vers la Rivière et le sentier qui la longeait. Elle se sentait chargée d'énergie et courait maintenant pour le plaisir, non plus pourchassée mais attirée par quelque force énigmatique. Elle traversa la rivière au Gué avec force éclaboussures et poursuivit son chemin, pour toujours lui semblait-il. Elle approchait d'une haute falaise en surplomb, une falaise qui lui était à la fois familière et totalement inconnue.

Elle arriva à un sentier escarpé et commença à grimper, le souffle rauque, incapable de s'arrêter. En haut du sentier s'ouvrait le trou sombre d'une grotte. Elle pénétra en courant dans ses ténèbres, si épaisses qu'elles en étaient presque palpables, puis trébucha sur le sol irrégulier, tomba de tout son long et heurta la roche de la tête.

Elle se réveilla dans l'obscurité. Elle se trouvait dans un long tunnel noir, mais elle y voyait quand même. Les parois luisaient, faiblement irisées par l'humidité. Elle se dressa sur son séant, la tête endolorie, et pendant un moment elle vit tout en rouge. Elle avait l'impression que les parois défilaient à toute allure alors qu'elle ne bougeait pas. L'irisation se remit à miroiter, ce n'était plus sombre. Les parois flamboyaient de couleurs sinistres, verts fluorescents, rouges rutilants, bleus éclatants, blancs lumineux.

Elle se releva et longea la paroi glissante, froide et humide qui devint d'un bleu-vert glacial. Elle n'était plus dans une caverne, mais dans une crevasse au fond d'un glacier. Ses grandes surfaces planes reflétaient des formes fugitives et éphémères. Au-dessus d'elle, le ciel était d'un bleu violacé profond. Sa tête lui faisait mal et le soleil éblouissant l'aveuglait. Il se rapprocha et emplit la crevasse de lumière, sauf que ce n'était plus une crevasse.

Elle était dans une rivière impétueuse, emportée par le courant. Des objets passaient à côté d'elle, pris dans des tourbillons et des courants inverses qui tournoyaient de plus en plus vite. Elle était entraînée dans un maelström, aspirée par lui, et tournait, tournait à n'en plus finir. Dans un vertige de mouvement spiralé, la rivière se referma sur sa tête et tout devint noir.

Elle était maintenant engloutie dans un vide sépulcral et volait, volait à une rapidité inconcevable. Puis son mouvement se ralentit et elle se retrouva dans un épais brouillard embrasé d'une lumière qui l'enveloppait. Le brouillard s'ouvrit, révélant un paysage étrange. Des formes géométriques, vert fluorescent, rouge rutilant, bleu éclatant, se répétaient sans fin. Des structures inouïes s'élevaient dans les airs. De larges rubans se déroulaient au sol, d'un blanc lumineux, parcourus de formes qui filaient à toute allure, qui filaient à sa poursuite.

Elle était pétrifiée par la peur et sentait qu'un filet liquide sondait la lisière de son esprit et semblait la reconnaître. Elle se recula et longea la paroi à tâtons aussi vite qu'elle put. En proie à la panique, elle arriva à un cul-de-sac. Elle s'écroula au sol et sentit un trou devant elle. Il était petit et elle ne pouvait y entrer qu'en rampant. Elle s'écorcha les genoux sur la roche rugueuse, mais n'y prêta pas attention. Le trou se rétrécit et elle ne put aller plus loin. L'instant d'après, elle fonçait de nouveau dans le vide, si vite qu'elle en perdait toute sensation de mouvement.

En fait, ce n'était pas elle qui se déplaçait, mais les ténèbres autour d'elle. Elles se rapprochaient, l'étouffaient, la noyaient, et elle était une nouvelle fois dans la rivière, entraînée par le courant. Elle était fatiguée, épuisée, le courant l'emportait vers la mer, la mer chaude. Elle ressentit une vive douleur au fond d'elle-même, les eaux chaudes et salées la submergeaient. Elle en inspira l'odeur, le goût, et se mit à flotter tranquillement dans le liquide tiède.

Ce n'était pas de l'eau mais de la boue. Haletante, elle chercha sa respiration en essayant de s'extraire de la vase, puis la bête qui la poursuivait la saisit, la broya. Elle se plia en deux, poussa un cri de douleur. Elle se creusa un chemin à travers la boue, s'efforça de s'échapper du trou profond dans lequel la bête l'avait tirée.

L'instant d'après, elle était libre, grimpait à un arbre, se balançait à ses branches, poussée par la soif vers le bord de mer. Elle plongea dedans, étreignit l'eau, se mit à grandir et à mieux flotter. Finalement debout, elle aperçut un vaste pré et se dirigea vers lui en pataugeant.

Mais l'eau la retenait. Elle lutta pour se tirer de cette marée antagoniste, puis s'effondra, épuisée. Elle sentit la traction, la douleur, la douleur affreuse qui menaçait de la déchirer. Dans un flot de liquide chaud, elle céda à la sollicitation.

Elle rampa encore un peu, s'adossa à une paroi, ferma les yeux et vit une steppe fertile enluminée de fleurs printanières. Un lion des cavernes vint vers elle en bondissant dans un mouvement lent et gracieux. Elle était dans une grotte minuscule, coincée sur une petite déclivité. Elle grandissait à mesure que la caverne s'élargissait. Les parois respiraient, se dila-taient, se contractaient ; elle était dans une matrice, une énorme matrice noire au tréfonds de la terre. Mais elle n'était pas seule.

Des formes vagues, transparentes, se fondaient en d'autres, reconnaissables, celles d'animaux de toutes sortes, mammifères, oiseaux, poissons, insectes, qu'elle avait déjà vues, et certaines qu'elle était sûre de n'avoir jamais vues. Ils formaient une procession, sans ordre ni structure, chacun semblant se muer en un autre. Un mammifère se métamorphosait en oiseau, poisson, insecte, ou en un autre mammifère. Une chenille devint un lézard, puis un oiseau, qui lui-même se transforma en lion des cavernes.

Le lion attendait qu'elle le suive. Ils traversèrent ensemble des passages, des tunnels, des couloirs ; les parois se muaient en silhouettes qui prenaient de la consistance à leur approche, puis redevenaient translucides et se fondaient dans la paroi quand ils s'éloignaient. Une procession de mammouths laineux franchit d'un pas pesant une vaste plaine herbeuse, puis un troupeau de bisons la rattrapa et forma les rangs autour d'elle.

Elle vit deux rennes s'approcher l'un de l'autre. Ils se touchèrent le museau, puis la femelle se laissa tomber à genoux et le mâle se baissa et la lécha. Cette scène pleine de tendresse émut Ayla, puis son attention fut attirée par deux chevaux, un mâle et une femelle. La femelle en chaleur se plaça devant le mâle et s'offrit à l'animal, qui se préparait à la monter.

Elle se tourna dans une direction différente et suivit le lion le long d'un tunnel. Au bout, elle arriva dans une niche arrondie assez grande, pareille à une matrice. Elle entendit un martèlement de sabots à l'approche d'un troupeau de bisons qui emplit la niche. Ils s'arrêtèrent pour se reposer et paître.

Mais le martèlement continuait, les parois palpitaient à un rythme lent et régulier. Le sol de roche dure semblait céder sous ses pieds et la palpitation se transforma en une voix profonde, si faible au début qu'elle était à peine audible. Puis elle devint plus forte et elle reconnut le son. C'était le tambour parlant des Mamutoï ! Elle n'avait entendu pareil tambour que chez les chasseurs de mammouths.

L'instrument, formé d'un os de mammouth, possédait une telle résonance et une diversité tonale si affirmée, quand on tapait dessus rapidement avec une ramure à des endroits différents, qu'il émettait un son proche d'une voix prononçant à un rythme staccato des mots qui ne ressemblaient pas à ceux des humains mais étaient néanmoins des mots. Ils avaient un vibrato légèrement ambigu, qui ajoutait une touche de mystère et de profondeur expressive, mais quand le tambour était joué par quelqu'un d'assez talentueux, c'étaient clairement des mots. Il pouvait littéralement faire parler le tambour.

Le rythme et la structure des mots produits par l'instrument commencèrent à devenir reconnaissables. Puis elle perçut le son aigu d'une flûte, accompagné par une voix haut perchée qui ressemblait à celle de Fralie, une Mamutoï qu'elle avait connue. Fralie était enceinte, une grossesse difficile qui avait failli ne pas arriver à terme. Ayla lui était venue en aide, mais le bébé, une fille, était quand même né prématurément. Elle avait cependant vécu et était devenue saine et forte.

Assise dans la niche ronde, Ayla s'aperçut que son visage était mouillé de larmes. Elle pleurait à gros sanglots, comme si elle avait subi une perte terrible. Le son du tambour s'amplifia et noya sa lamentation douloureuse. Elle reconnaissait des sons, discernait des paroles :

Des ténèbres, du Chaos du temps,
Le tourbillon enfanta la Mère suprême.
Elle s'éveilla à Elle-Même sachant la valeur de la vie,
Et le néant sombre affligea la Grande Terre Mère.
La Mère était seule. La Mère était la seule.

C'était le Chant de la Mère ! Interprété comme elle ne l'avait jamais entendu. Si elle avait su chanter, c'est ainsi qu'elle l'aurait fait. La voix était à la fois profonde comme le son du tambour, haute et sonore comme celui d'une flûte, et la niche résonnait de cette sonorité riche et vive.

La voix lui emplissait la tête de mots qu'elle sentait plus qu'elle n'entendait et la sensation allait bien au-delà des mots. Elle savourait à l'avance chaque vers et quand il arrivait, son expression était plus pleine, plus éloquente, plus profonde. Ça semblait devoir continuer éternellement, et elle ne voulait pas que ça s'arrête, aussi, quand le chant approcha de la fin, éprouva-t-elle une profonde tristesse.

Satisfaite des deux êtres qu'Elle avait créés,
La Mère leur apprit l'amour et l'affection.
Elle insuffla en eux le désir de s'unir,
Le Don de leurs Plaisirs vint de la Mère.
Avant qu'Elle eût fini, Ses enfants L'aimaient aussi.

Mais quand elle crut que c'était fini, le chant reprit :

Son dernier Don, la Connaissance que l'homme a
*   son rôle à jouer.*
Son besoin doit être satisfait avant qu'une nouvelle
*   vie puisse commencer.*
Quand le couple s'apparie, la Mère est honorée
Car la femme conçoit quand les Plaisirs sont
*   partagés.*
Les Enfants de la Terre étaient nés,
La Mère pouvait se reposer.

Ces paroles étaient comme un cadeau, une bénédiction qui apaisait sa peine. La Mère lui faisait savoir qu'elle avait raison, qu'elle avait eu raison depuis le début. Elle l'avait toujours su ; maintenant, elle en avait confirmation. Elle sanglotait de nouveau, éprouvait toujours de la douleur, mais celle-ci était maintenant mêlée de joie. À mesure que les paroles se répétaient encore et encore dans son esprit, elle pleurait de chagrin et de bonheur.

Elle entendit le grondement d'un fauve et son lion totémique se tourna pour s'en aller. Elle tenta de se lever, mais elle était trop faible et elle appela l'animal :

— Ne t'en va pas, mon beau ! Qui va me conduire hors d'ici ?

L'animal descendit le tunnel en bondissant, puis il s'arrêta et revint vers elle, mais ce n'était pas le lion qui approchait. La bête sauta soudain sur elle et lui lécha le visage. Ayla secoua la tête, tremblante et désorientée.

— Loup ? C'est toi, Loup ? Comment es-tu arrivé ici ? dit-elle en serrant le gros animal dans ses bras.

Tandis qu'elle tenait ainsi le loup enlacé, ses visions de bisons dans la niche s'estompèrent et s'obscurcirent. Les scènes qui se déroulaient sur les parois se brouillèrent aussi. Elle s'appuya de la main à la paroi et sortit à tâtons de la niche. Elle s'assit par terre et ferma les yeux pour lutter contre l'étourdissement. Elle les rouvrit, sans être sûre d'y parvenir. Qu'elle eût les yeux ouverts ou fermés, c'était le noir absolu et un frisson de peur lui parcourut la colonne vertébrale. Comment allait-elle trouver la sortie ?

Elle entendit alors Loup gémir et sentit sa langue sur son visage. Elle tendit la main vers lui et sa nervosité diminua. Elle chercha à tâtons la paroi et ne trouva rien, puis elle heurta la roche de l'épaule. Il y avait sous l'une des parois un espace qu'elle n'avait pas remarqué parce qu'il était au ras du sol, mais en cherchant son chemin elle toucha quelque chose qui n'était pas de la pierre.

Elle retira la main précipitamment, puis, se rendant compte que le contact était familier, elle la tendit de nouveau. La caverne était plus noire que la nuit et elle tenta de déterminer ce qu'elle avait touché. Ça avait la texture d'une peau de daim soigneusement grattée. Elle tira à elle un ballot de cuir. Elle l'examina en le palpant, localisa une lanière ou une sangle, la défit et trouva une ouverture. C'était une sorte de sac en cuir souple accroché à une sangle. À l'intérieur, elle découvrit une outre vide – ce qui lui rappela qu'elle avait soif –, quelque chose en fourrure, peut-être un manteau, et elle sentit des restes de nourriture.

Elle referma le sac, le mit sur son épaule, puis se releva et resta contre la paroi, luttant contre le vertige et une vague de nausée. Quelque chose de chaud parcourut l'intérieur de sa jambe. Le loup aimait la renifler, mais elle lui avait fait perdre cette habitude depuis longtemps et elle repoussa son museau inquisiteur.

— Nous devons sortir d'ici, Loup. Rentrons à la maison.

Tout en se mettant à marcher et en se guidant de la main à la paroi humide, elle se rendit compte combien elle était faible et épuisée.

Le sol était irrégulier et glissant, jonché de morceaux de roche mêlés à de la boue argileuse. Des stalagmites, certaines fines comme des brindilles, d'autres aussi massives que des gros troncs d'arbres, semblaient sortir de terre comme des plantes. Leur extrémité, quand il lui arrivait de la toucher, était mouillée par le ruissellement inexorable d'eau calcaire tombant goutte à goutte des stalactites, leurs homologues, pareilles à des glaçons de pierre qui descendaient du plafond. Après s'être cogné la tête à l'une d'elles, elle se montra plus prudente. Comment avait-elle pu s'enfoncer si loin dans les profondeurs de cette grotte ?

Le loup partait en éclaireur, puis revenait vers elle ; à un certain moment, il l'empêcha de prendre une mauvaise direction. En sentant le sol monter sous ses pieds, elle sut qu'elle approchait de la sortie. Elle était venue assez souvent dans cette grotte pour reconnaître l'endroit, mais en essayant d'escalader l'éboulis elle fut prise de vertige et tomba à genoux. La sortie semblait beaucoup plus loin que dans son souvenir et elle dut s'arrêter pour se reposer plusieurs fois. Bien que l'ensemble de la caverne fût sacré, une barrière rocheuse naturelle séparait la partie antérieure plus ordinaire et le fond, d'une grande sacralité. L'ouverture était le seul endroit où y pénétrer, l'entrée du Monde Souterrain de la Grande Mère.

La température commença à monter légèrement de l'autre côté de l'obstacle, mais elle avait très froid. Après une courbe, elle crut voir un soupçon de lumière devant elle et essaya de se hâter. Elle sut avec certitude qu'elle ne s'était pas trompée en arrivant à la courbe suivante. Elle distinguait maintenant les parois luisantes d'humidité et, devant elle, le loup qui trottait vers une faible clarté. Après avoir tourné un coin, elle fut soulagée de voir la lumière tamisée qui filtrait de l'extérieur ; ses yeux s'étaient à tel point habitués à l'obscurité qu'elle la trouvait presque trop forte. En apercevant l'ouverture droit devant, elle se mit quasiment à courir.

Elle sortit en titubant de la caverne et cligna de ses yeux larmoyants, ce qui laissa des marques sur ses joues boueuses. Loup se rapprocha d'elle. Quand elle put enfin voir, elle eut la surprise de découvrir le soleil haut dans le ciel et plusieurs personnes qui la regardaient. Les deux chasseurs, Lorigan et Forason, ainsi que Jeviva, la mère de la femme enceinte, restèrent d'abord où ils étaient, les yeux fixés sur elle, comme pris d'une crainte révérencielle, et leurs saluts furent quelque peu circonspects, mais quand elle trébucha et tomba, ils se précipitèrent pour l'aider à se relever. En voyant leur air préoccupé, elle éprouva un grand soulagement.

— De l'eau, dit-elle. J'ai soif.

— Donne-lui de l'eau, dit Jeviva, qui avait remarqué du sang sur ses jambes et ses vêtements mais n'en souffla mot.

Lorigan déboucha son outre et la lui tendit. Elle but avidement en laissant le liquide couler de sa bouche dans sa hâte. L'eau ne lui avait jamais paru aussi bonne.

— Merci. Je m'apprêtais à lécher l'eau qui ruisselle sur les parois.

— J'ai connu ça, dit Lorigan en souriant.

— Comment avez-vous su que j'étais ici ? Et que j'allais sortir ?

— J'ai vu le loup courir dans cette direction, dit Forason, en montrant l'animal de la tête. Quand je l'ai dit à Marthona, elle a pensé que tu étais là-dedans. Elle nous a demandé de venir t'attendre. Elle a dit que tu aurais peut-être besoin d'aide. Depuis, nous nous sommes relayés ici. Jeviva et Lorigan venaient justement prendre la relève.

— J'ai déjà vu des Zelandonia revenir de leur appel, déclara Jeviva. Certains étaient si épuisés qu'ils ne pouvaient marcher. D'autres ne reviennent pas. Comment te sens-tu ?

— Très fatiguée, répondit Ayla. Et j'ai encore soif.

Elle but à nouveau et tendit l'outre à Lorigan. Le ballot qu'elle avait trouvé à l'intérieur de la caverne glissa quand elle baissa le bras. Elle l'avait oublié. En pleine lumière, elle voyait maintenant que des motifs caractéristiques avaient été peints dessus. Elle le montra.

— J'ai trouvé ça là-dedans. Savez-vous à qui il appartient ? Quelqu'un l'a peut-être caché là et oublié.

Lorigan et Jeviva se regardèrent, puis Lorigan dit :

— J'ai vu Madroman le porter.

— Tu as regardé à l'intérieur ? demanda Jeviva.

— Je n'y voyais pas, il n'y avait pas de lumière, mais je l'ai examiné à tâtons.

— Tu étais dans le noir ? s'étonna Forason, incrédule.

— Peu importe, dit Jeviva en lui intimant de se taire. Ça ne te concerne pas.

— J'aimerais voir ce qu'il y a dedans, dit Lorigan en lançant à Jeviva un regard significatif.

Ayla lui tendit le sac. Il en tira le manteau de fourrure et le déplia. Il était fait de carrés et de triangles de peau de divers animaux et de teintes variées, cousus ensemble suivant le motif caractéristique d'un acolyte de la Zelandonia.

— C'est bien celui de Madroman. Je l'ai vu sur lui l'année dernière, quand il est venu donner des conseils à Jeralda pour garder le bébé, dit Jeviva d'un ton dédaigneux. Elle portait celui-là depuis près de six lunes. Il a prétendu qu'elle devait accomplir toutes sortes de rituels pour apaiser la Mère, mais quand Zelandoni l'a vue tourner en rond dehors, elle l'a fait rentrer et s'allonger immédiatement. Elle a dit qu'elle avait besoin de repos, sinon le bébé se détacherait trop tôt. Selon la doniate, la seule chose qui n'allait pas était qu'elle avait la matrice glissante et tendance à laisser les bébés échapper trop facilement. Elle a perdu celui-là.

Elle regarda Lorigan.

— Qu'y a-t-il d'autre là-dedans ?

Il plongea la main dans le sac et en sortit l'outre vide, qu'il leva pour que tous la voient, puis il regarda dedans et renversa le reste du contenu sur le manteau de fourrure. Des bouts de viande séchée en partie mâchés et un gros morceau de galette tombèrent dessus ainsi qu'une petite lame en silex et une pierre à feu. Parmi les miettes, il y avait aussi quelques éclats de bois et des morceaux de charbon de bois.

— Avant le départ pour la Réunion d'Été, Madroman ne se vantait-il pas d'avoir été appelé et de devenir Zelandoni la même année ? s'enquit Lorigan.

Il leva l'outre.

— Il ne devait pas avoir très soif quand il est sorti de cette grotte.

— N'as-tu pas dit que tu avais l'intention d'aller à la Réunion d'Été plus tard, Ayla ? demanda Jeviva.

— Je pensais partir dans quelques jours. Peut-être vais-je attendre un peu, maintenant. Mais, oui, j'ai bien l'intention d'y aller.

— Tu devrais emporter ça avec toi, dit Jeviva en enveloppant soigneusement les restes de nourriture, les éclats de bois, le matériel pour faire du feu et l'outre dans le manteau, qu'elle fourra dans le sac. Et dire à Zelandoni où tu l'as trouvé.

— Tu arrives à marcher ? demanda l'aîné des chasseurs.

Ayla essaya de se relever et se sentit prise de vertige. Pendant quelques instants tout devint noir et elle retomba en arrière. Loup gémit et lui lécha le visage.

— Reste là, dit le chasseur. Viens, Lorigan. Nous devons fabriquer une civière pour la transporter.

— Si je me repose un peu, je crois que je serai capable de marcher.

— Non, il vaut mieux que tu t'en abstiennes, dit Jeviva, qui se tourna vers les chasseurs : Je vais attendre ici avec elle jusqu'à ce que vous reveniez avec la civière.

Ayla s'adossa à un rocher avec soulagement. Peut-être aurait-elle été capable de marcher jusqu'à la Neuvième Caverne, mais elle était contente d'en être dispensée.

— Tu as peut-être raison, Jeviva. J'ai par moments la tête qui tourne.

— Pas étonnant, dit Jeviva tout bas.

Elle avait remarqué une tache de sang sur la roche quand Ayla avait tenté de se relever.

J'ai l'impression qu'elle a perdu son bébé là-dedans, pensa-t-elle. Quel terrible sacrifice pour devenir Zelandoni, mais elle ne triche pas, contrairement à Madroman.

— Ayla ? Ayla ? Tu es réveillée ?

Ayla ouvrit les yeux et vit la silhouette floue de Marthona penchée vers elle, qui la regardait avec inquiétude.

— Comment te sens-tu ?

Ayla réfléchit un instant.

— J'ai mal, murmura-t-elle d'une voix rauque. Partout.

— J'espère que je ne t'ai pas réveillée. Je t'ai entendue parler ; tu rêvais, sans doute ? Zelandoni m'avait avertie que cela allait peut-être arriver. Elle ne pensait pas que ce serait si tôt, mais elle a dit que c'était possible. Elle m'a demandé de ne pas te retenir, de ne pas laisser Loup te suivre, mais elle m'a donné une tisane à te préparer à ton retour.

Elle posa la tasse fumante qu'elle avait à la main pour aider Ayla à se redresser. L'infusion était chaude et la jeune femme but avec plaisir. Elle avait encore soif, mais se rallongea, trop fatiguée pour rester assise. Elle commençait à avoir les idées plus claires. Elle était chez elle, sur sa couche. Elle regarda autour d'elle : Loup se trouvait à côté de Marthona. Il gémit d'inquiétude et se rapprocha d'elle. Elle le toucha et il lui lécha la main.

— Comment suis-je arrivée ici ? demanda-t-elle. Je ne me souviens plus de grand-chose après être sortie de la caverne.

— Les chasseurs t'ont transportée sur une civière. Tu as tenté de marcher, mais tu t'es évanouie, ont-ils dit. Tu es descendue en courant de ton poste d'observation, apparemment jusqu'au Trou Profond des Rochers de la Fontaine. Tu n'avais pas toute ta tête et tu y es entrée sans feu ni quoi que ce soit d'autre. Lorsque Forason est venu me dire qu'il fallait que tu sortes de là, je n'ai pas été capable d'y aller. De toute ma vie, je ne me suis jamais sentie aussi inutile.

— Je suis contente que tu sois là, Marthona, dit Ayla avant de refermer les yeux.

Quand elle les rouvrit, la fois suivante, seul Loup était là, veillant sur elle. Elle lui sourit, lui tapota la tête et le gratta sous le menton. Il posa ses pattes sur sa couche et essaya de s'approcher pour lui lécher le visage. Elle sourit derechef, le repoussa et tenta de s'asseoir. Elle émit un gémissement de douleur malgré elle et Marthona arriva en toute hâte.

— Ayla ! Qu'est-ce qui ne va pas ?

— Je n'ai jamais eu aussi mal en tant d'endroits différents.

Marthona avait l'air si inquiète que cela fit sourire Ayla.

— Je n'en mourrai pas, tu sais.

— Tu as des bleus et des égratignures partout, mais je ne crois pas qu'il y ait quoi que ce soit de cassé.

— Depuis combien de temps suis-je ici ?

— Plus d'un jour. Tu es arrivée hier en fin d'après-midi et le soleil vient de se coucher.

— Je suis partie longtemps ?

— Je ne sais pas quand tu es entrée dans la grotte, mais entre ton départ et ton retour, il s'est écoulé plus de trois jours, presque quatre.

Ayla hocha la tête.

— Je n'ai plus la notion du temps. J'ai quelques bribes de souvenirs, quelques-uns très clairs. J'ai un peu l'impression d'avoir rêvé, mais pas vraiment.

— Tu as faim ? Soif ? demanda Marthona.

— J'ai soif, répondit Ayla, qui se sentit aussitôt toute desséchée, comme si le seul fait de le dire lui avait permis de se rendre compte combien elle était déshydratée. Très soif.

Marthona sortit et revint avec une outre et une tasse.

— Tu veux t'asseoir ou seulement que je te relève la tête ?

— Je préfère essayer de m'asseoir.

Elle roula sur le côté pour tenter d'étouffer ses gémissements, puis se releva sur un coude et s'assit au bord de la couche. Elle eut un moment de vertige, puis cela passa. Elle ressentait surtout une douleur intérieure. Marthona versa de l'eau dans la tasse qu'Ayla prit à deux mains. Elle but d'un trait et la tendit pour qu'elle la lui remplisse à nouveau. Elle était aussi assoiffée que lorsqu'elle avait bu à l'outre en sortant de la caverne. Elle but, à peine plus lentement.

— Tu n'as toujours pas faim ? Tu n'as encore rien mangé, dit Marthona.

— J'ai mal au ventre.

— J'imagine bien.

Marthona détourna le regard.

— Pourquoi devrais-je avoir mal au ventre ?

— Tu saignes, Ayla. Tu as sans doute des crampes, et peut-être autre chose.

— Je saigne ? Comment cela se pourrait-il ? J'ai manqué trois lunes, je suis enceinte, je… Oh, non ! s'écria Ayla. J'ai perdu mon bébé, c'est cela ?

— Je le crois. Je ne suis pas experte en la matière, mais toute femme sait que l'on peut être enceinte et saigner en même temps, du moins pas autant que tu l'as fait. Tu saignais quand tu es sortie de la grotte et tu as saigné beaucoup depuis. Il va sûrement te falloir du temps pour reprendre des forces. Je suis désolée, Ayla. Je sais que tu voulais ce bébé.

— La Mère le voulait encore plus, dit Ayla d'un ton monocorde, accablée par le chagrin.

Elle se rallongea et regarda fixement le surplomb calcaire. Elle se rendormit à son insu.

En se réveillant, elle éprouva un besoin pressant d'uriner. C'était manifestement la nuit, mais plusieurs lampes étaient allumées. Elle regarda alentour : Marthona dormait sur des coussins installés à côté de sa couche. Près d'elle, Loup la regardait, la tête levée. Il a maintenant à veiller sur nous deux, pensa-t-elle. Elle se tourna sur le côté, se redressa de nouveau et resta assise un moment au bord de la couche avant d'essayer de se lever. Elle était raide et avait encore mal, mais elle se sentait plus vigoureuse. Elle se mit debout avec précaution. Loup se leva aussi. Elle lui fit signe de se recoucher, puis fit quelques pas vers le vase de nuit près de l'entrée.

Elle aurait dû penser à prendre de la bourre absorbante avec elle. Elle avait beaucoup saigné. Comme elle retournait vers sa couche, Marthona lui en apporta.

— Je ne voulais pas te réveiller, lui dit-elle.

— Ce n'est pas toi, c'est Loup qui m'a réveillée, mais tu aurais dû le faire. Tu veux de l'eau ? J'ai aussi du ragoût, si tu as faim.

— Je veux bien de l'eau et peut-être un peu de ragoût, dit Ayla en repartant vers le vase de nuit pour changer la bourre.

Le mouvement calma un peu la douleur.

— Où veux-tu manger ? demanda Marthona en boitillant vers le coin de l'habitation dévolu à la cuisine. Au lit ?

Elle aussi était ankylosée et endolorie. Dormir sur des coussins dans une mauvaise position avait aggravé son arthrite.

— Non, je préfère m'installer à table.

Ayla rejoignit Marthona et versa un peu d'eau dans une petite bassine, puis se rinça les mains et s'essuya le visage avec un morceau de cuir absorbant. Elle était certaine que Marthona l'avait déjà lavée un peu, mais elle avait envie de prendre un bon bain pour se rafraîchir et de se frotter avec de la saponaire. Peut-être demain matin, pensa-t-elle.

Le ragoût était froid mais savoureux. Quand elle prit les premières bouchées, Ayla crut qu'elle allait pouvoir en manger plusieurs bols, mais elle fut vite rassasiée. Marthona leur prépara une infusion et vint s'asseoir à table avec Ayla. Loup se faufila dehors pendant qu'elles étaient debout, mais ne tarda pas à revenir.

— Zelandoni s'attendait à ce que je fasse quelque chose, as-tu dit ? demanda Ayla.

— Elle ne s'y attendait pas vraiment. Elle pensait seulement que c'était possible.

— À quoi s'attendait-elle ? Je ne comprends pas vraiment ce qui s'est passé.

— Zelandoni te le dira mieux que moi, je crois. J'aimerais qu'elle soit là, mais je pense que tu es une Zelandoni maintenant. Je crois que tu as été appelée. Te souviens-tu de quelque chose ?

— Je me souviens de certaines choses, oui, puis, brusquement, d'autres, mais je n'arrive pas à voir clair dans tout ça, répondit Ayla, le sourcil froncé.

— À ta place, je ne m'en soucierais pas encore. Attends de parler à Zelandoni. Je suis sûre qu'elle sera à même de te donner des explications et de t'aider à comprendre. Pour l'instant, tu as seulement besoin de reprendre des forces.

— Tu as sans doute raison, répondit Ayla, soulagée d'avoir une excuse pour remettre à plus tard le moment de creuser la question.

Elle n'avait même pas envie d'y penser, bien qu'elle ne pût s'empêcher de se souvenir du bébé qu'elle avait perdu. Pourquoi la Mère avait-elle voulu le lui prendre ?

Ayla ne fit guère que dormir pendant plusieurs jours, puis un matin, en se réveillant, elle fut prise d'une faim dévorante et, les deux jours suivants, il lui sembla ne jamais avoir assez à manger. Lorsqu'elle sortit enfin du logis et retrouva le petit groupe, tous la regardèrent avec un respect nouveau, auquel se mêlaient de la crainte et un peu d'appréhension. Ils savaient qu'elle avait traversé une rude épreuve qui l'avait transformée. Et tous éprouvaient une certaine fierté car ils étaient là lorsque c'était arrivé et, d'une certaine manière, ils avaient l'impression d'y avoir participé.

— Comment te sens-tu ? demanda Jeviva.

— Beaucoup mieux, répondit Ayla, mais j'ai une de ces faims !

— Viens te joindre à nous. Il y a beaucoup à manger et c'est encore chaud.

— Volontiers.

Ayla s'assit à côté de Jeralda pendant que Jeviva lui préparait un plat.

— Et toi, comment te sens-tu ?

— Je m'ennuie ! répondit Jeralda. J'en ai assez de rester assise et allongée. J'aimerais que ce bébé arrive.

— Je crois qu'il ne va pas tarder. Ça ne te ferait pas de mal de marcher, maintenant, et ça favoriserait sa venue. C'est ce que j'ai pensé la dernière fois que je t'ai examinée, mais j'ai préféré attendre pour te le dire.

— J'espère que je n'ai pas fait de bêtise, dit Marthona ce soir-là sur un ton un peu hésitant.

— Je ne comprends pas.

— Zelandoni m'a dit de ne pas essayer de t'empêcher de partir. Quand tu n'es pas rentrée, ce matin-là, j'étais terriblement inquiète. Loup l'était encore plus. Tu lui avais dit de rester auprès de moi, mais il gémissait et voulait s'en aller. Rien qu'à sa façon de me regarder, je savais qu'il voulait partir à ta recherche. Je ne voulais pas qu'il te dérange, alors je l'ai attaché avec une corde autour du cou comme tu le faisais parfois. Mais après quelques jours il avait l'air si malheureux et je m'inquiétais tant que je l'ai détaché. Il s'est précipité dehors. Ai-je eu tort de le laisser partir ?

— Non, Marthona. J'ignore si j'étais dans le Monde des Esprits, mais si j'y étais et s'il m'y a trouvée, c'est parce que j'étais déjà sans doute en train d'en revenir. Loup m'a aidée à trouver la sortie de la grotte, du moins a-t-il essayé de me faire comprendre que j'allais dans la bonne direction. C'était tout sombre là-dedans, mais les passages étaient étroits et je restais près de la paroi. Je crois que j'aurais pu de toute façon trouver la sortie, mais ça aurait pris plus de temps.

— Je ne suis pas certaine d'avoir bien fait de l'attacher. Je ne sais pas si c'était à moi de prendre cette décision… Je me fais vieille, Ayla. Je ne suis même plus capable de prendre une décision.

L'ancienne chef de la Caverne secoua la tête, comme dégoûtée d'elle-même.

— Le Monde des Esprits n'a jamais été mon fort. Tu étais si faible quand tu es arrivée là, tu semblais avoir besoin qu'on t'aide. Peut-être la Mère a-t-elle voulu que je laisse partir cet animal afin qu'il te retrouve et te secoure.

— Je crois que tu n'as rien fait de mal. Les choses se passent comme Elle le veut. Pour le moment, ce que je veux, moi, c'est aller prendre un bon bain dans la Rivière et me laver. Sais-tu si Zelandoni a laissé de cette mousse nettoyante des Losadunaï ? Celle que je lui ai montré comment préparer, avec de la graisse et des cendres ? Elle aime s'en servir à des fins de purification, surtout pour laver les mains des creuseurs de tombe.

— Je ne sais pas si elle en a laissé, mais moi j'en ai, répondit Marthona. Je m'en sers parfois pour les tissages. Je l'ai même utilisée pour laver les plats, ceux sur lesquels j'ai servi de la viande ou recueilli de la graisse. Tu te laves avec ?

— Les Losadunaï le faisaient parfois. Ça peut être irritant et rougir la peau. D'ordinaire, je préfère la saponaire ou une autre plante, mais aujourd'hui je veux me laver à fond.

Si seulement il y avait une source d'eaux chaudes curatives de Doni dans les parages, ce serait parfait, mais la Rivière fera l'affaire pour le moment, se dit Ayla en se dirigeant vers la Rivière avec Loup.

Il leva les yeux vers elle tout en cheminant à ses côtés. Depuis son retour, il était resté près d'elle et n'avait pas voulu la perdre de vue.

Tandis qu'elle descendait le sentier vers la rivière, le soleil chauffait agréablement. Elle fit mousser la saponaire et se lava les cheveux, puis plongea sous l'eau pour bien se rincer et nagea un bon moment. En sortant, elle se reposa sur un rocher plat pour se sécher tout en se peignant les cheveux. Comme il fait bon au soleil, pensa-t-elle en étendant sa peau de daim pour se coucher dessus. La première fois que je me suis allongée sur ce rocher, quand était-ce ? C'était le jour de mon arrivée, quand Jondalar et moi sommes venus nager.

Elle pensa à Jondalar et le vit mentalement, étendu nu à côté d'elle. Ses cheveux blonds et sa barbe plus sombre…

Non, c'était l'été. Il avait dû se raser. Des rides commençaient à sillonner son grand front à cause de sa mauvaise habitude de froncer les sourcils quand il se concentrait ou se faisait du souci. Ses yeux bleus qui me regardaient avec amour et désir… Jonayla a les mêmes. Son nez fin et droit, sa solide mâchoire, ses lèvres pleines et sensuelles…

Sa pensée s'attarda sur la bouche de son compagnon, elle la sentait presque sur elle. Ses larges épaules, ses bras musclés, ses grandes mains. Des mains capables de sentir un silex et de déterminer où il allait se fracturer, ou de caresser son corps avec une telle sensibilité qu'il savait comment elle allait réagir. Ses longues jambes puissantes, la cicatrice laissée près de son membre viril par son lion.

Rien que de penser à lui, elle sentait le désir monter en elle. Elle avait envie de le voir, d'être à son côté. Elle ne lui avait même pas dit qu'elle attendait un enfant, et maintenant elle n'avait plus de raison de lui en parler. Le chagrin l'envahit. Elle avait voulu ce bébé, mais la Mère l'avait voulu encore plus ; à cette pensée, elle fronça les sourcils. Elle savait que je désirais un autre enfant et Elle n'aurait peut-être pas voulu d'un bébé que je ne voulais pas.

Pour la première fois depuis la terrible épreuve qu'elle avait traversée, elle se mit à songer au Chant de la Mère et se souvint avec émoi du nouveau couplet, celui qui parlait du Don de la Connaissance, la connaissance de ce que les hommes sont nécessaires pour qu'une nouvelle vie advienne.

Son dernier Don, la Connaissance que l'homme a
*   son rôle à jouer.*
Son besoin doit être satisfait avant qu'une nouvelle
*   vie puisse commencer.*
Quand le couple s'apparie, la Mère est honorée
Car la femme conçoit quand les Plaisirs sont
*   partagés.*
Les Enfants de la Terre étaient nés,
La Mère pouvait se reposer.

Voilà longtemps que je le sais. Elle me dit maintenant que c'est vrai. Pourquoi m'a-t-Elle accordé ce Don ? Pour que je puisse le partager, pour que je puisse le dire aux autres ? C'est pour cela qu'Elle voulait mon bébé ! Elle m'a d'abord parlé de Son dernier grand Don, mais il fallait que j'en sois digne.

Le prix à payer était élevé et peut-être devait-il l'être.

Peut-être la Mère devait-Elle me prendre quelque chose de précieux afin que j'apprécie le Don. Les Dons ne sont faits qu'en échange de quelque chose de très précieux.

Ai-je été appelée ? Suis-je Zelandoni, maintenant ? Parce que j'ai fait le sacrifice de mon bébé, la Grande Mère m'a parlé et m'a révélé le reste du Chant de la Mère afin que je puisse le faire connaître et apporter ce merveilleux cadeau à Ses enfants. Jondalar aura maintenant la certitude que Jonayla est sienne autant que mienne. Et nous saurons dorénavant comment faire un enfant quand nous en voudrons un. Tout homme saura désormais qu'il ne s'agit pas seulement d'esprits, mais que c'est lui, son essence, qui engendre un enfant, il saura que ses enfants font partie de lui.

Et si la femme ne veut plus d'enfants ? Ou devrait s'abstenir d'en avoir parce qu'elle est trop faible ou épuisée par des grossesses trop nombreuses ? Eh bien, elle saura comment faire ! Une femme saura désormais comment éviter d'avoir un enfant si elle n'est pas prête ou n'en veut pas. Elle n'a pas à le demander à la Mère, à prendre un remède particulier, elle doit seulement cesser de partager les Plaisirs et elle n'aura plus d'enfants. Pour la première fois, une femme peut être maîtresse de son corps, de sa propre vie. Le savoir est essentiel… mais il y a un autre parti. Qu'en est-il de l'homme ?

Et si lui ne veut pas cesser de partager les Plaisirs ? Ou s'il veut un enfant qu'il sache être de lui ? Ou s'il n'en veut pas ?

Je veux un autre bébé et je sais que Jondalar aimerait aussi en avoir un. Il est si gentil avec Jonayla et avec les jeunes qui apprennent à tailler le silex, ses apprentis. Je suis triste d'avoir perdu ce bébé.

En pensant à la perte de son bébé, ses yeux s'emplirent de larmes.

Mais je peux en avoir un autre, pensa-t-elle. Si seulement Jondalar était ici, nous pourrions en faire un tout de suite, mais il est à la Réunion d'Été. Je ne peux même pas lui apprendre la perte du bébé. Il en sera affligé, je le sais. Il voudra en faire un autre.

Pourquoi n'y vais-je pas ? Je n'ai plus à observer le ciel. Je n'ai plus à veiller tard, mon apprentissage est terminé. J'ai été appelée. Je suis Zelandoni ! Et il faut que je le dise au reste de la Zelandonia. Non seulement la Mère m'a appelée, mais elle m'a fait un Don merveilleux. Un Don destiné à tous et à toutes. Je dois aller parler à tous les Zelandonii du nouveau Don de la Mère. Et j'en parlerai aussi à Jondalar, et peut-être ferons-nous un autre bébé.

8

Ayla se leva à la hâte du rocher où elle était allongée, mit ses vêtements propres, ramassa la peau de daim, siffla Loup. Tandis qu'elle montait vers l'entrée de l'abri, elle se rappela la première fois où elle était venue nager là avec Jondalar, le jour où Marona et ses amies avaient proposé de lui donner des vêtements neufs.

Ayla avait fini par supporter les autres femmes, mais elle n'avait jamais surmonté l'aversion que lui inspirait Marona et elle avait évité tout contact avec elle. Ce sentiment était plus que réciproque. Marona n'avait jamais tenté de devenir amie avec la femme que Jondalar avait ramenée de son Voyage. Elle s'était unie une deuxième fois au cours de l'été où Ayla et Jondalar l'avaient fait, mais aux secondes Matrimoniales, et une troisième fois plus récemment. Ces unions n'avaient pas été heureuses non plus, semblait-il ; elle était revenue s'installer dans la Neuvième Caverne avec sa cousine un an plus tôt. Malgré toutes ces unions, elle n'avait pas d'enfants.

Ayla ne l'aimait pas et se demandait pourquoi elle pensait à elle. Elle la chassa de son esprit et se concentra sur Jondalar.

Comme je suis contente d'aller enfin à la Réunion d'Été ! pensa-t-elle. Je peux monter Whinney et ça ne me prendra pas longtemps pour arriver là-bas, pas plus d'un jour si je ne m'arrête pas en chemin.

La Réunion d'Été se tenait cette année-là à une trentaine de kilomètres au nord au bord de la Rivière, à son lieu de réunion préféré. C'était là qu'elle avait assisté à sa première Réunion d'Été, celle où Jondalar et elle s'étaient unis. Ces vastes rassemblements avaient d'ordinaire pour effet d'épuiser presque toutes les ressources locales, mais si on laissait passer assez de temps, la Terre Mère régénérait l'endroit suffisamment pour qu'il puisse de nouveau accueillir autant de monde.

La jeune femme fit irruption dans son logis, pleine de vigueur et d'enthousiasme, et elle commença à trier les affaires qu'elle souhaitait emporter. Elle fredonnait à mi-voix sur son ton monocorde habituel quand Marthona entra.

— Te voilà soudain tout excitée, remarqua-t-elle.

— Je vais à la Réunion d'Été. Mon apprentissage est fini. Rien ne m'empêche de partir, répondit Ayla.

— Tu es sûre d'avoir assez de force ? demanda Marthona, une ombre de regret dans la voix.

— Tu as pris soin de moi. Je me sens bien et j'ai vraiment envie de voir Jondalar et Jonayla.

— Ils me manquent aussi, mais cela fait loin pour y aller seule. Je pensais que tu pourrais attendre que le prochain chasseur vienne prendre la relève pour nous aider. Tu pourrais alors partir avec Forason.

— Je vais monter Whinney. Ça ne prendra pas longtemps. Sans doute pas plus d'une journée. Deux au plus.

— Oui, tu as probablement raison. J'avais oublié que tu emmènerais un cheval, et Loup aussi.

Ayla remarqua la déception de Marthona et se rendit soudain compte à quel point elle avait envie, elle aussi, d'aller là-bas. De plus, sa santé la préoccupait toujours.

— Comment te sens-tu ? Je ne partirai pas si tu n'es pas bien.

— Non, ne reste pas pour moi. Je vais beaucoup mieux. Si je m'étais sentie aussi bien au début de la saison, j'aurais peut-être envisagé de partir.

— Pourquoi ne viens-tu pas avec moi ? Tu pourrais monter en croupe. Ça prendrait un peu plus de temps, mais pas plus d'une journée.

— Non, j'aime bien ce cheval, mais je n'ai pas envie de monter sur son dos. À dire vrai, il m'effraie un peu. Tu as cependant raison, il faut que tu y ailles. Tu dois annoncer à Zelandoni que tu as été appelée. Imagine sa surprise !

— De toute façon, l'été tire à sa fin. Tout le monde ne va pas tarder à rentrer, dit Ayla pour tenter de rendre la séparation moins pénible.

— Cela me fait un effet mitigé. J'ai hâte que la Réunion d'Été s'achève et que la Neuvième Caverne revienne, mais je n'attends pas le retour de l'hiver avec impatience. Il en est sans doute toujours ainsi quand on vieillit.

Ayla alla voir Lorigan et Forason. Elle savait très bien où trouver Jonclotan : avec Jeralda. Presque tout le monde était en train d'achever le repas autour du foyer communautaire.

— Viens te joindre à nous, Ayla ! lança Jeralda. Mange quelque chose. Il en reste encore beaucoup et c'est encore chaud.

— Volontiers. Depuis quelques jours, j'ai une faim de loup.

— Ça ne m'étonne pas, dit Jeviva. Comment te sens-tu ?

— Beaucoup plus reposée, répondit Ayla dans un sourire. J'ai décidé de partir sans tarder à la Réunion d'Été. J'ai fini mes observations célestes, je n'ai aucune raison de rester, mais nous devrions aller chasser encore une fois avant que je parte, tant pour ajouter aux réserves de ceux qui restent ici que pour avoir quelque chose à emporter à la Réunion. Il est fort probable que, dans les parages du camp, les animaux ont presque disparu et que ceux qui n'ont pas été tués évitent l'endroit.

— Tu ne vas quand même pas partir avant la venue de mon bébé ? objecta Jeralda.

— Si tu l'as dans les jours prochains. J'ai bien sûr envie de rester pour voir ce beau bébé. As-tu marché ?

— Oui, mais j'espérais tant que tu serais là pour m'aider.

— Ta mère est là ainsi que d'autres femmes qui savent s'y prendre avec les bébés, sans parler de Jonclotan. Tu n'auras aucun problème, Jeralda, affirma Ayla, qui regarda ensuite les trois chasseurs. Voulez-vous venir chasser avec moi demain matin ?

— Je n'avais pas prévu d'y aller avant quelques jours, mais peu importe, répondit Lorigan. Je peux t'accompagner demain, surtout si tu pars tôt. Je dois le reconnaître, je me suis habitué à ta petite meute, y compris au loup. Nous faisons du bon travail ensemble.

— Quelle direction veux-tu prendre ? s'enquit Jonclotan.

— Voilà un certain temps que nous ne sommes pas allés vers le nord, dit Forason.

— J'évitais cette direction car j'ignore jusqu'où les chasseurs de la Réunion d'Été doivent aller pour trouver du gibier. Je suis sûre qu'il se fait rare autour du camp, maintenant. C'est pourquoi je ne veux pas arriver les mains vides. Je peux transporter une carcasse de bonne taille sur le travois de Zelandoni, expliqua Ayla.

— Ce n'est pas dangereux ? s'inquiéta Jeviva. Ça ne va pas attirer un prédateur ? Peut-être ne devrais-tu pas partir seule.

Marthona s'était jointe à eux, mais elle ne dit mot, pensant que rien ne dissuaderait Ayla si elle était décidée à partir.

— Loup m'avertira et je crois qu'à nous deux nous pouvons repousser un prédateur à quatre pattes, répondit celle-ci.

— Même un lion des cavernes ? demanda Jeralda. Peut-être devrais-tu attendre que les chasseurs puissent t'accompagner.

Ayla savait qu'elle cherchait une raison pour qu'elle reste afin de l'aider à mettre au monde son bébé.

— Ne te souviens-tu pas que nous avons chassé une troupe de lions qui essayaient de s'installer trop près de la Troisième Caverne ? C'était trop dangereux. Ils auraient vu une proie dans chaque enfant ou vieillard, nous devions les déloger. Lorsque nous avons tué un lion et deux lionnes, les autres sont partis.

— Oui, mais vous étiez plusieurs, tu es seule, fit remarquer Jeralda.

— Non, Loup sera avec moi et Whinney aussi. Les lions s'en prennent de préférence à une proie dont ils connaissent la faiblesse. Le mélange de nos odeurs les troublera et je garderai mon lance-sagaie à portée de main. Et puis, si je pars tôt, je pourrai arriver là-bas avant la tombée de la nuit, rétorqua Ayla, avant d'ajouter, à l'intention des chasseurs : Demain, je propose d'aller vers le sud-ouest.

Restée un peu à l'écart, Marthona écoutait la conversation. Elle ferait un bon chef, pensa-t-elle. Elle prend le commandement sans même s'en rendre compte ; ça lui vient naturellement. Elle va être une puissante Zelandoni.

Les chasseurs revinrent le lendemain avec deux grands cerfs qui représentaient une quantité de viande appréciable. Ayla pensa les faire tirer par Whinney jusqu'à la Caverne, mais les autres chasseurs n'y songèrent même pas. Ils les préparèrent sur place, vidèrent leur estomac, nettoyèrent les intestins et jetèrent les boyaux, mais conservèrent les autres organes, puis empoignèrent leurs ramures et entreprirent de les tirer. Ils étaient habitués à ramener eux-mêmes les bêtes tuées.

Deux jours après, Ayla était prête à partir. Elle chargea tout sur le grand travois de Zelandoni, y compris l'un des deux cerfs, enveloppé dans une natte en herbe tressée que Marthona l'avait aidée à confectionner. Elle projetait de partir le lendemain matin et d'arriver le soir au camp de la Réunion d'Été sans avoir à mener Whinney trop durement. Mais il y eut un retard, pas vraiment inattendu. Jeralda commença à avoir des contractions au milieu de la nuit. Ayla était assez contente. Elle avait suivi sa grossesse tout l'été et n'avait pas vraiment envie de la laisser maintenant, si près du terme.

Cette fois-ci, Jeralda eut de la chance. Elle donna naissance à une fille avant midi. Son compagnon et sa mère étaient aussi heureux et excités qu'elle. Tandis qu'elle se reposait, Ayla commença à s'impatienter. Tout était prêt pour le départ ; par ailleurs, alors que laisser la viande vieillir un peu rehaussait sa saveur, si trop de temps passait elle risquait d'être un tantinet trop faisandée, à son goût du moins. Il ne lui fallait pas longtemps pour tout recharger, elle pouvait partir séance tenante. Mais il lui faudrait probablement passer une nuit en cours de route. Elle décida néanmoins de s'en aller.

Après avoir fait ses adieux et donné des instructions de dernière minute à Jeviva, Jeralda et Marthona, elle partit. Elle aimait chevaucher seule sur Whinney pendant que Loup bondissait à côté d'elles, et les deux animaux semblaient aussi y prendre plaisir. Le temps était doux, la couverture de monte apportait un confort supplémentaire et absorbait la sueur du cheval et d'Ayla. Celle-ci portait une tunique courte et son pagne d'étoffe, semblable à celui qu'elle avait quand Jondalar et elle s'étaient déplacés dans la chaleur estivale. Cela lui rappela leur Voyage et il lui manqua d'autant plus.

Son corps, un peu épaissi par le manque d'exercice ces dernières années, avait minci à la suite de son séjour mouvementé dans la grotte. Ses seins, devenus opulents quand ils étaient gonflés de lait pendant l'allaitement de Jonayla et à nouveau durant sa récente grossesse, avaient repris leur taille normale, et elle avait encore un bon tonus musculaire. Elle avait toujours eu la chair ferme et une belle silhouette, et bien qu'elle comptât maintenant trente-six ans, elle avait à peu près la même allure qu'à dix-sept.

Elle chevaucha jusqu'au coucher du soleil, puis s'arrêta et dressa le camp près de la Rivière. Dormir seule dans sa petite tente lui fit de nouveau penser à Jondalar. Elle se faufila sous ses fourrures, ferma les yeux et des visions de son compagnon se succédèrent ; elle avait envie qu'il soit là, ses bras autour d'elle, sa bouche sur la sienne. Elle ne cessait de se retourner, de s'agiter, n'arrivait pas à trouver le sommeil. À côté d'elle, Loup se mit à gémir.

— Je t'empêche de dormir, Loup ? demanda-t-elle.

Il se releva et pointa le museau dehors en grognant par l'ouverture triangulaire de la tente. Il rampa sous le rabat en grondant de façon plus menaçante.

— Loup ? Où vas-tu ? Loup ?

Elle détacha rapidement le rabat et sortit à son tour, munie de son propulseur et de deux sagaies. La lune était à son déclin, mais il y avait encore assez de lumière pour distinguer des formes. Whinney s'éloignait du travois. Malgré le manque de clarté, Ayla se rendit compte à la façon de se mouvoir de la jument qu'elle était nerveuse. Loup rasait le sol vers le travois, légèrement en arrière de celui-ci. Puis, l'espace d'un instant, elle aperçut une silhouette, une tête arrondie, deux oreilles terminées par une touffe de poils.

Un lynx !

Elle avait le souvenir d'un gros félin au pelage beige tacheté, à la queue courte et aux oreilles velues. Et disposant de longues pattes qui lui permettaient de courir vite. C'était sa première rencontre avec un lynx qui l'avait incitée à apprendre à lancer deux pierres rapidement l'une à la suite de l'autre avec sa fronde, de façon à ne pas se retrouver désarmée après le premier jet. Elle plaça une sagaie sur son engin en s'assurant qu'elle en avait une de rechange, prête à lancer.

Elle vit alors la silhouette s'approcher furtivement du travois.

— Aaaïïïe ! cria-t-elle en courant vers le félin. File d'ici ! Ce n'est pas à toi ! Va-t'en ! Va-t'en d'ici !

Effarouché, l'animal sauta en l'air, puis s'enfuit à toute allure. Loup se lança à sa poursuite, mais après quelques instants Ayla le siffla. Il ralentit, puis s'arrêta, et quand elle siffla de nouveau, il rebroussa chemin.

Ayla avait apporté un peu de petit bois. Elle s'en servit pour tenter de ranimer le feu. Les braises étaient éteintes et il lui fallut refaire du feu. Après avoir fait partir le petit bois, elle prit une torche pour aller chercher du combustible. Elle se trouvait dans une plaine traversée par la Rivière. Il y avait quelques arbres près du cours d'eau, mais le bois était vert ; elle trouva en revanche de l'herbe sèche et quelques crottes desséchées, sans doute de bison ou d'aurochs. Cela suffisait pour faire durer un moment le petit feu. Elle étendit ses fourrures près des flammes, se glissa dessous, Loup à côté d'elle. Whinney aussi resta près d'Ayla.

Elle somnola un peu durant la nuit, mais le moindre bruit la réveillait.

Elle se mit en route peu avant les premières lueurs de l'aube et elle ne s'arrêta que pour leur laisser le temps, à la jument, au loup et à elle, de boire à la rivière. Elle mangea une autre galette en chemin et aperçut la fumée des feux de camp avant midi. Ayla salua de la main quelques amis tandis qu'elle chevauchait le long de la Rivière en tirant le travois et elle se dirigea d'abord en amont vers l'endroit où la Neuvième Caverne avait campé auparavant.

Elle se rendit directement au vallon entouré d'arbres. Le corral en bois rudimentaire la fit sourire. Les chevaux hennirent doucement en guise de bienvenue dès qu'ils sentirent leur odeur. Loup courut en avant, frotta son museau aux naseaux de Rapide, qui était son ami depuis qu'il était petit, et à ceux de Grise, sur laquelle il avait veillé depuis la naissance de la jument. Il avait envers elle une attitude presque aussi protectrice qu'envers Jonayla.

En dehors des chevaux, le camp semblait désert. Loup se mit à renifler une tente familière et quand Ayla y porta son couchage, il était déjà près des fourrures dans lesquelles dormait habituellement Jonayla. Il la regarda et gémit, se languissant de l'enfant.

— Tu veux aller la chercher, Loup ? Vas-y, cherche Jonayla, dit-elle en le libérant du geste.

Il sortit en courant de la tente, flairant le sol pour repérer son odeur parmi les autres, puis il partit à toute allure, reniflant la terre de temps en temps. On avait vu Ayla arriver et, avant qu'elle ait eu le temps de décharger la viande, parents et amis vinrent l'accueillir. Joharran fut le premier, suivi de près par Proleva.

— Ayla ! Te voilà enfin ! s'exclama Joharran en se précipitant vers elle et en l'étreignant. Comment va Mère ? Tu n'as pas idée combien elle nous manque. Combien vous nous avez manqué.

Proleva l'embrassa à son tour.

— Oui, comment va Marthona ?

— Mieux, je crois. À mon départ, elle a dit que si elle s'était sentie aussi bien quand tout le monde est parti, elle serait peut-être venue.

— Et Jeralda ? demanda ensuite Proleva.

Ayla sourit.

— Elle a eu une fille, hier. Le bébé semble en parfaite santé, je ne crois pas qu'il soit né avant terme. Toutes les deux vont bien. Jeviva et Jonclotan sont très heureux.

— Apparemment, tu n'es pas arrivée les mains vides, dit Joharran en montrant le travois.

— Lorigan, Forason, Jonclotan et moi sommes allés chasser. Nous sommes tombés sur un troupeau de cerfs dans la Vallée Herbeuse et nous en avons abattu deux. J'en ai laissé un là-bas et j'ai apporté l'autre avec moi. J'ai pensé que de la viande fraîche serait la bienvenue. Je sais que les bêtes se font rares dans les parages en ce moment. Nous en avons mangé avant mon départ.

C'est de la bonne viande ; les cerfs commencent à faire de la graisse pour l'hiver.

D'autres membres de la Neuvième Caverne arrivèrent, ainsi que des gens extérieurs. Joharran et deux d'entre eux entreprirent de décharger le travois.

Matagan, le premier apprenti de Jondalar, courut vers elle en boitant et la salua avec enthousiasme.

— Tout le monde se demandait quand tu allais arriver. Zelandoni n'arrêtait pas de répéter que tu n'allais pas tarder. Mais personne ne t'attendait en milieu de journée. Jondalar disait que tu viendrais sans doute à cheval et que tu ferais le trajet dans la journée.

— Il avait raison. C'est du moins ce que je projetais de faire, mais Jeralda a commencé à avoir des contractions au milieu de la nuit et elle a accouché hier matin. J'étais trop impatiente pour attendre, alors je suis partie dans l'après-midi et j'ai campé la nuit dernière, expliqua Ayla, tout en regardant autour d'elle et en se demandant où étaient Jondalar et Jonayla.

Joharran et Proleva se regardèrent et détournèrent rapidement les yeux.

— Jonayla est avec les autres filles de son âge, répondit Proleva. Les Zelandonia avaient une tâche à leur confier. Elles vont participer à une fête organisée par Ceux Qui Servent.

— Je ne sais pas vraiment où est Jondalar, dit Joharran, les sourcils froncés à la façon de son frère.

Il jeta un coup d'œil derrière Ayla et sourit.

— Mais il y a là quelqu'un qui veut te voir.

Ayla se retourna et suivit son regard. Elle vit un géant à la barbe et aux cheveux roux en broussaille.

— Talut ? C'est toi, Talut ? s'écria-t-elle en se précipitant vers le colosse.

— Non, Ayla. Pas Talut. Je suis Danug, mais Talut m'a chargé de t'embrasser, dit le jeune homme en l'étreignant affectueusement.

Elle se sentit non pas broyée – Danug avait appris depuis longtemps à se méfier de sa force – mais enveloppée, engloutie, presque étouffée en raison même de sa stature. Il était plus grand que Jondalar, qui mesurait déjà près de deux mètres, deux fois plus large d'épaules que deux hommes ordinaires, et ses bras étaient gros comme des cuisses d'homme. Elle ne put enlacer de ses bras sa poitrine massive et se fit la réflexion, en se reculant pour mieux le regarder, que si sa taille était relativement fine, ses cuisses et mollets musclés étaient énormes.

Ayla n'en avait connu qu'un qui était de proportions équivalentes à celles de Danug : Talut, l'homme auquel la mère de Danug était unie, le chef du Camp du Lion des Mamutoï. Si tant est que ce fût possible, le jeune homme était encore plus grand et fort.

— Je t'avais dit que je viendrais te voir un jour, dit-il. Comment vas-tu, Ayla ?

— Oh, Danug, dit-elle, les larmes aux yeux. Comme je suis contente de te voir. Quand es-tu arrivé ? Comment as-tu fait pour devenir si grand et fort ? Je crois que tu l'es encore plus que Talut !

Elle n'eut pas de mal à passer à la langue mamutoï, mais bien que ses mots fussent compréhensibles, ses questions n'en suivaient pas pour autant un ordre logique.

— Je le crois aussi, mais je n'oserai jamais le dire à Talut.

Ayla se retourna au son de la voix et vit un autre jeune homme. Il lui sembla inconnu, mais, à le regarder plus attentivement, elle lui trouva des similitudes avec d'autres qu'elle avait connus. Il ressemblait à

Barzec mais était plus grand que l'homme courtaud et vigoureux, compagnon de Tulie, la Femme Qui Commande le Camp du Lion. Elle était la sœur de Talut, presque de la même taille que lui et de rang égal. Le jeune homme avait une certaine ressemblance avec tous les deux.

— Druwez ? dit Ayla. Tu es Druwez ?

— Il est difficile de se tromper avec ce gros balourd, dit le jeune homme en souriant à Danug, mais je ne savais pas si tu me reconnaîtrais.

— Tu as changé, dit Ayla en l'étreignant, mais je vois en toi ta mère et Barzec. Comment vont-ils ? Et comment vont Nezzie, Deegie et tous les autres ? demanda-t-elle en les embrassant tous deux du regard. Vous n'imaginez pas combien vous m'avez tous manqué.

— Tu leur manques aussi, dit Danug. Mais il y a avec nous quelqu'un d'autre qui brûle d'impatience de te rencontrer.

Un grand jeune homme au sourire timide et aux cheveux châtains et bouclés se tenait un peu à l'écart. Il s'avança sur l'invitation des deux Mamutoï. Ayla savait qu'elle ne l'avait jamais rencontré et pourtant il avait quelque chose d'étrangement familier qu'elle n'arrivait pas à définir.

— Ayla des Mamutoï... Zelandoni maintenant, je suppose, je te présente Aldanor, des S'Armunaï, dit Danug.

— Des S'Armunaï ! s'exclama Ayla.

Elle comprit soudain ce qui lui était si familier en lui : sa vêture, en particulier sa chemise. Elle était coupée et ornée dans le style unique de ce peuple auquel Jondalar et elle avaient involontairement rendu visite au cours de leur Voyage. Les souvenirs affluèrent. C'étaient des S'Armunaï, plus exactement le Camp

226

d'Attaroa, qui avaient capturé Jondalar. Accompagnée de Loup et des chevaux, Ayla les avait suivis à la trace et l'avait retrouvé. Mais ce n'était pas la première fois qu'elle voyait une chemise de ce genre. Ranec, le Mamutoï avec lequel elle avait failli s'unir, en avait une, qu'il avait échangée contre des sculptures.

Ayla se rendit soudain compte qu'ils se dévisageaient mutuellement. Elle se reprit et s'avança vers le jeune homme, les mains tendues.

— Au nom de Doni, la Grande Terre Mère, appelée aussi Muna, tu es le bienvenu ici, Aldanor des S'Armunaï.

— Au nom de Muna, je te remercie, Ayla.

Il eut un sourire timide.

— Peut-être es-tu mamutoï ou zelandonii, mais sais-tu que parmi les S'Armunaï on t'appelle S'Ayla, Mère de l'Étoile du Loup, envoyée pour anéantir Attaroa, la Malfaisante ? On raconte tant d'histoires sur toi que je ne croyais pas que tu étais quelqu'un de réel. Je pensais que tu étais une légende. Lorsque Danug et Druwez se sont arrêtés à notre camp et ont annoncé qu'ils faisaient un Voyage pour te rendre visite, je leur ai demandé si je pouvais les accompagner. Je n'arrive pas à croire que j'ai fait ta connaissance !

Ayla sourit et secoua la tête.

— Je ne sais rien des histoires et des légendes. Les gens croient souvent ce qu'ils ont envie de croire, dit-elle en pensant qu'il avait l'air d'un gentil garçon.

— J'ai quelque chose pour toi, dit Danug. Si tu veux bien entrer, je vais te le donner.

Elle le suivit dans un petit abri couvert de peaux, apparemment leur tente de voyage, et le regarda fouiller dans ses bagages. Il en tira un menu objet soigneusement enveloppé et attaché avec une ficelle.

— Ranec m'a dit de te remettre ça en mains propres.

Ayla défit le petit paquet. Elle ouvrit de grands yeux et resta bouche bée devant son contenu : un cheval taillé dans de l'ivoire de mammouth, assez petit pour tenir dans le creux de sa main et sculpté de manière si exquise qu'il paraissait vivant. Il tendait la tête en avant, comme s'il luttait contre le vent. Les lignes creusées dans la crinière dressée et la robe à poils hirsutes évoquaient la texture rugueuse de la peau du petit cheval des steppes sans masquer son allure trapue. L'ocre jaune avec lequel avait été teinté l'animal correspondait exactement à la nuance d'un cheval qu'elle connaissait bien, tandis que les jambes et la colonne vertébrale avaient été ombrées de noir.

— Oh, Danug, il est superbe… C'est Whinney, n'est-ce pas ? ajouta Ayla en souriant, les yeux brillants de larmes.

— Oui, bien sûr. Il a commencé à sculpter ce cheval dès que tu es partie.

— Je crois que la chose la plus pénible que j'aie faite dans ma vie a été d'annoncer à Ranec que je partais avec Jondalar. Comment va-t-il ?

— Bien, Ayla. Il s'est uni à Tricie à la fin du même été. Tu sais, cette femme qui avait un bébé probablement engendré par son esprit ? Elle a trois enfants maintenant. Elle est querelleuse, mais elle lui convient bien. Elle s'emporte à propos d'une broutille et il se contente de sourire. Il dit qu'il aime bien son esprit. Elle est incapable de résister à son sourire et elle l'aime vraiment. Je crois cependant qu'il ne t'oubliera jamais complètement. Ça a créé quelques difficultés entre eux au départ.

— Quel genre de difficultés ? demanda Ayla en fronçant les sourcils.

— Il la laisse faire presque tout ce qu'elle veut et je crois qu'au début elle le croyait faible parce qu'il lui cédait si facilement. Elle le poussait à bout pour voir jusqu'où elle pouvait aller. Puis elle a eu des exigences ; elle voulait qu'il lui procure ceci ou cela. Il semblait s'en amuser. Aussi extravagant que ce fût, il réussissait à lui obtenir tout ce qu'elle demandait et il le lui offrait avec ce sourire que tu connais.

— Oui, je le connais, dit Ayla, souriant elle aussi à ce souvenir, les yeux humides. Content de lui comme s'il avait gagné un concours et imbu de son ingéniosité.

— Puis elle a tout chamboulé dans la maison, continua Danug. Son espace de travail, ses outils, toutes les choses qu'il accumulait et rangeait. Il ne s'y est pas opposé. À mon avis, il voulait voir ce qu'elle allait faire. Mais je me trouvais chez eux le jour où elle a décidé de déplacer ce cheval. Je ne l'ai jamais vu si en colère. Il n'a pas haussé le ton ; il lui a seulement dit de le remettre en place. Elle était surprise. Je ne pense pas qu'elle l'ait cru. Il lui cédait toujours. Il lui a répété de le remettre où il était et, comme elle n'obtempérait pas, il lui a saisi le poignet, assez durement, le lui a pris de la main et lui a demandé de ne plus jamais toucher à ce cheval. Si elle le refaisait, il romprait leur union et paierait le prix. Il lui a dit qu'il l'aimait mais qu'elle ne posséderait jamais une certaine partie de lui. Si elle ne l'acceptait pas, elle n'avait qu'à s'en aller.

« Tricie est sortie en pleurant de leur logis, mais Ranec s'est contenté de reposer le cheval à sa place, de s'asseoir et de se mettre à sculpter. Lorsqu'elle est finalement revenue, il faisait nuit. Je n'ai pu m'empêcher d'entendre ce qu'ils disaient ; leur foyer est voisin du nôtre et, bon, j'avais sans doute envie d'entendre.

Elle lui a dit qu'elle l'aimait, qu'elle l'avait toujours aimé et voulait rester avec lui, même s'il t'aimait encore. Elle a promis de ne plus toucher au cheval et elle a tenu sa promesse. Après cela, elle l'a respecté ; ça lui a fait prendre conscience de ses sentiments pour lui. Il est heureux, Ayla. Je crois qu'il ne t'oubliera jamais, mais il est heureux.

— Je ne l'oublierai jamais non plus. Je pense encore à lui de temps en temps. Si je n'avais pas rencontré Jondalar, j'aurais pu être heureuse avec lui. Je l'aimais vraiment ; c'est seulement que j'aime Jondalar davantage. Parle-moi des enfants de Tricie.

— Cette conjonction des esprits a produit un mélange intéressant. L'aîné est un garçon – tu l'as vu, n'est-ce pas ? Tricie l'a emmené à la Réunion d'Été.

— Oui, je l'ai vu. Il était très clair de peau. Il l'est toujours autant ?

— Il a la peau la plus blanche que j'aie jamais vue, sauf qu'elle est couverte de taches de rousseur. Tricie est rousse et elle est claire de peau, mais pas autant que lui. Il a les yeux bleu pâle et les cheveux roux et crépus. Il ne supporte pas le soleil et ça lui fait mal aux yeux. Mais en dehors de sa couleur de peau et de ses cheveux, il ressemble à Ranec comme deux gouttes d'eau. Ça fait un drôle d'effet de les voir ensemble, la peau brune de Ranec à côté de celle de Ra, toute blanche, mais le visage est le même. Il a encore plus le sens de l'humour que Ranec. Il fait déjà rire tout le monde et adore voyager. Ça ne m'étonnerait pas qu'il devienne conteur itinérant. Je suis impatient de voir ce qu'il va faire quand il sera assez âgé pour partir seul. Il voulait nous accompagner au cours de notre Voyage. S'il avait eu quelques années de plus, je l'aurais emmené. Il aurait été de bonne compagnie.

« La fille de Tricie est une beauté. Elle a la peau foncée, mais pas comme Ranec, les cheveux noirs comme la nuit et bouclés. Les yeux noirs. Le regard grave. C'est une petite chose délicate et silencieuse, mais tous les hommes qui la voient sont en extase devant elle, je te le jure. Elle n'aura pas de mal à trouver un compagnon.

« Quant au bébé, il est brun comme Ranec, mais, bien qu'il soit trop tôt pour se prononcer, je crois qu'il ressemblera plus à Tricie.

— Il semble que Tricie ait enrichi le Camp du Lion, Danug. J'aimerais bien voir ses enfants. J'ai une petite fille, moi aussi, dit Ayla.

Elle se souvint brusquement qu'elle aurait pu en avoir une autre bientôt si elle n'avait pas été appelée dans la grotte.

J'aimerais lui expliquer que ce n'est pas seulement la fusion des esprits qui engendre les enfants, pensa-t-elle.

— Je sais. J'ai fait la connaissance de Jonayla. Elle te ressemble énormément, sauf qu'elle a les yeux de Jondalar. J'aimerais bien pouvoir la ramener avec moi et lui faire connaître tout le monde. Nezzie l'adorerait. Je suis déjà amoureux d'elle, comme j'étais amoureux de toi quand j'étais gamin, dit Danug en riant de plaisir.

Ayla avait l'air si surprise qu'il rit de plus belle et, à travers son rire, elle entendait celui, tonitruant, de Talut.

— Amoureux de moi ?

— Ça ne m'étonne pas que tu ne l'aies pas remarqué. Entre Ranec et Jondalar, tu avais l'esprit assez occupé comme ça, mais je n'arrêtais pas de penser à toi. Je rêvais de toi. En fait, je t'aime toujours, Ayla. N'aimerais-tu pas retourner au Camp du Lion avec moi ? dit-il avec un grand sourire, l'œil pétillant d'un désir empreint de nostalgie, une passion qui ne pourrait jamais être satisfaite.

Elle détourna le regard quelques instants, puis changea de sujet :

— Parle-moi des autres. De Nezzie et Talut, de Latie et de Rugie.

— Mère va bien. Elle se fait vieille, c'est tout. Talut perd ses cheveux, à son grand dam. Latie a un compagnon et une fille ; elle parle toujours de chevaux. Rugie cherche un compagnon, ou plus exactement les jeunes gens la recherchent. Elle a connu les Premiers Rites, Tusie aussi, en même temps. Oh, et Deegie a deux fils. Elle m'a dit de te transmettre ses pensées affectueuses. Tu n'as jamais connu son frère, Tarneg, n'est-ce pas ? Sa compagne a trois enfants. Tu sais qu'ils ont bâti une hutte en terre dans le voisinage ; Deegie et Tarneg sont Femme et Homme Qui Commandent. Tulie est contente car elle peut voir ses petits-enfants presque tous les jours. Et elle a pris un autre compagnon. Barzec dit qu'elle est trop femme pour n'avoir qu'un homme.

— Je le connais ? demanda Ayla.

Danug sourit.

— En fait, oui. C'est Wymez.

— Wymez ?! Tu veux dire celui du foyer de Ranec, le tailleur de silex que Jondalar admire tant ?

— Oui, ce Wymez-là. Il nous a tous surpris, y compris Tulie, je crois. Et Mamut est parti pour le Monde d'Après. Nous en avons un nouveau, mais il est difficile de s'habituer à avoir quelqu'un d'autre au Troisième Foyer.

— Cela me fait beaucoup de peine. J'aimais ce vieil homme. J'ai reçu une formation pour devenir Une Qui

Sert la Mère, mais c'est lui qui m'a instruite au départ. Mon apprentissage est presque terminé.

Ayla ne voulait pas en dire trop avant d'avoir parlé à Zelandoni.

— C'est ce que Jondalar m'a dit. J'ai toujours pensé que tu servirais la Mère. Mamut ne t'aurait jamais adoptée s'il ne l'avait pas pensé aussi. Il fut un temps où ceux du Camp du Lion croyaient que tu deviendrais leur Mamut, quand le vieil homme aurait quitté ce monde. Ayla, peut-être es-tu zelandonii ici, mais tu es toujours mamutoï, tu fais toujours partie du Camp du Lion.

— Je suis heureuse de l'entendre. Quels que soient les noms ou liens que je pourrai jamais avoir, au fond de mon cœur, je serai toujours Ayla des Mamutoï.

— Tu as en effet acquis des noms et laissé dans ton sillage un chapelet d'histoires au cours de votre Voyage, dit Danug. Je n'ai pas seulement entendu parler de toi par les S'Armunaï, mais par des gens qui ne t'avaient jamais rencontrée. On a tout dit de toi, que tu étais une guérisseuse chevronnée, la maîtresse de forces spirituelles étonnantes, une muta vivante – je crois qu'ici on dit donii –, une incarnation de la Grande Terre Mère Elle-même venue aider Son peuple. Et Jondalar était son beau compagnon blond – son « pâle amant rayonnant », comme on dit ici. Même Loup était une incarnation, celle de l'Étoile du Loup. Dans les histoires qu'on raconte sur lui, il est aussi bien l'animal vengeur que la gentille créature qui veille sur les petits enfants. Les chevaux aussi. Des animaux merveilleux dont le Grand Esprit du Cheval te permettait de te faire obéir. D'après une histoire, racontée chez les gens d'Aldanor, les chevaux étaient capables de voler et de vous ramener chez vous dans le Monde d'Après, toi et Jondalar. J'en arrivais à me demander si toutes ces histoires parlaient des mêmes personnes, mais après avoir bavardé avec Jondalar, je sais que vous avez vécu des aventures passionnantes.

— Les gens aiment bien grossir la réalité pour la faire paraître plus captivante. Et qui prouvera le contraire une fois que ceux dont on parle seront partis ? Nous n'avons fait que revenir au foyer de Jondalar. Je ne doute pas que tu aies eu aussi ta part d'aventures.

— Mais nous n'avons pas voyagé avec deux chevaux magiques et un loup.

— Danug, tu sais très bien que ces animaux n'ont rien de magique. Tu as vu Jondalar dresser Rapide et tu étais là quand j'ai ramené Loup encore tout petit au logis.

— À propos, où est-il ? Je me demande s'il se souvient encore de moi.

— Dès que nous sommes arrivés, il a couru chercher Jonayla. Apparemment, elle est avec des camarades de son âge en train de préparer quelque chose pour la Zelandonia. Mais je n'ai pas encore vu Jondalar. A-t-il parlé d'aller chasser ?

— Pas à moi, répondit Danug. Nous ne sommes pas là depuis longtemps. Nous sommes des étrangers venus de loin, mais, présentés par Jondalar comme étant de ta famille, nous avons été accueillis à bras ouverts. Tout le monde veut entendre nos histoires et pose des questions sur notre peuple. On nous a demandé de participer aux Premiers Rites. Même à moi, grand et fort comme je suis, bien qu'on m'ait interrogé sur mon expérience avec les jeunes filles, et une ou deux femmes-donii m'ont mis à l'épreuve.

Le jeune colosse rit de plaisir.

— Jondalar a servi d'interprète pour nous au début, mais nous avons appris le zelandonii et maintenant nous ne nous débrouillons pas trop mal tout seuls. Les gens ont été très gentils avec nous ; ils veulent sans cesse nous faire des cadeaux, mais tu sais que mieux vaut voyager léger. À propos, j'ai apporté quelque chose que tu avais laissé là-bas. Je l'ai donné à Jondalar. Tu te souviens de ce morceau d'ivoire que Talut vous avait donné quand vous êtes partis ? Celui où avaient été indiqués des repères pour vous aider à prendre la bonne direction au départ de votre Voyage ?

— Oui. Nous avions dû le laisser par manque de place.

— Laduni me l'a remis pour que je vous le rende.

— Ça a dû faire plaisir à Jondalar. Il voulait le garder en souvenir de son séjour au Camp du Lion.

— Je le comprends. Les S'Armunaï m'ont donné quelque chose que je vais précieusement garder. Je vais te le montrer.

Il sortit un petit mammouth fait d'un étrange matériau très dur.

— J'ignore quelle sorte de pierre c'est. Aldanor affirme qu'ils la fabriquent, mais je ne sais si je dois le croire.

— Ils la fabriquent effectivement. Ils utilisent de l'argile humide, lui donnent forme et la cuisent avec un feu très chaud dans un espace clos, comme un four aménagé dans le sol, jusqu'à ce qu'elle devienne dure comme de la pierre. J'ai vu la S'Armunaï du Camp des Trois Sœurs le faire. C'est elle qui a découvert comment obtenir cette pierre…

Ayla s'interrompit et prit une expression lointaine, comme si elle regardait dans sa mémoire.

— Elle n'était pas méchante, mais Attaroa l'a fait sortir du droit chemin pendant quelque temps. Les S'Armunaï sont des gens intéressants.

— Jondalar m'a dit ce qui vous était arrivé là-bas, dit Danug. Cependant Aldanor n'est pas du même Camp. Nous nous sommes arrêtés pour la nuit aux Trois Sœurs. J'ai trouvé bizarre qu'il y ait autant de femmes, mais elles se sont montrées très hospitalières. Après avoir parlé avec Jondalar, je me suis rendu compte que je ne serais peut-être pas arrivé jusqu'ici si vous n'étiez pas passés par là avant. J'en frémis rien qu'en y pensant.

Le rabat de cuir de l'entrée s'écarta. Un homme passa la tête à l'intérieur.

— Si j'avais su que tu voulais la garder pour toi seul, j'aurais réfléchi à deux fois avant de t'emmener avec nous à cette Réunion d'Été, jeune homme, dit-il d'un ton sévère avant de sourire. Je ne peux t'en blâmer, je sais que tu ne l'as pas vue depuis longtemps, mais beaucoup d'autres veulent parler à cette jeune personne.

— Dalanar ! s'exclama Ayla en se levant et en sortant de la petite tente pour l'embrasser.

Il avait vieilli mais ressemblait toujours beaucoup à Jondalar ; à sa vue, une bouffée d'affection l'envahit.

— Danug et ses deux compagnons sont arrivés avec toi ? Comment t'ont-ils trouvé ?

— Par hasard, à moins que cela n'ait été voulu, ça dépend comment on le voit. Certains d'entre nous étaient partis chasser. Une vallée proche d'ici attire beaucoup de troupeaux de passage. Ils nous ont vus et nous ont fait comprendre qu'ils voulaient participer à la chasse. Nous étions très contents d'avoir trois jeunes gens vigoureux en renfort. J'avais déjà commencé à penser que si la chasse était vraiment bonne, assez pour faire des réserves de viande pour l'hiver prochain et en emporter avec nous, nous pourrions peut-être aller à la Réunion des Zelandonii cette année.

« Leur aide a été décisive. Nous avons tué six bisons. C'est seulement en fin de soirée que ce jeune homme a commencé à s'enquérir de toi et de Jondalar et a demandé comment trouver les Zelandonii, expliqua Dalanar en montrant le géant roux qui sortait de la tente.

« La langue a posé un petit problème. Danug n'était capable que de répéter : "Jondalar de la Neuvième Caverne des Zelandonii." J'ai tenté de lui expliquer que Jondalar était le fils de mon foyer, mais sans grand succès, continua le vieil homme. Puis Echozar est revenu de la mine de silex et Danug s'est mis à communiquer par signes avec lui. Il a été surpris de constater qu'Echozar était capable de parler mais beaucoup moins que celui-ci en voyant Danug et Druwez s'adresser à lui par signes. Quand Echozar leur a demandé où ils avaient appris, Danug nous a parlé de son frère, un garçon adopté par sa mère, décédé maintenant. Il a dit que c'était toi qui avais appris à tous le langage des signes afin qu'ils puissent s'exprimer et se faire comprendre.

« C'est de cette façon que nous avons réussi à communiquer au début. Danug et Druwez parlaient à Echozar par signes et il traduisait. J'ai alors pris une décision et j'ai dit à Danug que nous allions à la Réunion d'Été des Zelandonii et que j'étais disposé à les emmener avec nous. Le lendemain, Willamar et sa petite troupe sont arrivés. C'est étonnant de voir avec quelle facilité il communique avec les gens même s'il ne connaît pas leur langue.

— Willamar est ici lui aussi ? s'exclama Ayla.

— Oui, je suis là.

Ayla se retourna et sourit de plaisir en voyant le vieux Maître du Troc. Ils s'étreignirent chaleureusement.

— Tu es venu avec les Lanzadonii aussi ?

— Non, répondit Willamar. Il nous restait encore quelques haltes avant d'achever notre tournée. Nous sommes arrivés il y a quelques jours. Je m'apprêtais à repartir pour la Neuvième Caverne.

— Je suis de ceux qui ont vu arriver la Neuvième Caverne, dit Danug. Quand j'ai aperçu les chevaux au loin, j'ai su que ce devait être les gens avec qui tu vis, Ayla. J'ai été très déçu de ne pas te trouver parmi eux, mais content de voir Jondalar. Lui au moins parle le mamutoï. J'ai tout de suite compris que Jonayla était votre fille, surtout quand je l'ai vue sur le dos du cheval gris. Si tu n'étais pas venue, je serais reparti avec la Neuvième Caverne et je t'aurais fait la surprise, mais c'est toi qui nous as surpris.

— Tu es une surprise, Danug, une surprise bienvenue. Et tu peux toujours aller rendre visite à la Neuvième Caverne, tu sais, dit Ayla avant de se tourner vers Dalanar. Je suis heureuse que tu aies décidé de venir avec les Lanzadonii. Jerika est-elle avec vous ? Marthona sera très déçue de ne pas vous voir tous.

— J'ai été désolé d'apprendre qu'elle ne venait pas. Jerika avait hâte de la voir aussi. Incroyable comme elles sont devenues bonnes amies ! Comment va Marthona ?

— Pas très bien, répondit Ayla. Elle se plaint d'avoir mal aux articulations, mais il n'y a pas que cela. Elle a une douleur dans la poitrine et peine à respirer quand elle se surmène. J'avais l'intention de venir à la Réunion dès que possible, mais je répugnais à la laisser. Elle semblait cependant aller mieux quand je suis partie.

— Tu crois vraiment ? demanda Willamar, l'air grave.

— Elle a dit que si elle s'était sentie aussi bien quand la Neuvième Caverne est partie, elle serait peut-être venue, mais je ne crois qu'elle aurait pu faire tout le trajet à pied.

— Quelqu'un aurait pu la porter, dit Dalanar. J'ai porté deux fois Hochaman sur mes épaules jusqu'aux Grandes Eaux de l'Ouest avant sa mort.

Il se tourna vers Danug.

— Hochaman était le compagnon de la mère de Jerika. Ils ont fait tout le voyage depuis les Mers Sans Fin de l'Est. Ses larmes étaient mêlées du sel des Grandes Eaux de l'Ouest, mais c'étaient des larmes de joie. Son vœu le plus cher était d'aller aussi loin que va la terre, plus loin que personne n'était jamais allé. Je n'ai jamais entendu dire que quelqu'un soit allé plus loin.

— Nous nous sommes souvenus de cette histoire, Dalanar, et nous voulions la porter, mais elle ne voulait pas monter sur les épaules de Jondalar, dit Ayla. Elle avait l'impression que cela manquait de dignité, je crois. Elle ne voulait pas non plus chevaucher sur Whinney. Je lui ai demandé, elle ne voulait pas. Elle aime les chevaux, mais l'idée de monter dessus l'a toujours effrayée.

Elle remarqua le travois maintenant déchargé.

— Je suis en train de me demander… Willamar, tu crois qu'elle accepterait de se déplacer sur les perches ?

— Quelques hommes pourraient aussi se relayer pour la porter sur une litière, suggéra Dalanar. À quatre, un à chaque coin, ce serait facile. Elle n'est pas lourde.

— Et elle pourrait s'asseoir, elle ne serait pas obligée de toujours regarder vers l'arrière. Je suis tentée de demander à Jondalar de retourner la chercher, mais je ne l'ai pas encore vu. Tu étais avec lui, Dalanar ? demanda Ayla.

— Non, je ne l'ai pas vu de la journée. Il peut être n'importe où. Tu sais comment ça se passe à une réunion comme celle-ci. Je n'ai même pas vu Bokovan de la journée.

— Bokovan ? Joplaya et Echozar sont ici ? Je croyais qu'Echozar avait dit qu'il ne reviendrait jamais, après toutes les histoires provoquées par son union avec Joplaya ! s'étonna Ayla.

— Ça n'a pas été facile de le persuader. Jerika et moi pensions qu'il devait venir, pour le bien de Bokovan. Il va falloir qu'il se trouve un jour une compagne et il n'y a pas encore assez de Lanzadonii. Tous les jeunes sont élevés comme frères et sœurs et tu sais ce qu'il advient quand les enfants grandissent ensemble : ils ne se considèrent pas mutuellement comme des conjoints potentiels. J'ai dit à Echozar que seules quelques personnes s'étaient opposées à son union, mais il n'était pas convaincu. C'est seulement quand le grand Mamutoï, son cousin et son ami sont venus qu'il s'est décidé à partir. Ils nous ont beaucoup aidés.

— Qu'ont-ils fait ?

— Justement, répondit Dalanar. Ils n'ont rien fait. Tu sais que les gens semblent toujours mal à l'aise en présence d'Echozar quand ils le rencontrent pour la première fois ; toi, tu ne l'as jamais été, mais tu fais exception. Je crois que c'est pour cela qu'il a pour toi une affection particulière. Danug non plus n'a jamais montré de réticence à son égard ; il s'est mis tout de suite à parler avec lui par signes. Les jeunes S'Armunaï non plus ne semblaient pas terriblement gênés par Echozar. Apparemment, ils ne sont pas aussi hostiles à ceux qui sont d'esprit mêlé que certains Zelandonii.

— C'est vrai, confirma Ayla. Les mélanges semblent plus courants chez eux, et mieux acceptés, quoique pas complètement, surtout quand l'allure particulière des gens du Clan est aussi marquée que chez Echozar. Il aurait sans doute des problèmes même ici.

— Pas avec Aldanor. Les trois jeunes gens l'ont accepté aussi aisément que n'importe qui d'autre. Ils ne l'ont pas considéré comme une exception et ont été aimables avec lui sans se forcer. Ils l'ont traité comme n'importe quel autre jeune homme. Echozar s'est rendu compte que tout le monde ne le déteste pas ni ne s'oppose à lui. Il pouvait se faire des amis et Bokovan aussi. Ce jeune couple qui s'est formé en même temps que vous – Jondecam et Levela ? – a complètement adopté Bokovan. Il est là tout le temps à jouer avec leurs enfants et tous les autres qui courent partout dans le camp. Je me demande parfois comment ils supportent d'en avoir autant dans les jambes sans arrêt, s'interrogea Dalanar.

— Levela a une patience infinie, dit Ayla. Je crois qu'elle adore ça.

Elle se tourna vers Danug.

— Vous allez revenir avec nous à la Neuvième Caverne, n'est-ce pas ? Tu n'as fait que commencer à me rapporter les nouvelles en retard des membres du Camp.

— Nous espérons passer l'hiver avec vous. J'aimerais aller jusqu'aux Grandes Eaux de l'Ouest avant de rentrer. Et puis, je ne vois pas comment nous pourrions décider Aldanor à partir d'ici avant le printemps… au plus tôt, dit Danug en souriant à son ami.

Ayla lui lança un regard interrogateur.

— Pour quelle raison ?

— Quand tu le verras en présence de la sœur de Jondalar, tu comprendras.

241

— Folara ?

— Oui, Folara. Il est absolument, totalement fou d'elle. Et je crois que ce sentiment est peut-être réciproque. En tout cas, ça ne semble pas la déranger de passer du temps en sa compagnie. Beaucoup de temps...

Danug avait parlé mamutoï, langue similaire à celle d'Aldanor, qui avait appris à bien la maîtriser au cours de leur Voyage, et le nom de la sœur de Jondalar était le même dans n'importe quelle langue. Ayla vit le jeune homme rougir. Elle leva les sourcils puis sourit.

La grande et gracieuse jeune fille qu'était devenue Folara attirait facilement l'attention où qu'elle aille. Elle avait l'élégance naturelle de sa mère et le charme débonnaire de Willamar ; et comme Jondalar l'avait toujours prédit, Folara était belle. Sa beauté n'était pas tout à fait la manifestation achevée de la perfection qu'avait été Jondalar dans sa jeunesse – et qu'il était encore pour l'essentiel. Elle avait la bouche un peu trop généreuse, les yeux un peu trop espacés, ses cheveux châtain clair étaient légèrement trop fins, mais ces petites imperfections ne la rendaient que plus accessible et attirante.

Folara n'avait pas manqué de prétendants, mais aucun n'avait vraiment excité son imagination ni satisfait ses attentes inexprimées. Le peu d'empressement qu'elle mettait à choisir un compagnon rendait folle sa mère, qui voulait avoir un petit-enfant de sa fille. Après avoir passé tant de temps avec elle, Ayla en était arrivée à mieux la connaître et elle savait que l'intérêt manifesté par Folara à l'endroit du jeune S'Armunaï importerait beaucoup à Marthona. La grande question était de savoir si Aldanor déciderait de rester chez les Zelandonii ou si Folara irait avec lui chez les S'Armunaï. Il faut que Marthona vienne ici, pensa Ayla.

— Willamar, as-tu remarqué que Folara n'était pas indifférente à ce jeune S'Armunaï ? demanda-t-elle en souriant au visiteur rougissant.

— Maintenant que tu en parles, j'ai l'impression qu'ils ont passé beaucoup de temps ensemble depuis que je suis ici.

— Tu connais Marthona, Willamar. Tu sais qu'elle aimerait être ici si Folara s'intéresse sérieusement à un jeune homme, surtout si celui-ci a l'intention de la ramener chez lui. Je suis certaine qu'elle viendrait ici si elle le pouvait.

— Tu as raison, Ayla, mais est-elle assez vigoureuse pour cela ?

— Tu as évoqué la possibilité de la transporter sur une litière, Dalanar. Combien de temps crois-tu qu'il faudrait à quatre jeunes gens solides pour retourner à la Neuvième Caverne et la ramener ici ?

— Pas plus de quelques jours pour de bons coureurs, peut-être deux fois plus pour revenir, sans compter celui qu'il lui faut pour se préparer. Tu crois vraiment qu'elle se porte assez bien pour supporter le voyage ?

— Jerika se porterait-elle assez bien s'il s'agissait de Joplaya ? demanda Ayla.

Dalanar hocha la tête, convaincu.

— Marthona semblait aller beaucoup mieux quand je suis partie et, si elle n'a pas à faire d'effort physique, je crois qu'elle sera tout aussi bien ici, où tant de gens peuvent l'aider, qu'à la Neuvième Caverne, poursuivit la jeune femme. Elle aime les chevaux, les regarder ou les flatter et, en l'occurrence elle sera certainement disposée à se déplacer sur des perches pour venir ici, mais elle sera plus à l'aise sur une litière et pourra bavarder en chemin avec ses compagnons de voyage. J'aimerais avoir l'avis de Jondalar, mais apparemment il n'est pas dans les parages. Est-ce que toi, Dalanar et peut-être Joharran, vous pouvez organiser ça, Willamar ?

— Je crois, Ayla. Tu as probablement raison. Il faut que la mère de Folara vienne si celle-ci envisage sérieusement une union, surtout avec un étranger.

— Mère ! Mère ! Te voilà ! Tu es enfin arrivée ! lança une jeune voix.

Cette interruption charma Ayla. Elle se retourna, sourit et ses yeux s'éclairèrent en tendant les bras à la fillette qui courait vers elle, le loup bondissant gaiement à son côté. Sa fille sauta dans ses bras.

— Tu m'as tant manqué, murmura Ayla en la serrant contre elle, avant de se reculer pour la regarder et de la serrer de plus belle dans ses bras.

— Je n'arrive pas à croire que tu aies tant grandi, dit-elle en la reposant à terre.

Zelandoni avait suivi l'enfant à une allure plus tranquille. Elle sourit chaleureusement en s'approchant d'Ayla.

— Tu as fini tes observations ? demanda-t-elle après qu'elles se furent embrassées.

— Oui, et j'en suis contente, mais c'était passionnant de voir le soleil s'arrêter et revenir en arrière et de consigner le phénomène. Le seul ennui, c'est que je n'avais personne qui le comprenne vraiment pour partager ces instants avec moi. Je n'arrêtais pas de penser à toi.

Zelandoni observa attentivement la jeune femme. Quelque chose avait changé en Ayla. Elle tenta de déterminer quoi. Ayla avait perdu du poids ; avait-elle été malade ? Son ventre aurait dû commencer à s'arrondir, mais sa taille était plus fine et sa poitrine plus menue.

Ô Doni, pensa-t-elle. Elle n'est plus enceinte. Elle a dû perdre son bébé avant qu'il naisse.

Mais il y avait autre chose, une confiance en soi, une assurance nouvelle dans ses manières, une acceptation de la tragédie. Elle savait qui elle était : une Zelandoni !

Elle a été appelée ! Elle a dû perdre son enfant à ce moment-là.

— Il va falloir que nous parlions, ne crois-tu pas, Ayla ? dit Zelandoni Qui Était la Première en insistant sur son nom.

On pouvait l'appeler Ayla, mais elle n'était plus Ayla.

— Oui, répondit la jeune femme.

Elle n'avait pas à en dire davantage. Elle savait que la Première avait compris.

— Et que nous parlions sans tarder.

— Oui.

— Et je suis désolée, Ayla. Je sais que tu voulais un enfant, ajouta-t-elle à voix basse.

Avant qu'Ayla ait pu répondre, d'autres gens s'étaient rassemblés autour d'elles.

Presque tous ses proches parents et amis vinrent au camp lui souhaiter la bienvenue. Tout le monde semblait être là, sauf Jondalar, et personne ne paraissait savoir où il était. D'ordinaire, quand quelqu'un sortait du camp seul ou avec une ou deux autres personnes, il disait où il allait. Ayla aurait pu commencer à s'inquiéter, mais, apparemment, personne d'autre ne le faisait. La plupart restèrent là pour prendre un repas ou un en-cas. Ils racontaient les événements qui avaient eu lieu, parlaient des autres, de ceux qui contractaient une union, qui avaient eu un autre enfant ou en attendaient un, qui avaient décidé de rompre le lien ou de prendre un deuxième compagnon ou une deuxième compagne, bref les potins habituels.

Dans l'après-midi, ils s'en allèrent peu à peu pour vaquer à d'autres activités. Ayla rangea son couchage et le reste de ses affaires. Elle était contente d'avoir emmené auparavant les chevaux au corral aménagé dans le pré au milieu des bois, moins pour les empêcher de s'enfuir que pour maintenir les gens à l'écart. Des chevaux dans un pré étaient considérés comme un gibier idéal en temps normal. Bien que tout le monde ait su que la Neuvième Caverne était venue avec des chevaux, pour bien faire comprendre qu'il s'agissait de ces deux-là, la parcelle où ils paissaient avait été clôturée de manière visible. Jondalar et Jonayla les emmenaient souvent dans les steppes herbeuses ou galoper, mais chaque fois qu'ils sortaient de l'enclos Ayla savait que quelqu'un était avec eux.

Jonayla retourna avec Zelandoni et Loup au quartier de la Zelandonia pour mettre la dernière main aux préparatifs de la soirée spéciale. Ayla décida de panser Whinney une bonne fois après leur chevauchée dans la chaleur et la poussière et elle alla à l'enclos, équipée de morceaux de cuir souple et de cardes. Elle brossa aussi un peu Rapide et Grise, uniquement pour les flatter et leur montrer de l'attention.

Elle regarda le petit ruisseau qui coulait sur le bord du vallon herbeux avant de se jeter dans la Rivière et elle se rappela la dernière fois où la Réunion avait eu lieu là. Il y avait un petit plan d'eau où l'on pouvait nager, un peu plus en amont, se souvint-elle. Rares étaient ceux qui le savaient car il se trouvait trop loin du camp pour être d'un accès commode. Elle ne connaissait pas alors aussi bien son peuple d'adoption ; Jondalar et elle y allaient quand ils voulaient s'isoler des autres et passer un moment ensemble.

Nager me ferait du bien, pensa-t-elle, et tant de gens se baignent dans la rivière qu'elle est boueuse. Elle se dirigea en amont vers le méandre où le ruisseau avait creusé son lit plus profondément près de la berge extérieure et laissé une grève herbeuse et une plage de petits galets à l'intérieur de la boucle. Elle sourit en songeant à Jondalar et à ce qu'ils faisaient au bord du ruisseau. Elle avait tant pensé à lui, à l'effet qu'il produisait sur elle... Elle s'échauffa en imaginant ses mains sur elle et sentit même une humidité entre ses jambes. Cela lui donna envie de faire un autre bébé.

À l'approche du plan d'eau, elle entendit des éclaboussements, puis des voix, et faillit faire demi-tour. Apparemment quelqu'un d'autre a trouvé l'endroit, pensa-t-elle. Je ne tiens pas à déranger un couple désireux d'être seul. Mais peut-être n'est-ce pas un couple, seulement des gens venus nager. En approchant davantage, elle entendit une voix de femme, puis une autre, d'homme. Elle n'arrivait pas à distinguer leurs paroles, mais quelque chose dans cette voix la contrariait.

Elle se déplaçait aussi silencieusement que lorsqu'elle traquait un animal avec sa fronde. Elle entendit encore parler, puis un rire profond empreint d'un total abandon. Elle n'avait pas entendu ce rire récemment, mais elle le connaissait. La voix de la femme se fit ensuite entendre et elle la reconnut. L'estomac noué, elle regarda à travers les broussailles qui bordaient la petite plage.

9

À travers les buissons, Ayla regarda Jondalar et Marona sortir de l'eau. Au supplice, elle vit la jeune femme se tourner face à Jondalar, l'enlacer et presser son corps nu contre celui de l'homme. Quand Marona leva la tête vers lui pour l'embrasser, elle vit avec une horreur mêlée de fascination Jondalar se pencher sur elle avant de commencer à caresser le corps de sa compagne. Combien de fois avait-elle connu ce genre de caresse sous ses mains expertes ?

Ayla voulait fuir, mais elle avait l'impression d'être clouée au sol. Marona et Jondalar avancèrent de quelques pas, vers une peau de bête étendue sur l'herbe, juste devant elle, ce qui lui permit de constater qu'il n'était pas vraiment excité. Depuis qu'elle était arrivée au camp, personne n'avait vu Jondalar, qui semblait avoir disparu depuis le début de la matinée, et Ayla eut la certitude que le couple avait déjà profité de la couverture en cuir souple, au moins une fois. Marona se colla de nouveau contre l'homme, l'embrassa longuement avant de se mettre lentement à genoux devant lui. Avec un petit rire complice, elle referma ses lèvres sur le membre flasque de Jondalar, qui se contenta de regarder faire sa compagne.

Ayla constata que son excitation allait croissant et lut sur ses traits un plaisir intense. Elle n'avait jamais eu l'occasion de voir son visage lorsqu'elle-même procédait à ce genre d'exercice. Ainsi donc, c'était comme cela qu'il réagissait ?

Les regarder représentait pour elle une véritable torture. Elle avait du mal à respirer, son ventre était noué, le sang battait fort à ses tempes. Jamais auparavant elle n'avait éprouvé un tel sentiment. Était-ce de la jalousie ? Était-ce cela qu'éprouvait Jondalar lorsqu'elle rejoignait la couche de Ranec ? se demanda-t-elle. Pourquoi ne m'en a-t-il rien dit ? Je ne savais pas à ce moment-là, je n'avais jamais connu la jalousie auparavant, et il ne m'en a jamais parlé, se contentant de me dire que c'était mon droit de choisir qui je voulais.

Ce qui signifie que c'est parfaitement son droit d'être là avec Marona !

Ses yeux s'emplirent de larmes. Non, c'était là plus qu'elle n'en pouvait supporter, il fallait qu'elle parte. Elle fit demi-tour et se mit à courir éperdument dans le bois, mais elle trébucha contre une grosse racine apparente et tomba brutalement par terre.

— Qui est là ? Que se passe-t-il ? entendit-elle crier Jondalar.

Se relevant non sans mal, elle était en train de repartir quand celui-ci apparut en écartant les buissons.

— Ayla ? Ayla ! s'exclama-t-il, à la fois choqué et surpris. Que fais-tu là ?

Elle se retourna vers son poursuivant.

— Je ne voulais pas me mêler de tes affaires, dit-elle, essayant de se calmer. Tu as le droit de prendre les Plaisirs avec qui tu le souhaites, Jondalar. Même avec Marona.

Celle-ci sortit à son tour de derrière les buissons et rejoignit Jondalar, pressant son corps contre celui de son compagnon.

— Très juste, Ayla ! lança-t-elle avec un rire jubilatoire. Il peut en effet s'accoupler avec qui bon lui semble. Quoi d'étonnant à ce qu'un homme agisse de la sorte quand sa compagne est trop prise pour s'occuper de lui ? Nous nous sommes souvent accouplés, et pas seulement cet été. Pourquoi crois-tu donc que je suis revenue à la Neuvième Caverne ? Il ne voulait pas que je t'en parle, mais maintenant que tu as tout découvert, autant que tu sois au courant de toute l'histoire.

Elle éclata de rire une fois de plus puis ajouta, après un ricanement méchant :

— Tu me l'as peut-être volé, Ayla, mais tu n'as pas été capable de le garder pour toi seule.

— Mais non, Marona, je ne te l'ai pas volé. Je ne te connaissais même pas, avant mon arrivée chez les Zelandonii. Jondalar m'a choisie, de son propre gré. Maintenant il peut te choisir toi, s'il le souhaite. Mais dis-moi une chose : est-ce que tu l'aimes vraiment ? Ou ton seul but est-il plutôt de semer la discorde ?

Sur ces mots, elle tourna le dos et s'éloigna avec toute la dignité dont elle était capable.

Se débarrassant de la jeune femme qui tentait de s'accrocher à lui, Jondalar rejoignit Ayla en quelques enjambées.

— Ayla, attends, je t'en prie ! Laisse-moi t'expliquer ! supplia-t-il.

— Il n'y a rien à expliquer. Marona a raison. J'aurais dû m'y attendre. Mais tu étais occupé à quelque chose, Jondalar. Pourquoi ne pas terminer ce qui avait si bien commencé ? fit Ayla en reprenant sa marche. Je suis sûre que Marona saura comment s'y prendre.

— Je me moque de Marona, c'est toi que je veux, Ayla ! protesta Jondalar, soudain effrayé à l'idée de la perdre.

Marona le regarda, surprise. Ainsi, elle n'était rien pour lui, constatait-elle. Elle s'était rendue disponible, et il avait trouvé en elle un exutoire pratique pour combler ses désirs. Elle les foudroya tous les deux du regard, mais Jondalar ne le remarqua même pas.

C'était Ayla, et elle seule, qui l'intéressait. Il s'en voulait tellement, maintenant, d'avoir cédé aux invites de Marona, de s'être servi d'elle avec une telle désinvolture. Il était si préoccupé par Ayla, par ce qu'il allait bien pouvoir lui dire pour expliquer ce qu'il ressentait, qu'il ne prêta même pas attention à la femme avec qui il avait partagé peu de temps auparavant des moments si intimes, quand celle-ci passa en trombe à côté de lui, serrant contre elle ses vêtements. Mais Ayla, elle, s'en rendit compte.

Après son séjour avec Dalanar, devenu un homme fait, Jondalar n'avait jamais eu de problème pour trouver des compagnes, mais il n'en avait jamais aimé aucune. Rien n'avait pu atteindre l'intensité, la puissance de son premier amour, et le souvenir de ces émotions indescriptibles avait été encore renforcé par le scandale épouvantable et la honte qui les avaient éclaboussés, lui et Zolena. Elle avait été sa femme-donii, son initiatrice, sa guide dans la façon dont un homme doit se comporter avec une femme, mais il n'était pas censé tomber amoureux d'elle, et elle n'était pas censée permettre que cela se produise.

Il en était venu à croire qu'il serait dès lors incapable d'aimer de nouveau une femme, se disant en fin de compte que, en punition de cette imprudence de jeunesse, jamais plus il ne pourrait tomber amoureux. Jusqu'à Ayla. Pour la trouver, il avait été contraint de voyager plus d'une année, jusque dans des contrées inconnues de lui comme de tous ceux de son peuple. Il aimait Ayla plus que tout, d'un amour incommensurable. Il se savait prêt à faire n'importe quoi pour elle, à aller n'importe où, à donner sa vie pour elle. La seule personne pour qui il éprouvait un amour aussi intense, mais d'une nature différente, était Jonayla.

— Tu devrais lui être reconnaissant d'être là pour satisfaire tes besoins, Jondalar, lança Ayla, toujours profondément blessée et essayant de cacher sa peine. Je vais être plus occupée que jamais, maintenant. J'ai été appelée. Je vais être en quelque sorte une enfant de la Grande Terre Mère. Je devrai me plier à Ses souhaits, désormais. Je suis une Zelandoni.

— Tu as été appelée ? Quand cela, Ayla ? demanda Jondalar d'une voix affolée.

Il avait vu des membres de la Zelandonia réapparaître après leur premier appel, mais d'autres n'étaient jamais revenus.

— J'aurais dû être à tes côtés, j'aurais pu t'aider…

— Non, Jondalar, tu n'aurais pas pu m'aider. Personne ne le peut. C'est quelque chose que l'on doit faire en solitaire. J'ai survécu, et la Mère m'a gratifiée d'un grand Don, mais j'ai dû consentir un sacrifice en échange. Elle voulait notre bébé, Jondalar. Je l'ai perdu dans la grotte, expliqua Ayla.

— Notre bébé ? Quel bébé ? Jonayla était avec moi…

— Le bébé que nous avons conçu quand je suis descendue de la falaise, un soir. Je suppose que je dois m'estimer heureuse que tu n'aies pas déjà été avec Marona cette nuit-là, sans quoi je n'aurais pas eu un bébé à sacrifier, fit Ayla avec une amertume non feinte.

— Tu étais enceinte quand tu as été appelée ? Oh, Grande Mère ! s'exclama Jondalar, affolé.

Il ne fallait surtout pas qu'il la laisse partir comme cela. Que pouvait-il dire pour la retenir, pour qu'elle continue de parler ?

— Ayla, je sais que tu crois que c'est ainsi que commence une nouvelle vie, mais tu ne peux pas en être sûre...

— Si, Jondalar, j'en suis sûre. La Grande Mère me l'a dit. C'est le Don que j'ai reçu d'Elle en échange de la vie de mon bébé, lança-t-elle avec une assurance douloureuse qui ne laissait pas de place au doute. Je pensais que nous pourrions essayer d'en concevoir un autre, mais je constate que tu es trop occupé pour moi.

Interdit, figé sur place, il la regarda s'éloigner avant de s'exclamer d'une voix pleine de détresse :

— Oh Doni, Grande Mère, qu'ai-je donc fait ? Elle a cessé de m'aimer et j'en suis le seul responsable. Mais pourquoi, pourquoi, a-t-il fallu qu'elle nous voie ?

Il s'élança à sa poursuite, trébuchant sur des racines, oubliant ses vêtements. Puis, la voyant presser le pas, il tomba à genoux, se contentant de la suivre des yeux.

Regarde-la, se dit-il, elle est si frêle ! Comme cela a dû être dur pour elle ! Certains acolytes périssent. Et si Ayla était morte ? Je n'étais même pas là pour lui venir en aide. Pourquoi ne suis-je donc pas resté avec elle ? J'aurais dû savoir qu'elle était presque prête, que sa formation était pratiquement achevée, mais j'ai absolument voulu venir à la Réunion d'Été. Je n'ai pas pensé à ce qui risquait de lui arriver, je n'ai songé qu'à moi-même.

Constatant qu'Ayla n'était plus visible, il se pencha en avant, ferma les yeux et cacha son visage dans ses mains, comme pour ne plus voir ce qu'il venait de faire.

— Mais pourquoi donc me suis-je accouplé avec Marona ? gémit-il tout haut.

Jamais Ayla ne s'est accouplée avec un autre que moi, pas depuis Ranec, pas depuis que nous avons quitté les Mamutoï, se dit-il. Même au cours des cérémonies, des Fêtes en l'honneur de la Mère, quand chacun ou presque choisit quelqu'un d'autre, elle n'a jamais porté sa préférence sur un autre que moi. Combien d'hommes, alors, m'ont considéré avec envie, se disant que je devais lui apporter bien du plaisir pour qu'elle n'en choisisse jamais un autre... Mais pourquoi a-t-il fallu qu'elle nous voie ? Jamais je n'aurais pensé qu'elle pourrait nous surprendre, ici et maintenant. Jamais je n'ai voulu faire de peine à Ayla. Elle en a eu assez comme cela. Et maintenant, voilà qu'elle a perdu son bébé. Je ne savais même pas qu'elle allait en avoir un autre, et elle l'a perdu.

Cela a-t-il vraiment commencé cette nuit-là ? C'était une nuit si extraordinaire. J'avais du mal à y croire quand elle s'est couchée près de moi et m'a réveillé. Connaîtrai-je de nouveau un jour pareil moment ? Elle m'a dit que la Mère désirait notre bébé. Mais était-ce le nôtre ? En échange, Doni lui a fait un Don. Ayla a-t-elle reçu un Don de la Mère ? La Mère lui a dit que c'était *notre* bébé, mon bébé et le sien.

— Est-ce vraiment notre bébé qu'Ayla a perdu ? s'interrogea tout haut Jondalar, des rides soucieuses barrant son front. Mais pourquoi a-t-il fallu qu'elle nous voie ? se lamenta-t-il à nouveau, prenant à témoin les bois déserts. Suis-je habitué à ce qu'elle ne choisisse nul autre que moi au point d'en oublier ce que j'ai moi-même vécu ?

Il se rappelait la douleur et la désolation qu'il avait ressenties lorsqu'elle avait choisi Ranec.

Je sais ce qu'elle a dû éprouver lorsqu'elle m'a vu avec Marona, se dit-il. Exactement ce que j'ai ressenti lorsque Ranec lui a dit de le rejoindre dans son lit et qu'elle a obéi. Il est vrai qu'elle était ignorante à l'époque, et pensait qu'elle devait le faire. Quelle serait ma réaction si elle en choisissait un autre aujourd'hui ?

J'ai voulu la chasser parce que j'étais profondément blessé, mais elle m'aimait toujours. Elle a confectionné pour moi une tunique matrimoniale alors même qu'elle était promise à Ranec...

À l'idée de la perdre, Jondalar était terrifié, de la même façon que lorsqu'il avait cru la perdre au profit de Ranec. Et cette fois, c'était pire encore. Cette fois, c'était lui qui l'avait blessée.

Ayla courait droit devant elle, sans rien voir de ce qui l'entourait. Les larmes brouillaient sa vision, sans pour autant noyer son chagrin. Elle avait pensé à Jondalar à la Neuvième Caverne, elle avait rêvé de lui durant le voyage jusqu'à la Réunion d'Été, poussé sa monture de façon à le retrouver au plus vite. Il n'était pas question de rentrer au campement pour y affronter ses occupants. Elle avait besoin d'être seule. Elle s'arrêta à l'enclos et sortit Whinney, posa la couverture de cheval sur son dos, puis monta la jument et partit au galop vers la prairie.

Whinney était encore fatiguée du voyage, mais elle répondit aux sollicitations de sa cavalière et galopa à travers la plaine. Ayla ne pouvait chasser de son esprit l'image de Jondalar et de Marona. Incapable de penser à autre chose, elle en oublia de guider sa monture, se contentant de chevaucher. La jument ralentit en sentant la femme cesser de la diriger et continua au pas en direction du campement, s'arrêtant par moments pour brouter.

La nuit tombait lorsqu'elles regagnèrent le site de la Réunion, la température baissait rapidement mais Ayla ne sentait rien, hormis le froid intense qui l'engourdissait à l'intérieur. La jument ne sentit sa cavalière reprendre le contrôle que lorsqu'elles atteignirent l'enclos. Plusieurs personnes étaient là.

— Ayla ! Tout le monde se demandait où tu étais passée ! lança Proleva. Jonayla est venue te chercher, mais après avoir mangé elle est allée chez Levela pour jouer avec Bokovan puisque tu n'étais pas encore de retour.

— J'étais à cheval, expliqua Ayla.

— Jondalar est rentré, en fin de compte, intervint Joharran. Il a réintégré le campement dans un drôle d'état, il y a un petit moment. Je lui ai dit que tu le cherchais, mais il s'est contenté de grommeler des mots incohérents.

Le regard d'Ayla était terne lorsqu'elle pénétra dans le campement. Elle passa devant Zelandoni sans la saluer, ni même la voir.

Celle-ci la fixa de son œil d'aigle. Elle comprit aussitôt que quelque chose n'allait pas.

— Dis-moi, Ayla, on ne t'a pas beaucoup vue depuis ton arrivée, fit la doniate, surprise de ne pas l'avoir entendue lui adresser la parole la première.

— Non, en effet, dit Ayla.

Zelandoni comprit alors qu'Ayla avait la tête ailleurs. Les grommellements de Jondalar avaient été parfaitement clairs pour elle, même si elle n'avait pas compris le sens des mots. Ses actes étaient suffisamment parlants. Elle avait également vu Marona émerger du petit bois, la chevelure en désordre, mais pas par le chemin emprunté d'ordinaire par la plupart des membres de la Neuvième Caverne. Entrée dans leur campement par une autre issue, elle s'était rendue directement dans la tente qu'elle partageait avec d'autres et avait commencé à empaqueter ses affaires, expliquant à Proleva que des amis de la Cinquième Caverne lui avaient demandé de s'installer avec eux.

Dès son tout début, la liaison de Jondalar avec Marona n'avait pas échappé à Zelandoni. Elle n'y avait initialement rien vu de bien méchant. Elle connaissait la profondeur des sentiments de Jondalar pour Ayla, et avait estimé que son aventure avec Marona ne représentait pour lui qu'une passade, un exutoire commode à un moment où, ayant de lourdes tâches à accomplir, Ayla n'avait d'autres choix que de s'absenter assez souvent. Mais elle n'avait pas pris en compte le désir obsessionnel de Marona de le récupérer et de prendre sa revanche sur Ayla, ni sa capacité à s'imposer insidieusement à lui. Leur attirance sur le plan physique avait toujours été intense. Même dans le passé, cela avait représenté le point fort de leur relation. C'était peut-être même la seule chose qu'ils partageaient.

La doniate devina qu'Ayla ne s'était sans doute pas remise complètement de l'épreuve qu'elle avait endurée dans la grotte. Sa maigreur prononcée et son visage profondément marqué auraient été des signes suffisamment révélateurs, même si ses yeux ne l'avaient pas trahie. Zelandoni n'avait déjà vu que trop d'acolytes revenir d'un appel, au sortir d'une grotte, ou d'une errance dans la steppe, pour ne pas être au courant des dangers inhérents à l'épreuve. Elle-même avait d'ailleurs failli ne pas y survivre. Dans la mesure où elle avait perdu un bébé au même moment, Ayla souffrait très vraisemblablement de la même forme de mélancolie que ressentaient la plupart des femmes après avoir accouché, et qui était plus intense encore après une fausse couche.

Mais Celle Qui Était la Première avait aujourd'hui lu dans les yeux d'Ayla plus que la douleur endurée dans la grotte. Elle y avait lu la souffrance, la souffrance glaçante et acérée de la jalousie, avec tous les sentiments qui allaient de pair : trahison, colère, doute, peur.

Elle l'aime trop ; ce qui n'est pas difficile, se souvint la femme qui portait auparavant le nom de Zolena.

Au cours des années récentes, la Première s'était souvent demandé comment une femme qui aimait un homme à ce point pouvait devenir, elle aussi, une Zelandoni, mais il est vrai qu'Ayla avait un talent extraordinaire. Malgré son amour pour cet homme, il était impossible de ne pas en tenir compte. Et par ailleurs, le sentiment que Jondalar éprouvait à son égard était plus fort encore.

Cela étant, malgré tout l'amour qu'il lui portait, ses pulsions étaient puissantes, et il lui était difficile de les ignorer. D'autant plus qu'il n'existait aucune contrainte d'ordre social pour les freiner, et une personne aussi intime, aussi familière avec lui que Marona, n'hésitait pas à user de tout ce qui était en son pouvoir pour l'encourager à leur donner libre cours. Dès lors, la facilité consistait pour lui à prendre l'habitude de recourir à ses services plutôt que d'ennuyer Ayla lorsque celle-ci était occupée.

Zelandoni savait que Jondalar n'avait pas soufflé mot à Ayla de la liaison qu'il entretenait avec Marona et, instinctivement, tous ceux qui les aimaient avaient essayé de la lui cacher. Ils espéraient qu'Ayla ne découvrirait pas la vérité, mais la doniate savait qu'il ne pourrait en être ainsi bien longtemps. Jondalar aurait dû en avoir conscience, lui aussi.

Même si elle avait assimilé dans ses moindres détails le mode de vie des Zelandonii et s'y était semble-t-il adaptée, Ayla n'en était pas une de naissance. Leurs mœurs ne lui étaient pas naturelles. Zelandoni se prit presque à espérer que la Réunion d'Été fût terminée. Elle aurait voulu pouvoir observer la jeune femme, s'assurer que tout allait bien pour elle, mais la phase finale de la Réunion était une période d'intense activité pour Celle Qui Était la Première. Elle décida de ne pas perdre Ayla de vue, pour essayer de comprendre ce qu'elle ressentait après avoir découvert la liaison de Jondalar avec Marona, et d'en deviner les effets.

Sur l'insistance de Proleva, Ayla accepta une assiette de nourriture, mais elle se contenta de chipoter, puis jeta les aliments et lava son assiette avant de la rendre.

— J'espérais que Jonayla reviendrait, sais-tu combien de temps elle restera partie ? demanda-t-elle. Je regrette de ne pas avoir été là quand elle est rentrée.

— Tu peux aller la retrouver chez Levela, expliqua Proleva. Ma sœur serait ravie que tu lui rendes visite. Je ne sais pas où est allé Jondalar. Il se trouve peut-être là-bas lui aussi.

— Je suis vraiment fatiguée, répondit Ayla. Je ne crois pas que je serais de bonne compagnie. J'ai envie de me coucher tôt, mais pourras-tu m'envoyer Jonayla lorsqu'elle sera de retour ?

— Tu te sens bien, Ayla ? s'inquiéta Proleva, ayant du mal à croire qu'elle veuille aller se coucher si tôt.

Durant toute la journée elle avait cherché Jondalar et voilà qu'elle ne semblait plus prête à faire le moindre effort pour le retrouver.

— Ça va, je suis juste épuisée, répondit Ayla en se dirigeant vers l'un des gîtes qui entouraient le grand feu central.

Donnant sur l'extérieur, un mur circulaire, constitué de solides panneaux verticaux faits de feuilles de roseaux disposées les unes sur les autres afin de protéger de la pluie, était appuyé à des poteaux enfoncés dans le sol. À l'intérieur, une seconde cloison de panneaux confectionnés à l'aide de tiges de roseaux à balai aplaties et tissées était attachée à la partie interne des poteaux, laissant entre les deux un espace suffisant pour assurer une certaine isolation. Cela permettait à l'air ambiant d'être plus frais les jours de canicule, plus chaud les nuits fraîches, pour peu qu'un feu soit entretenu à l'intérieur. Le toit était fait d'un épais chaume de phragmites descendant en pente depuis un poteau central et soutenu tout autour par de fins piliers en aulne disposés en cercle et reliés entre eux. La fumée s'échappait par un trou ménagé près du centre.

La construction offrait un espace fermé relativement important qui pouvait être laissé ouvert et que l'on pouvait diviser en compartiments réduits grâce à des panneaux intérieurs mobiles.

Le matériel de couchage était étalé sur des sortes de matelas confectionnés à l'aide de tiges et de feuilles de roseaux ainsi que d'herbe séchée, disposés autour d'un foyer central. Ayla se déshabilla partiellement et se glissa sous ses fourrures de couchage, sans pouvoir pour autant s'endormir. Lorsqu'elle fermait les yeux, elle ne pouvait s'empêcher de revoir la scène entre Jondalar et Marona, et son cerveau bouillonnait littéralement à cette pensée.

Elle savait pertinemment que, chez les Zelandonii, on ne pardonnait pas la jalousie, même si elle n'avait pas conscience que les comportements susceptibles de la provoquer étaient pour eux encore moins acceptables. On reconnaissait l'existence de la jalousie, dont les causes étaient parfaitement comprises de même que, plus important encore, ses conséquences, souvent dommageables. Mais dans ces terres rudes, souvent accablées par des hivers longs, au froid glacial, la coopération et l'assistance mutuelle étaient deux conditions de la survie. Les restrictions tacites affectant tout comportement susceptible de miner la nécessaire cohésion du groupe, indispensable pour préserver cette solidarité, ce consensus, étaient rigoureusement appliquées, au point de devenir une pratique sociale.

Dans des conditions aussi hostiles, les enfants couraient des risques tout particuliers. Beaucoup mouraient en bas âge et, si la communauté en général était importante pour leur bien-être, une famille s'occupant bien d'eux était considérée comme essentielle. Même si la plupart des familles étaient constituées au départ par un homme et une femme, elles pouvaient s'élargir, s'étendre de bien des manières. Non seulement par l'adjonction de grands-parents, oncles, tantes et cousins mais aussi, pour peu que cela soit accepté par toutes les parties en présence, par celle décidée par une femme d'un autre homme de son choix, ou par un homme de deux autres femmes, voire plus. Parfois même par l'association d'un ou de plusieurs autres couples. La seule exception était la stricte interdiction faite aux membres proches de la famille de s'y joindre. Frères et sœurs ne pouvaient s'accoupler, pas plus que ceux que l'on considérait comme des cousins « proches ». D'autres relations étaient fortement réprouvées, sans être toutefois expressément interdites, comme celles entre un jeune homme et sa femme-donii.

Une fois la famille constituée, coutumes et pratique s'étaient développées pour l'encourager à se perpétuer. La jalousie ne favorisait pas les liens de longue durée, et on admettait que diverses mesures soient prises pour limiter ses effets néfastes. Des attirances momentanées pouvaient souvent être assouvies par les festivités, socialement approuvées, organisées en l'honneur de la Mère. On fermait en général les yeux sur les relations épisodiques entretenues en dehors de la famille, pour peu qu'elles soient conduites avec mesure et discrétion.

Si l'attrait du compagnon ou de la compagne s'affaiblissait, ou si un penchant plus fort pour un ou une autre apparaissait, une intégration au sein de la famille était jugée préférable à une rupture. Et lorsque la seule solution consistait à rompre le lien, une sanction était infligée à telle ou telle des personnes en cause, voire à plusieurs, afin de décourager les autres d'opter pour la rupture, en particulier lorsque des enfants étaient impliqués.

La sanction en question pouvait consister à continuer à soutenir et à porter assistance à la famille pendant un certain laps de temps, mesure parfois accompagnée de restrictions dans la constitution de nouveaux liens durant la même période. Ou encore à faire l'objet d'un règlement ponctuel, surtout si l'une des parties, ou les deux, souhaitait changer de lieu de résidence. En fait, il n'existait pas de règle stricte : chaque situation était appréciée individuellement, dans le cadre de coutumes adoptées par la collectivité, par un certain nombre de personnes, en général sans rapport direct avec l'affaire, réputées pour leurs qualités de sagesse, d'équité et d'autorité.

Si, par exemple, un homme souhaitait rompre le lien avec sa compagne et quitter une famille pour aller s'installer avec une autre femme, il devait respecter une période de latence dont la durée était déterminée par un certain nombre de facteurs, l'un d'eux pouvant être l'état de gravidité de sa future nouvelle compagne. Durant cette période, on pouvait leur demander de rejoindre la famille plutôt que de rompre brutalement le lien. Si la « nouvelle » ne voyait pas cette solution d'un bon œil ou si, inversement, celle-ci n'était pas vraiment acceptée par l'« ancienne », l'homme avait la possibilité de rompre le lien existant, mais pouvait se voir obligé de contribuer à l'entretien de sa famille d'origine pendant un certain temps, précisément fixé. Autre solution : il pouvait s'acquitter en une fois d'une certaine quantité de nourriture, d'outils, d'ustensiles ou d'autres objets susceptibles d'être troqués.

Une femme pouvait partir elle aussi et, particulièrement si elle avait des enfants et vivait dans la Caverne de son compagnon, retourner dans sa Caverne d'origine, ou encore emménager dans celle d'un autre homme. Si certains des enfants, ou la totalité, restaient avec le compagnon qu'elle quittait, ou si celui-ci était malade, ou infirme, la femme pouvait elle aussi se voir infliger une sanction. Si le couple était installé dans la Caverne où elle était née, elle pouvait demander à la collectivité de chasser le compagnon dont elle ne voulait plus, celui-ci devant alors être accueilli par la Caverne de sa mère. Dans ce cas, la femme devait en général motiver la rupture : son compagnon la maltraitait, ou maltraitait ses enfants, ou encore il était paresseux et ne pourvoyait pas de manière adéquate aux besoins de la famille. Mais souvent la raison était tout autre : il ne s'intéressait pas suffisamment à elle, elle-même s'intéressait à quelqu'un d'autre, à moins qu'elle ne souhaite tout bonnement plus vivre avec lui, ni avec un autre homme.

Il pouvait arriver que l'un, l'autre, ou les deux déclarent simplement qu'ils ne souhaitaient plus vivre ensemble. Le collectif de la Caverne se préoccupait avant tout des enfants : s'ils étaient grands, ou si leur bien-être était assuré, tous les arrangements, ou presque, adoptés par les parties en présence étaient considérés comme acceptables. S'il n'y avait pas d'enfant en jeu, ni de circonstances particulières comme la maladie d'un membre de la famille, le lien pouvait être rompu relativement aisément tant par l'homme que par la femme, cette rupture étant la plupart du temps concrétisée par celle, on ne peut plus symbolique, du nœud sur une corde.

Dans chacune de ces situations, la jalousie pouvait être un élément perturbateur et, par conséquent, ne pouvait être tolérée. Si nécessaire, le collectif de la Caverne intervenait. Autrement dit, ses membres pouvaient choisir tous les arrangements qu'ils souhaitaient, ou presque, pour peu qu'ils soient adoptés d'un commun accord, ne suscitent pas de différends entre Cavernes et ne viennent pas troubler les relations avec d'autres familles.

Bien sûr, on ne pouvait empêcher tel ou telle d'échapper à la sanction en faisant ses paquets et en déménageant discrètement, mais en général les autres Cavernes finissaient tôt ou tard par être au courant de la plupart des séparations et, dès lors, n'hésitaient pas à exercer des pressions d'ordre social. L'intéressé(e) n'était pas expulsé(e) mais on lui faisait comprendre qu'il ou elle n'était pas vraiment bienvenu(e). Si elle voulait vraiment échapper à la sanction, la personne en question devait vivre en solitaire, ou partir très loin, or la plupart des gens ne souhaitaient nullement vivre seuls ou partir chez des étrangers.

Pour ce qui concernait Dalanar, celui-ci avait été tout disposé à payer son dû, voire plus encore : il n'avait pas d'autre femme, en fait il aimait toujours Marthona, mais il ne supportait tout simplement plus de rester avec elle alors que celle-ci consacrait presque tout son temps et toute son énergie à veiller aux besoins de la Neuvième Caverne. Il avait troqué de nombreux objets afin de payer au plus vite la totalité de ce qu'il devait de façon à pouvoir partir, mais il n'avait pas envisagé de rester éloigné : il n'avait souhaité partir que parce qu'il avait jugé la situation trop pénible pour rester. Et lorsqu'il avait quitté la Caverne, il s'était contenté d'aller de l'avant jusqu'à ce qu'il se retrouve au pied des montagnes, quelque part à l'est. C'était là qu'il avait découvert la mine de silex, où il s'était installé.

Ayla était toujours éveillée lorsque Jonayla et Loup entrèrent dans la tente. Elle se leva pour aider sa fille à se préparer pour la nuit. Après qu'elle lui eut administré quelques caresses, Loup alla à l'endroit qu'elle lui avait ménagé et s'installa sur ses couvertures. Elle salua d'autres personnes qui venaient de pénétrer dans le vaste et solide abri semi-permanent, conçu pour accueillir de nombreux hôtes ou les maintenir au sec lorsqu'il pleuvait.

— Où étais-tu, mère ? demanda Jonayla. Tu n'étais pas là quand je suis revenue avec Zelandoni.

— J'étais avec Whinney, expliqua Ayla.

Pour la fillette qui n'aimait rien tant que monter à cheval, cette explication suffisait.

— Je pourrai aller avec toi demain ? Il y a long-temps que je n'ai pas monté Grise.

— Combien de temps ? demanda Ayla avec un sourire.

— Ça de jours.

Jonayla montra deux doigts d'une main, trois de l'autre.

— Peux-tu me dire avec des mots combien cela représente ? fit Ayla avec un sourire, en touchant chacun des doigts de sa fille, pour l'aider.

— Un, deux, quatre… commença Jonayla.

— Non, trois, et puis quatre.

— Trois, quatre, cinq, acheva Jonayla.

— Très bien, la félicita Ayla. Oui, je crois que nous pourrons monter toutes les deux demain.

Les enfants n'étaient pas séparés des adultes et bénéficiaient d'un enseignement régulier et très organisé. Ils apprenaient pour l'essentiel en observant les activités de leurs aînés et en s'y essayant. Les plus jeunes se trouvaient en permanence sous la supervision d'un adulte, jusqu'à ce qu'ils manifestent le désir d'explorer seuls tel ou tel domaine, auquel cas on leur fournissait l'outil adéquat, dont on leur expliquait l'usage. Souvent, ils découvraient celui-ci d'eux-mêmes et essayaient d'imiter tel ou tel. S'ils faisaient preuve d'une aptitude ou d'un désir manifestes, on leur fabriquait parfois des objets à leur mesure, mais il s'agissait moins de jouets à proprement parler que d'outils parfaitement fonctionnels mais de modèle réduit.

Les poupées étaient l'exception : il n'était pas aisé de créer un bébé en réduction totalement fonctionnel. Quand ils étaient petits, on donnait aux enfants, garçons et filles, des répliques d'humains de formes et de tailles diverses s'ils en exprimaient le souhait. En outre, les vrais bébés étaient souvent pris en charge par leurs frères ou sœurs à peine plus âgés, mais toujours sous la supervision attentive d'un adulte.

Les activités de groupe incluaient systématiquement les enfants. Ceux-ci étaient tous invités à participer aux chants et danses qui accompagnaient les différentes festivités, et ceux qui s'y révélaient particulièrement doués étaient encouragés. Les représentations mentales comme les mots à compter étaient en général apprises incidemment, à travers des histoires, des jeux, des conversations, même si, à l'occasion, un ou plusieurs membres de la Zelandonia prenaient à part un groupe d'enfants pour leur expliquer tel ou tel concept ou les initier à telle ou telle activité.

— D'habitude je monte avec Jondi, fit Jonayla. Il pourra venir, lui aussi ?

— Je suppose, répondit Ayla après une hésitation. S'il en a envie.

— Mais où est-il passé ? s'inquiéta la fillette en regardant autour d'elle et en se rendant soudain compte que Jondalar n'était pas là.

— Je ne sais pas, dit Ayla.

— Il était toujours là, avant, quand je me couchais. Je suis contente que tu sois là, mère, mais je préfère quand vous êtes là tous les deux.

Moi aussi, songea Ayla avec mélancolie, mais il a choisi d'être avec Marona.

Quand Ayla se réveilla, le lendemain matin, il lui fallut un moment pour reconnaître l'endroit où elle se trouvait. L'intérieur de l'abri lui était familier, elle avait souvent dormi sans des abris comme celui-là. Il lui revint qu'elle se trouvait à la Réunion d'Été. Elle tourna les yeux vers l'endroit où dormait sa fille, d'ordinaire : Jonayla était déjà partie. Le plus souvent, celle-ci s'éveillait soudainement et se levait aussitôt. Ayla esquissa un sourire et regarda à côté d'elle, à la place de Jondalar. Son compagnon n'était pas là, et il apparaissait clairement qu'il n'était pas rentré de la nuit. Alors, brusquement, tout lui revint en mémoire et elle sentit les larmes lui monter aux yeux et menacer de déborder.

Ayla avait assimilé la plupart des coutumes de son peuple d'adoption ; elle avait entendu les Histoires et Légendes Anciennes qui contribuaient à les expliquer, mais cette culture n'était pas pour elle quelque chose de naturel, pas plus que les comportements qu'elle induisait. Elle connaissait l'attitude générale envers la jalousie. Elle se dit qu'elle devait absolument montrer sa capacité à contrôler ses émotions.

Ce qu'elle avait vécu dans la grotte avait été une épreuve telle, tant physiquement qu'émotionnellement, qu'elle avait du mal à penser clairement. Elle redoutait de demander de l'aide de peur que cela ne démontre que, comme Jondalar, elle était incapable de se maîtriser. Mais elle avait reçu un coup si terrible que, inconsciemment, elle désirait le lui rendre, lui faire goûter à sa peine. Elle souffrait et avait envie de le faire souffrir à son tour, de l'obliger à regretter ce qu'il avait fait. Elle envisageait même de retourner à la grotte et de supplier la Mère de la reprendre, juste pour donner des remords à Jondalar.

Elle refoula ses larmes. Non, je ne pleurerai pas, se dit-elle. Elle avait appris à réprimer ses pleurs longtemps auparavant, lorsqu'elle vivait avec le Clan. Personne ne saura ce que je ressens, je ferai comme si rien ne s'était passé. Je rendrai visite à des amis, je participerai aux activités, je rencontrerai les autres acolytes, je ferai tout ce que l'on attend que je fasse.

Elle demeura allongée, immobile, rassemblant son courage pour se lever et affronter le jour qui commençait. J'irai voir Zelandoni et je lui raconterai ce qui s'est passé dans la grotte. Il ne sera pas facile de lui cacher quoi que ce soit. Elle sait toujours tout. Mais le reste, je devrai absolument le lui cacher. Il n'est pas question que je lui dise que je sais ce qu'est la jalousie.

Tous ceux qui partageaient l'abri avec eux savaient que quelque chose s'était passé entre Ayla et Jondalar, et la plupart avaient leur idée sur ce dont il s'agissait. Car même si l'intéressé croyait faire preuve de la plus grande discrétion, tout le monde était au courant pour Marona et lui – la jeune femme ne cachait pas leur liaison, bien au contraire. Ils avaient été contents de voir revenir Ayla afin que les choses puissent reprendre leur cours normal. Mais lorsque celle-ci ne s'était pas montrée de tout l'après-midi, alors qu'une Marona échevelée était rentrée au campement par un chemin inhabituel avant d'empaqueter ses affaires et de s'en aller, et que Jondalar était arrivé à son tour peu de temps après, visiblement perturbé, et n'était pas rentré dormir de toute la nuit, les conclusions n'avaient pas été difficiles à tirer.

Quand Ayla finit par se lever, plusieurs occupants de la tente étaient assis autour d'un feu, dehors, en train de prendre leur repas du matin. Il était encore tôt, plus tôt qu'elle ne l'avait cru. Elle se joignit à eux.

— Proleva, sais-tu où est passée Jonayla ? demanda-t-elle. Je lui ai promis de monter avec elle aujourd'hui, mais il faut d'abord que je parle à Zelandoni.

Son amie la regarda avec attention. Elle paraissait réagir beaucoup mieux que la veille : quelqu'un qui ne la connaîtrait pas aurait été incapable de se rendre compte que quelque chose n'allait pas, mais Proleva la connaissait mieux que quiconque.

— Elle est retournée chez Levela. Elle passe beaucoup de son temps chez ma petite sœur, qui adore ça. Depuis qu'elle est née, elle rêve d'avoir une nichée d'enfants autour d'elle, expliqua Proleva. Zelandoni m'a demandé de te dire qu'elle voulait te voir le plus tôt possible. Elle a dit qu'elle serait disponible toute la matinée.

— J'irai la voir après avoir mangé, mais je m'arrêterai d'abord chez Jondecam et Levela pour les saluer, dit Ayla.

— Ils apprécieront, approuva Proleva.

En arrivant au campement, Ayla entendit des voix d'enfants. Ceux-ci étaient en pleine dispute.

— Bon, tu as gagné et je m'en fiche ! criait Jonayla à l'adresse d'un garçonnet un peu plus grand qu'elle. Tu peux gagner tant que tu veux, tu peux tout ramasser, mais tu ne peux pas avoir un bébé, Bokovan. Quand je serai grande, j'aurai des tas de bébés, et toi tu ne pourras pas en avoir du tout. Et voilà !

La fillette affrontait le garçon du regard, le dominant de toute sa hauteur bien qu'elle fût plus petite que lui. Le loup était allongé par terre, les oreilles en arrière. Visiblement désemparé, il se demandait qui protéger. Le garçon était plus grand, mais plus jeune. Il ressemblait encore à un bébé, un bébé grand modèle. Il avait des jambes courtes, potelées et arquées, un corps plutôt élancé et un torse puissant terminé par le petit ventre typique des enfants en bas âge. Loup courut vers Ayla lorsqu'il l'aperçut, et elle le prit dans ses bras pour l'apaiser.

Elle remarqua que les épaules de Bokovan étaient déjà beaucoup plus larges que celles de sa fille. Son nez était assez gros et son menton fuyant. Bien que son front fût droit et non incliné, il présentait une crête osseuse assez nette au-dessus des yeux, pas considérable mais bel et bien présente.

Pour Ayla, il ne faisait pas de doute qu'il portait la marque du Clan. Ses yeux brun clair en apportaient la confirmation, même si leur forme s'écartait des normes du Clan. Comme sa mère, il avait un pli épicanthique qui donnait à ses yeux l'apparence d'être bridés. Dans le moment présent, ceux-ci étaient baignés de larmes. Ayla le trouva d'une beauté assez exotique, mais rares étaient ceux, elle s'en doutait, qui partageaient ce sentiment.

Le garçonnet se précipita vers Dalanar.

— Dalanar ! cria-t-il. Jonayla dit que je peux pas avoir un bébé… Dis-lui que c'est même pas vrai !

L'homme prit l'enfant dans ses bras et le posa dans son giron.

— Mais si, Bokovan, c'est bien vrai, je le crains, dit-il. Les garçons ne peuvent pas avoir de bébés. Seules les filles peuvent en avoir, quand elles sont grandes. Mais un jour tu pourras habiter avec une femme et prendre soin de ses bébés.

— Mais je veux avoir un bébé, moi aussi, sanglota le petit garçon.

— Jonayla ! Ce n'était vraiment pas gentil de dire ça, la gronda Ayla. Va dire à Bokovan que tu regrettes ce que tu lui as dit. Tu es méchante de le faire pleurer comme ça.

La fillette prit un air contrit : à l'évidence elle n'avait pas eu l'intention de faire de la peine à son compagnon de jeux.

— Excuse-moi, Bokovan, dit-elle.

Ayla faillit lui dire qu'il aiderait à faire des bébés lorsqu'il serait grand, mais décida de s'abstenir. Elle n'avait pas encore discuté avec Zelandoni, et de toute façon Bokovan ne comprendrait pas, mais elle avait envie de consoler le petit garçon.

— Bonjour, Bokovan, dit-elle en s'agenouillant devant lui. Je m'appelle Ayla et j'avais très envie de faire ta connaissance. Ta mère et Echozar sont mes amis.

— Tu dis bonjour à Ayla, Bokovan ?

— Bonjour, Ayla, fit le garçonnet avant d'enfouir sa tête contre l'épaule de Dalanar.

— Je peux le prendre, Dalanar ?

— Je ne sais pas s'il va se laisser faire. Il est très timide et n'a pas l'habitude de voir du monde.

Ayla tendit les bras à l'enfant. Il la fixa longuement, comme s'il réfléchissait sérieusement, de son regard profond. Ses yeux sont bridés, certes, mais il y a encore autre chose, se dit Ayla. Le garçonnet lui tendit les bras à son tour et elle le prit à l'homme qui le tenait. Comme il était lourd ! Elle fut surprise par son poids.

— Tu sais que tu vas être très fort quand tu seras grand, Bokovan, lui dit-elle en le serrant contre elle.

— Je suis très surpris qu'il se soit laissé prendre, reprit Dalanar. D'habitude il se méfie des personnes étrangères.

— Quel âge a-t-il maintenant ? demanda Ayla.

— Un peu plus de trois ans, mais il est grand pour son âge. Ce qui peut être un problème, en particulier pour un garçon. On le prend toujours pour plus vieux qu'il ne l'est. J'ai été comme lui dans mon jeune temps. Jondalar aussi, d'ailleurs, fit Dalanar.

Pourquoi cela me fait-il si mal d'entendre ne serait-ce que prononcer le nom de Jondalar ? se demanda Ayla.

Il lui fallait absolument surmonter cela. Après tout, elle allait devenir Zelandoni et devait donc conserver son sang-froid en toute circonstance. Elle avait été formée à contrôler ses sentiments dans bien des aspects, alors pourquoi ne parvenait-elle pas à les réfréner maintenant ?

Tenant toujours l'enfant serré contre elle, elle salua Levela et Jondecam.

— Jonayla est venue chez vous très souvent, si j'ai bien compris, leur dit-elle. Visiblement, elle se trouve mieux ici que n'importe où ailleurs. Merci de vous être occupés d'elle.

— Nous sommes ravis de l'avoir, fit Levela. Elle est très amie avec mes filles, mais je suis contente que tu aies pu venir ici cette année, en fin de compte. La saison est déjà très avancée, et nous n'étions pas sûrs que tu puisses être présente.

— J'avais prévu de venir plus tôt, mais il s'est passé pas mal de choses et je n'ai pas pu partir quand je l'aurais voulu, expliqua Ayla.

— Comment va Marthona ? Tout le monde la regrette, dit Levela.

— Elle va mieux, apparemment... Ce qui me rappelle...

Elle regarda Dalanar, qui intervint avant qu'elle ait pu l'interroger :

— Joharran a envoyé des gens la chercher, hier après-midi. Si son état le permet, elle devrait être des nôtres d'ici à quelques jours. À condition qu'elle donne son accord, poursuivit-il après avoir vu le regard interrogateur de Levela, ils la transporteront sur une litière. C'est Ayla qui en a eu l'idée. Folara et le jeune Aldanor se voient beaucoup ces derniers temps, semble-t-il, et elle s'est dit que Marthona voudrait être présente si cela devient sérieux entre eux. Je sais comment réagirait Jerika s'il s'agissait de Joplaya.

Le jeune couple sourit et confirma d'un hochement de tête.

— As-tu vu Joplaya ou Jerika depuis ton retour, Ayla ? demanda Dalanar.

— Non, pas encore. Mais je dois d'abord voir Zelandoni, après quoi j'ai promis à Jonayla que nous monterions ensemble.

— Pourquoi ne passerais-tu pas ce soir au campement des Lanzadonii pour y rester dîner ? proposa Dalanar.

— Excellente idée, fit Ayla avec un sourire.

— Jondalar pourrait venir, lui aussi. Sais-tu où il se trouve ?

Ayla se rembrunit, ce que remarqua Dalanar avec une certaine inquiétude.

— Non, je l'ignore, malheureusement, répondit la jeune femme.

— Il est vrai qu'il s'en passe tellement pendant ces Réunions d'Été, fit Dalanar en lui reprenant Bokovan.

Ça, on peut le dire, songea Ayla en repartant pour son rendez-vous avec la Zelandonia.

10

— Jamais je n'aurais cru que quelqu'un puisse être fou au point de pouvoir espérer abuser ainsi la Zelandonia, dit la Première, assise avec Ayla dans le grand édifice utilisé par la Zelandonia pour un certain nombre de fonctions. Merci de m'en avoir informée… Sais-tu que Madroman nous a attiré toutes sortes de problèmes, à Jondalar et à moi ? poursuivit-elle après un silence. Quand il était jeune et que j'étais sa femme-donii ?

— Jondalar m'en a parlé. C'est pour ça qu'il lui manque les dents de devant ? Parce que Jondalar l'a frappé ? interrogea Ayla.

— Il a fait beaucoup plus que le frapper. C'était terrible. Il est devenu si violent qu'il a fallu plusieurs hommes pour l'arrêter, alors même qu'il n'était encore qu'un enfant à l'époque. C'est essentiellement pour cette raison qu'il a été banni. Il a appris à se contrôler, depuis, mais dans son jeune âge il était incapable de maîtriser sa fureur, sa colère. Je ne crois même pas qu'il se rendait compte de ce qu'il faisait à Madroman. C'était comme s'il était possédé par une force qui se serait introduite en lui, il n'était plus lui-même.

À ce souvenir, la femme que l'on connaissait jadis sous le nom de Zolena ferma les yeux et hocha la tête.

Ayla ne savait que dire, mais ce récit la troublait. Elle avait déjà vu Jondalar jaloux et contrarié, mais jamais en colère à ce point.

— Il ne faut sûrement pas regretter que quelqu'un ait porté le problème à l'attention de la Zelandonia, reprit la Première, j'avais sans doute laissé les choses aller trop loin, mais Madroman n'a pas pris cette initiative parce que c'était la bonne solution. Il nous a observés en secret et il l'a fait parce qu'il était jaloux de Jondalar. Mais tu comprends maintenant pourquoi je commençais à me demander si je laissais mes sentiments personnels interférer avec mon jugement.

— Je ne crois pas que tu en serais capable, dit Ayla.

— Je l'espère bien. Ce n'est pas d'aujourd'hui que j'ai mes doutes à propos de Madroman. J'ai le sentiment qu'il manque de… de quelque chose. D'une qualité indispensable pour servir la Mère. Mais il a été admis pour être formé avant que je devienne Première. Au départ, quand je l'ai interrogé sur son appel, j'ai eu l'impression que son histoire était pour le moins étrange. D'autres que moi ont eu également ce sentiment, mais certains membres ont décidé de lui accorder pleinement crédit. Cela faisait si longtemps qu'il avait le statut d'acolyte, et il ambitionnait depuis le début de devenir Zelandoni. C'est pour cette raison que j'ai jugé préférable de l'interroger de façon informelle : il n'a pas encore passé les épreuves finales. Mais les informations que tu viens de me donner peuvent contribuer à rétablir la vérité. C'est tout ce que je souhaite. Il se peut qu'il ait des explications valables à apporter. Si c'est le cas, il sera certainement accepté, mais s'il feint d'avoir la vocation, nous avons besoin de le savoir.

— Que ferez-vous si ce qu'il dit n'est pas vrai ?

— Il n'y a pas grand-chose que nous puissions faire, sinon lui interdire de faire usage de tout ce qu'il aura appris en tant qu'acolyte, et en informer sa Caverne. Il sera déshonoré, ce qui est en soi une grave punition, mais aucune sanction n'est prévue. Il n'aura fait de mal à personne, n'aura commis aucun forfait, il n'aura fait que mentir. Il se peut que tout mensonge mérite punition, mais en ce cas j'ai bien peur que tout un chacun finisse par être puni un jour, conclut Zelandoni.

— Les membres du Clan ne mentent pas, dit Ayla. Ils en sont incapables. Avec leur façon de s'exprimer, tout se sait toujours, ils n'ont donc jamais appris à mentir.

— Tu me l'as déjà dit. Je souhaite parfois que ce soit aussi le cas chez nous, dit la doniate. C'est l'une des raisons pour lesquelles les membres de la Zelandonia n'acceptent jamais la présence d'un acolyte lorsqu'un nouveau Zelandoni est initié. Cela ne se produit pas souvent, mais il arrive, une fois de temps en temps, que l'un d'eux essaie de prendre un raccourci. Cela ne marche jamais. Nous avons les moyens de nous en rendre compte.

Plusieurs membres de la Zelandonia étaient entrés dans le local durant leur conversation, en particulier ceux du Sud, qui n'étaient pas encore rentrés chez eux. Tous étaient fascinés par les différences que la distance avait créées entre eux. Ils continuèrent de discuter tranquillement jusqu'à ce que tout le monde soit là. Sur quoi la Première se leva, alla jusqu'à l'entrée, où elle s'entretint avec deux membres initiés de fraîche date, qui gardaient l'édifice, leur demandant de veiller à ce que personne ne puisse s'approcher d'assez près pour écouter ce qui allait se dire.

Ayla examina les lieux.

De forme circulaire, constituée d'une cloison double de panneaux verticaux délimitant l'espace, la construction était identique à celle des abris installés pour y dormir, mais en plus vaste. Les panneaux intérieurs, mobiles, avaient été entassés près des cloisons extérieures, entre les couches légèrement surélevées disposées tout autour, ce qui formait une pièce unique très spacieuse. De nombreuses nattes tissées placées à même le sol présentaient de beaux motifs ouvragés, et divers coussins, oreillers et tabourets se trouvaient installés près de tables basses de différentes tailles, munies pour la plupart de simples lampes à huile, en général en grès ou en pierre calcaire, qui éclairaient jour et nuit l'abri dépourvu de fenêtre.

Zelandoni referma la tenture de l'entrée, qu'elle noua avant d'aller prendre place sur un tabouret surélevé installé au milieu du groupe.

— Comme la saison est très avancée, et que ta requête est plutôt inattendue, j'estime que le choix t'appartient, Ayla. Souhaites-tu te soumettre d'abord à un interrogatoire informel ? Pour un début, ce serait plus simple, cela te permettrait de t'habituer à notre procédure. À moins que tu ne préfères un examen complet, en bonne et due forme, demanda Celle Qui Était la Première pour Servir la Mère.

Ayla ferma les yeux et pencha la tête.

— S'il s'agit d'un échange informel, je devrai m'y soumettre de nouveau, n'est-ce pas ? demanda-t-elle.

— Oui, bien sûr.

Elle songea au bébé qu'elle avait perdu, sentit la douleur ressurgir. Elle n'avait pas du tout envie d'en parler.

— C'était… c'était très dur, dit-elle. Je ne souhaite pas ressasser sans arrêt ce qui s'est passé. Je crois que j'ai été appelée. Si ça n'est pas le cas, je veux en avoir la certitude, comme tout un chacun. Peut-on commencer tout de suite ?

Un feu brûlait dans un âtre situé un peu sur l'arrière de l'édifice, mais la fumée s'échappait par le trou central. De l'eau bouillait dans un récipient installé sur un support placé directement au-dessus du foyer. Confectionné avec la peau d'un gros animal, le récipient, pas tout à fait hermétique, laissait goutter juste assez d'eau pour empêcher qu'il prenne feu. L'ustensile avait déjà servi : la paroi externe était noircie et le dessous racorni et déformé, tant par l'eau qui bouillait à l'intérieur que par le feu à l'extérieur, mais il s'agissait d'un récipient fort efficace pour conserver un liquide bien au chaud grâce aux braises qui rougeoyaient dans l'âtre.

Celle Qui Était la Première prit dans un pot en vannerie une bonne pincée d'une plante séchée de couleur verte, qu'elle jeta dans l'eau bouillonnante avant d'en ajouter trois autres. L'odeur assez désagréable qui en émana était familière à Ayla. Du datura. Celui-ci avait été utilisé non seulement par Iza, la guérisseuse du Clan qui s'était occupée d'elle et l'avait formée, mais également par le Mog-ur, à l'occasion de cérémonies particulières avec les hommes du Clan. Ayla connaissait bien ses effets. Elle savait aussi que la plante en question ne se trouvait pas facilement dans la région où ils étaient. Ce qui signifiait qu'elle venait sans doute de loin, donc qu'elle était rare et d'une grande valeur.

— Quel est le nom de cette plante en zelandonii ? demanda Ayla, en montrant l'herbe séchée.

— Elle n'a pas de nom en zelandonii, et le nom étranger est difficile à prononcer, répondit la Première. Nous l'appelons simplement la Tisane du Sud-Est.

— Comment vous la procurez-vous ?

— Par l'intermédiaire de visiteurs, particulièrement la doniate de la Vingt-Quatrième Caverne du Sud, expliqua la Première. Ils vivent près de la frontière du territoire d'un autre peuple, et ont plus de contacts avec leurs voisins qu'ils n'en ont avec nous. Ils échangent même des partenaires. Je suis surprise qu'ils n'aient pas décidé de s'associer avec eux, mais ils sont farouchement indépendants, et fiers de leur héritage zelandonii. Je ne sais même pas à quoi ressemble cette plante, ni s'il y en a plus d'une variété.

Ayla esquissa un sourire.

— Moi si. C'est l'une des premières plantes que m'ait fait connaître Iza. Je lui ai entendu plusieurs noms, dont datura et stramoine. Les Mamutoï ont pour elle un nom que l'on pourrait traduire par « pomme épineuse ». Elle peut atteindre une certaine taille, ses feuilles sont grandes et sentent fort, ses fleurs sont blanches, quelquefois rouges, en forme d'entonnoirs s'ouvrant vers l'extérieur, et elle porte des fruits pleins d'épines. Tous ses constituants sont utiles, y compris ses racines. Si on ne s'en sert pas comme il convient, elle peut avoir des effets bizarres sur les gens et, bien sûr, les empoisonner, parfois fatalement.

Tous les membres de la Zelandonia présents étaient soudain fort intéressés, en particulier les visiteurs, surpris que la jeune femme, dont ils avaient fait la connaissance plus tôt dans l'été, soit si savante.

— En as-tu vu dans la région ? demanda le Zelandoni de la Onzième.

— Non, répondit Ayla, mais je n'en ai pas cherché. J'en avais avec moi quand je suis arrivée. Mais j'ai tout utilisé et j'aimerais bien la remplacer. C'est une plante très utile.

— Comment t'en sers-tu ? demanda le doniate.

— C'est un soporifique. Préparé d'une certaine façon, on peut l'utiliser comme anesthésique, d'une autre façon comme remède permettant aux patients de se détendre. Mais c'est une plante qui peut être très dangereuse. Les Mog-ur du Clan s'en servaient pour les cérémonies sacrées.

C'étaient les échanges de ce genre qu'Ayla appréciait le plus chez les membres de la Zelandonia.

— Les différentes parties de la plante ont-elles des usages ou des effets différents ? demanda la Zelandoni de la Troisième.

— Je pense que nous devrions mettre ces questions de côté pour le moment, intervint la Première. Nous sommes ici pour tout autre chose.

L'effervescence retomba brusquement, et ceux qui avaient posé les questions avec tant d'empressement eurent l'air un peu gênés. La Première puisa une tasse de liquide bouillant et la mit de côté à refroidir. Ce qui restait fut passé aux autres, qui en prirent chacun une quantité moindre. Quand le liquide atteignit une température buvable, la doniate tendit la tasse à Ayla.

— L'examen peut avoir lieu sans cette boisson, à l'aide de la seule méditation, mais cela prend plus de temps. Cette tisane semble contribuer à nous détendre, à trouver le bon état d'esprit, expliqua Zelandoni.

Ayla avala le liquide tiède au goût âcre, après quoi, comme les autres membres de l'assistance, elle adopta l'attitude apparemment la plus susceptible de conduire à la méditation, et attendit. Au début, elle s'intéressa avant tout à l'observation consciente des effets qu'avait sur elle la boisson, comment réagissait son estomac, comment sa respiration était affectée, si elle pouvait remarquer un relâchement de ses quatre membres. Mais les effets étaient subtils : elle ne remarqua même pas que son esprit se mettait à battre la campagne et que ses pensées n'avaient plus rien à voir avec le moment présent. Elle fut presque surprise – si tant est qu'elle pût ressentir de la surprise – lorsqu'elle prit conscience que la Première lui adressait la parole, de sa douce voix grave :

— Te sens-tu somnolente, Ayla ? Bien. Détends-toi, et ne résiste pas à l'assoupissement. Vide ton esprit et repose-toi. Ne pense à rien, sinon à ma voix. N'écoute que ma voix. Mets-toi à ton aise, détends-toi et n'écoute que ma voix, poursuivit Zelandoni. Et maintenant dis-moi, Ayla : où te trouvais-tu quand tu as décidé de te rendre dans la grotte ?

— J'étais en haut de la falaise… commença Ayla, avant de s'arrêter net.

— Continue, Ayla. Donc tu étais en haut de la falaise. Qu'y faisais-tu ? Prends ton temps. Contente-toi de raconter toute l'histoire à ta façon. Inutile de te précipiter.

— Le Jour le Plus Long était déjà passé, le soleil s'était tourné et revenait en arrière, en route vers l'hiver, mais je me suis dit que j'allais laisser passer encore quelques jours. Il était tard et j'étais fatiguée. J'ai décidé d'attiser le feu, de préparer un peu de tisane. J'ai recherché de la menthe dans mon sac à remèdes. Il faisait noir mais je tâtais les nœuds pour trouver le bon sachet. J'ai fini par le trouver grâce à la forte odeur de la menthe. Pendant que la tisane infusait, j'ai décidé de répéter le Chant de la Mère.

Et Ayla commença à dire le chant :

Des ténèbres, du Chaos du temps,
Le tourbillon enfanta la Mère suprême.
Elle s'éveilla à Elle-Même sachant la valeur de la vie,
Et le néant sombre affligea la Grande Terre Mère.
La Mère était seule. La Mère était la seule.

— De toutes les Histoires, de toutes les Légendes, c'était celle que je préfére, alors je me la répétais tout en buvant ma tisane, indiqua Ayla tout en continuant de réciter de nouvelles strophes :

De la poussière de Sa naissance, Elle créa l'autre,
Un pâle ami brillant, un compagnon, un frère.
Ils grandirent ensemble, apprirent à aimer, à chérir,
Et quand Elle fut prête, ils décidèrent de s'unir.
Il tournait autour d'elle constamment, Son pâle amant.

De ce seul compagnon Elle se contenta d'abord,
Puis devint agitée et inquiète en Son cœur.
Elle aimait Son pâle ami blond, cher complément
    d'Elle-Même,
Mais Son amour sans fond demeurait inemployé.
La Mère elle était, quelque chose Lui manquait.

Elle défia le grand vide, le Chaos, les ténèbres,
De trouver l'antre froid de l'étincelle source de vie.
Le tourbillon était effroyable, l'obscurité totale.
Le Chaos glacé chercha Sa chaleur.
La Mère était brave, le danger était grave.

Elle tira du Chaos la source créatrice,
Et conçut dans ce Chaos. Elle s'enfuit avec la force
    vitale,
Grandit avec la vie qu'Elle portait en Son sein,
Et donna d'Elle-Même avec amour, avec fierté.
La Mère portait Ses fruits, Elle partageait Sa vie.

Tout était si clair en elle, presque comme si elle revivait l'instant.

— J'étais gravide moi aussi, partageant ma vie avec la force vitale qui grossissait en moi. Je me sentais si proche de la Mère, dit-elle avec un sourire rêveur.

Plusieurs membres de l'assistance se regardèrent, l'air surpris, avant de se tourner vers la Première. La doniate opina du bonnet, indiquant qu'elle savait qu'Ayla était enceinte.

— Et que s'est-il passé ensuite, Ayla ? Que s'est-il passé sur cette falaise ?

— La lune était si grosse, si claire. Elle remplissait le ciel tout entier. J'ai eu l'impression qu'elle m'attirait, qu'elle m'absorbait en elle…

Elle raconta comment elle s'était élevée au-dessus du sol, comment la colonne rocheuse s'était mise à briller, puis comment elle avait pris peur, avait couru à la Neuvième Caverne, puis pris la direction de la Rivière. Elle expliqua qu'elle avait longé une rivière, qui ressemblait à la Rivière mais n'était pas tout à fait pareille, et cela pendant très, très longtemps. Elle avait eu l'impression que cela avait duré des jours et des jours, mais sans que jamais le soleil brille. La nuit avait régné en permanence, seulement éclairée par la lune énorme et brillante.

— Je crois que Son amant rayonnant, Son ami, m'aidait à trouver mon chemin, expliqua Ayla. Finalement, je suis arrivée au Trou Profond des Rochers de la Fontaine. Je pouvais voir le chemin montant jusqu'à la grotte briller à la lueur de Lumi, Son ami rayonnant. Je savais qu'il m'indiquait que je devais suivre cette voie. J'ai commencé à gravir le chemin, mais il était si long que je me suis demandé si j'avais suivi le bon jusqu'à ce que, soudain, j'atteigne le but. J'ai vu la sombre ouverture de la grotte, mais j'ai eu peur d'y pénétrer. C'est alors que j'ai entendu ces mots, « Elle a défié le grand néant, le Chaos, l'obscurité », et j'ai compris que je devais me montrer brave, comme la Mère, et braver également l'obscurité.

Ayla continua de raconter son histoire, qui fascinait visiblement l'assemblée tout entière. Chaque fois qu'elle faisait une pause, ou hésitait un peu trop longtemps, Zelandoni l'encourageait à poursuivre de sa voix grave, si apaisante.

— Ayla ! Tiens, bois ça !

C'était la voix de Zelandoni, mais elle semblait si lointaine…

— Ayla ! Redresse-toi et bois ça ! fit la voix, pleine d'autorité cette fois. Ayla !

La jeune femme sentit qu'on la relevait et ouvrit les yeux. La doniate qui lui était si familière portait une tasse à ses lèvres. Ayla but une gorgée de liquide, ce qui lui permit de comprendre qu'elle était assoiffée. Elle absorba quelques gorgées supplémentaires. La brume commençait à se dissiper. On l'aida à se remettre sur son séant et elle prit alors conscience que des voix s'exprimaient autour d'elle, doucement mais avec des accents fébriles.

— Comment te sens-tu, Ayla ? demanda la Première.

— J'ai un peu mal à la tête, et j'ai toujours très soif, répondit la jeune femme.

— Cette tisane va te faire du bien, dit la doniate de la Neuvième Caverne. Tiens, bois encore.

Ayla s'exécuta.

— Maintenant je crois que je vais devoir me débarrasser du trop-plein, dit-elle avec un sourire.

— Il y a un panier de nuit derrière ce paravent, dit une Zelandoni en lui indiquant la direction.

Ayla se releva. La tête lui tournait encore, mais beaucoup moins.

— Je pense que nous devrions la laisser reprendre ses esprits, entendit-elle dire Celle Qui Était la Première. Elle a connu des moments très durs, mais je crois qu'il ne fait guère de doute qu'elle sera la prochaine Première.

— Je suis moi aussi de cet avis, prononça une autre voix.

D'autres membres de la Zelandonia continuèrent de discuter, mais elle n'écoutait plus. Que voulaient-ils donc dire ? Elle n'était pas sûre d'apprécier de les entendre parler de la prochaine Première.

À son retour, la Zelandoni de la Neuvième Caverne demanda :

— Te souviens-tu de tout ce que tu nous as dit ?

Ayla ferma les yeux, le front plissé, concentrée.

— Je crois, dit-elle enfin.

— Nous souhaiterions te poser quelques questions. Te sens-tu assez forte pour y répondre, ou préfères-tu te reposer encore un moment ?

— Je crois que je me suis remise, et je ne me sens pas fatiguée. Mais je voudrais bien encore un peu de tisane, j'ai toujours la bouche très sèche, dit-elle.

Quelqu'un remplit sa tasse.

— Nos questions devraient pouvoir t'aider à interpréter l'expérience que tu as vécue, expliqua la doniate. Personne d'autre ne peut le faire à ta place.

Ayla approuva de la tête.

— Sais-tu combien de temps tu es restée dans la grotte ? demanda la Première.

— Quatre jours, d'après Marthona, répondit Ayla. Mais je ne me rappelle pas très bien ce qui s'est passé quand je suis sortie. Des gens m'attendaient dehors. Ils m'ont transportée sur une litière, et les quelques jours qui ont suivi sont assez flous.

— Crois-tu être en mesure de nous expliquer un certain nombre de choses ?

— Je vais essayer.

— Ces murs de glace que tu as évoqués… Si ma mémoire est bonne, tu nous as raconté un jour que tu étais tombée dans une crevasse en traversant un glacier. Par miracle, tu t'es retrouvée sur une corniche, et Jondalar a pu te tirer de là. C'est bien cela ? interrogea la Première.

— Oui. Il m'a lancé une corde et m'a dit de l'enrouler autour de ma taille. Il a ensuite attaché l'autre extrémité à son cheval. C'est Rapide qui m'a tirée de là, précisa Ayla.

— Rares sont ceux qui tombent dans une crevasse et ont la bonne fortune d'en sortir vivants. Tu es passée tout près de la mort, ce jour-là. Il arrive assez souvent aux acolytes, quand ils sont appelés, de revivre les moments où ils ont approché le Monde des Esprits. Crois-tu que ce soit là une interprétation possible des murs de glace ? demanda la Première.

— Oui, répondit Ayla, avant de poursuivre en regardant la doniate droit dans les yeux : Je n'y ai jamais songé jusqu'à maintenant, mais cela pourrait expliquer bien d'autres choses. J'ai failli perdre la vie en traversant une rivière en crue en me rendant ici, et je suis certaine que c'est le visage d'Attaroa que j'ai aperçu. Elle m'aurait tuée à coup sûr si Loup ne m'avait pas sauvée.

— Je suis sûr que cela explique certaines de tes visions, intervint un des Zelandonia en visite. Je n'ai pas personnellement entendu le récit complet de ton voyage jusqu'en ces lieux, mais il est évident que beaucoup ont eu cette chance. Mais qu'est-ce que c'était que ce vide obscur ? Était-ce une référence au Chant de la Mère, ou cela avait-il une tout autre signification ? J'ai été presque terrifié.

Ce commentaire suscita quelques petits rires, et pas mal de sourires, mais également quelques signes de tête approbateurs.

— Et cette mer chaude, et ces créatures s'enfouissant dans la boue et dans les arbres ? Tout cela était fort étrange, intervint un autre, sans parler de tous ces mammouths, ces rennes, ces bisons et ces chevaux…

— Une question à la fois, s'il vous plaît, insista la Première. Il y a beaucoup de choses que nous aimerions savoir, mais nous avons tout notre temps. Es-tu en mesure d'interpréter toutes ces choses, Ayla ?

— Je n'ai pas besoin de les interpréter, je sais de quoi il s'agissait, répondit la jeune femme. Mais je ne les comprends pas.

— Eh bien alors, dis-nous de quoi il s'agissait.

— Je pense que la plupart d'entre vous savent que lorsque je vivais au sein du Clan celle qui m'a servi de mère était une femme-médecine qui m'a appris presque tout ce que je sais sur la manière de soigner. Elle avait également une fille et nous vivions toutes au foyer de son frère, qui s'appelait Creb. La plupart de ceux du Clan connaissaient Creb comme le Mog-ur. Un Mog-ur était un homme qui connaissait le Monde des Esprits, et notre Mog-ur était comme Celle Qui Est la Première, le plus puissant de tous les Mog-ur.

— Il était un Zelandoni, alors, déclara l'un des Zelandonia en visite.

— En quelque sorte. Il n'était pas guérisseur. Les seuls guérisseurs étaient les femmes-médecine. C'étaient elles qui connaissaient les plantes qui soignent et les façons de les utiliser, mais c'était le

Mog-ur qui invoquait le Monde des Esprits pour aider à la guérison, expliqua Ayla.

— Les deux sont distincts ? J'ai toujours cru qu'ils étaient inséparables, s'exclama une femme qu'Ayla ne connaissait pas.

— Tu seras en ce cas surprise d'apprendre que seuls les hommes étaient autorisés à prendre contact avec le Monde des Esprits, et à devenir Mog-ur, et que seules les femmes, les femmes-médecine, pouvaient devenir guérisseuses, précisa Ayla.

— C'est surprenant.

— Je ne peux rien dire à propos des autres Mog-ur, mais notre Mog-ur avait un talent particulier pour invoquer le Monde des Esprits. Il pouvait en revenir à leurs débuts et montrer le chemin aux autres. Il m'a ramenée un jour en arrière, alors qu'il n'avait pas à le faire, et je crois qu'il a vivement regretté cette décision. Après cela, il a changé, il a perdu quelque chose. Je regrette que cela se soit passé ainsi.

— Et comment cela s'est-il passé ? demanda la Première.

— Il existait une racine, que l'on n'utilisait que pour la cérémonie spéciale qui réunissait tous les Mog-ur à l'occasion du Rassemblement du Clan. Elle devait être préparée d'une certaine manière, que seules connaissaient les femmes-médecine de la lignée d'Iza.

— Tu veux dire qu'ils ont des Réunions d'Été, eux aussi ? demanda le Zelandoni de la Onzième.

— Pas chaque été, tous les sept ans seulement. Quand le temps est venu du Rassemblement d'Été, Iza était malade. Elle n'a pas pu faire le voyage, sa fille n'était pas encore femme, or la racine devait être préparée par une femme, pas par une fille. Je n'avais pas la mémoire du Clan, mais Iza m'avait formée pour devenir une femme-médecine. Il fut décidé que je serais celle qui préparerait la racine pour les Mog-ur. Iza m'a expliqué comment je devais mâcher la racine et la recracher dans un bol spécial. Elle m'a bien mise en garde : je ne devais surtout pas avaler une goutte du suc tandis que je mâchais. Quand nous sommes arrivés au Rassemblement du Clan, les Mog-ur ne se sont pas montrés disposés à me laisser faire : j'étais née chez les Autres, pas au sein du Clan, mais en fin de compte, au dernier moment, Creb est venu me voir et m'a demandé de me préparer.

« J'ai respecté tout le rituel, mais je m'y suis mal prise : j'ai avalé un peu de la racine et j'en ai préparé un peu trop. Iza m'avait dit que c'était trop précieux pour qu'on s'en débarrasse, mais à ce moment-là je n'avais plus les idées claires. J'ai bu le suc qui restait dans le bol afin de ne pas le laisser perdre et, sans en avoir vraiment eu l'intention, je suis entrée dans la grotte toute proche et, tout au fond, j'y ai trouvé les Mog-ur. Aucune femme n'a le droit de participer aux cérémonies des hommes, mais voilà que je me retrouvais là, après avoir absorbé la boisson moi aussi.

« Je ne peux pas vraiment expliquer ce qui s'est passé par la suite, mais Creb a su que j'étais là, j'ignore comment. Je tombais dans un vide obscur et profond et j'étais certaine d'y être précipitée à jamais, mais Creb est venu m'y chercher et m'a ramenée. Je suis sûre qu'il m'a sauvé la vie. Les gens du Clan ont une qualité d'esprit que nous n'avons pas, tout comme nous en avons une qu'ils n'ont pas. Ils ont la mémoire, ils sont capables de se rappeler ce que savaient leurs ancêtres. Ils n'ont pas vraiment à apprendre ce qu'ils ont besoin de savoir, comme c'est le cas pour nous. Ils ont simplement besoin de le savoir, ou qu'on leur rappelle de se souvenir. En revanche, ils sont capables d'apprendre des choses nouvelles, mais c'est plus difficile pour eux.

« Leur mémoire remonte à loin. Dans certaines circonstances, ils peuvent en revenir à leurs tout débuts, à une période si lointaine qu'il n'existait pas d'êtres humains et que la terre était différente. Peut-être jusqu'à l'époque où la Grande Terre Mère a donné naissance à Son fils et a rendu la terre verte avec les eaux de Son accouchement. Creb avait la capacité de diriger les autres Mog-ur et de les ramener jusqu'à ces temps anciens. Après qu'il m'a sauvée, il m'a ramenée avec lui et les autres Mog-ur, loin dans la mémoire. Si l'on revient suffisamment en arrière, on se rend compte que nous avons tous les mêmes souvenirs, et il m'a aidée à retrouver les miens. J'ai partagé cette expérience avec eux.

« Dans les souvenirs, lorsque la terre était différente, il y a si longtemps que l'on a du mal à se l'imaginer, ceux qui ont précédé les êtres humains vivaient dans les profondeurs de l'océan. Quand les eaux se sont asséchées et qu'ils se sont retrouvés échoués dans la boue, ils se sont transformés et ont appris à vivre sur la terre. Ils ont encore changé de nombreuses fois après cela et, avec Creb, j'ai été capable de les accompagner. Ça n'était pas la même chose pour moi que pour eux mais j'ai été capable de suivre leur cheminement. J'ai vu la Neuvième Caverne avant que les Zelandonii s'y installent, j'ai reconnu la Pierre Qui Tombe la première fois que je suis arrivée. Et puis ensuite je suis allée à un endroit où Creb n'a pas pu aller. Il a empêché les autres Mog-ur de passer, afin qu'ils ne sachent pas que j'étais là, après quoi il m'a dit de partir, de quitter la grotte avant qu'ils me découvrent. Il ne leur a jamais dit que j'étais là, je me serais fait tuer sur-le-champ s'ils l'avaient su, mais il n'a plus jamais été le même après ça.

La fin du récit d'Ayla fut accueillie par un grand silence, que Zelandoni Qui Était la Première se décida à rompre :

— Dans nos Histoires et Légendes Anciennes, la Grande Terre Mère a donné naissance à toute vie, puis à ceux qui, comme nous, se souviendraient d'Elle. Qui peut dire comment Doni nous a formés ? Quel enfant peut se rappeler sa vie dans le sein de sa mère ? Avant sa naissance, le bébé respire de l'eau et il se débat pour respirer lorsqu'il voit le jour. Toutes celles qui sont ici ont vu, ont examiné la vie humaine avant qu'elle soit complètement constituée, lorsqu'elle a été expulsée avant le terme. Dans ses premiers stades, elle ressemble à un poisson, puis à un animal terrestre. Il se peut qu'elle se rappelle sa propre vie dans le sein de sa mère, avant sa naissance. L'interprétation qu'a Ayla de ses premières expériences avec ceux qu'elle appelle le Clan ne contredit pas les Légendes ou le Chant de la Mère. Elle y ajoute quelque chose, elle les explicite. Mais je suis stupéfaite que ceux que pendant si longtemps nous avons qualifiés d'animaux aient une connaissance aussi profonde de la Mère et que, malgré cette connaissance accumulée dans leur « mémoire », ils ne soient pas allés jusqu'à la reconnaître.

Les membres de la Zelandonia furent soulagés. La Première avait réussi à s'emparer de ce qui, au départ, avait toutes les apparences d'un choc entre croyances, raconté par Ayla avec une telle force de conviction qu'elle pouvait presque être susceptible de provoquer un schisme, pour, au contraire, réunir et entremêler harmonieusement. L'interprétation de la doniate ajoutait de la force à leurs croyances plutôt qu'elle ne les mettait en pièces. Ils étaient éventuellement capables d'accepter que ceux qu'ils appelaient les Têtes Plates soient des êtres intelligents à leur façon, mais les membres de la Zelandonia devaient s'en tenir au dogme selon lequel ces peuples étaient inférieurs au leur. Les Têtes Plates n'avaient pas reconnu la Grande Terre Mère.

— C'est donc cette racine qui t'a permis de voir le vide, le néant obscur et les étranges créatures, constata le Zelandoni de la Cinquième.

— C'est une racine puissante. J'en ai emporté avec moi quand j'ai quitté le Clan. Je ne l'avais pas prémédité, il y en avait simplement dans mon sac à remèdes. Après être devenue une Mamutoï, j'ai parlé à Mamut de la racine et de mon expérience dans la grotte avec Creb. Jeune homme, il avait été blessé au cours d'un voyage, et une femme-médecine du Clan l'avait soigné. Il était resté chez eux un certain temps, avait appris certaines de leurs pratiques et participé au moins une fois à une cérémonie avec les hommes du Clan. Il voulait que nous testions la racine ensemble. Je crois qu'il estimait que, si Creb avait été en mesure de la maîtriser, il en serait lui aussi capable. Mais il y a des différences entre ceux du Clan et les Autres. Avec Mamut, nous n'avons pas pu retrouver nos souvenirs passés, nous sommes allés ailleurs. J'ignore où exactement, mais c'était très étrange, très effrayant. Nous avons traversé ce vide, ce néant, et nous avons failli ne pas revenir, mais... quelqu'un voulait si fort que l'on revienne que son envie a surpassé tout le reste.

Ayla baissa les yeux et regarda ses mains.

— Son amour était si fort alors... poursuivit-elle d'une voix à peine audible.

Seule Zelandoni remarqua la douleur dans le regard d'Ayla quand celle-ci releva les yeux.

— Mamut m'a dit qu'il n'utiliserait plus jamais cette racine : il avait peur de se perdre dans ce néant et de ne jamais pouvoir revenir en arrière, de ne jamais trouver le Monde d'Après. Il m'a dit que si j'utilisais de nouveau cette racine je devrais veiller à bénéficier d'une forte protection, sous peine de ne plus jamais pouvoir revenir.

— Et il te reste un peu de cette racine ? s'empressa de demander la Première.

— Oui. J'en ai trouvé encore dans les montagnes près de chez les Sharamudoï, mais je n'en ai plus vu depuis lors, répondit Ayla. Je ne crois pas qu'elle pousse dans cette région.

— Et ce qu'il t'en reste est-il toujours utilisable ? Une longue période s'est écoulée depuis ton voyage, insista la doniate.

— À condition qu'elle soit convenablement séchée et préservée de la lumière, Iza m'a dit que cette racine se concentrait, gagnait en puissance avec le temps, expliqua la jeune femme.

Celle Qui Était la Première hocha la tête, plus pour elle-même que pour l'assistance.

— J'ai la forte impression que tu as ressenti les douleurs de l'enfantement, constata un des Zelandonia en visite. Es-tu passée près de la mort au cours d'un accouchement ?

Ayla avait raconté à la Première les moments terribles qu'elle avait traversés en donnant naissance à son premier enfant, son fils aux esprits mêlés, et la doniate pensait que cela pouvait expliquer, au moins en partie, l'épreuve qu'elle avait subie dans la grotte, au cours de son accouchement, mais elle ne jugea pas indispensable d'en faire part aux autres.

— À mon avis, la question la plus importante est celle que nous avons tous esquivée, intervint-elle. Le

Chant de la Mère est sans doute la plus vieille des Légendes des Anciens. Selon les différentes Cavernes, il existe des variations mineures, mais sa signification profonde demeure toujours la même. Peux-tu nous la réciter, Ayla ? Pas dans son entier, juste la dernière partie.

Ayla accepta d'un signe de tête et ferma les yeux, se demandant où commencer.

Avec un grondement de tonnerre, Ses montagnes se
 fendirent,
Et par la caverne qui s'ouvrit dessous
Elle fut de nouveau mère,
Donnant la vie à toutes les créatures de la Terre.
D'autres enfants étaient nés, mais la Mère était
 épuisée.

Chaque enfant était différent, certains petits,
 d'autres grands.
Certains marchaient, d'autres volaient, certains
 nageaient, d'autres rampaient,
Mais chaque forme était parfaite, chaque esprit
 complet.
Chacun était un modèle qu'on pouvait répéter.
La Mère le voulait, la Terre verte se peuplait.

Les oiseaux, les poissons, les autres animaux,
Tous restèrent cette fois auprès de l'Éplorée.
Chacun d'eux vivait là où il était né
Et partageait le domaine de la Mère.
Près d'Elle ils demeuraient, aucun ne s'enfuyait.

Ayla avait commencé à réciter plutôt timidement, mais à mesure qu'elle poursuivait, sa voix gagnait en puissance, son ton en assurance.

Ils étaient Ses enfants, ils La remplissaient de fierté
Mais ils sapaient la force de vie qu'Elle portait en Elle.
Il Lui en restait cependant assez pour une dernière
　création,
Un enfant qui se rappellerait qui l'avait créé.
Un enfant qui saurait respecter et apprendrait à
　protéger.

Première Femme naquit adulte et bien formée,
Elle reçut les Dons qu'il fallait pour survivre.
La Vie fut le premier, et comme la Terre Mère
Elle s'éveilla à elle-même en en sachant le prix.
Première Femme était née, première de sa lignée.

Vinrent ensuite le Don de Perception, d'apprendre,
Le désir de connaître, le Don de Discernement.
Première Femme reçut le savoir qui l'aiderait à vivre
Et qu'elle transmettrait à ses semblables.
Première Femme saurait comment apprendre,
　comment croître.

La Mère avait presque épuisé Sa force vitale,
Pour transmettre l'Esprit de la Vie,
Elle fit en sorte que tous Ses enfants procréent,
Et Première Femme reçut aussi le Don d'Enfanter.
Mais Première Femme était seule, elle était la seule.

La Mère se rappela Sa propre solitude,
L'amour de Son ami, sa présence caressante.
Avec la dernière étincelle, Son travail reprit,
Et pour partager la vie avec Femme
Elle créa Premier Homme.
La Mère à nouveau donnait, un nouvel être vivait.

Ayla parlait si couramment la langue que la plupart des membres de l'assistance ne remarquaient même plus son accent. Ils avaient pris l'habitude de la façon dont elle prononçait certains mots, certains sons. Tout cela leur paraissait normal. Mais tandis qu'elle récitait les strophes familières, son langage singulier semblait leur ajouter une qualité un peu exotique, une touche mystérieuse, qui leur donnait vaguement l'impression que celles-ci venaient d'un lieu autre, peut-être hors de ce monde.

Femme et Homme la Mère enfanta,
Et pour demeure, Elle leur donna la Terre,
Ainsi que l'eau, le sol, toute la création,
Pour qu'ils s'en servent avec discernement.
Ils pouvaient en user, jamais en abuser.

Aux Enfants de la Terre, la Mère accorda
Le Don de Survivre, puis Elle décida
De leur offrir celui des Plaisirs,
Qui honore la Mère par la joie de l'union.
Les Dons sont mérités quand la Mère est honorée.

Satisfaite des deux êtres qu'Elle avait créés,
La Mère leur apprit l'amour et l'affection.
Elle insuffla en eux le désir de s'unir,
Le Don de leurs Plaisirs vint de la Mère.
Avant qu'Elle eût fini, Ses enfants L'aimaient aussi.

C'était en général ainsi que se terminait le Chant de la Mère, et Ayla hésita un moment avant de poursuivre. Puis, après avoir pris une grande inspiration, elle récita la strophe qui avait si fort résonné en elle lorsqu'elle se trouvait dans la grotte, tout au fond :

Son dernier Don, la Connaissance que l'homme a
son rôle à jouer.
Son besoin doit être satisfait avant qu'une nouvelle
vie puisse commencer.
Quand le couple s'apparie, la Mère est honorée
Car la femme conçoit quand les Plaisirs sont
partagés.
Les Enfants de la Terre étaient nés,
La Mère pouvait se reposer.

Un silence gêné régna dans l'assistance lorsqu'elle en eut terminé. Aucune des femmes, aucun des hommes puissants présents dans la salle ne savait vraiment quoi dire. Ce fut la Zelandoni de la Quatorzième Caverne qui se décida enfin à prendre la parole :

— Je n'ai jamais entendu cette strophe ou quoi que ce soit qui y ressemble, dit-elle.

— Moi non plus, dit la Première. La question est : qu'est-ce que cela signifie ?

— Qu'en penses-tu ? demanda la doniate de la Quatorzième.

— Je pense que cela veut dire que ça n'est pas seulement la femme qui crée une nouvelle vie, répondit la Première.

— Non, bien sûr que non, protesta le doniate de la Onzième Caverne. On sait depuis toujours que pour créer une nouvelle vie il faut mêler l'esprit d'un homme avec celui d'une femme…

— La strophe n'évoque jamais l'esprit, intervint Ayla. Elle dit que la femme conçoit quand les Plaisirs sont partagés. Il ne s'agit pas seulement de l'esprit d'un homme : une nouvelle vie ne peut commencer si le désir de l'homme ne s'épanche pas. Un enfant est autant une création de l'homme que de la femme, un enfant de son corps à lui autant que de son corps à elle.

C'est l'union d'un homme et d'une femme qui initie une vie.

— Tu veux dire que cette union n'est pas faite pour donner les Plaisirs ? demanda la Zelandoni de la Troisième Caverne d'un ton incrédule.

— Personne ne doute que l'union soit un Plaisir, fit la Première avec un sourire ironique. Je crois que cela signifie que le Don de Doni va au-delà du Don des Plaisirs. C'est un autre Don de Vie. À mon avis, c'est là le sens de cette strophe. La Grande Terre Mère n'a pas créé les hommes uniquement pour partager les Plaisirs avec les femmes et pour subvenir à leurs besoins et à ceux de leurs enfants. La femme est une protégée de Doni parce qu'elle crée une nouvelle vie, mais l'homme l'est, lui aussi. Sans lui, aucune vie nouvelle ne peut commencer. Sans les hommes, et sans les Plaisirs, toute vie prendrait fin.

Un bruissement de voix excitées monta dans la pièce.

— Il existe certainement d'autres interprétations, intervint un des Zelandonia. Cela paraît trop difficile à croire.

— Trouve-moi en ce cas une autre interprétation, rétorqua la Première. Tu as entendu les mots, comment les expliques-tu ?

Le Zelandoni hésita, longuement.

— Il faut que j'y réfléchisse, dit-il enfin. Cela mérite qu'on prenne du temps pour les étudier.

— Tu peux y réfléchir toute une journée, toute une année, ou tout le temps que tu es capable de compter, cela ne changera rien à l'interprétation. Avec son appel, Ayla a reçu un Don. La Mère l'a choisie pour apporter ce nouveau Don de la Connaissance de la Vie, dit la Première.

Nouveau brouhaha dans l'assistance.

— Mais qui dit don dit échange ! lança la Zelandoni de la Deuxième Caverne, qui prenait la parole pour la première fois. Personne ne reçoit un don sans avoir l'obligation d'en offrir un, d'égale valeur, en retour. Quel Don Ayla a-t-elle pu faire en retour à la Mère qui ait été d'égale valeur ?

Le silence s'instaura. Tous les membres de l'assistance regardaient Ayla.

— Je Lui ai donné mon bébé, répondit celle-ci, sachant au plus profond de son cœur que l'enfant qu'elle avait perdu avait été conçu par Jondalar, que c'était son enfant et celui de Jondalar.

Aurai-je encore un enfant qui soit à moi, et aussi à Jondalar ? se demandait-elle.

— La Mère a été profondément honorée quand ce bébé a été initié. C'était un bébé que je désirais, que je désirais plus que je ne saurais dire. Aujourd'hui encore, mes bras souffrent du vide de cette perte. J'aurai peut-être un autre enfant un jour, mais plus jamais je n'aurai celui-là. Je ne sais pas quelle valeur la Mère accorde au Don qu'Elle fait à Ses enfants, poursuivit-elle en refoulant ses larmes, mais je sais pour ma part qu'il n'y a rien à quoi j'accorde plus de valeur qu'à mes enfants. J'ignore pourquoi Elle a voulu mon enfant, mais la Grande Mère a empli ma tête des mots de Son Don après que mon bébé est parti.

Des larmes brillèrent dans ses yeux, en dépit de tous ses efforts pour les contrôler.

— Je souhaiterais pouvoir lui restituer Son Don et retrouver mon bébé.

Plusieurs membres de l'assistance parurent suffoqués : on ne devait jamais prendre à la légère les Dons de la Mère, et surtout pas souhaiter ouvertement les lui retourner. Elle risquait d'être terriblement offensée, et qui sait alors comment Elle était capable de réagir ?

— Es-tu sûre que tu étais enceinte ? demanda le doniate de la Onzième.

— J'ai manqué trois lunes, et tous les autres signes étaient là. Oui, j'en suis certaine, expliqua Ayla.

— Moi aussi, intervint la Première. Avant de partir pour la Réunion d'Été, je savais qu'elle portait un enfant.

— Dans ce cas elle a dû perdre son bébé avant qu'il naisse. Ce qui expliquerait les douleurs de l'enfantement que j'ai ressenties dans son récit, dit une Zelandoni.

— Je crois que c'est évident. À mon avis, la perte de son bébé l'a entraînée dangereusement près de la mort lorsqu'elle se trouvait dans la grotte, expliqua la Première. C'est sans doute pour cette raison que la Mère a réclamé son bébé. Le sacrifice était nécessaire. Cela l'a entraînée assez près du Monde d'Après pour que la Mère puisse lui parler, afin de lui confier la strophe pour le Don de la Connaissance.

— Je suis désolée, dit la Zelandoni de la Deuxième Caverne. Perdre un enfant peut être un terrible fardeau à porter.

Elle avait prononcé ces mots avec une empathie si manifeste, si sincère, qu'Ayla se demanda ce que cela cachait.

— S'il n'y a pas d'objection, je crois qu'il est temps de passer à la cérémonie, dit la Première.

Tout le monde approuva.

— Es-tu prête, Ayla ?

Le front plissé, la jeune femme regarda autour d'elle avec consternation. Prête à quoi ? Tout cela paraissait si soudain.

— Tu as dit que tu souhaitais te soumettre à toutes les épreuves officielles, reprit la Première, consciente de son désarroi. Il était entendu que, si tu réussissais à convaincre la Zelandonia, tu passerais au niveau supérieur. Tu ne serais plus une aide, un acolyte. Tu quitterais ce lieu en tant que Zelandoni.

— Maintenant ? demanda Ayla.

— Pour la première marque d'appartenance, oui, dit la Première en saisissant un couteau à la lame de silex affûtée.

11

— Une cérémonie publique sera organisée lorsque tu seras présentée aux gens en tant que Zelandoni, mais les marques d'appartenance sont faites avec ton acceptation en la seule présence des membres de la Zelandonia. Quand tu progresses dans la hiérarchie, on ajoute des marques, cette fois en présence des titulaires et des acolytes, mais jamais en public, expliqua la Zelandoni Qui Était la Première. Es-tu prête ? demanda-t-elle avec toute la dignité et tout le pouvoir que lui conférait sa position.

Ayla déglutit, fronça les sourcils.

— Oui, répondit-elle, en espérant que c'était bien le cas.

La Première promena son regard sur l'assistance, s'assurant qu'elle avait l'attention de tous, avant de commencer :

— Cette femme a été pleinement formée pour remplir tous les devoirs de la Zelandonia, et c'est la Première parmi Ceux Qui Servent la Mère qui atteste ses connaissances.

Des signes de tête et des paroles d'approbation saluèrent ces premiers mots.

— Elle a été appelée, éprouvée. Y en a-t-il parmi nous qui mettent en doute sa vocation ?

303

Personne ne manifesta de dissension, ni n'émit le moindre doute.

— Acceptons-nous tous de recevoir cette femme à titre de Zelandoni au sein de la Zelandonia ?

— Nous acceptons ! fut la réponse unanime.

Ayla vit la Zelandoni de la Deuxième Caverne s'approcher et lui tendre un bol contenant un liquide sombre. Elle savait de quoi il s'agissait, une partie de son cerveau observait et ne se contentait pas de participer. L'écorce d'un sorbier, appelé « sorbier des oiseleurs », avait été brûlée dans un feu cérémoniel, puis passée au tamis en plein air pour obtenir une fine poudre grise. Les cendres du sorbier avaient des vertus astringentes, antiseptiques. Puis la femme qui était la Zelandoni d'une lointaine Caverne, celle qu'elle ne connaissait pas, apporta un liquide rougeâtre, bouillant : des baies de sorbier, séchées l'automne précédent, bouillies pour obtenir un produit concentré, lui aussi tamisé. Ayla n'ignorait pas que le jus de sorbier était acide et avait des propriétés curatives.

La Première prit un bol contenant du suif pur, mou et blanc, en partie figé, obtenu en plongeant de la graisse d'aurochs dans de l'eau bouillante, en ajouta un peu dans les cendres poudreuses avant d'y adjoindre du jus de sorbier rouge encore fumant. Elle mélangea le tout avec une petite spatule en bois sculpté, ajouta encore un peu de graisse et de liquide jusqu'à obtenir ce qu'elle souhaitait, puis fit face à la jeune femme et leva le couteau en silex affûté.

— La marque que tu vas recevoir ne pourra être effacée. Elle proclamera à tous que tu reconnais et acceptes le rôle de Zelandoni. Es-tu prête à accepter cette responsabilité ?

Ayla prit une profonde inspiration et regarda s'approcher la femme qui tenait le couteau, sachant ce qui allait suivre. Elle sentit la peur lui nouer le ventre, déglutit et ferma les yeux. Elle savait qu'elle allait avoir mal, mais ce n'était pas ce qu'elle redoutait. Une fois que ce serait fait, il ne serait plus question de revenir en arrière. C'était pour elle la dernière possibilité de changer d'avis.

Et soudain elle se revit cachée dans une grotte peu profonde, essayant de se dissimuler du mieux qu'elle pouvait dans la paroi de pierre contre laquelle elle était appuyée. Elle revit les griffes courbes et acérées de l'énorme patte d'un lion des cavernes s'approchant d'elle, et s'entendit pousser un cri quand quatre estafilades parallèles avaient entaillé sa cuisse gauche. Se tortillant pour y échapper, elle avait trouvé un espace infime sur le côté et ramené ses jambes sous elle, le plus loin possible des griffes.

Son souvenir d'avoir été choisie et marquée par son totem du Lion des Cavernes n'avait jamais été aussi vif, aussi intense. Instinctivement, elle tendit la main vers sa cuisse gauche pour sentir la texture différente de sa peau là où demeuraient les quatre cicatrices parallèles. Elles avaient été reconnues comme les marques de totem du Clan lorsqu'elle avait été acceptée dans le clan de Brun même si, traditionnellement, le totem du Lion des Cavernes choisissait un mâle, non une femelle.

Combien de marques avaient été gravées dans son corps depuis sa naissance ? Outre les quatre marques de l'esprit de son totem protecteur, Mog-ur lui avait pratiqué une petite incision à la base de la gorge pour en tirer un peu de sang lorsqu'elle était devenue la Femme Qui Chasse. On lui avait alors donné le talisman de chasse de son clan, un objet ovale en ivoire de mammouth, taché de rouge, qui prouvait que, en dépit du fait qu'elle fût une femme, elle était acceptée dans les rangs des chasseurs du Clan, même si elle ne pouvait se servir que d'une fronde.

Elle ne portait plus le talisman sur elle, pas plus que l'amulette avec ses autres signes, même si, dans l'instant, elle aurait souhaité les avoir avec elle. Tous deux étaient cachés derrière la figurine sculptée en forme de femme dans la niche qu'elle avait creusée dans la paroi calcaire de son abri de la Neuvième Caverne. Mais les cicatrices étaient, elles, bel et bien présentes.

Ayla toucha les petites marques, puis celle qu'elle avait au bras : c'était Talut qui l'avait pratiquée, avant d'entailler à l'aide du couteau encore sanglant une plaque en ivoire qui faisait partie d'un extraordinaire collier d'ambre, de canines et de griffes de lion des cavernes qu'il portait au cou, pour montrer qu'elle était acceptée dans le Camp du Lion et adoptée par les Mamutoï.

Jamais elle n'avait réclamé quoi que ce soit, elle avait toujours été choisie, et pour chaque acceptation elle portait une marque distinctive, une cicatrice qui plus jamais ne disparaîtrait. C'était le sacrifice qu'elle devait consentir. Et voilà qu'elle se trouvait une fois de plus choisie. Elle pouvait toujours décliner, mais si elle refusait maintenant, ce serait pour la vie. Elle se prit soudain à penser que les cicatrices lui rappelleraient toujours que le fait d'être choisie entraînait des conséquences, qu'avec l'acceptation venaient les responsabilités.

Elle regarda la doniate droit dans les yeux.

— J'accepte. Je serai Zelandoni, dit-elle, essayant de donner à sa voix un ton ferme et positif.

Puis elle ferma les yeux et sentit quelqu'un s'approcher, par-derrière, du tabouret sur lequel elle était assise. Des mains, douces mais fermes, la tirèrent en arrière afin qu'elle repose sur le corps souple d'une femme, puis lui tinrent la tête et la tournèrent de sorte que sa tempe gauche soit exposée. Elle perçut qu'on lui passait sur le front un tissu doux et humide imprégné d'un liquide dans lequel elle reconnut l'odeur de la racine d'iris, une solution qu'elle avait souvent utilisée pour nettoyer les plaies, et sentit une tension inquiète croître en elle.

— Oh ! Aïe ! cria-t-elle involontairement en sentant la coupure d'une lame aiguisée.

Elle s'obligea à rester impassible lorsqu'elle sentit une deuxième estafilade, suivie d'une troisième. On lui appliqua de nouveau la solution, puis l'on sécha les incisions, sur lesquelles on étala une troisième substance. Cette fois la douleur ressemblait à une brûlure, mais elle ne dura pas longtemps : quelque chose dans le baume astringent avait endormi la douleur.

— Tu peux ouvrir les yeux, Ayla, c'est terminé, dit la doniate.

Ayla leva les paupières, pour distinguer une image plutôt vague, qui ne lui rappelait rien. Il lui fallut un moment pour comprendre de quoi il s'agissait. Quelqu'un tenait devant elle une planche de bois noircie, huilée et lissée au sable, et une lampe, maintenue de façon à lui permettre de s'apercevoir dans la planche. Elle ne se servait que rarement de cette sorte d'objet – elle n'en avait pas chez elle – et était toujours surprise de voir son propre visage. Puis ses yeux furent attirés par les marques sur son front.

Juste devant sa tempe gauche, une courte ligne horizontale était marquée à chacune de ses extrémités de deux lignes verticales de même longueur, comme un carré sans lisière supérieure, ou une boîte dépourvue de couvercle. Les trois lignes étaient noires, et un peu de sang perlait encore sur les bords. Ayla n'était absolument pas certaine d'apprécier de voir son visage balafré de cette façon. Mais elle ne pouvait rien y changer, désormais. C'était fait. Son visage porterait ces marques noires jusqu'à la fin de ses jours.

Elle leva la main pour les effleurer, mais la Première l'arrêta.

— Il vaudrait mieux que tu n'y touches pas pour le moment, dit-elle. Elles ne saignent presque plus mais sont encore toutes fraîches.

Ayla balaya l'assistance du regard : tous les membres de la Zelandonia présentaient diverses marques sur le front, certaines plus élaborées que d'autres, pour la plupart carrées mais d'autres de formes différentes, beaucoup passées à la couleur. Les marques de la Première étaient les plus complexes de toutes. Ayla savait qu'elles désignaient le rang, la position, l'affiliation des titulaires de la Zelandonia. Elle remarqua toutefois que les lignes noires devenaient des tatouages bleus après avoir cicatrisé.

Elle fut soulagée quand on éloigna la planche : elle n'aimait pas se regarder et se sentait mal à l'aise à l'idée que l'image étrange et floue qu'elle apercevait était celle de son visage. Elle préférait se voir reflétée dans l'expression des autres : le bonheur de sa fille lorsqu'elle voyait sa mère, le plaisir qu'elle devinait dans le comportement envers elle des gens qu'elle appréciait, comme Marthona, Proleva, Joharran et Dalanar. Et l'amour dans les yeux de Jondalar lorsqu'il voyait... Mais non, ça n'était plus vrai... La dernière fois qu'il l'avait vue, il avait été horrifié : son visage avait exprimé la surprise et le désarroi, non plus l'amour.

Ayla ferma les yeux en sentant les larmes monter, s'efforça de contrôler ses sentiments de douleur, de déception et de vide. Quand elle les rouvrit, elle constata que tous les membres de la Zelandonia étaient debout devant elle, y compris les deux nouveaux, un homme et une femme, qui avaient monté la garde à l'extérieur. Tous arboraient de chaleureux sourires traduisant leur satisfaction, leur joie de l'accueillir. Celle Qui Était la Première prit la parole :

— Tu es venue de loin, tu as appartenu à de nombreuses peuplades, mais tes pieds t'ont toujours menée sur le sentier que la Grande Terre Mère a choisi pour toi. Ton sort a voulu que tu perdes ton peuple à un âge tendre, puis que tu sois recueillie par une guérisseuse et un homme qui a traversé le monde spirituel de cet autre peuple que tu appelles le Clan. Puis tu as été adoptée par le Mamut des Mamutoï dans le Foyer du Mammouth qui honore la Mère, ta voie a été guidée par Celle Qui A Donné Naissance à tous. Ta destinée a toujours été de La servir.

« Ayla de la Neuvième Caverne des Zelandonii, unie à Jondalar de la Neuvième Caverne, fils de Marthona, ancienne Femme Qui Commande de la Neuvième Caverne des Zelandonii ; Ayla, mère de Jonayla, de la Neuvième Caverne des Zelandonii, Protégée de Doni, née au foyer de Jondalar ; Ayla des Mamutoï, membre du Camp du Lion du peuple qui chasse les mammouths à l'est, fille du Foyer du Mammouth ; Ayla, Choisie par l'Esprit du Lion des Cavernes et Protégée de l'Ours des Cavernes du Clan, tes noms et tes liens sont multiples. Tu n'en as plus besoin désormais. Ton nouveau nom les englobe en totalité, et plus encore. Ton nom ne fait plus qu'un avec tout ce qu'Elle a créé. Ton nom est Zelandoni !

— Ton nom ne fait plus qu'un avec tout ce qu'Elle a créé ! Bienvenue à toi, Zelandoni ! clama l'assemblée à l'unisson.

— Viens, joins-toi à nous pour chanter le Chant de la Mère, Zelandoni de la Neuvième Caverne, lança Celle Qui Était la Première.

Alors, le groupe tout entier entonna l'hymne à l'unisson :

Des ténèbres, du Chaos du temps,
Le tourbillon enfanta la Mère suprême...

Lorsqu'ils arrivèrent à la strophe qui avait toujours été la dernière, seule Celle Qui Était la Première poursuivit de sa belle voix grave :

Satisfaite des deux êtres qu'Elle avait créés,
La Mère leur apprit l'amour et l'affection.
Elle insuffla en eux le désir de s'unir,
Le Don de leurs Plaisirs vint de la Mère.
Avant qu'Elle eût fini, Ses enfants L'aimaient aussi.

Le groupe tout entier chanta le dernier vers, puis tous se tournèrent vers Ayla, des lueurs d'impatience dans le regard. La jeune femme mit un certain temps à comprendre ce qu'on attendait d'elle puis, d'une voix forte empreinte d'un accent exotique, elle récita, seule :

Son dernier Don, la Connaissance que l'homme a
son rôle à jouer.
Son besoin doit être satisfait avant qu'une nouvelle
vie puisse commencer.
Quand le couple s'apparie, la Mère est honorée
Car la femme conçoit quand les Plaisirs sont partagés.
Les Enfants de la Terre étaient nés,
La Mère pouvait se reposer.

Le groupe, debout, récita avec elle les dernières paroles avant de garder un moment le silence. Puis tout le monde se détendit, un grand récipient contenant de la tisane fut apporté et chacun sortit sa tasse de sa poche ou de son sac.

— Une question se pose maintenant, lança la Première, assise avec décontraction sur son tabouret. Comment allons-nous mettre au courant le reste des Zelandonii de ce dernier Don ?

Cette question souleva un véritable tumulte :

— Il faut leur dire !

— On ne peut pas leur dire !

— Ce serait trop pour eux !

— Ça risquerait de tout bouleverser !

La Première attendit que le brouhaha s'apaise, puis, fusillant du regard l'ensemble de la Zelandonia, s'exclama :

— Croyez-vous vraiment que Doni nous a donné connaissance de ce Don pour que vous en priviez Ses enfants ? Pensez-vous qu'Ayla a enduré toutes ces souffrances, ou qu'elle s'est vu demander de sacrifier son bébé uniquement pour que la Zelandonia ait un sujet de débat ? La Zelandonia regroupe Ceux Qui Servent la Mère. Ce n'est pas à nous de décider si Ses enfants ont, ou non, le droit de savoir. Notre rôle est de décider de la façon dont nous allons le leur annoncer.

Un silence contrit s'instaura, que finit par rompre la Zelandoni de la Quatorzième :

— L'organisation de la cérémonie adéquate va prendre un certain temps. Nous devrions peut-être attendre l'année prochaine. La saison est presque terminée. Chacun va bientôt rentrer chez soi.

— Oui, approuva aussitôt la Zelandoni de la Troisième. La meilleure solution serait peut-être de laisser

311

chaque Zelandoni transmettre l'information à sa propre Caverne, à sa manière, après qu'il aura pris le temps d'y réfléchir.

— La cérémonie aura lieu à trois jours d'ici, et c'est Ayla qui annoncera la nouvelle, décréta la Première avec une fermeté qui n'admettait pas de réplique. C'est Ayla qui a reçu le Don. C'est à elle d'en informer les autres, c'est son devoir. Elle a été appelée cette saison, et envoyée à la Réunion d'Été pour cette raison.

La Première fixa les autres doniates de son regard noir, puis son expression se radoucit, et son ton se fit presque cajoleur :

— Ne serait-il pas préférable d'en finir avec cela au plus tôt ? La saison touche à son terme, il ne serait pas bon que trop de difficultés se fassent jour avant notre départ, et vous pouvez être certains que nous en aurons notre part. En procédant ainsi, nous aurons tout l'hiver pour amener chacune de nos Cavernes à se faire à cette idée. D'ici à la saison prochaine, il n'y aura plus de raison pour que cela pose un problème.

La Première aurait bien aimé être persuadée de ce qu'elle venait de dire. À la différence du reste de la Zelandonia, elle pensait depuis bien des années que l'homme jouait un rôle dans la création d'une vie nouvelle, et ce avant même sa première conversation avec Ayla. Le fait que celle-ci soit arrivée à cette même conclusion était d'ailleurs l'une des raisons qui avaient amené la doniate à souhaiter voir Ayla devenir Zelandoni. Ses observations étaient empreintes d'une grande perspicacité et elle n'était pas entravée par les croyances dont les Zelandonii étaient nourris avec le lait de leur mère.

C'était ce qui avait poussé la Première à prendre cette décision dès qu'elle avait entendu Ayla lui raconter ce qu'elle avait vécu dans la grotte : l'idée devait être rendue publique sans attendre, quand tout le monde était encore rassemblé. Elle aurait volontiers fixé la cérémonie au lendemain si elle avait jugé possible de l'organiser en si peu de temps.

Comme elle le faisait souvent sous prétexte de se reposer ou de méditer, en donnant l'impression de ne pas se soucier de ce qui l'entourait, la Première patienta un moment, regardant les membres de la Zelandonia commencer à élaborer diverses approches. Elle entendit ainsi le Zelandoni de la Onzième dire :

— La bonne démarche consisterait peut-être à reproduire l'expérience d'Ayla…

— Nous n'aurions même pas à reprendre l'ensemble de l'expérience, il suffirait d'en transmettre l'esprit, avança celui de la Vingt-Sixième.

— Si nous disposions d'une caverne assez vaste pour contenir tout le monde, cela nous aiderait bien, intervint la Zelandoni de la Deuxième Caverne.

— Nous pourrions laisser l'obscurité de la nuit jouer le rôle des parois d'une grotte, proposa celui de la Cinquième. Avec juste un grand feu au milieu, cela aiderait à concentrer l'attention de tous.

Bien, se dit la Première, écoutant les doniates échanger leurs propositions. Ils se mettent à réfléchir à la meilleure façon d'organiser la cérémonie plutôt qu'aux objections que celle-ci pourrait soulever.

— Il faudrait que nous ayons des tambours pour le Chant de la Mère.

— Et des chanteurs.

— La nouvelle Zelandoni ne chante pas.

— Sa voix est si remarquable que cela n'a pas d'importance.

— On pourrait avoir des voix en arrière-plan. Sans les mots, juste le son.

— Si on ralentit la cadence des tambours, le Chant de la Mère aura un impact encore plus grand, en particulier à la fin, quand elle récitera la dernière strophe.

Ayla semblait embarrassée par l'attention qu'on lui manifestait, et par les suggestions qui s'échangeaient sur le rôle qu'elle devait jouer, mais au bout d'un moment elle aussi commença à se mêler de la discussion sur l'organisation de la cérémonie :

— Danug et Druwez, les deux jeunes visiteurs mamutoï, savent jouer du tambour de façon à donner l'impression qu'il s'agit de voix humaines. C'est troublant, et très mystérieux.

— J'aimerais bien les entendre d'abord, dit la Zelandoni de la Quatorzième.

— Bien sûr, approuva Ayla.

Sans en avoir conscience, la jeune femme se montrait extraordinairement perspicace lorsqu'il s'agissait de la psychologie de ses semblables. La tactique de la Zelandoni Qui Était la Première consistant à pousser la Zelandonia à organiser la cérémonie ne lui avait pas échappé. À des degrés divers, parfois sur un plan subliminal, parfois sur un autre parfaitement conscient, elle avait admiré la façon dont la doniate avait conduit son affaire, amenant les autres à se plier à sa volonté. La Première s'empressait de pousser son avantage, sachant à quel moment fulminer, à quel autre menacer, quand cajoler, câliner, critiquer, louer, alors même que les membres de la Zelandonia n'étaient pas du genre à se laisser mener par le bout du nez. En tant que membres d'un groupe, ils étaient malins, rusés, souvent cyniques et, dans l'ensemble, plus intelligents que la moyenne. Ayla se rappela avoir entendu Jondalar demander à Zelandoni ce qui avait fait d'elle une Première. Et celle-ci avait su très précisément ce qu'il fallait dire, et ce qu'il avait été préférable de garder pour elle.

La Première se détendit. Désormais, ils étaient lancés. La discussion prendrait d'elle-même de l'ampleur. La plupart du temps, son problème était de les empêcher de se laisser entraîner trop loin. Cette fois, elle allait leur permettre de se défouler autant qu'ils le désiraient. Plus la cérémonie serait spectaculaire, mieux ce serait. *Si je les laisse préparer quelque chose d'assez important, d'assez recherché, ils n'auront pas le temps de penser à autre chose jusqu'à ce que la cérémonie soit terminée.*

Lorsque celle-ci eut commencé à prendre forme, en tout cas dans ses grandes lignes, et que la plupart des membres de la Zelandonia eurent manifesté leur désir de s'investir dans l'événement, Zelandoni Qui Était la Première décida de lancer la deuxième grande surprise qu'elle leur avait préparée.

Se levant pour aller chercher encore un peu de tisane, elle déclara, comme s'il s'agissait d'un commentaire anodin, n'ayant rien à voir avec ce qui précédait :

— J'imagine que nous devrons également envisager d'organiser une rencontre du Camp le lendemain de la cérémonie afin de répondre aux questions qui ne manqueront pas d'être posées. Autant ne pas perdre de temps pour régler le problème. Nous profiterons de l'instant pour donner le nom qui désignera la relation entre un homme et ses enfants, et pour leur annoncer que, désormais, ce sont les hommes qui donneront leur nom aux garçons.

La consternation s'abattit aussitôt sur la Zelandonia. La plupart de ses membres n'avaient guère eu le temps de songer aux changements qu'allait entraîner la nouvelle révélation.

— Mais ce sont toujours les mères qui ont donné leur nom à leurs enfants ! protesta l'un d'eux.

Zelandoni surprit plusieurs échanges de coups d'œil acérés. C'était bien ce qu'elle redoutait : que certains se mettent à penser. Il n'était pas prudent de sous-estimer la Zelandonia en tant que groupe.

— Comment les hommes vont-ils se rendre compte qu'ils sont essentiels si nous ne les laissons pas jouer le moindre rôle ? interrogea la Première. En réalité, cela ne changera rien. L'accouplement sera toujours un Plaisir. Les hommes ne vont pas se mettre à accoucher, et ils auront toujours besoin de subvenir aux besoins de leurs femmes et de leurs enfants, en particulier lorsque celles-ci seront confinées dans leur foyer avec des bébés. Donner son nom à un enfant mâle n'est qu'une petite chose, les femmes donneront toujours leur nom aux filles, tenta de plaider la Première.

— Dans le Clan, c'étaient les Mog-ur qui donnaient leurs noms à tous les enfants, intervint Ayla.

Les bavardages cessèrent et toute l'assistance se tourna vers elle.

— J'ai eu le grand plaisir de pouvoir donner son nom à ma fille. J'étais très nerveuse, mais c'était tout à fait excitant, et ça m'a donné l'impression d'être très importante.

— Je pense que les hommes ressentiraient la même chose, appuya la Première, ravie du soutien imprévu d'Ayla.

Il y eut des hochements de tête et des grognements d'approbation dans l'assistance. Personne n'éleva plus d'autre objection, du moins sur le coup.

— Et le nom de cette relation ? As-tu déjà trouvé quelque chose ? s'enquit d'une voix teintée de soupçon la Zelandoni de la Vingt-Neuvième Caverne.

— J'avais l'intention de méditer pour voir si je pouvais trouver un nom approprié permettant aux enfants d'appeler les hommes qui ont joué un rôle pour leur donner la vie, afin de les distinguer des autres. Nous devrions peut-être tous nous laisser le temps d'y réfléchir, répondit Celle Qui Était la Première.

Elle sentait qu'elle devait profiter du fait que la Zelandonia tout entière était encore sous le choc, donc en infériorité par rapport à elle, pour la pousser dans ses retranchements avant que ses membres ne se mettent à penser aux éventuelles conséquences, puis à émettre de véritables objections qu'elle ne pourrait plus contrer avec ses seuls éclats de voix. Elle ne doutait pas une seconde que ce nouveau Don de Connaissance de la Vie aurait des répercussions plus profondes encore qu'elle ne pouvait l'imaginer. Cela allait tout changer, et elle n'était pas certaine elle-même d'apprécier certains des développements très concrets que cela allait entraîner.

La Zelandoni Qui Était la Première était une femme intelligente, au sens de l'observation finement développé. Elle n'avait jamais eu d'enfant, mais dans son cas, ce n'était pas un désavantage : elle n'avait jamais eu à connaître les distractions inhérentes au statut de mère. Elle avait en revanche joué les sages-femmes dans un nombre incalculable d'accouchements, et avait aidé beaucoup de femmes victimes de fausses couches. En conséquence, la Première avait une connaissance plus profonde que bien des mères des différents stades de développement des fœtus humains.

Les doniates contribuaient également à aider certaines femmes à mettre un terme à leur grossesse avant la fin de la gestation. La période la plus délicate dans la vie des enfants en bas âge était celle des deux premières années. Beaucoup de bébés mouraient pendant

317

ce laps de temps. Même avec l'aide de leur compagnon, de leurs parents ou d'autres membres de la famille élargie, la plupart des mères étaient dans l'incapacité de nourrir trop de jeunes enfants en même temps, et de s'occuper d'eux si elles voulaient que certains survivent.

Bien que le fait de nourrir son enfant semblât en soi avoir un effet dissuasif pour en concevoir un autre, il était parfois nécessaire de mettre un terme à une grossesse inattendue pour permettre aux enfants en bas âge de dépasser le stade des deux premières années. Même chose si la femme était atteinte d'une maladie grave, avait des enfants déjà grands et était trop vieille, avait connu par le passé un ou plusieurs accouchements difficiles lui ayant fait frôler la mort, toutes circonstances où une grossesse supplémentaire risquait de priver de leur mère les enfants survivants. Le taux de mortalité des enfants eût été sensiblement plus élevé si de tels contrôles sélectifs n'avaient pas été mis en pratique. Il y avait par ailleurs toutes sortes d'autres raisons qui pouvaient conduire une femme à souhaiter mettre un terme à sa grossesse.

Si par ailleurs l'origine de la grossesse n'était pas évidente par nature, les femmes savaient assez rapidement qu'elles étaient enceintes. À une époque précédente, plus ou moins lointaine, une femme, ou un groupe de femmes, avait découvert comment reconnaître les signes montrant que l'on portait un enfant, avant que cela ne devienne évident. Peut-être avait-elle remarqué qu'elle n'avait pas saigné depuis un certain temps et avait-elle appris qu'il s'agissait là d'un signe ; autre possibilité : si elle avait déjà été enceinte, elle avait pu reconnaître certains symptômes. Ce savoir s'était transmis jusqu'à ce que les femmes dans leur ensemble l'apprennent dans le cadre de leur initiation à l'âge adulte.

Au départ, quand une femme se rendait compte qu'elle portait un enfant, elle avait pu réfléchir et se demander ce qui en était à l'origine. Peut-être un aliment qu'elle avait consommé ? Un lieu particulier dans lequel elle s'était baignée ? Un homme donné avec qui elle avait eu des relations ? Une certaine rivière qu'elle avait traversée ? Un arbre singulier à l'ombre duquel elle avait fait un somme ?

Si une femme souhaitait avoir un bébé, elle avait peut-être essayé de réitérer tout ou partie de ces activités, les transformant éventuellement en rituel. Pour comprendre en fin de compte qu'elle pouvait les recommencer un certain nombre de fois sans pour autant nécessairement tomber enceinte. Elle s'était peut-être alors demandé si la clé n'était pas une combinaison d'actions, ou encore l'ordre dans lequel elles étaient exécutées, le moment de la journée, du cycle, de la saison, de l'année. Voire simplement un vif désir d'enfant, ou les souhaits concertés d'un certain nombre de gens. À moins qu'il ne s'agisse d'agents inconnus : émanations de rocs, d'esprits d'un autre monde, ou de la Grande Mère, la Mère primordiale.

Si elle vivait au sein d'une société qui avait élaboré une série d'explications d'apparence raisonnable, ou même déraisonnable mais semblant répondre à des questions inaccessibles à ses propres observations, elle aurait fort bien pu les accepter pour peu que toutes les autres femmes en fassent autant.

D'un autre côté, l'une d'elles avait très bien pu avoir un sens de l'observation suffisamment développé pour établir des connexions et tirer des conclusions proches de la réalité. Grâce à un singulier concours de circonstances, Ayla avait été en mesure de tirer de telles conclusions, même si, pour cela, elle avait été obligée de surmonter son vif désir de se conformer aux croyances des autres.

Avant même d'en discuter avec Ayla, la Première avait également commencé à subodorer l'origine réelle de la conception. La conviction d'Ayla, et son explication, était la dernière bribe d'information dont elle avait besoin pour se persuader, et elle avait, depuis quelque temps déjà, la ferme conviction que tout le monde, les femmes en particulier, devait savoir comment commençait une nouvelle vie.

La Connaissance était le pouvoir. Si une femme apprenait ce qui amenait un bébé à croître dans son ventre, elle serait en mesure de prendre le contrôle de sa propre existence. Au lieu de se retrouver tout bonnement enceinte, qu'elle désire ou non avoir un bébé, que la période pour en avoir un soit bonne ou pas, que sa santé le lui permette ou non, ou encore qu'elle ait déjà assez d'enfants ou non, elle aurait désormais le choix. Si c'étaient bien les relations avec un homme, et non quelque chose d'extérieur sur quoi elle n'avait pas prise, qui entraînaient une grossesse, d'une façon qui restait à définir, elle pourrait décider de ne pas avoir de bébé d'une manière très simple : tout bonnement en décidant de ne pas partager les Plaisirs avec un homme. Cela ne voudrait bien sûr pas dire que la femme pourrait faire ce choix sans la moindre difficulté, et Zelandoni était loin d'être certaine de la façon dont les hommes pourraient réagir.

Même s'il y aurait à coup sûr des répercussions d'une importance encore indéterminée, une autre raison la poussait à souhaiter que les Zelandonii apprennent que les enfants étaient le résultat d'unions entre les hommes et les femmes. Et une raison essentielle : parce que c'était la réalité. Les hommes devaient en prendre connaissance, eux aussi. Il y avait trop long-temps qu'ils étaient considérés comme accessoires dans le processus de la procréation. Le fait pour eux d'apprendre qu'ils étaient essentiels dans la création de la vie ne serait que justice.

Et la Première avait la certitude que les gens y étaient tout à fait prêts. Ayla avait déjà fait part à Jondalar de sa conviction, et la lui avait fait presque partager. Plus encore : il avait envie d'y croire. Le moment était bien choisi. Si Zelandoni elle-même l'avait soupçonné, si Ayla avait été capable de le découvrir, d'autres aussi étaient en mesure de le faire. La Première espérait que les conséquences de cette révélation ne seraient pas trop dévastatrices, mais si la Zelandonia ne la faisait pas à son peuple maintenant, elle viendrait à coup sûr avant longtemps de quelqu'un d'autre.

Dès qu'elle avait entendu Ayla réciter la nouvelle strophe finale du Chant de la Mère, Zelandoni avait compris que la vérité devait être révélée sur-le-champ. Mais pour que celle-ci soit acceptée, elle ne devait pas être divulguée en passant, ou par bribes, mais avec un maximum d'impact. Celle Qui Était la Première était suffisamment intelligente pour comprendre que l'essentiel de ce qui arrivait aux acolytes dans le cadre de leur appel à servir la Mère n'était guère plus que le produit de leur propre imagination. Certains membres de la Zelandonia parmi les plus âgés étaient devenus d'un cynisme absolu à cet égard, mais il n'en demeurait pas moins qu'il existait toujours des événements inexplicables provoqués par des forces invisibles ou inconnues.

C'étaient ces événements qui révélaient une véritable vocation, et lorsque Ayla lui avait parlé de son expérience dans la grotte, la Première avait eu le sentiment d'avoir affaire à la plus incontestable des vocations. Cette dernière strophe du Chant de la Mère en particulier… Même si le don d'Ayla pour les langues et sa capacité à mémoriser étaient phénoménaux, même si elle était devenue une conteuse d'histoires, une rapporteuse de Légendes d'une grande habileté et d'un talent évident, elle n'avait jamais jusqu'alors fait montre d'une quelconque capacité à composer des vers ; or elle avait bien dit que ceux-ci avaient empli sa tête, et qu'elle avait entendu cette strophe dans son entier. Si elle était capable d'expliquer au peuple ce qu'elle avait vécu avec la même force de conviction, elle se montrerait à coup sûr extrêmement persuasive.

Lorsqu'elle eut le sentiment que tout était mis en branle et ne pourrait désormais être arrêté, la Première annonça d'une voix forte :

— Il se fait tard. Cette réunion a été longue. Je crois que nous devrions nous séparer maintenant et nous retrouver demain matin.

— J'avais promis à Jonayla de monter avec elle aujourd'hui, expliqua Ayla, mais la réunion a duré plus longtemps que prévu.

Je m'en serais doutée, se dit Proleva en voyant les marques noires sur le front d'Ayla, mais elle se garda bien de le dire.

— Jondalar l'a entendue me parler de cette sortie à cheval avec toi ; elle se demandait où tu étais et ce qui te retenait si longtemps. Dalanar a essayé de lui expliquer que tu participais à une réunion très importante, que personne ne savait combien de temps elle durerait, après quoi Jondalar lui a proposé de partir avec lui.

— J'en suis ravie, dit Ayla. Je n'aime pas la décevoir. Cela fait longtemps qu'ils sont partis ?

— Depuis le début de l'après-midi. Je suppose qu'ils ne vont plus tarder, répondit Proleva. Dalanar m'a demandé de te rappeler que les Lanzadonii t'attendaient ce soir.

— Ah oui, c'est vrai ! J'ai été invitée alors que je me rendais à la réunion. Je crois que je vais aller me changer, et me reposer un peu. J'ai du mal à croire qu'assister simplement à une réunion puisse être si épuisant. Pourras-tu m'envoyer Jonayla dès qu'elle sera de retour ?

— Bien sûr, promit Proleva, se disant à part elle que la réunion en question avait certainement été beaucoup plus que cela. Veux-tu manger quelque chose ? Ou prendre une tisane ?

— Volontiers, Proleva, mais d'abord je voudrais aller me laver un peu. J'adorerais aller me baigner… Mais je crois que j'attendrai un peu pour ça. Non, d'abord je vais aller voir Whinney.

— Ils l'ont prise avec eux. Jondalar a dit qu'elle voudrait sûrement partir avec les autres chevaux, et que cela ne lui ferait pas de mal de courir un peu.

— Il a eu raison. À Whinney aussi, ses enfants manquent sans doute.

Proleva suivit du regard Ayla qui se dirigeait vers la tente à dormir.

Elle a l'air vraiment fatiguée, songea-t-elle. Ce qui n'a rien de surprenant quand on pense à ce qu'elle a subi : perdre son bébé et maintenant devenir notre nouvelle Zelandoni… sans oublier son appel, quoi que cela puisse être.

Comme tous les Zelandonii, Proleva avait été témoin des conséquences d'une approche excessive du Monde des Esprits. Chaque fois que quelqu'un était sérieusement blessé, par exemple, ou, plus effrayant, était victime d'une maladie aussi grave qu'inexplicable, elle savait qu'il n'était pas loin du Monde d'Après. L'idée qu'une personne pût volontairement entrer en contact avec ce monde de façon à pouvoir servir la Mère allait largement au-delà de sa compréhension. Elle sentit un frisson l'agiter. La certitude qu'elle ne connaîtrait jamais une expérience aussi éprouvante la comblait de bonheur. Même si elle savait avec autant de certitude que chacun un jour serait contraint de s'installer dans cet endroit redoutable, elle n'avait pas le moindre désir de rejoindre les rangs de la Zelandonia.

En plus, Ayla et Jondalar ont des problèmes, se dit-elle. Il l'évite volontairement. Je l'ai vu prendre une autre direction chaque fois qu'il l'apercevait. Je suis à peu près sûre de savoir de quoi il s'agit. Il se sent honteux. Elle l'a surpris avec Marona, et maintenant il évite de l'affronter. Ce n'est pas le bon moment pour qu'il l'évite. Ayla a besoin de l'aide de tout le monde en ce moment, et de la sienne en particulier.

S'il ne voulait pas qu'elle soit au courant, pour lui et Marona, il n'aurait jamais dû renouer avec celle-ci, même si elle l'y a encouragé autant qu'elle le pouvait. Il savait très bien comment Ayla réagirait. Il aurait très bien pu en trouver une autre, si tant est qu'il en ait eu besoin. Comme s'il n'avait pas l'embarras du choix concernant les femmes, dans le campement. Et cela aurait été bien fait pour Marona : elle se conduisait de façon si prévisible qu'on aurait pu croire que même lui l'aurait percée à jour.

Même si Proleva l'aimait beaucoup, il y avait des moments où elle trouvait le frère cadet de son compagnon exaspérant.

— Mère ! Mère ! Tu es revenue, enfin ? Proleva m'a dit que je te trouverais là. Tu m'avais promis de m'emmener faire du cheval aujourd'hui et je t'ai attendue, attendue, protesta Jonayla.

Le loup, qui avait fait irruption dans la tente avec elle, était tout aussi excité que la fillette et essayait d'attirer l'attention d'Ayla.

Celle-ci serra très fort sa fille contre elle puis saisit la tête du gros carnassier et commença à frotter son visage contre elle. Mais ses scarifications lui faisant encore mal, elle se contenta de l'étreindre. L'animal flaira ses blessures mais elle le repoussa. Sans s'en offusquer, il alla vers son écuelle de nourriture, trouva un os que Proleva y avait laissé à son intention et l'emmena dans son coin de repos.

— Je suis désolée, Jonayla, s'excusa Ayla. Je ne savais pas que la réunion avec la Zelandonia durerait si longtemps. Je te promets de t'emmener un autre jour mais ce ne sera sans doute pas demain.

— Ne t'inquiète pas, mère. Je sais que ces choses avec les Zelandonia prennent du temps. Ils ont passé un jour entier à nous apprendre des chants, des danses, à nous montrer où nous placer, quels pas faire. Et puis de toute façon j'ai monté aujourd'hui. Jondi m'a emmenée.

— C'est ce que m'a dit Proleva. Je suis contente qu'il l'ait fait. Je sais à quel point tu avais envie d'aller à cheval, dit Ayla.

— Est-ce que ça fait mal, mère ? demanda la fillette en montrant du doigt le front d'Ayla.

— Non, en tout cas plus maintenant. Cela m'a fait un peu mal au début, mais pas trop. Ces marques ont une signification particulière…

— Je sais ce qu'elles veulent dire, interrompit Jonayla. Ça veut dire que tu es Zelandoni, maintenant.

— C'est exact, Jonayla.

— Jondi m'a dit que, quand tu aurais ces marques de Zelandoni, tu ne serais plus obligée de partir aussi souvent. C'est bien vrai, mère ?

Ayla ne s'était pas rendu compte à quel point elle avait manqué à sa fille, et elle éprouva une bouffée de gratitude envers Jondalar qui avait été là pour s'occuper d'elle et lui expliquer les choses. Elle tendit les bras pour serrer de nouveau Jonayla contre elle.

— Oui, c'est vrai. Je serai encore obligée de m'absenter parfois, mais moins qu'avant.

Peut-être avait-elle également manqué à Jondalar, à la réflexion, mais quel besoin avait-il eu de se rabattre sur Marona ? Il avait juré qu'il l'aimait, même après qu'elle les eut trouvés en pleine action, mais si tel était le cas, pourquoi continuait-il de l'éviter ?

— Pourquoi pleures-tu, mère ? demanda la fillette. Tu es sûre que ces marques ne te font plus mal ? Elles ont l'air enflammées.

— C'est juste que je suis contente de te voir, Jonayla.

Elle relâcha la fillette et lui sourit à travers ses larmes.

— J'allais oublier de te dire : nous allons rendre visite au campement des Lanzadonii et dîner avec eux ce soir.

— Avec Dalanar et Bokovan ?

— Oui, et aussi avec Echozar, Joplaya, Jerika. Tout le monde.

— Et Jondi viendra, lui aussi ?

— Je ne sais pas, mais je pense que non. Il a dû partir.

Ayla se détourna brusquement et, apercevant le panier à vêtements de sa fille, commença à fouiller dedans. Elle ne voulait pas que sa fille la voie se remettre à pleurer.

— Il va faire un peu froid quand la nuit va tomber : veux-tu prendre quelque chose de chaud pour te changer ?

— Je pourrai mettre la nouvelle tunique que Folara a faite pour moi ?

— Très bonne idée, Jonayla, très bonne idée.

12

De loin, Ayla crut d'abord que c'était Jondalar qui se dirigeait vers elle, portant quelque chose, sur le chemin le plus emprunté reliant les campements de diverses Cavernes amies. Elle sentit aussitôt son estomac se nouer. La taille de l'homme, la forme de son corps, sa façon de marcher lui étaient familières, mais lorsque celui-ci se rapprocha elle constata qu'il s'agissait de Dalanar, qui portait Bokovan.

Dalanar vit tout de suite les striures noires sur le front d'Ayla. Celle-ci remarqua son air surpris, puis son effort manifeste pour éviter de regarder le haut de son visage, et ce n'est qu'alors qu'elle se les rappela. Comme elle-même ne les voyait pas, elle avait tendance à les oublier.

Est-ce pour cette raison que Jondalar a une conduite si étrange ? se demanda Dalanar. Quand il avait invité le fils de son foyer à venir dîner chez les Lanzadonii en compagnie d'Ayla et de Jonayla, il avait été surpris par l'hésitation de Jondalar, et plus encore par son refus. Il avait prétexté avoir déjà accepté une autre invitation, mais avait eu l'air troublé et embarrassé, comme s'il avait cherché une excuse pour ne pas se joindre à eux ce soir-là. Dalanar se rappela les raisons que lui-même avait trouvées en son temps pour quitter une femme qu'il aimait. Mais je n'aurais pas cru que le fait qu'elle devienne Zelandoni l'aurait gêné, se dit-il. Jondalar semblait toujours fier des talents de guérisseuse d'Ayla, se contentant pour sa part de manier le silex en virtuose et de former ses apprentis.

— Je peux te porter un moment, Bokovan ? proposa Ayla. Dalanar aimerait bien se reposer un peu, ajouta la jeune femme avec un sourire en tendant les bras au garçonnet.

Celui-ci hésita un moment avant d'accepter son invite. En le soulevant, elle remarqua une fois de plus à quel point il était lourd. Ayla portant Bokovan, Dalanar donnant la main à Jonayla, le quatuor prit alors la direction du campement des Lanzadonii, Loup fermant la marche.

L'animal paraissait se trouver parfaitement à son aise dans un important rassemblement d'humains, ceux-ci ne semblant pas de leur côté se préoccuper outre mesure de sa présence. Ayla avait toutefois remarqué que les Zelandonii prenaient un plaisir tout particulier à voir la réaction des visiteurs ou des étrangers qui n'avaient pas l'habitude de voir un loup se déplacer si tranquillement au milieu d'êtres humains.

À leur arrivée, Joplaya et Jerika vinrent les accueillir, et Ayla remarqua là encore leur air surpris et leurs tentatives – assez maladroites – pour ignorer les striures qui marquaient désormais son front. Malgré la tristesse persistante qui affectait à l'évidence la superbe jeune femme à la chevelure noire que Jondalar appelait sa cousine, Ayla remarqua le sourire radieux et la lueur qui illumina ses beaux yeux verts lorsqu'elle prit son fils dans ses bras. Joplaya paraissait être plus détendue, mieux accepter sa nouvelle vie, et sincèrement ravie de voir Ayla.

Jerika elle aussi l'accueillit avec chaleur.

— Laisse-moi porter Bokovan, dit-elle à Joplaya, prenant l'enfant des bras de sa mère. Je lui ai préparé de quoi manger. Va donc faire un tour dans le campement avec Ayla.

Celle-ci s'adressa directement au garçonnet :

— Je suis contente de t'avoir rencontré, Bokovan. Tu viendras bientôt me rendre visite ? Je suis de la Neuvième Caverne, tu sais où elle se trouve ?

L'enfant la regarda un moment, puis proféra avec le plus grand sérieux :

— Voui.

Ayla ne put s'empêcher de remarquer à la fois les ressemblances et les différences entre Jerika, Joplaya et Bokovan avant que sa grand-mère ne l'emporte. L'aïeule était trapue, ses mouvements vifs et énergiques. Sa chevelure, jadis aussi noire que la nuit, était désormais striée de mèches grises. Son visage, rond et plat, aux pommettes saillantes, laissait maintenant apparaître de nombreuses rides, mais ses yeux noirs et bridés pétillaient de charme et d'esprit.

Ayla n'avait pas oublié Hochaman, l'homme qui avait été le compagnon d'Ahnlay, la mère de Jerika. C'était un grand voyageur, et sa compagne avait décidé de le suivre dans ses pérégrinations. Jerika était née en route. Ayla se rappela Dalanar racontant fièrement au visiteur S'Armunaï le long voyage d'Hochaman depuis les Mers Infinies de l'Est jusqu'aux Grandes Eaux de l'Ouest. Elle se dit que, alors même que l'histoire vécue était déjà en soi tout à fait exceptionnelle, c'était le genre d'aventure qui serait contée, racontée et re-racontée, chaque fois embellie jusqu'à devenir une légende ou un mythe, jusqu'à ce qu'elle ne ressemble plus que de très loin à l'histoire originelle.

Dalanar avait rencontré Jerika peu après qu'il eut trouvé sa mine de silex, et il avait de prime abord été intrigué par cette femme qui ne ressemblait à personne, avant d'être carrément captivé. Plusieurs personnes s'étaient déjà rassemblées autour de Dalanar et de sa mine – créant ainsi le noyau de la Caverne qui prendrait plus tard le nom de Lanzadonii – lorsque Hochaman et Jerika étaient arrivés à son campement. La mère de Jerika était morte depuis plusieurs années. Leur apparence était si peu commune qu'il était évident qu'ils venaient de fort loin. Dalanar n'avait jamais vu de femme ressemblant de près ou de loin à Jerika. Elle était petite et frêle comparée à la plupart des autres femmes, mais l'intelligence et la force d'âme de cette jeune personne si exotique l'avaient littéralement fasciné. Il avait fallu quelqu'un d'aussi insolite pour lui faire oublier en fin de compte son amour si profond pour Marthona.

Joplaya était née au foyer de Dalanar. Ayla savait maintenant que ce qu'elle avait longtemps pressenti était vrai : Joplaya était autant l'enfant de Dalanar que celle de Jerika. Mais Jondalar n'était pas venu vivre avec les Lanzadonii avant que lui et Joplaya soient adolescents. Tous deux n'avaient pas été élevés comme frère et sœur, et Joplaya était tombée éperdument amoureuse de Jondalar, alors même qu'il était un « proche cousin », et qu'il n'était donc pas question qu'ils puissent se mettre en couple.

Joplaya est sa sœur au même titre que Folara, songea Ayla, essayant de réfléchir aux conséquences que pourraient avoir ces nouvelles relations familiales. Jondalar et Folara sont tous deux les enfants de Marthona, et Jondalar et Joplaya sont tous deux les enfants de Dalanar. Il suffit de les regarder pour s'en rendre compte.

Jondalar était une réplique parfaite de Dalanar, en plus jeune, tandis que Joplaya avait plus subi l'influence de sa mère ; mais elle était grande, comme Dalanar, dont certains aspects, plus subtils, se laissaient entrevoir : sa chevelure était noire, mais avec des reflets plus clairs, sans l'éclat de jais de celle de sa mère. Son visage était pour l'essentiel proche de celui du peuple de Dalanar, mais avec les pommettes saillantes de Jerika. C'étaient toutefois ses yeux qui étaient son trait le plus marquant : ni noirs comme ceux de sa mère, ni d'un bleu d'azur comme ceux de Dalanar – et de Jondalar –, les yeux de Joplaya étaient d'un vert profond avec des touches noisette ; ils présentaient un pli épicanthique comme ceux de sa mère, en moins prononcé toutefois. Jerika était de toute évidence une étrangère, mais par bien des aspects Joplaya paraissait plus exotique encore que cette dernière, justement à cause de ses ressemblances.

Joplaya avait décidé de s'unir à Echozar parce qu'elle savait qu'elle ne pourrait jamais avoir l'homme qu'elle aimait. Elle l'avait choisi, avait-elle confié un jour à Ayla, parce qu'elle savait que jamais elle ne trouverait un homme qui l'aimerait plus, ce en quoi elle avait probablement raison. Echozar était un homme aux esprits mêlés – sa mère était du Clan, et nombreux étaient ceux qui le trouvaient aussi laid que Joplaya était belle. Ce qui n'était pas le cas d'Ayla. Elle était sûre que Bokovan ressemblerait à Echozar, en grandissant.

Le garçon présentait tous les traits de son héritage peu ordinaire : la force physique de ceux du Clan, qu'il tenait d'Echozar, et sa haute stature, héritée de sa mère et de Dalanar, d'ores et déjà évidentes. Ses yeux n'étaient que légèrement bridés et presque aussi sombres que ceux de Jerika, mais pas tout à fait noirs. Des touches plus claires, une étincelle particulière leur conféraient une qualité qu'Ayla n'avait jamais vue dans des yeux aussi noirs. Ils étaient non seulement peu ordinaires mais singulièrement attirants. Elle sentait que Bokovan avait quelque chose de spécial et aurait apprécié que les Lanzadonii soient de plus proches voisins : elle aurait bien aimé le voir grandir.

Le garçonnet était à peine plus jeune que son fils la dernière fois qu'elle l'avait vu, et il lui rappelait si fort Durc qu'elle en avait presque mal. Ayla se demanda quel forme d'esprit il pourrait bien avoir : aurait-il en tout ou partie la mémoire de ceux du Clan et en même temps la capacité de créer des œuvres d'art et de s'exprimer avec des mots, comme le peuple de Dalanar et de Jerika ? Elle avait souvent eu ce genre d'interrogations au sujet de son fils.

— Bokovan est un enfant très particulier, Joplaya, dit-elle à sa mère. Lorsqu'il sera un peu plus grand, j'aimerais bien que tu acceptes de me l'envoyer à la Neuvième Caverne afin que je le garde quelque temps.

— Pourquoi ? s'étonna Joplaya.

— En partie parce qu'il se pourrait qu'il ait des qualités particulières susceptibles de le faire entrer dans la Zelandonia, et qu'il faudrait en ce cas que tu en sois informée, mais avant tout parce que je souhaiterais le connaître mieux, expliqua Ayla.

Joplaya sourit puis, après un silence :

— Et toi, Ayla, accepterais-tu d'envoyer Jonayla chez les Lanzadonii pour rester un certain temps avec moi ?

— Je n'y ai jamais songé, avoua Ayla, mais ça me paraît une bonne idée... d'ici à quelques années... si elle est d'accord. Mais pourquoi voudrais-tu d'elle ?

— Je n'aurai jamais de fille. Je n'aurai jamais d'autre enfant. J'ai trop souffert en donnant naissance à Bokovan.

Ayla se rappela les difficultés de son accouchement lorsqu'elle avait eu son fils Durc, celui qui était né au sein du Clan, et elle avait entendu parler des problèmes de Joplaya.

— Tu en es sûre, Joplaya ? Ce n'est pas parce que tu as eu un accouchement délicat que tous le seront nécessairement.

— Notre doniate m'a dit qu'à son avis je ne devrais pas réessayer. Selon elle, je risquerais d'en mourir. Je suis passée tout près avec Bokovan. Je prends le remède que tu as donné à la Zelandoni, et ma mère veille à ce que je ne l'oublie pas. Je le prends pour lui faire plaisir, mais si je ne le prenais pas, je pense que cela ne ferait aucune différence. Je ne crois pas pouvoir tomber de nouveau enceinte. Malgré ma mère, j'ai cessé de prendre le remède pendant un temps : je désirais un autre enfant, mais Doni a choisi de ne pas m'en gratifier, expliqua Joplaya.

Ayla n'avait aucune envie de se mêler de ce qui ne la regardait pas mais, en tant que Zelandoni, elle avait le sentiment qu'elle devait poser la question qui lui brûlait les lèvres, singulièrement maintenant.

— Honores-tu la Mère fréquemment ? Si tu veux qu'Elle t'accorde ce que tu souhaites, il est important que tu L'honores comme il convient.

Joplaya sourit.

— Echozar est un homme gentil et prévenant. Ce n'est peut-être pas celui que je voulais, Ayla…

Elle s'arrêta et, l'espace d'un instant, un air de désolation assombrit son expression. Ayla se rembrunit elle aussi, pour une raison diamétralement différente.

— ... mais j'avais raison de dire que personne ne pourrait m'aimer plus qu'Echozar, et j'ai vraiment appris à l'apprécier comme il le mérite. Au début, il avait du mal à ne serait-ce que me toucher, de peur de me heurter, de me faire du mal, et parce que je crois qu'en fait il avait peine à croire que c'était son droit. Mais nous avons maintenant dépassé ce stade, même s'il se montre envers moi d'une telle reconnaissance que je suis obligée de me moquer un peu de lui pour lui faire comprendre que je suis sa compagne. Il a même appris à rire de lui-même. Non, je pense que nous honorons Doni comme il se doit.

Ayla réfléchit un moment. Il se pouvait que le problème vînt d'Echozar, et non de Joplaya. Il était à moitié issu du Clan, et il y avait peut-être une raison pour qu'un homme du Clan, en tout ou partie, connaisse des problèmes pour avoir un enfant avec une femme issue des Autres. Il se pouvait que la conception d'un enfant dans ces conditions fût un coup de chance, même si certains l'auraient qualifiée non de chance mais d'abomination. Ayla n'avait aucune certitude quant à la fréquence des accouplements de membres du Clan avec des représentants des Autres, ou concernant le nombre de leurs rejetons ayant survécu.

Tout le monde était au courant de l'existence de ces « esprits mêlés », mais Ayla n'en avait pas rencontré beaucoup. Elle s'arrêta pour y réfléchir : il y avait bien sûr Durc, son fils, et Ura au Rassemblement du Clan. Rydag au Camp du Lion mamutoï. Attaroa et d'autres parmi les S'Armunaï avaient peut-être eux aussi quelque chose du Clan. Echozar l'était également et, naturellement, il y avait Bokovan. La mère de Brukeval l'avait sans doute été à moitié elle aussi, ce qui expliquait son aspect si caractéristique.

Elle était sur le point de demander à Joplaya si la Mère était honorée comme il convenait lors des cérémonies et des festivités organisées par les Lanzadonii. Ces derniers ne constituaient encore qu'un groupe restreint, même si elle n'ignorait pas qu'ils commençaient à parler de l'endroit où ils implanteraient une nouvelle Caverne, dans un avenir indéterminé. Elle se dit que les convenances exigeaient qu'elle ait d'abord une conversation avec leur Zelandoni. Après tout, maintenant qu'elle faisait partie de la Zelandonia, c'est avec un autre de ses membres qu'elle devait d'abord discuter de sujets de ce genre. Je devrais peut-être consulter la Première, se dit Ayla, elle a sans doute son idée sur la question.

Echozar arrivait au campement et elle décida donc de passer à autre chose. Elle était ravie de l'occasion qui lui était offerte de cesser d'être Zelandoni pour n'être plus qu'une amie. Il la gratifia d'un large sourire, ce qui la surprit une fois de plus tant ce visage lui évoquait si fort le Clan. Une expression qui découvrait les dents avait une signification tout autre dans le clan où elle avait passé son enfance.

— Ayla ! Comme c'est bon de te voir ! s'exclama Echozar en l'embrassant.

Lui aussi avait remarqué les striures fraîches sur le front de la jeune femme et, s'il comprenait ce qu'elles signifiaient, il avait été adopté par le peuple de Dalanar et cela ne l'affectait donc pas de la même façon. Il s'attendait à ce que, étant acolyte, elle devienne un jour une Zelandoni. Il avait sans doute eu son idée sur la question, mais comme il avait été lui-même la cible de nombre de commentaires sur son apparence physique, il répugnait sans doute à évoquer tel ou tel aspect de l'apparence de quelqu'un d'autre.

— Et voilà le loup, ajouta-t-il, manifestant juste une légère appréhension lorsque Loup vint le flairer.

Les Lanzadonii étaient moins familiers que les Zelandonii avec l'animal et, même s'il se souvenait de lui, il lui fallait toujours un certain temps pour s'habituer à l'idée qu'un loup pût circuler librement au milieu des humains.

— J'ai entendu dire qu'il était là, continua-t-il, c'est comme cela que j'ai su que vous étiez arrivés. Je craignais qu'on ne vous voie pas, après avoir fait tout le voyage jusqu'ici. Certains des nôtres ont même envisagé de se rendre à la Neuvième Caverne pour vous voir avant votre départ. Tes parents mamutoï et leur ami des S'Armunaï ont bel et bien l'intention de vous rendre visite et certains des Lanzadonii pensent les accompagner.

Ayla se dit qu'il semblait beaucoup plus confiant et détendu. Ainsi, Dalanar avait raison : cela avait rendu terriblement service à Echozar d'être si facilement accepté par Danug, Druwez et, comment s'appelait-il déjà… ah oui, Aldanor. Elle était certaine que Jondalar leur avait lui aussi souhaité la bienvenue, à lui, à leur parentèle et à leurs amis proches. Jondalar avait sans nul doute réservé à Echozar le meilleur accueil… Mais pour elle, il n'avait pas eu le début d'un petit mot gentil. La seule fois où elle l'avait vu depuis son arrivée, c'était dans les bois, quand elle l'avait trouvé nu en compagnie de Marona. Ayla fut contrainte de détourner le regard pour réprimer le serrement de gorge et les larmes qui lui montaient aux yeux, des sensations qui semblaient s'abattre sur elle aux moments les plus inattendus ces derniers temps. Elle dit à Echozar qu'elle avait une poussière dans l'œil avant de poursuivre :

— Ce n'est pas parce que je suis venue à la Réunion d'Été que tu ne peux pas nous rendre visite à la Neuvième Caverne, dit-elle. Elle n'est pas bien loin d'ici et rien ne serait plus facile. Je crois que Dalanar et Joplaya seraient intéressés par l'atelier que Jondalar a installé pour y former ses apprentis tailleurs de silex. Il en a six maintenant, expliqua-t-elle, d'une voix qui avait toutes les apparences de la normalité, ou presque.

Après tout, elle ne pouvait pas éviter de parler de Jondalar à Dalanar et Joplaya.

— Et puis, ajouta-t-elle, j'aimerais bien voir un peu plus longuement Bokovan, ainsi que vous tous, bien entendu.

— Je crois que ce jeune homme a complètement mis Ayla sous le charme, souligna Dalanar, ce qui fit sourire toutes les personnes présentes.

— Il deviendra grand et fort, intervint Echozar. Et je veux lui apprendre à devenir un bon chasseur.

Ayla le gratifia de son plus beau sourire : l'espace d'un instant, elle put s'imaginer qu'Echozar était un homme du Clan, fier du fils de son foyer.

— Il se peut qu'il devienne plus que grand et fort, Echozar, dit-elle. Je crois que c'est un enfant très spécial.

— Mais où est donc Jondalar ? s'enquit Echozar. Ne devait-il pas venir partager notre repas ce soir ?

— Je l'ai vu peu après midi : il sortait les chevaux avec Jonayla, et il m'a dit qu'il ne pourrait pas se joindre à nous, dit Dalanar, qui semblait déçu.

— J'avais l'intention d'emmener Jonayla, mais la réunion de la Zelandonia a duré plus longtemps que je ne le pensais, expliqua Ayla. Elle va nous rejoindre.

Tout le monde regarda son front.

— A-t-il dit pourquoi il ne pouvait pas venir ? demanda Echozar.

— Il a parlé d'autres projets, de promesses qu'il avait faites avant l'arrivée d'Ayla.

La jeune femme sentit son ventre se nouer. J'imagine les promesses qu'il a pu faire, se dit-elle.

Il faisait presque nuit quand Ayla expliqua qu'elle devait s'en aller. Muni d'une torche, Echozar la raccompagna, ainsi que Jonayla et le loup.

— Tu as l'air heureux, Echozar, lui dit Ayla.

— Je le suis, même si je continue à avoir du mal à croire que Joplaya est ma compagne. Il m'arrive de me réveiller la nuit ; je me contente alors de la regarder à la lueur du feu. Elle est si belle, si merveilleuse. Douce et compréhensive. Je me sens si chanceux que je me demande parfois comment j'ai fait mon compte pour la mériter.

— Elle a de la chance elle aussi, tu sais. J'aimerais bien que nous soyons plus proches de vous.

— Ce qui te permettrait de voir plus souvent Bokovan, n'est-ce pas ?

Elle vit son sourire découvrir l'éclat de ses dents.

— C'est vrai, j'aimerais bien vous voir plus, toi, Bokovan et Joplaya, mais aussi tous les autres, avoua Ayla.

— As-tu songé à rentrer avec nous et à passer l'hiver en notre compagnie ? demanda Echozar. Tu sais, Dalanar n'arrête pas de dire que toi et Jondalar serez toujours les bienvenus.

Ayla fronça les sourcils, les yeux perdus dans le noir de la nuit. Oui, bien sûr, Jondalar, songea-t-elle.

— Je ne pense pas que Jondalar accepterait d'abandonner ses apprentis. Il leur a fait des promesses, et l'hiver est la meilleure période pour travailler au perfectionnement des techniques, expliqua-t-elle.

Echozar garda un moment le silence.

— J'imagine qu'il n'est pas question pour toi de laisser Jondalar seul pendant une saison et de venir chez nous, avec Jonayla et tes animaux, bien entendu, dit-il enfin. Tu sais à quel point Joplaya aime Boko-van, mais je sais qu'elle adorerait accueillir ta fille dans notre foyer. On a dû te dire qu'elle passait beaucoup de temps avec Bokovan au campement de Levela.

— Je... je ne sais pas, je n'y ai jamais réfléchi. J'ai été si prise par ma formation pour la Zelandonia... dit-elle avant de chercher du regard sa fille, restée quelques pas en arrière.

Elle a sans doute trouvé quelque chose en chemin pour la distraire, pensa Ayla.

— Nous n'aurions rien contre une autre doniate... ajouta Echozar.

Ayla lui sourit, puis s'arrêta et lança à sa fille :

— Pourquoi traînes-tu ainsi, Jonayla ?

— Je suis fatiguée, mère, se plaignit la fillette. Tu peux me porter ?

La jeune femme prit sa fille dans ses bras et la posa contre sa hanche. Elle aimait bien le contact de ses petits bras qui enlaçaient son cou. Jonayla lui avait beaucoup manqué, et elle serra fort le corps mince contre elle.

Ils continuèrent de progresser en silence pendant quelque temps, puis perçurent des voix rauques. Devant eux, ils distinguèrent bientôt les lueurs d'un feu de camp derrière un bosquet d'épineux. Ils s'approchèrent encore, ce qui permit à Ayla de constater qu'il ne s'agissait pas d'un campement régulier. À travers le buisson, ils virent plusieurs hommes assis autour du feu. À l'évidence, ils étaient en train de jouer, et de boire un liquide contenu dans de toutes petites outres fabriquées à partir de l'estomac, quasiment étanche, d'animaux de petite taille. Elle connaissait la plupart des individus présents : plusieurs venaient de la Neuvième Caverne, le reste de plusieurs autres.

Laramar, connu pour avoir le don de fabriquer de puissants breuvages alcooliques à partir de presque tout ce qui était susceptible de fermenter, était de la partie. Si elles n'avaient pas le raffinement des vins fabriqués par Marthona, les boissons qu'il produisait étaient tout à fait convenables. Il ne faisait pas grandchose par ailleurs et avait perfectionné ce qu'il appelait son « art », mais sa production était très importante et nombreux étaient ceux qui buvaient beaucoup trop sur une base régulière, ce qui ne manquait pas de créer des problèmes. Sa seule autre particularité était d'avoir un foyer plein d'une nombreuse nichée d'enfants la plupart du temps livrés à eux-mêmes, avec la complicité active d'une compagne plus que négligée, qui puisait largement dans la production de son conjoint.

Ayla et les autres membres de la Caverne prenaient plus soin des enfants que Laramar et Tremeda réunis.

Lanoga, l'aînée des filles de leur foyer, vivait désormais avec Lanidar, avec qui elle avait eu un fils, mais le jeune couple avait adopté tous ses frères et sœurs, dont Bologan, l'aîné, qui aidait à subvenir aux besoins des enfants. Il avait également aidé à construire leur nouveau logement, avec l'aide de Jondalar et de plusieurs autres. Sa mère, Tremeda, et Laramar vivaient également avec eux, à l'occasion, lorsqu'ils choisissaient de rester un certain temps dans un lieu qu'ils n'hésitaient pas à qualifier de « foyer », tous deux se comportant comme si c'était effectivement le leur.

Outre Laramar, Ayla remarqua qu'un homme portait sur le front les striures caractéristiques des Zelandonia.

Lorsqu'il sourit, elle vit qu'il lui manquait les dents de devant et fronça les sourcils, comprenant qu'il s'agissait de Madroman. Avait-il déjà été reçu au sein de la Zelandonia, et tatoué ? Elle ne pouvait le croire. En regardant plus attentivement, elle remarqua que le tatouage présentait des traces de maculage : en fait de tatouage, il s'agissait plutôt d'une peinture, réalisée sans doute à l'aide des pigments dont se servaient certaines personnes pour se décorer le visage à l'occasion de cérémonies ou de festivités quelconques. Jamais, toutefois, elle n'avait vu quiconque s'orner le visage avec des signes distinctifs propres aux Zelandonia.

Voir Madroman lui rappela le sac à dos qu'elle avait trouvé dans la grotte et rapporté à la Première. Même s'il lui souriait invariablement et s'efforçait souvent de l'entraîner dans une quelconque conversation, elle ne s'était jamais sentie à son aise en présence de cet individu. Ce malaise évoquait en elle le pelage d'un cheval lorsqu'on ne le caresse pas dans le sens du poil. Autrement dit, il s'y prenait à l'envers.

Elle aperçut de nombreux hommes jeunes, qui parlaient et riaient fort, mais il y en avait également d'autres, de tous âges. D'après ce qu'elle savait de ceux qu'elle reconnaissait, leur contribution à la collectivité était des plus négligeables. Certains n'étaient pas très malins, ou se laissaient aisément entraîner. L'un d'entre eux passait le plus clair de son temps à se gorger de barma : il rentrait systématiquement chez lui le soir en titubant et on le trouvait plus souvent qu'à son tour dans des endroits inattendus, totalement inconscient, empestant l'alcool et le vomi. Un autre était connu pour être brutal sans nécessité, en particulier envers sa compagne et ses enfants, au point que la Zelandonia avait envisagé diverses façons d'intervenir, attendant simplement que sa compagne lance un appel à l'aide.

Puis, plus qu'à moitié caché dans l'ombre, elle aperçut Brukeval, assis un peu à l'écart, adossé à une haute souche, buvant lui aussi à même une outre. Son humeur ne cessait pas de l'inquiéter, mais c'était un cousin de Jondalar et il s'était toujours montré prévenant à son égard. Le voir en telle compagnie lui fendit le cœur.

Elle était sur le point de se détourner lorsqu'elle entendit Loup gronder sourdement. Puis une voix retentit, très fort, dans son dos :

— Tiens, voyez donc qui vient nous rendre visite ! Celle qui aime les animaux, accompagnée de deux d'entre eux.

Elle se retourna vivement, surprise. Deux animaux ? se dit-elle, mais je n'ai que Loup...

Il lui fallut un moment pour comprendre qu'il venait de qualifier Echozar d'animal. Elle sentit aussitôt la colère monter en elle.

— Le seul animal que je vois ici est un loup... mais peut-être pensais-tu à toi, répliqua-t-elle.

Certains de ceux qui avaient entendu sa remarque s'esclaffèrent, et elle vit l'homme froncer les sourcils.

— Je n'ai pas dit que j'étais un animal, proféra-t-il.

— Tant mieux. Jamais je n'aurais pensé te mettre dans la même catégorie que Loup... Tu n'es pas à la hauteur, lâcha-t-elle.

Plusieurs des participants à la petite fête écartèrent les buissons pour voir ce qui se passait. Ils virent Ayla portant sa fille sur la hanche, sa jambe devant le loup pour l'empêcher de bondir, et Echozar près d'elle, tenant une torche.

— Elle s'est approchée en douce pour nous observer, dit l'homme pour sa défense.

— Je marchais sur un chemin fréquenté par tous et je me suis arrêtée pour voir qui faisait tout ce bruit, expliqua Ayla.

— Qui est-ce ? Et pourquoi parle-t-elle de cette drôle de façon ? demanda un jeune homme qu'Ayla ne connaissait pas, avant d'ajouter, d'une voix trahissant sa surprise : Mais c'est un loup !

Ayla avait presque oublié ce problème d'accent, tout comme la plupart de ceux qui la connaissaient, mais il pouvait arriver qu'un étranger le lui rappelle. D'après le motif qui ornait sa chemise, et le style du collier qu'il portait, estima-t-elle, il venait d'une Caverne établie sur une autre rivière, vers le nord, un groupe qui n'assistait qu'irrégulièrement à leurs Réunions d'Été. Il n'était sans doute arrivé que depuis peu.

— C'est Ayla, de la Neuvième Caverne, celle que Jondalar a ramenée avec lui, expliqua Madroman.

— Et c'est une Zelandoni qui sait maîtriser les animaux, précisa un autre, en qui Ayla crut reconnaître un voisin de la Quatorzième Caverne.

— Elle n'est pas Zelandoni, intervint Madroman d'un ton condescendant. Ce n'est qu'un acolyte, encore en cours de formation.

À l'évidence il n'a pas encore vu mon nouveau tatouage, se dit Ayla.

— Lorsqu'elle est arrivée, elle était déjà capable de maîtriser ce loup ainsi que deux chevaux, reprit l'homme de la Quatorzième Caverne.

— Je vous avais bien dit qu'elle adorait les animaux, intervint le premier homme avec un ricanement, en désignant du doigt Echozar.

Ce dernier le foudroya du regard et se plaça devant Ayla, comme pour la protéger. Ces hommes étaient nombreux, et ils avaient absorbé en quantité le breuvage de Laramar, dont on savait qu'il avait la particularité de débrider les instincts les plus mauvais.

— Vous voulez parler des chevaux de cette Caverne dont le campement se trouve en amont ? demanda l'étranger. C'est là où on m'a d'abord installé, à mon arrivée. C'est elle qui les mène ? Je croyais que c'était cet homme et cette petite fille...

— Grise est mon cheval, intervint Jonayla.

— Ils sont tous du même foyer, dit Brukeval, se montrant à la lueur du feu de camp.

Ses yeux fixant Brukeval, puis Echozar, Ayla remarqua immédiatement leurs ressemblances. Brukeval était clairement une version à peine modifiée d'Echozar, bien qu'aucun des deux ne fût totalement issu du Clan.

— Je crois que vous devriez laisser Ayla poursuivre sa route, ajouta Brukeval. Et je crois aussi qu'il serait plus malin d'organiser à l'avenir nos petites fêtes à l'écart de ce chemin un peu trop fréquenté.

— En effet, ça me paraît une bonne idée, fit une voix qui ne s'était pas encore fait entendre jusqu'alors.

Joharran, accompagné par plusieurs hommes, apparut à la lueur de la torche tenue par Echozar. Certains des nouveaux venus portaient également des torches, éteintes, qu'ils s'empressèrent d'allumer à celle d'Echozar, ce qui permit aux autres de voir qu'ils étaient fort nombreux.

— Nous avons entendu le bruit que vous faisiez, et nous sommes venus voir ce qui se passait. Il y a des tas d'emplacements pour organiser tes petites beuveries, Laramar. À mon avis, vous n'avez pas besoin d'embêter les gens qui fréquentent les principaux chemins reliant les campements. Je vous conseillerais de quitter immédiatement cet endroit et d'aller vous installer ailleurs. Inutile que des enfants tombent sur vous demain dans la matinée.

— Il va quand même pas nous obliger à partir ! lança une voix avinée.

— Très juste, il peut pas nous y obliger, fit l'homme qui, le premier, avait vu Ayla.

— Non, pas de problème, intervint Laramar, ramassant plusieurs petites outres qui n'avaient pas encore été entamées, et les disposant dans une sorte de caisse. Mieux vaut trouver un endroit où on ne sera pas dérangés.

Brukeval se mit en devoir de l'aider. Il leva les yeux vers Ayla, qui lui sourit avec gratitude pour avoir pris son parti et suggéré qu'ils aillent s'installer ailleurs. Il lui rendit son sourire, mais d'une façon étrange, qui la laissa perplexe, après quoi il détourna le regard, sourcils froncés. Ayla posa sa fille à terre et s'agenouilla pour retenir Loup pendant que les hommes pliaient bagage.

— Je me rendais au campement des Lanzadonii pour parler à Dalanar, de toute façon, expliqua Joharran à Echozar. Pourquoi ne rentrerais-tu pas avec moi ? Ayla pourrait poursuivre son chemin en compagnie de Solaban et des autres.

Ayla se demanda de quoi Joharran avait à discuter avec Dalanar qui ne pût attendre le lendemain matin. Personne n'allait se déplacer en pleine nuit. Elle remarqua alors que certains des hommes installés précédemment autour du feu sortaient de derrière un buisson et suivaient la direction prise par les autres, leurs têtes se tournant pour voir partir Echozar, Joharran et deux autres hommes. Elle plissa le front, inquiète. Quelque chose n'allait pas.

— Je n'ai jamais rien vu de pareil avec la Zelandonia, dit Joharran. As-tu entendu quelque chose au sujet de la cérémonie qu'elle va organiser, à ce qu'on dit ? Ayla a reçu ses marques, mais on n'a pas encore annoncé son nouveau statut. D'habitude on le fait sur-le-champ. Est-ce qu'elle t'a dit quelque chose à ce propos ?

— Elle a été si occupée avec la Zelandonia que je ne l'ai pas beaucoup vue, répondit Jondalar.

Ce qui n'était pas tout à fait vrai. S'il ne l'avait pas beaucoup vue, en effet, ce n'était pas parce qu'elle avait été très occupée. C'était lui qui était resté à l'écart, et son frère ne l'ignorait pas.

— Bon, en tout cas, ils semblent être en train de préparer quelque chose de très important. La Première a longuement parlé avec Proleva, qui m'a dit que la Zelandonia souhaitait une immense fête, très élaborée. Ils ont même demandé à Laramar d'apporter son breuvage pour l'occasion. Nous sommes en train de mettre sur pied une partie de chasse, qui durera probablement un jour ou deux. Souhaites-tu te joindre à nous ?

— Oui, répondit Jondalar, sans doute un peu trop rapidement, ce qui amena son frère à lui jeter un coup d'œil interrogateur. J'aimerais bien.

Depuis l'incident, il n'avait pensé à rien d'autre qu'au fait qu'Ayla l'avait surpris avec Marona. Étant donné les circonstances, il ne pouvait se résoudre à se glisser tout simplement sous les fourrures à ses côtés. Il ne savait même pas si elle le laisserait faire. Il était certain de l'avoir perdue et redoutait d'en avoir la confirmation.

Il pensait avoir trouvé une excuse plausible pour ne pas retourner à leur campement une nuit de plus lorsque Proleva l'avait interrogé à ce propos. Il avait en fait dormi près de l'enclos aux chevaux, en se servant pour rester au chaud des couvertures pour les bêtes et du tapis de sol qu'il avait utilisé à la baignade avec Marona, mais il ne pensait pas pouvoir rester à l'écart plus longtemps sans susciter la curiosité de tout le campement. Partir en expédition de chasse réglerait le problème pour les deux jours à venir. Il n'avait surtout pas envie de réfléchir à ce qui allait se passer ensuite.

Même si Ayla essayait de se comporter comme si rien ne s'était passé, et si Jondalar croyait que sa volonté de l'éviter passait inaperçue, en fait le campement tout entier savait désormais que le couple battait de l'aile, et nombreux étaient ceux qui avaient deviné de quoi il retournait. Pour la plupart, Jondalar faisait preuve tout simplement de discrétion, et ils se comportaient comme si cette liaison n'existait pas. Mais la nouvelle selon laquelle le couple, qui s'adorait visiblement jusqu'alors, allait jusqu'à ne plus partager le même lit depuis l'arrivée d'Ayla, et ce alors même que Marona avait trouvé refuge dans un autre campement, s'était répandue très vite.

C'était le genre de commérages que les gens adoraient commenter. Le fait qu'Ayla ait reçu les marques l'élevant au rang de Zelandoni sans que la nouvelle eût été annoncée et que les plans pour une cérémonie grandiose eussent été en cours de réalisation ne faisait qu'ajouter un cachet supplémentaire, et délicieux, aux supputations qui se donnaient libre cours. Tout le monde se doutait que l'événement avait à voir avec l'intronisation de la nouvelle Zelandoni, mais personne ne savait quoi que ce soit de plus. D'habitude, tel ou tel membre de la Zelandonia laissait glisser une bribe d'information devant un questionneur particulièrement insistant, mais cette fois tous demeuraient bouche cousue. Certains allaient jusqu'à laisser entendre que même les acolytes ne connaissaient pas la raison véritable de l'organisation de ces festivités inattendues, même si tous faisaient mine d'être au courant.

Jondalar avait tout juste entendu dire qu'une cérémonie était en train de se préparer et, jusqu'à ce que Joharran lui ait demandé de participer à la partie de chasse, il ne s'en était pas préoccupé le moins du monde. C'était ensuite devenu une excuse pour s'éclipser pendant un temps. Il avait vu Marona à plusieurs reprises. Quant cette dernière avait eu vent des rumeurs concernant le refroidissement des relations entre Ayla et Jondalar, elle s'était fait un devoir de le sonder, mais il semblait avoir perdu tout intérêt envers elle. Il n'était guère allé au-delà d'une politesse empreinte de froideur lorsqu'elle lui avait adressé la parole, mais elle n'était pas la seule à souhaiter savoir à quel point les relations du couple étaient tendues. La nouvelle avait également amené Brukeval à se rendre au campement de la Neuvième Caverne.

Celui-ci, bien qu'il fût arrivé à la Réunion d'Été avec la Neuvième Caverne, avait depuis longtemps quitté le campement pour aller s'installer dans une des lointaines réservées aux hommes, montées à la périphérie du Camp de la Réunion d'Été. Certaines étaient utilisées par de jeunes gens récemment élevés au statut d'hommes faits, d'autres par des hommes plus âgés ne vivant pas encore ou ne vivant plus en couple. Brukeval était toujours resté seul. Il redoutait depuis toujours, sans le dire à personne, de se voir refusé, et n'avait jamais demandé à la moindre femme de vivre avec lui. Par ailleurs, aucune des femmes disponibles ne lui paraissait être réellement digne d'intérêt. Dans la mesure où il n'avait pas de famille proche ni d'enfants, il ne se sentait pas à sa place dans le campement principal, ni même dans les zones les plus fréquentées par les membres de la Neuvième Caverne. Au fil des années, tandis que la plupart des hommes de son âge prenaient compagne, il avait de plus en plus évité les activités ordinaires et les gens de sa connaissance et se retrouvait donc souvent, par défaut, en compagnie des fainéants qui tournaient autour de Laramar afin de pouvoir profiter du breuvage qu'il confectionnait, lui-même en abusant fréquemment pour trouver l'oubli qui allait toujours avec.

Brukeval avait essayé différentes lointaines réservées aux hommes lors de la Réunion d'Été, mais il avait fini par s'installer dans celle qui abritait nombre des hommes qu'il connaissait de la Neuvième Caverne ayant facilement accès au barma de Laramar. Ce dernier y dormait d'ailleurs lui aussi la plupart du temps plutôt que de retourner à la tente occupée par sa compagne et les enfants de cette dernière. Ceux-ci ne se montraient guère accueillants à son égard ces derniers temps, singulièrement depuis que Lanoga s'était mise en couple avec ce garçon au bras rabougri. Elle est devenue bien jolie, pourtant, se disait Laramar, cela aurait dû lui permettre de se trouver un compagnon plus digne d'elle même si, à ce qu'on disait, le garçon en question était un bon chasseur. Madroman trouvait lui aussi souvent refuge dans la lointaine des hommes plutôt que dans le foyer plus vaste réservé à ces prétentieux de la Zelandonia, où on continuait de ne le considérer que comme un simple acolyte, même s'il racontait à qui voulait l'entendre qu'il avait été appelé.

Brukeval n'appréciait guère les hommes dont il avait choisi de partager le toit, une bande d'oisifs sans ressort qui avaient peu de choses à offrir et semblaient ignorer le sens du mot « respect ». Il se savait plus intelligent et plus capable que la plupart d'entre eux. Il était lié aux familles de personnes qui devenaient souvent des meneurs, ou des meneuses, et il avait grandi en compagnie de gens responsables, brillants, souvent talentueux. Ceux dont il partageait la tente étaient pour l'essentiel paresseux, faibles, lents d'esprit, dénués de générosité et de toute autre qualité susceptible de racheter leurs défauts.

En conséquence, afin de raffermir leur propre estime de soi et de trouver un exutoire à leurs frustrations, ils nourrissaient leur vanité et leur prétention à être plus qu'ils n'étaient en manifestant leur profond mépris pour des êtres auxquels ils pouvaient se sentir supérieurs : ces animaux sales et stupides que l'on appelait Têtes Plates. Ils se racontaient entre eux que, si ces derniers n'avaient rien d'humains, ils étaient capables de faire preuve de ruse. Parce que les Têtes Plates présentaient une certaine ressemblance avec les vraies personnes, ils étaient parfois suffisamment malins pour troubler les esprits qui rendaient une femme enceinte de sorte qu'elle donnait naissance à une abomination, ce qui était parfaitement intolérable. Pour des raisons qui lui étaient propres, la seule chose que Brukeval avait en commun avec les hommes dont il partageait le toit était une haine profonde, viscérale, pour les Têtes Plates.

Certains de ces individus n'étaient que des brutes épaisses et, au début, un ou deux avaient même essayé de le provoquer en prétendant que sa mère était une Tête Plate. Mais après qu'il eut piqué quelques-uns de ses fameux accès de colère irraisonnée et exhibé sa force physique, aucun n'avait plus osé l'ennuyer avec cela, la plupart le traitant même avec plus de respect que tout autre occupant de la tente commune. Il avait par ailleurs une certaine influence auprès des chefs de la Caverne dans la mesure où il connaissait la plupart d'entre eux, et il avait plaidé à plusieurs reprises l'indulgence pour tel ou tel qui s'était retrouvé dans des ennuis plus graves qu'à l'ordinaire. Au point que nombre de ces hommes le considéraient comme une sorte de leader. C'était également le cas de certains membres des différentes Cavernes, qui estimaient qu'il pouvait avoir sur ses camarades une influence bénéfique au point que, dès le milieu de l'été, si l'un de ces derniers faisait preuve d'une attitude particulièrement agressive, c'était à Brukeval que l'on venait s'en plaindre.

Lorsqu'il fit son apparition au campement principal de la Neuvième Caverne, ostensiblement pour rendre visite aux gens de sa Caverne et partager avec eux le repas de midi, les conjectures allèrent bon train. Ayla était partie tôt. Elle avait beaucoup de choses à faire au sein de la Zelandonia et avait emmené Jonayla pour la laisser en passant chez Levela. En fait, la plupart des femmes n'étaient plus là. Avec son talent désormais bien connu d'organisatrice, Proleva avait rassemblé toutes celles sur qui elle avait pu mettre la main, assignant telle tâche à celle-ci, telle autre à celle-là, tout cela dans le cadre des préparatifs d'un grand festin susceptible de combler tous les participants à la Réunion d'Été. Les seules femmes demeurant dans le campement étaient celles qui allaient se joindre à la chasse.

Proleva avait laissé de la nourriture pour le repas de midi des chasseurs, qui étaient en train de se rassembler au campement de la Neuvième Caverne. Par la suite, il leur faudrait se débrouiller pour trouver leur pitance au cours de la chasse. La plupart des participants avaient emporté des aliments séchés qu'ils avaient ajoutés à leur équipement : tentes, nattes à dormir, mais ils comptaient bien se nourrir du gibier qu'ils abattraient ou des végétaux qu'ils récolteraient au cours de leur expédition.

Brukeval étant réputé pour être un chasseur plus que convenable, Joharran l'invita à se joindre à eux. Brukeval n'hésita qu'un moment. Il s'interrogeait sur les relations entre Ayla et Jondalar et se dit que, à l'occasion des rapprochements qui accompagnaient toujours ce genre d'expédition, il serait peut-être en mesure d'en apprendre un peu plus.

Il n'avait jamais oublié la façon dont Ayla les avait tous affrontés lorsque Marona l'avait incitée à porter des vêtements parfaitement inappropriés à l'occasion de la fête organisée pour l'accueillir – or il avait remarqué que les femmes portaient toutes les mêmes, désormais. Il se rappelait avec quelle chaleur elle l'avait accueilli la première fois qu'ils s'étaient rencontrés, le sourire dont elle l'avait gratifié, comme si elle le connaissait depuis toujours, sans les hésitations ni la réserve que manifestaient la plupart des femmes à son égard. Il rêvait d'elle dans son si beau et si étrange costume matrimonial, se voyait souvent le lui ôter pièce après pièce… Même après toutes ces années, il s'imaginait encore par moments que c'était lui, et non plus Jondalar, qui s'étendait auprès d'elle sur ces douces fourrures.

Ayla s'était toujours montrée agréable avec lui, mais après cette première soirée il avait senti une certaine réticence à son égard, bien loin de ses premières manifestations de bienvenue. Au fil des années, Brukeval s'était replié sur lui-même, ce qui ne l'empêchait pas de connaître beaucoup de choses sur la vie commune d'Ayla et de Jondalar, jusqu'à des détails des plus intimes. Il savait entre autres que Jondalar s'accouplait depuis un certain temps avec Marona. Étrange choix… Il savait également qu'Ayla ne frayait avec personne d'autre, pas même lors des Fêtes pour honorer la

Mère, et qu'elle n'était pas au courant pour Jondalar et Marona.

Brukeval retourna à sa lointaine pour y prendre ses sagaies. Le temps qu'il revienne au campement de la Neuvième Caverne, l'idée de cette expédition de chasse l'excitait plutôt. Depuis qu'il avait décidé de s'installer avec les compagnons dont il partageait la lointaine, on ne lui avait jamais demandé d'y participer. En règle générale, la plupart des responsables de ces parties de chasse ne se donnaient pas la peine de demander aux hommes de cette tente de se joindre à eux, et ceux-ci n'organisaient que très rarement leurs propres expéditions, à la seule exception de Brukeval, qui partait souvent seul et avait appris au fil des années à trouver sa propre subsistance lorsque le besoin s'en faisait sentir.

Les autres se contentaient d'ordinaire de quémander leur pitance à telle Caverne ou à telle autre, en retournant souvent au campement de leur Caverne d'origine. Madroman, lui, n'avait aucun souci pour les repas. Il les partageait en général avec les membres de la Zelandonia, qui étaient d'ordinaire fort bien approvisionnés par les différentes Cavernes, la plupart du temps en échange de tel ou tel service, mais également parfois de requêtes particulières. Laramar lui aussi disposait de ressources qui lui étaient propres : il troquait son barma, et n'avait aucun mal à trouver son content de clients.

Il n'était pas inhabituel que les jeunes hommes résidant dans les locaux qui leur étaient réservés se procurent de la nourriture ou des repas dans un campement ou dans un autre, mais ils s'efforçaient d'ordinaire d'apporter en échange leur contribution, comme la participation à une expédition de chasse, à la récolte d'aliments comestibles, ou à d'autres travaux pour la communauté. Et même s'il était assez courant que ceux qui avaient depuis peu acquis le statut d'hommes adultes créent des problèmes, on attribuait en général cela à de forts tempéraments et on avait tendance à les tolérer, en particulier les hommes plus âgés qui se rappelaient leur propre jeunesse. Mais s'ils causaient trop de tracas, ils recevaient parfois la visite de responsables de la Caverne ayant le pouvoir de leur infliger une punition, qui pouvait aller, dans le pire des cas, jusqu'au bannissement du campement de la Réunion d'Été.

Tout le monde savait que les hommes partageant la lointaine de Brukeval n'étaient plus tout jeunes, et que l'on ne pouvait qu'exceptionnellement leur mettre la main dessus lorsqu'il fallait effectuer de gros travaux. Mais on ne manquait jamais de nourriture lors des Réunions d'Été, et quelqu'un qui faisait son apparition au moment du repas n'était jamais chassé, même s'il n'était visiblement pas le bienvenu. Les occupants de la lointaine où Brukeval avait trouvé refuge étaient en général assez malins pour ne pas se montrer trop souvent dans le même campement. Ils se répartissaient d'ordinaire de façon à ce que tous n'apparaissent pas en même temps au même endroit, à moins qu'ils n'aient entendu parler d'un véritable festin, comme à ces occasions où l'un ou plusieurs des campements décidaient d'organiser des repas regroupant l'ensemble de la ou des communautés. Mais avec leurs petites fêtes souvent bruyantes, fréquemment entrecoupées de rixes, leur comportement, leur apparence négligée, leur répugnance à participer aux tâches de la communauté, ces hommes avaient fini par n'être plus qu'à peine tolérés.

Leur lointaine était toutefois le seul endroit où Brukeval pouvait noyer sa culpabilité secrète et sa douleur à l'aide du breuvage de Laramar. Dans les brumes de l'alcool, son cerveau ne contrôlant plus sa pensée consciente, il était libre de penser à Ayla comme bon lui semblait. Il pouvait se rappeler l'air qu'elle arborait lorsqu'elle avait fièrement affronté les rires de la Neuvième Caverne, le beau sourire qu'elle lui avait réservé, plaisantant avec lui, s'adressant à lui comme si elle pensait qu'il était un homme comme les autres, voire même beau et charmant, et non laid et court sur pattes. Les gens le qualifiaient de Tête Plate mais non, il n'en était pas une. Je ne suis pas une Tête Plate, se répétait-il. C'est juste que je suis court sur pattes et... laid.

Caché dans l'obscurité, le ventre plein du puissant breuvage de Laramar, il pouvait rêver d'Ayla dans sa tunique si spectaculaire, si exotique avec ses beaux cheveux d'or retombant sur son visage, avec son bijou en ambre niché entre ses deux seins fermes et nus. Il pouvait s'imaginer caressant ces seins, touchant ces mamelons, les prenant dans sa bouche. Il lui suffisait d'y penser pour avoir une érection, et son désir était tel qu'il lui suffisait de se toucher pour faire jaillir sa semence.

Dès lors, il pouvait se glisser dans sa couche déserte, et rêver que c'était lui qui se tenait aux côtés d'Ayla, et non son cousin, l'homme de haute stature aux cheveux jaunes et aux yeux d'un bleu profond, cet homme parfait que toutes les femmes désiraient. Mais Brukeval savait qu'il n'était pas parfait. Jondalar s'était accouplé avec Marona, sans le dire à Ayla, en essayant de le cacher à tout le monde. Il avait ses petits secrets, lui aussi, et maintenant Ayla dormait seule. Jondalar avait passé la nuit à la belle étoile à côté de l'enclos aux chevaux, en utilisant leurs couvertures. Ayla avait-elle cessé d'aimer Jondalar ? Avait-elle découvert sa liaison avec Marona et cessé d'aimer cet homme qui était tout ce que Brukeval rêvait d'être ? L'homme qui était le compagnon de la femme qu'il aimait plus que la vie ? Avait-elle besoin de quelqu'un pour l'aimer, désormais ?

Même si elle cessait d'aimer Jondalar, il savait qu'il était peu probable qu'elle le choisisse, lui, mais elle lui avait de nouveau souri aujourd'hui, et ne semblait plus aussi distante. Par ailleurs, l'arrivée de Dalanar et des Lanzadonii lui avait rappelé que certaines femmes d'une grande beauté pouvaient parfois porter leur choix sur des hommes laids. Il n'était pas une Tête Plate et avait horreur de se dire qu'il pouvait présenter une quelconque ressemblance avec eux, mais il avait bien conscience que Echozar, cette abomination née d'« esprits mêlés », dont la mère était une Tête Plate, s'était mis en couple avec la fille de la seconde femme de Dalanar, celle que la plupart des gens trouvaient d'une beauté si exotique. Donc, c'était possible. Il devait éviter de se faire trop d'illusions, de se donner trop d'espoirs, mais si Ayla avait besoin de quelqu'un, de quelqu'un qui jamais, aussi longtemps qu'il demeurerait en vie, ne s'accouplerait avec une autre qu'elle, qui n'aimerait jamais aucune autre femme jusqu'au terme de son existence, il pourrait être celui-là.

13

— Mère ! Mère ! Thona est là ! Mamoune est enfin arrivée ! s'écria Jonayla en se précipitant dans leur gîte pour annoncer la nouvelle avant d'en ressortir aussi vite, toujours suivie de Loup.

Ayla s'arrêta dans son geste pour réfléchir au nombre de jours qui s'étaient écoulés depuis qu'elle avait demandé que l'on envoie quelqu'un chercher Marthona. Pour chacune des journées, elle posait un doigt sur sa jambe. Elle n'en compta que quatre. Marthona avait dû avoir très envie de les rejoindre, comme le supputait Ayla, pour peu que l'on puisse trouver un moyen de la transporter jusque-là. La jeune femme sortit de l'édifice au moment précis où quatre jeunes gens de taille à peu près identique déposaient sur le sol la litière qu'ils portaient sur leurs épaules et où était installée Marthona. Deux d'entre eux étaient des aides de Jondalar, les deux autres des amis qui se trouvaient être non loin quand on avait fait savoir que l'on avait besoin de porteurs de litière.

Ayla regarda avec intérêt l'appareil sur lequel on avait conduit Marthona à la Réunion d'Été : il consistait en deux perches taillées dans de jeunes aulnes bien droits, placées parallèlement l'une à l'autre, l'intervalle étant comblé par de la corde solide entrecroisée en diagonales. À intervalles réguliers, des plaques de bois avaient été installées entre les deux longues perches afin de donner à l'ensemble une stabilité accrue. Ayla était certaine que Marthona, qui était une tisseuse accomplie, avait contribué à la confection de sa litière. La vieille femme était assise à l'arrière, sur des coussins. Ayla lui tendit la main pour l'aider à se lever tandis que Marthona remerciait les jeunes gens ainsi que plusieurs autres, qui s'étaient apparemment relayés pour transporter l'ancienne chef.

Ils avaient passé la nuit dans la petite vallée de la Cinquième Caverne en compagnie des rares membres du groupe qui ne s'étaient pas déplacés pour la Réunion et d'un des acolytes de la Zelandonia. Tous s'étaient montrés fort intéressés par le mode de transport utilisé par Marthona. Deux d'entre eux s'étaient demandé tout haut s'ils ne pourraient pas eux aussi trouver quelques jeunes gens disposés à les emmener à la Réunion d'Été. La plupart auraient bien aimé y assister, sachant qu'ils rataient une belle occasion de participer à des festivités, mais étaient contraints de rester sur place car dans l'impossibilité de s'y rendre par la seule force de leurs faibles jambes.

Quand les apprentis de Jondalar rentrèrent la litière dans l'abri qui lui était dévolu, Ayla se dit que l'on pourrait avoir encore besoin de leurs services.

— Hartalan, pourriez-vous, toi et Zachadal, ainsi que d'autres éventuellement, transporter Marthona dans le camp si elle a besoin de vous ? leur demanda-t-elle. Le trajet à pied d'ici au local de la Zelandonia et à certains des autres campements risque d'être un peu trop long pour elle.

— Fais-nous simplement savoir quand tu auras besoin de nous, répondit le jeune homme. Un peu à l'avance si cela est possible, mais l'un de nous au moins sera très probablement dans les parages. Je vais en parler à mes camarades et voir si l'on peut s'assurer que quelqu'un soit toujours là, et en trouver d'autres pour nous donner la main.

— C'est très gentil à vous, le remercia Marthona, qui avait entendu la requête d'Ayla en entrant dans le logis, mais je ne voudrais surtout pas vous empêcher de vous livrer à vos propres activités.

— C'est qu'il n'y a plus grand-chose à faire, expliqua Hartalan. Certains envisagent de partir chasser, d'autres de rendre visite à des parents ou de rentrer chez eux. La plupart des cérémonies et des réjouissances sont maintenant terminées, à part la dernière Matrimoniale et ce grand événement que la Zelandonia est apparemment en train de préparer. Et puis personne ne semble savoir où est passé Jondalar depuis un bon moment, et comme c'est essentiellement en hiver qu'il s'occupe de former ses élèves… En plus, c'est très amusant de te transporter, Marthona, ajouta le jeune homme avec un sourire. Tu n'as pas idée de l'attention qu'on nous a accordée depuis que nous sommes entrés avec toi dans le camp !

— Autrement dit, si j'ai bien compris, je suis devenue une nouvelle distraction, répliqua la vieille femme dans un éclat de rire. Bon, eh bien, si vous n'y voyez réellement aucun inconvénient, je ferai bien volontiers appel à vos services à l'occasion. À dire vrai, je peux tout à fait marcher sur de courtes distances, mais je suis incapable d'aller bien loin même avec un bâton de marche, et j'ai horreur de ralentir les gens qui m'accompagnent.

Folara fit à son tour irruption dans le logis d'été.

— Mère ! Tu es là ! Quelqu'un vient de m'annoncer que tu étais arrivée pour la Réunion d'Été. Je ne savais même pas que tu allais y venir.

La mère et la fille s'étreignirent, et leurs joues se touchèrent.

— Tu peux remercier Ayla pour cela. Quand on lui a dit que tu avais peut-être trouvé quelqu'un qui t'intéressait vraiment, elle a proposé qu'on vienne me chercher. Toute jeune femme a besoin de sa mère quand cette sorte de chose devient sérieuse, proféra sentencieusement Marthona.

— Elle a eu raison, fit Folara avec un sourire radieux, laissant ainsi entendre à sa mère que cette éventualité n'avait rien d'imaginaire. Mais comment as-tu fait pour venir ?

— Je crois que c'était également une idée d'Ayla, expliqua Marthona. Elle a fait valoir à Dalanar et à Joharran qu'il n'y avait aucune raison qu'on ne puisse pas me transporter ici sur une litière portée par des hommes jeunes et vigoureux, et c'est ainsi qu'un certain nombre de ces jeunes gens sont venus me chercher et m'ont conduite jusqu'ici. Lorsqu'elle est partie de la Neuvième, elle voulait que je vienne avec elle, en croupe sur Whinney, et c'est sans doute ce que j'aurais dû faire, mais même si j'aime les chevaux, l'idée de les monter m'effraie : je ne sais pas les maîtriser. Je me débrouille mieux avec les jeunes gens : il suffit de leur dire ce qu'on veut, et quand on souhaite s'arrêter.

Folara pressa contre elle la compagne de son frère.

— Un grand merci, Ayla. Seule une femme pouvait comprendre ça. J'avais très envie que ma mère soit présente, mais j'ignorais si elle allait assez bien pour venir, et je savais que de toute façon elle ne pouvait pas faire le voyage à pied. Comment te sens-tu ? demanda-t-elle en se tournant vers sa mère.

— Ayla s'est bien occupée de moi quand elle m'a rejointe à la Neuvième Caverne, et je me sens beaucoup mieux qu'au printemps dernier, répondit la vieille femme. C'est vraiment une remarquable guérisseuse et si tu la regardes d'un peu près, tu pourras constater qu'elle est désormais une Zelandoni.

Les striures sur le front d'Ayla n'avaient évidemment pas échappé à Marthona. En cours de cicatrisation, elles ne lui faisaient plus mal, même si elles continuaient de la démanger, et elle les oubliait aisément, jusqu'à ce que quelqu'un les mentionne ou la fixe avec une attention un peu trop soutenue.

— Je le sais bien, mère, dit Folara. Tout le monde est au courant, même si l'annonce n'en a pas encore été faite. Mais comme tout le reste de la Zelandonia ces derniers temps, elle a été si occupée que je n'ai guère eu l'occasion de la voir. Il semble qu'une grande cérémonie soit en préparation, mais j'ignore si elle aura lieu avant ou après les secondes Matrimoniales.

— Avant, intervint Ayla. Tu auras tout le temps de discuter avec ta mère et de lui annoncer tes projets.

— Donc tu t'intéresses sérieusement à quelqu'un, fit Marthona.

Elle s'arrêta un instant, faisant mine de réfléchir, avant de reprendre :

— Eh bien, où est donc ce jeune homme ? J'aimerais bien faire sa connaissance.

— Il attend dehors, dit Folara. Je vais le chercher.

— Non, c'est moi qui vais sortir le voir, proposa Marthona.

Il faisait sombre à l'intérieur de l'habitation, totalement dépourvue de fenêtres. Les seules ouvertures étaient l'entrée, avec sa tenture repoussée et attachée sur le côté, et le trou dans le plafond destiné à l'évacuation de la fumée et laissé ouvert dans la journée pour peu que le temps le permette. La vue de la vieille femme n'était pas aussi bonne qu'elle l'avait été, et elle souhaitait pouvoir jauger le jeune homme en question du mieux possible.

Les trois femmes quittèrent donc le logis et, en sortant, Marthona aperçut trois jeunes inconnus, portant des vêtements qui ne lui étaient pas familiers, l'un d'eux étant un véritable géant à la chevelure d'un roux éclatant. Lorsque Folara s'approcha de lui en premier, Marthona inspira violemment : elle avait espéré que ce n'était pas lui que sa fille avait choisi. Non qu'il fût laid ou présentât un quelconque défaut. Cela tenait tout simplement au sens de l'esthétique de Marthona, qui n'était de toute façon en aucun cas un facteur décisif. Non, elle souhaitait simplement depuis toujours que le choix de sa fille se porte sur quelqu'un susceptible de former un beau couple avec elle, complémentaire en quelque sorte. Or à côté d'un homme d'une telle stature, sa fille, aussi grande et élégante fût-elle, aurait l'air d'une naine.

Folara commença les présentations :

— Danug et Druwez, des Mamutoï, sont de la parentèle d'Ayla. Ils ont fait tout ce chemin pour lui rendre visite. En route, ils ont rencontré un autre jeune homme, qu'ils ont invité à voyager en leur compagnie. Mère, je te prie de souhaiter la bienvenue à Aldanor, des S'Armunaï.

Sous les yeux d'Ayla, un jeune homme à la sombre beauté propre aux S'Armunaï avança d'un pas.

— Aldanor, cette femme est ma mère, Marthona, ancienne Femme Qui Commande de la Neuvième Caverne des Zelandonii, compagne de Willamar, Maître du Troc...

Marthona poussa un soupir de soulagement quand sa fille commença à la présenter officiellement audit Aldanor et non au géant aux cheveux roux et entreprit de lui énumérer les noms et liens étranges du jeune homme.

— Au nom de la Grande Terre Mère, sois le bienvenu en ce lieu, Aldanor des S'Armunaï, dit Marthona.

— Au nom de Muna, Grande Mère de la Terre, de Son fils Bali, Celui Qui Apporte chaleur et lumière, et de Son compagnon Lumi, Celui Qui Guette dans le ciel, je te salue, dit Aldanor à Marthona, pliant les bras à hauteur des coudes et lui présentant ses deux paumes, avant de se corriger et de changer rapidement de position, tendant cette fois complètement ses bras, paumes en l'air, la manière de saluer propre aux Zelandonii.

Marthona et Ayla comprirent qu'il avait dû travailler ses salutations afin de pouvoir les dire en zelandonii, et toutes deux en furent impressionnées. Aux yeux de Marthona, cet effort augurait bien de l'avenir de ce beau jeune homme, car elle devait reconnaître que tel il était, bel et bien. Elle pouvait comprendre que sa fille ait été attirée par lui et, avant d'en savoir plus, parut satisfaite de son choix.

C'était la première fois qu'Ayla entendait les salutations officielles des S'Armunaï ; pas plus que Jondalar, jamais elle n'avait été officiellement accueillie dans un de leurs camps. Quand Jondalar avait été fait prisonnier par les Femmes Louves d'Attaroa et confiné dans un enclos avec leurs compagnons et leurs enfants mâles, Ayla et les chevaux avaient suivi sa trace jusqu'au camp, avec l'aide de Loup.

Après les présentations officielles, Marthona et Aldanor commencèrent à bavarder. Ayla constata que, pour charmante qu'elle se montrât, l'ancienne chef posait des questions fort précises afin d'en apprendre le plus possible sur l'étranger que sa fille envisageait de choisir pour compagnon. Aldanor expliqua à la vieille femme qu'il avait fait la connaissance de Danug et de Druwez lorsqu'ils s'étaient installés quelque temps parmi son peuple. Il n'appartenait pas au Camp d'Attaroa, mais à un autre, installé un peu plus au nord, ce dont il ne manqua pas de se féliciter lorsqu'on lui apprit ce qui était arrivé au frère de Folara.

Aux yeux des S'Armunaï, Ayla et Jondalar étaient devenus des personnages de légende. Ils racontaient désormais l'histoire de la belle S'Ayla, la Mère Incarnée, aussi éclatante qu'une journée d'été, et de son compagnon, le S'Elandon grand et blond qui était venu sur terre pour sauver les hommes de ce Camp du Sud. On disait que ses yeux étaient de la couleur de l'eau des glaciers, plus bleus que le ciel, et que, avec ses cheveux clairs, il était beau comme seule la pleine lune aurait pu l'être si elle était venue sur terre et avait pris la forme d'un être humain de sexe masculin. Après que cette bête féroce qu'était le Loup de la Mère, incarnation de l'Étoile Louve, eut tué la cruelle Attaroa, S'Ayla et S'Elandon étaient remontés au ciel sur leurs chevaux magiques.

Aldanor avait adoré ces histoires lorsqu'on les lui avait racontées pour la première fois, et en particulier le fait que les visiteurs venus du ciel étaient capables de maîtriser les chevaux et les loups. Il avait toujours cru que la légende était colportée par un conteur passant d'un peuple à l'autre, qui avait dû avoir une inspiration particulièrement géniale pour inventer une histoire aussi originale. Et quand les deux cousins avaient annoncé que ces deux personnages légendaires faisaient partie de leur famille, et qu'ils étaient en route pour aller leur rendre visite, il avait eu du mal à croire qu'il s'agissait de créatures vivantes. Les trois jeunes gens s'étaient fort bien entendus et lorsque les deux cousins lui avaient transmis leur invitation, il avait accepté de venir avec eux dans la suite de leur périple pour rendre visite à leur parentèle zelandonii, et en juger par lui-même. Dans le cours de leur voyage vers l'occident, les trois jeunes gens avaient entendu d'autres histoires : non seulement le couple montait des chevaux, mais son loup était si « féroce » qu'il laissait des bébés grimper sur son dos.

Lorsqu'ils étaient arrivés à la Réunion d'Été des Zelandonii et qu'il avait entendu de la bouche de Jondalar la véritable histoire d'Attaroa et des occupants du Camp, Aldanor avait été stupéfié par la précision avec laquelle les Légendes relataient ces incidents. Il avait même envisagé de retourner chez lui en compagnie de Danug et de Druwez afin de raconter aux gens de son peuple à quel point les Légendes en question étaient véridiques : une femme nommée Ayla existait bel et bien ; elle vivait chez les Zelandonii, et son compagnon Jondalar était grand, blond, il avait des yeux d'un bleu surprenant et, même s'il était aujourd'hui un peu plus âgé, il n'en demeurait pas moins un très bel homme. De l'avis unanime, Ayla était très belle, elle aussi.

Mais il avait en fin de compte décidé de ne pas donner suite. Personne ne l'aurait cru, pas plus qu'il n'avait cru, à l'époque, que les histoires qu'on lui racontait étaient en fait absolument véridiques : ce n'étaient que des fables surnaturelles, porteuses d'une certaine forme de véracité d'ordre mystique aidant à expliquer des phénomènes inconnus devenus des mythes. En outre, la sœur de Jondalar était elle aussi une vraie beauté, et elle avait gagné son cœur.

Plusieurs personnes s'étaient regroupées pour entendre Marthona et l'étranger discuter, et écouter l'histoire que racontait Aldanor.

— Pourquoi les deux membres du couple sont-ils appelés dans l'histoire S'Ayla et S'Elandon et non Ayla et Jondalar ? s'étonna Folara.

— Je crois pouvoir répondre à ta question, intervint Ayla. Le son « S » est honorifique ; c'est une marque de respect pour les S'Armunaï, dont le nom signifie « le peuple que l'on honore », ou « les gens à part ». Lorsqu'on le place devant le nom de quelqu'un, cela signifie que cette personne est tenue en haute estime.

— Pourquoi on ne nous appelle pas « les gens à part », alors ? demanda Jonayla.

— Mais si, on nous appelle bien ainsi. Je crois que leur façon de s'honorer est une autre manière de dire « les Enfants de la Mère », comme nous nous désignons, intervint Marthona. Peut-être sommes-nous parents, ou l'avons-nous été jadis. Le fait qu'ils aient pu prendre le nom « Zelandonii » et le modifier aisément pour qu'il signifie celui qui est honoré, ou les gens à part, ne manque pas d'intérêt.

— Lorsqu'ils étaient enfermés dans l'enclos, reprit Ayla, Jondalar a commencé à montrer aux hommes et aux jeunes garçons comment fabriquer des objets, des outils entre autres. C'est lui qui a trouvé un moyen de les libérer tous. Quand nous voyagions et que nous rencontrions des inconnus, il se présentait souvent comme « Jondalar des Zelandonii ». Un garçon en particulier s'est emparé de la partie Zelandonii du nom de Jondalar et a commencé à la prononcer sous la forme « S'Elandon », avec le « S » honorifique, parce qu'il l'honorait et le respectait profondément. À mon avis, il devait penser que son nom signifiait « Jondalar, celui qui est honoré ». Dans la légende, j'étais moi aussi honorée, apparemment.

Marthona se montra satisfaite pour le moment. Elle se tourna vers Ayla.

— Désolée de me montrer si impolie, Ayla. Je te prie de me présenter à tes deux parents.

— Voici Danug des Mamutoï, fils de Nezzie, qui est la compagne de Talut, l'Homme Qui Commande le Camp du Lion, et celui-ci est son cousin Druwez, fils de Tulie, qui est la sœur de Talut et la Femme Qui Commande conjointement avec lui le Camp du Lion des Mamutoï, commença Ayla. C'est la mère de Danug, Nezzie, qui m'a donné mon costume de mariage. Comme vous vous le rappelez, je vous avais dit qu'elle était sur le point de m'adopter quand Mamut a surpris tout le monde en me prenant pour fille adoptive.

Ayla n'ignorait pas que Marthona avait été fort impressionnée par son costume de mariage, et savait qu'en tant que mère de la future épousée elle voudrait connaître la position sociale de ces jeunes hommes, qui assisteraient très certainement à la cérémonie Matrimoniale.

— Je sais que d'autres vous ont souhaité la bienvenue en ce lieu, intervint Marthona, mais je désire ajouter mes souhaits aux leurs. Je peux comprendre à quel point votre peuple regrette Ayla, qui représenterait un apport précieux dans n'importe quelle communauté, mais si cela peut les consoler, vous pouvez dire à Ceux Qui Commandent que nous l'apprécions au plus haut point. Elle est devenue un membre fort estimé de notre Caverne. Même si une partie de son cœur appartiendra toujours aux Mamutoï, elle est désormais l'un de nos très chers Zelandonia.

— Merci, dit Danug.

Fils de la compagne du chef des Mamutoï, il comprenait que cette conversation faisait partie de l'échange formel dont l'objet consistait à transmettre des informations sur le statut social et la reconnaissance du rang.

— Tout le monde la regrette, poursuivit-il. Ma mère a été très triste quand Ayla est partie, elle la considérait comme sa propre fille, mais elle a compris que son cœur appartenait à Jondalar. Nezzie sera ravie d'apprendre qu'elle a trouvé un accueil aussi chaleureux auprès des Zelandonii, et que ses exceptionnelles qualités ont été à ce point appréciées.

Même si son zelandonii n'était pas parfait, le jeune homme s'exprimait fort bien et sut faire comprendre à ses interlocuteurs la position de sa famille au sein de son peuple.

Personne mieux que Marthona n'était en mesure d'appréhender la valeur et l'importance de la place et de la position sociale. Ayla saisissait le concept de statut social, qui, même pour le Clan, revêtait une grande importance, et elle apprenait comment les Zelandonii évaluaient, classaient les gens, leur attribuant telle ou telle importance, mais elle n'aurait jamais la connaissance intuitive qu'en avait Marthona, qui occupait l'une des positions les plus élevées au sein de son peuple.

Dans une société où l'argent n'existait pas, le statut social représentait plus que le prestige, c'était une forme de richesse. Les gens n'hésitaient jamais à rendre service à une personne de haut rang car ces engagements devaient être suivis d'une compensation adéquate. On contractait une dette lorsqu'on demandait à quelqu'un de faire ou de fabriquer quelque chose, ou encore de se rendre quelque part, en échange de la promesse implicite de lui retourner une faveur d'un montant équivalent. Personne ne désirait vraiment être en dette envers quelqu'un, mais tout le monde l'était, et avoir pour débiteur une personne de haut rang rehaussait votre statut social.

Un grand nombre de paramètres devaient être pris en compte pour apprécier ledit statut social, raison pour laquelle on récitait ses noms et liens. La valeur d'usage en faisait partie, de même que l'effort demandé. Même si, au bout du compte, le produit obtenu n'était pas de la même qualité, la dette pouvait être considérée comme honorée pour peu que la personne ait consacré ses meilleurs efforts pour y arriver, même si son rang n'était pas pour autant rehaussé. L'âge entrait en jeu : avant un certain nombre d'années, les enfants ne pouvaient contracter de dettes. Lorsqu'on s'occupait d'un enfant, fût-ce le sien, la communauté considérait qu'on lui réglait une dette, car les enfants représentaient la promesse de sa continuité.

Arriver à un certain âge, devenir un ancien, faisait également une différence : on pouvait alors demander certains services sans contracter pour autant une dette ni perdre son statut social. En revanche, dès lors qu'une personne n'avait plus la capacité d'apporter sa pierre, elle ne perdait pas vraiment son rang mais changeait de position. Un ancien pouvant faire partager ses connaissances, son expérience, pouvait conserver son statut, mais lorsqu'il commençait à perdre ses capacités cognitives il ne conservait que nominalement sa position : on continuait de le respecter pour sa contribution passée, mais on ne venait plus requérir son avis.

Le système était complexe, mais tout le monde apprenait à en saisir les nuances de la même façon qu'on apprenait à parler, et lorsqu'on atteignait l'âge de raison, des responsabilités, la plupart des gens étaient en mesure de comprendre ces subtiles distinctions. Toute personne savait très exactement à un moment donné ce qu'elle devait et ce qu'on lui devait, la nature des dettes en question, et la place qu'elle occupait au sein de sa propre communauté.

Marthona s'entretint également avec Druwez, dont la position était la même que celle de son cousin puisqu'il était le fils de Tulie, sœur de Talut, le chef du Camp du Lion, ce qu'elle était elle aussi, mais le jeune homme avait tendance à se montrer plus réservé. Sa seule taille rendait Danug plus remarquable et, s'il s'était montré longtemps plutôt timide, il avait dû apprendre à devenir plus communicatif. Un sourire chaleureux et une conversation empressée avaient tendance à apaiser toutes les craintes que sa stature pouvait susciter.

Enfin, Marthona se tourna vers Ayla et lui demanda :

— Mais où est passé cet homme qui se trouve être mon fils, et qui est à ce point honoré par le peuple d'Aldanor ?

Ayla se détourna.

— Je ne sais pas, répondit-elle, s'efforçant de dissimuler le flot d'émotion qui la submergeait soudain. J'ai été très occupée avec la Zelandonia, s'empressa-t-elle d'ajouter.

Marthona comprit aussitôt que quelque chose n'allait pas. Quelque chose de grave. Ayla avait toujours tellement hâte de retrouver Jondalar. Et voilà que maintenant elle ignorait où il se trouvait ?

— J'ai vu Jondi se promener au bord de la Rivière ce matin, intervint Jonayla, mais je ne sais pas où il dort. Je ne sais pas pourquoi il ne veut plus dormir avec nous. J'aime mieux quand il est avec nous.

Malgré la rougeur qui avait envahi son visage, Ayla ne souffla mot, et Marthona eut dès lors la certitude que quelque chose de vraiment grave s'était produit. Elle allait devoir trouver de quoi il retournait précisément.

— Folara, tu veux bien t'occuper de Jonayla avec Marthona, ou la laisser à Levela si vous vous rendez au campement principal ? demanda Ayla. Et prenez Loup avec vous, s'il vous plaît. Je dois parler à Danug et à Druwez, après quoi je les emmènerai peut-être au local de la Zelandonia.

— Oui, bien sûr, dit Folara.

Ayla prit sa fille dans ses bras et lui dit qu'elles se reverraient le soir venu, puis elle rejoignit les deux jeunes hommes et se mit à converser avec eux en mamutoï.

— Je pensais aux tambours parlants, et je m'en suis entretenue avec la Première. Est-ce que l'un de vous est capable de faire parler les tambours ? interrogea-t-elle.

— Oui, répondit Danug. Nous savons le faire tous les deux, mais nous n'en avons pas emporté avec nous. Quand on entreprend un Voyage, les tambours ne font pas partie du matériel de base du voyageur.

— Combien de temps vous faudrait-il pour en fabriquer deux ? Je suis sûre qu'on pourrait trouver des gens pour vous donner un coup de main en cas de besoin. Si vous y arrivez, seriez-vous disposés à jouer un couplet ou deux dans le cadre de la cérémonie que nous sommes en train d'organiser ? demanda Ayla.

Les deux jeunes gens se regardèrent et haussèrent les épaules.

— À condition de trouver les matériaux nécessaires, cela ne prendrait pas très longtemps, peut-être un jour ou deux. Il s'agit simplement d'étirer une peau de bête sur un cadre rond, mais il faut que la peau en question soit bien tendue afin que le tambour résonne à des tons différents. Et le cadre doit être solide, sans quoi il risque de casser quand la peau rétrécit, en particulier si on la chauffe pour qu'elle rétrécisse plus vite, expliqua Druwez. Ce sont des petits tambours et on s'en sert en les frappant avec les doigts, très très vite.

— J'ai vu des joueurs se servir d'un bâton bien équilibré, mais nous, nous avons appris à utiliser nos doigts, intervint Danug.

— Et vous accepteriez d'en jouer pour la cérémonie ?

— Bien sûr, répondirent-ils à l'unisson.

— Dans ce cas, suivez-moi, proposa Ayla en prenant la direction du campement principal.

En chemin pour le vaste bâtiment de la Zelandonia, la jeune femme remarqua le grand nombre de gens qui s'arrêtaient pour les regarder. Elle qui avait si souvent été l'objet d'une telle curiosité n'en était pas cette fois le centre. C'était Danug qui attirait tous les regards. C'était peut-être impoli mais il lui était difficile de leur en vouloir, car le Mamutoï était un homme particulièrement remarquable. Dans l'ensemble, les Zelandonii de sexe masculin étaient plutôt grands et bien bâtis – Jondalar lui-même dépassait le mètre quatre-vingt-dix – mais Danug dominait ses semblables de la tête et des épaules, tout en étant parfaitement bien proportionné. Vu seul, et d'assez loin, on aurait pu le prendre pour un homme musclé, certes, mais assez ordinaire, mais lorsqu'on se trouvait au milieu d'un groupe avec lui sa haute stature était tout à fait surprenante. Cela rappela à Ayla la première fois qu'elle avait vu Talut, l'homme de son foyer, le seul de sa connaissance qu'elle puisse comparer au jeune Mamutoï.

Lorsqu'elle atteignit la grande bâtisse au centre du camp, deux jeunes femmes, des acolytes, s'approchèrent d'elle.

— Nous voulions nous assurer que nous avions tous les ingrédients nous permettant de préparer cette boisson pour les cérémonies spéciales dont tu nous as parlé, expliqua l'une d'elles. Sève de bouleau fermentée, jus de fruits divers aromatisés à l'aspérule et d'autres herbes, c'est bien cela ?

— Oui, en particulier l'artémise, répondit Ayla. On l'appelle également armoise, ou grande absinthe.

— Je ne crois pas avoir jamais entendu parler d'une telle boisson, s'étonna Druwez.

— Vous êtes-vous arrêtés chez les Losadunaï en vous rendant ici ? demanda Ayla. Et avez-vous en particulier participé à une Fête pour la Mère avec eux ?

— Nous leur avons en effet rendu visite, mais nous ne sommes pas restés très longtemps, expliqua Druwez. Et malheureusement aucune Fête n'était prévue durant notre séjour.

— C'est Solandia, des Losadunaï, qui m'a expliqué comment la préparer. Son goût est celui d'une boisson agréable mais assez anodine, alors qu'il s'agit en fait d'une décoction aux effets puissants, qui permet en particulier d'encourager la spontanéité et les échanges chaleureux qui doivent caractériser les Fêtes en l'honneur de la Mère, expliqua Ayla, avant d'ajouter, à destination des acolytes : J'y goûterai quand vous aurez fini de la préparer et je vous dirai s'il manque quelque chose.

Alors qu'elles se tournaient pour poursuivre leur chemin, les deux jeunes femmes échangèrent des gestes entre elles. Au fil des années récentes, et en particulier à l'occasion des Réunions d'Été, Ayla avait enseigné à tous les membres de la Zelandonia certains signes de base propres au Clan. Cela dans l'idée d'aider les doniates à communiquer, en tout cas à un niveau élémentaire, s'il leur arrivait de rencontrer des personnes du Clan au cours de leurs pérégrinations. Certains les avaient assimilés mieux que d'autres, mais la plupart semblaient apprécier de disposer d'une méthode permettant de s'exprimer sans l'aide de la parole, secrète qui plus est. Ce qu'ignoraient les deux jeunes acolytes, c'est qu'Ayla avait enseigné ces signes à Danug et à Druwez longtemps auparavant, à l'époque où elle vivait au sein des Mamutoï.

Danug regarda l'une des deux jeunes femmes et lui adressa un large sourire.

— Tu auras peut-être ta réponse lors de la Fête pour la Mère, dit-il avant de se tourner vers Druwez.

Les deux jeunes hommes éclatèrent de rire sur ces mots, tandis que les joues des deux acolytes s'empourpraient. Celle qui avait pris l'initiative de faire les signes rendit son sourire à Danug avec un clin d'œil mutin.

— Je l'espère bien, rétorqua-t-elle. Mais j'ignorais que vous compreniez la langue des signes.

— Peut-on imaginer quelqu'un vivant un certain temps auprès d'Ayla sans l'apprendre ? lança Danug. Mon frère, le garçon que ma mère a adopté, était à moitié issu du Clan, et il ne savait pas parler jusqu'à ce qu'Ayla arrive et nous apprenne à faire les signes. Je me souviens de la première fois que Rydag lui a fait le signe voulant dire « mère ». Elle a pleuré...

Les participants commencèrent à se rassembler très tôt dans l'espace réservé aux cérémonies. L'excitation qui vibrait dans l'air était presque palpable. La cérémonie se préparait depuis des jours et l'attente était extraordinaire. Ce qui allait se passer serait spécial, absolument unique. Tout le monde en était convaincu, sans savoir de quoi il allait s'agir. Le suspense alla crescendo à mesure que le soleil baissait à l'horizon. Jamais, au cours d'une Réunion d'Été, les Zelandonii n'avaient souhaité à ce point voir le soleil s'effacer.

Enfin, lorsque l'astre du jour eut disparu et que l'obscurité eut vraiment pris le relais, l'assistance commença à s'installer, attendant que l'on allume les feux cérémoniels. Le centre de l'espace était occupé par un amphithéâtre naturel suffisamment vaste pour accueillir la totalité des occupants du campement, soit deux mille personnes. En arrière-plan et sur le flanc droit du campement abritant la Réunion d'Été, les collines calcaires avaient en gros la forme d'un bol peu profond incurvé sur les côtés mais ouvert sur le devant. La base des pentes convergeait vers un champ d'une surface assez restreinte, relativement plat, qui avait été arasé à l'aide de pierres et de terre tassée au fil des longues années durant lesquelles l'endroit avait été utilisé pour des rencontres de ce genre.

Près du sommet aux contours déchiquetés de la colline, une source prenait naissance dans un bouquet d'arbres, emplissant une petite mare dont l'eau débordait le long de la pente, jusqu'au milieu du champ en contrebas, alimentant au bout du compte le ruisseau plus important qui irriguait le campement. Le ru issu de la source était si minuscule, en particulier à la fin de l'été, que l'on pouvait le franchir d'un pas, sans la moindre difficulté, mais l'eau fraîche et pure de la mare, là-haut, fournissait une eau potable en quantité suffisante. Le flanc herbeux de la colline à l'intérieur du bol s'étageait graduellement, de façon assez irrégulière. Mais au fil des années les participants aux diverses Réunions avaient creusé un peu ici, ajouté un peu de terre là, jusqu'à ce que sur la pente soient aménagées nombre de petites sections aplanies qui fournissaient des emplacements confortables pour les familles, voire la totalité des membres d'une Caverne, qui venaient s'y installer avec une vue excellente sur l'espace en contrebas.

Les gens prenaient place sur l'herbe, ou étendaient sur le sol des nattes tissées, des coussins de formes et de tailles diverses, des fourrures. On alluma des feux, pour la plupart des torches fichées dans la terre, ainsi que des petits foyers creusés dans le sol, encerclant l'ensemble de l'espace, autour de la scène centrale. Deux feux plus importants illuminaient le devant et le centre tandis que d'autres foyers étaient allumés un peu partout sur les lieux où les gens s'étaient installés. Peu après, on commença à entendre, montant crescendo au-dessus du brouhaha des conversations, le son caractéristique de jeunes voix qui chantaient. On entendit alors de toute part des « Chut ! » insistants. Puis un défilé regroupant la plupart des enfants de l'ensemble du camp prit la direction de la scène centrale, chantant un air bien rythmé composé autour des mots à compter. Lorsqu'il l'atteignit, le silence régnait dans l'assistance, qui se contentait maintenant d'échanger sourires et clins d'œil.

Que la cérémonie débutât avec ce chant des enfants avait deux objets. Le premier consistait à montrer à leurs aînés qu'ils faisaient leurs les enseignements de la Zelandonia. Le second était le message tacite qu'une Fête pour la Mère aurait lieu au beau milieu du festin et des réjouissances habituelles. Lorsqu'ils en auraient terminé avec leur numéro, les enfants seraient conduits vers l'un des campements installés non loin des limites de la zone cérémonielle, où seraient organisés pour eux des jeux ainsi qu'un banquet distinct de celui des adultes. Tout cela sous la supervision de divers membres de la Zelandonia et d'autres personnes, souvent des hommes et des femmes âgés, mais aussi des mères de fraîche date ne se sentant pas encore prêtes à participer à la Fête, ou encore des femmes venant d'entrer dans leur période de lune, enfin de tous ceux qui, sur le moment, ne se sentaient pas d'humeur à se livrer à des activités destinées à honorer la Mère.

Si la plupart des gens attendaient avec impatience les Fêtes pour la Mère, la participation se faisait toujours sur la base du volontariat, et il était plus simple pour la plupart de s'y joindre en sachant qu'ils n'auraient pas à se préoccuper de leurs enfants durant toute la soirée. On n'empêchait nullement les enfants d'y assister s'ils le souhaitaient, et beaucoup parmi les plus âgés ne s'en privaient pas, histoire de satisfaire leur curiosité. Mais voir des adultes discuter, rire, manger, boire, danser et s'accoupler n'était pas si intéressant que cela pour ceux qui n'étaient pas encore prêts à réellement participer, même si cela ne leur était pas interdit. La promiscuité permanente qui était de règle impliquait que les enfants soient en permanence témoins des activités des adultes, de la naissance à la mort. Personne ne voyait l'intérêt de les maintenir à l'écart. Tout cela faisait partie de la vie.

Quand les enfants en eurent terminé, la plupart rejoignirent l'assemblée. Ensuite, deux hommes déguisés en bisons mâles avec leurs crânes aux grosses cornes partirent de deux côtés opposés et se ruèrent l'un vers l'autre, avant de se frôler à se toucher, ce qui attira sensiblement l'attention de l'assistance. Sitôt après, plusieurs personnes, dont des enfants, arborant des peaux et des cornes d'aurochs commencèrent à tourner en rond, comme un troupeau. Certaines peaux étaient des camouflages de chasse, d'autres avaient été préparées spécialement pour l'occasion. Un lion, en tout cas sa peau et sa queue, fit irruption, grondant et montrant les dents, avant d'attaquer les bœufs avec un rugissement d'une telle authenticité que plusieurs spectateurs tressaillirent.

— C'était Ayla, glissa Folara à Aldanor. Personne n'imite aussi bien qu'elle le rugissement du lion.

Le troupeau se disloqua, ses éléments sautant pardessus les obstacles, certains allant presque jusqu'à heurter des spectateurs. Le lion les poursuivit. Puis cinq personnages firent leur apparition, revêtus de peaux de cerf, leur tête ornée de bois, et représentèrent les animaux sautant dans une rivière comme pour fuir un danger, et la traversant à la nage. Après quoi ce furent des chevaux, l'un d'eux hennissant de façon si réaliste qu'on entendit un animal lui répondre, au loin.

— Là aussi, c'était Ayla, souffla Folara à son voisin.

— Elle est très forte, reconnut celui-ci.

— Elle dit qu'elle a appris à imiter les animaux avant d'apprendre à parler le zelandonii.

Il y eut d'autres démonstrations représentant des animaux, toutes évoquant un événement ou une histoire quelconques. La troupe de conteurs itinérants participa également au spectacle, sous la forme de divers animaux, leur talent ajoutant à la représentation un réalisme saisissant.

Enfin, les animaux commencèrent à se regrouper et, lorsqu'ils furent tous rassemblés, une bête étrange apparut : elle avançait sur quatre pattes terminées par des sabots et était recouverte d'une peau bizarrement tachetée, qui retombait sur les côtés, pratiquement jusqu'à terre, et recouvrait en partie sa tête, à laquelle avaient été attachés deux bâtons bien droits destinés à représenter des cornes ou des bois.

— Qu'est-ce que c'est que ça ? s'étonna Aldanor.

— Un animal magique, bien sûr, répondit Folara. Mais il s'agit en réalité de Whinney, la jument d'Ayla, qui est en fait une Zelandoni. La Première dit que tous ses chevaux, ainsi que Loup, sont membres de la Zelandonia. Et que c'est pour cette raison qu'ils ont choisi de rester avec elle.

L'étrange Zelandoni animal disparut avec toutes les autres bêtes, après quoi plusieurs membres de la Zelandonia ainsi que les conteurs réapparurent, sous leur forme humaine cette fois, et commencèrent à jouer du tambour et de la flûte. Certains se mirent à chanter d'anciennes légendes, d'autres à raconter les histoires de la tradition populaire que les gens connaissaient bien et aimaient tant.

Les membres de la Zelandonia s'étaient bien préparés et recouraient à tous les stratagèmes qu'ils connaissaient pour attirer et retenir l'attention de leur vaste public. Lorsque Ayla, le visage entièrement peint de motifs zelandonii, à la seule exception de la zone entourant son nouveau tatouage, laissée nue pour montrer la marque d'acceptation définitive, avança sur la scène devant l'ensemble du groupe, les deux mille personnes présentes retinrent leur souffle, prêtes à capter la moindre de ses paroles, le plus infime de ses gestes.

Des tambours entrèrent en action, des flûtes à la tonalité suraiguë se mêlèrent aux sons lents, réguliers, inexorables, de la basse, certains sons ne pouvant être perçus par l'oreille humaine mais résonnant profondément, *boum, boum, boum*. Puis la cadence changea de rythme avant de s'accorder à celui de strophes si familières que l'assistance se mit elle aussi à chanter ou à dire le début du Chant de la Mère :

Des ténèbres, du Chaos du temps,
Le tourbillon enfanta la Mère suprême.
Elle s'éveilla à Elle-Même sachant la valeur de la vie,
Et le néant sombre affligea la Grande Terre Mère.
La Mère était seule. La Mère était la seule.

La Première rejoignit le chœur avec sa voix pleine, vibrante, spectaculaire. Tambours et flûtes accompagnèrent les chanteurs et les récitants tout au long des strophes du Chant de la Mère. Vers le milieu, l'assistance commença à remarquer que la voix de la Première était singulièrement prenante, et on s'arrêta de chanter pour mieux l'écouter. Lorsque celle-ci eut atteint les derniers vers, elle s'arrêta, ne laissant plus entendre que le son des tambours actionnés par les nouveaux venus de la parentèle d'Ayla.

Au début, l'assistance crut presque entendre les mots, puis elle fut persuadée que c'était indubitablement le cas, mais prononcés avec un vibrato étrange, presque surnaturel. Les deux jeunes Mamutoï avec leurs petits tambours jouaient la dernière strophe du Chant de la Mère dans un staccato très particulier : les battements des tambours résonnaient tels des mots prononcés d'une voix vibrante, comme si quelqu'un chantait en modifiant très vite la pression de son souffle, à ceci près qu'il ne s'agissait pas du souffle d'un être humain mais bel et bien des tambours ! Des tambours qui parlaient !

Sa-a-tis-fai-ai-te des deux ê-ê-tres qu'Elle a-a-vait-ait créé-és...

Un silence absolu régnait dans l'assistance, chacun tendant l'oreille pour entendre parler les tambours. Se rappelant la façon dont elle avait appris à projeter ses paroles en avant afin que les auditeurs placés tout au fond puissent l'entendre distinctement, Ayla baissa sa voix, déjà basse d'ordinaire, de deux demi-tons et parla plus fort dans l'obscurité que perçait désormais un unique feu. Le seul son qu'entendit dès lors l'assemblée, semblant émaner de l'air environnant sur fond de battement de tambours, fut la voix d'Ayla récitant la dernière strophe du Chant de la Mère, répétant seule les mots que venait de prononcer le tambour :

Satisfaite des deux êtres qu'Elle avait créés,
La Mère leur apprit l'amour et l'affection.
Elle insuffla en eux le désir de s'unir,
Le Don de leurs Plaisirs vint de la Mère,
Avant qu'Elle eût fini, Ses enfants L'aimaient aussi.

Les battements des tambours ralentirent imperceptiblement. Toutes les personnes présentes savaient que c'était la fin, qu'il ne restait plus qu'un vers, et pourtant tout le monde attendait, sans savoir quoi. Ce qui rendait l'assistance nerveuse, sous tension. Quand les tambours atteignirent la fin de la strophe, ils ne s'arrêtèrent pas, mais continuèrent de retentir, cette fois avec des mots qui n'avaient rien de familier :

Son-on der-ni-ier Don, la-a-a...

L'assistance écoutait avec grande attention, sans savoir exactement ce qui se disait. Puis Ayla s'avança sur le devant de la scène, seule, et répéta lentement les paroles, en détachant les mots avec soin :

Son dernier Don, la Connaissance que l'homme a
*   son rôle à jouer.*
Son besoin doit être satisfait avant qu'une nouvelle
*   vie puisse commencer.*
Quand le couple s'apparie, la Mère est honorée
Car la femme conçoit quand les Plaisirs sont partagés.
Les Enfants de la Terre étaient nés,
La Mère pouvait se reposer.

Quelque chose n'allait pas. Ces mots étaient nouveaux ! Jamais auparavant on n'avait entendu cette strophe. Qu'est-ce que cela voulait dire ? Un léger malaise s'était emparé de l'assistance. Aussi loin que remontait la mémoire, le Chant de la Mère avait toujours été le même, si l'on exceptait d'infimes variations. Pourquoi était-il différent en ce jour ? La signification des mots n'avait pas encore pénétré les consciences. Il était déjà assez troublant que de nouvelles paroles soient ajoutées, que le Chant de la Mère ait été modifié.

Et soudain le dernier feu s'éteignit. Il faisait si noir que personne n'osait bouger.

— Qu'est-ce que cela veut dire ? lança une voix.

— Oui, qu'est-ce que cela signifie ? fit une autre, en écho.

Jondalar, lui, ne s'interrogeait pas. Il savait.

Ainsi, c'est donc vrai, songeait-il. Tout ce qu'Ayla a toujours dit est vrai.

Alors même qu'il avait eu tout le temps nécessaire pour y penser, il avait du mal à envisager ce que cela impliquait. Ayla lui avait toujours dit que Jonayla était sa fille, sa fille à lui, l'enfant de sa chair et non de son seul esprit. Elle avait été conçue à la suite de ses actes. Non par l'intervention de quelque esprit informe qu'il était incapable de voir, mélangé par la Mère d'une façon assez vague à l'intérieur d'Ayla avec son esprit à elle. Il y était pour quelque chose. Au même titre qu'Ayla. Il avait transmis à Ayla son essence par l'intermédiaire de son organe, sa virilité, et celle-ci s'était combinée à quelque chose à l'intérieur d'Ayla pour qu'une vie commence.

Cela ne se passait pas chaque fois ainsi. Il lui avait transmis beaucoup de son essence. Peut-être en fallait-il de grandes quantités. Ayla avait toujours dit qu'elle n'était pas certaine de la façon exacte dont cela fonctionnait, mais qu'il fallait qu'un homme et une femme s'unissent pour qu'une nouvelle vie commence. À cette fin, la Mère avait donné à Ses enfants le Don des Plaisirs. Mettre en train une nouvelle vie ne devait-il pas être un Plaisir ? Était-ce pour cette raison que le désir de relâcher son essence dans le corps d'une femme était si puissant ? Parce que la Mère voulait que Ses enfants fabriquent leurs propres enfants ?

Il eut soudain le sentiment que son corps prenait une signification nouvelle, comme si, en quelque sorte, il prenait vie tout à coup. Les hommes étaient indispensables. Il était indispensable ! Sans lui il n'y aurait pas eu de Jonayla. Si cela avait été un autre homme, elle ne serait pas Jonayla. Elle était qui elle était grâce à eux deux, Ayla et lui. Sans les hommes, il ne pouvait y avoir de nouvelles vies.

Aux bords de la zone cérémonielle, on alluma des torches. Les spectateurs commencèrent à se lever, discutant par petits groupes. On découvrit des plateaux chargés de mets divers, que l'on disposa çà et là. Chaque Caverne, ou chaque groupe de Cavernes liées entre elles, avait son emplacement pour festoyer, de sorte que personne n'avait à attendre trop longtemps pour se nourrir. À l'exception des enfants, la plupart des membres de l'assistance n'avaient pas mangé grand-chose de la journée, certains parce qu'ils avaient été trop occupés, d'autres parce qu'ils souhaitaient se réserver pour le festin, la plupart enfin parce que, même si cela n'avait rien d'impératif, ils considéraient qu'il était plus approprié de manger frugalement les jours de fête avant le grand banquet.

Les gens discutaient tout en se dirigeant vers les plateaux de nourriture, s'interpellant, toujours en proie à un léger malaise.

— Tu viens, Jondalar ? demanda Joharran.

Son frère n'entendit pas : il était si perdu dans ses pensées que la foule autour de lui n'existait pas.

— Jondalar ! répéta Joharran en le secouant par l'épaule.

— Quoi ? fit le jeune homme.

— Viens donc, on est en train de servir la nourriture.

— Oh, fit son cadet en se relevant, toujours agité par des pensées tumultueuses.

— Qu'est-ce que cela peut bien vouloir dire, à ton avis ? demanda Joharran tandis qu'ils se dirigeaient vers un endroit où étaient disposés des mets.

— Tu as vu où est allée Ayla ? l'interrogea Jondalar, oublieux de tout, sinon de ses propres préoccupations.

— Je ne l'ai pas vue, mais j'imagine qu'elle nous rejoindra sous peu. Quelle cérémonie extraordinaire... Il a fallu beaucoup de temps et d'efforts pour l'organiser, et même les membres de la Zelandonia ont besoin de se détendre et de s'alimenter de temps à autre, commenta Joharran. Comment interprètes-tu ça, Jondalar ? Cette dernière strophe ajoutée au Chant de la Mère ?

Le jeune homme se décida enfin à se tourner vers son frère aîné.

— Cela veut bien dire ce que ça veut dire, que « l'homme a son rôle à jouer ». Les femmes ne sont pas seules à être honorées. Aucune vie nouvelle ne peut débuter sans un homme.

Joharran fronça les sourcils, les rides marquant son front reflétant fidèlement celles de son frère.

— Tu le penses vraiment ? demanda-t-il.

— Je le sais, répondit Jondalar en souriant.

Ils s'approchèrent de l'endroit où les membres de la Neuvième Caverne étaient réunis pour festoyer, et on leur tendit différentes boissons fortes. Quelqu'un leur mit dans les mains des gobelets en matériau tissé, parfaitement étanches. Ils burent une gorgée, mais ce n'était pas du tout ce que l'un et l'autre attendaient.

— Qu'est-ce que c'est que ça ? s'étonna Joharran. Je m'attendais à boire le breuvage de Laramar. C'est agréable, mais plutôt léger.

La boisson avait en revanche un goût familier pour Jondalar, qui en avala une deuxième gorgée. Où donc avait-il eu l'occasion de boire cela auparavant ?

— Ah oui ! Les Losadunaï !

— Quoi ? interrogea Joharran.

— C'est la boisson que servent les Losadunaï à l'occasion des Fêtes de la Mère qu'ils organisent. Elle paraît légère, mais tu aurais tort de la sous-estimer, le mit en garde Jondalar. C'est un breuvage très puissant, qui peut te prendre en traître. Je suis à peu près certain que c'est Ayla qui l'a préparé. As-tu vu où elle est allée après la cérémonie ?

— Je crois que je l'ai aperçue il y a un moment, sortant de la tente cérémonielle. Elle avait remis ses vêtements habituels, dit Joharran.

— Et tu as vu dans quelle direction elle allait ?

— Regarde, la voilà ! Mais si, là où ils sont en train de servir cette nouvelle boisson.

Jondalar se dirigea vers un groupe assez important installé autour d'un grand plateau sur lequel étaient disposés des gobelets pleins. Lorsqu'il vit enfin Ayla, celle-ci se trouvait juste à côté de Laramar, à qui elle tendait un gobelet. L'homme lui dit quelque chose qui la fit rire, et elle lui adressa un beau sourire.

Visiblement surpris, Laramar la lorgna d'un air plus qu'ambigu. Peut-être n'était-elle pas si odieuse après tout, se dit-il. Elle qui s'était toujours montrée si hautaine envers lui, au point de ne pratiquement jamais lui adresser la parole. Il est vrai qu'elle était Zelandoni désormais, et que celles-ci étaient censées honorer la Mère au cours des Fêtes données en Son honneur. En fin de compte, celle-ci pouvait fort bien prendre un tour tout à fait intéressant... Lorsque Jondalar apparut, Laramar eut une grimace de déception.

— Ayla... commença le jeune homme. Il faut que je te parle. Éloignons-nous d'ici, proposa-t-il en la prenant par le bras et en essayant de l'entraîner vers un endroit plus tranquille.

— Pourquoi ne pas me dire ici ce que tu as à me dire ? Je suis sûre que je serai en mesure de t'entendre, je ne suis pas soudain devenue sourde, répliqua Ayla en retirant son bras.

— Mais il faut que je te parle seul à seule.

— Tu as eu des tas d'occasions de le faire, mais on ne pouvait pas te déranger. Pourquoi est-ce soudain si important ? Nous sommes à la Fête de la Mère. J'ai bien l'intention de rester ici et de m'amuser, dit-elle en se tournant vers Laramar, adressant à celui-ci un sourire suggestif.

Il avait oublié... Tout excité par les implications inattendues de la révélation qui venait d'être faite, Jondalar avait oublié. Cela lui revint tout à coup : elle l'avait vu avec Marona ! Et de fait il ne lui avait pas adressé la parole depuis. Et maintenant, c'était elle qui ne voulait pas lui parler. Ayla vit son visage prendre une pâleur extrême. Il tituba, comme si quelqu'un venait de le frapper, recula de quelques pas, en trébuchant. Il avait l'air si abattu, si déconfit, qu'elle faillit le rappeler, mais se mordit la langue pour s'empêcher d'ouvrir la bouche.

Jondalar se mit alors à errer comme dans une brume, perdu dans ses pensées. Quelqu'un lui fourra un gobelet dans la main. Il but son contenu, sans même réfléchir. Quelqu'un d'autre le remplit à nouveau. Elle a raison, se disait-il. Il avait eu tout le temps nécessaire pour lui parler, pour essayer de lui donner des explications. Pourquoi donc ne l'avait-il pas fait ? Elle était partie à sa recherche et l'avait trouvé en compagnie de Marona. Pourquoi donc n'avait-il pas tenté de la retrouver, lui ? Tout simplement parce qu'il avait honte, et craignait de l'avoir perdue. Mais où avait-il la tête ? Il avait essayé de cacher à Ayla ses relations avec Marona. Il aurait dû lui dire la vérité. En fait, jamais il n'aurait dû entamer cette liaison avec Marona. Pourquoi celle-ci lui avait-elle semblé si attirante ? Pourquoi l'avait-il désirée à ce point ? Uniquement parce qu'elle était disponible ? En cet instant précis, il ne lui trouvait plus le moindre intérêt.

Ayla disait qu'elle avait perdu un bébé. *Son* bébé !

— Ce bébé était à moi, dit-il tout haut. À moi !

Les quelques personnes qui se trouvaient non loin le regardèrent, chancelant et se parlant à lui-même, et hochèrent la tête d'un air entendu.

Cet enfant qu'elle avait perdu était le sien. Elle avait été appelée. Il avait entendu des rumeurs sur l'épreuve terrible qu'elle avait endurée. Sur le coup, il avait voulu aller la retrouver pour la réconforter. Pourquoi n'en avait-il rien fait ? Pourquoi avait-il fait tout son possible pour l'éviter ? Elle ne voulait plus lui parler, désormais. Pouvait-il lui en vouloir ? Non, il ne pourrait pas le lui reprocher, même si elle ne voulait plus jamais le revoir.

Et justement, si c'était le cas ? Si elle voulait vraiment ne plus jamais le revoir ? Si elle ne voulait plus jamais partager les Plaisirs avec lui ? C'est alors qu'une pensée le frappa de plein fouet : si elle refusait désormais de partager les Plaisirs avec lui, il ne pourrait jamais recommencer à faire un bébé avec elle. Il ne pourrait plus jamais avoir d'enfants avec Ayla.

Soudain, il refusa de se dire qu'il avait quelque chose à voir là-dedans : si c'était bel et bien un esprit qui était à l'origine du commencement d'une vie, celle-ci commencerait, de toute façon. Mais s'il y était pour quelque chose, lui, ou plus précisément l'essence de sa virilité, et qu'elle ne voulait plus de lui, il n'aurait plus jamais d'enfants. Il ne lui vint même pas à l'esprit qu'il pourrait en avoir avec une autre femme. C'était Ayla qu'il aimait. Elle était sa compagne. C'était aux besoins de ses enfants qu'il s'était engagé à pourvoir. Ce seraient les enfants de son foyer. Il ne voulait pas d'autre femme.

Jondalar continua d'errer ainsi, son gobelet à la main, trébuchant tous les dix pas, sans attirer plus d'attention que tous les autres participants à la fête qui n'arrêtaient pas d'aller s'alimenter et s'abreuver aux différents endroits où l'on servait boissons et nourriture. Un groupe de gens hilares le heurtèrent. Ils venaient tout juste de remplir une outre d'un puissant breuvage.

— Euh… excuse-nous, bafouilla l'un d'eux. Donne ton gobelet, que je le remplisse. Pas question qu'il reste vide pendant une Fête de la Mère.

Jamais l'on n'avait vu pareille fête : il y avait plus de nourriture que l'on ne pouvait en absorber, plus de vin et de breuvages divers que l'on ne pouvait en boire. On fournissait même des feuilles que l'on pouvait fumer, des champignons et d'autres aliments très particuliers que l'on pouvait goûter. Rien n'était interdit. Un certain nombre de personnes avaient été choisies par tirage au sort ou s'étaient portées volontaires pour ne pas participer aux activités propres à la fête afin de veiller à ce que le camp demeure un lieu sûr, d'aider ceux qui, inévitablement, se blesseraient et de prendre soin de ceux qui perdraient le sens de la mesure. Pas de jeunes enfants dans les parages sur lesquels auraient pu tomber les fêtards, ou pour qui on aurait eu à s'inquiéter : tous avaient été rassemblés dans un campement spécial à la limite de celui de la Réunion d'Été, surveillés par des doniates et d'autres volontaires.

Jondalar but une gorgée du liquide dont on venait une fois de plus de remplir son gobelet, sans se rendre compte que pour l'essentiel il se déversait à l'extérieur tandis qu'il continuait d'errer d'un pas mal assuré. Il n'avait rien avalé de solide et les rasades du puissant breuvage qu'il ne cessait d'absorber commençaient à produire leur effet. La tête lui tournait et sa vision se faisait de plus en plus floue, mais son cerveau, toujours noyé dans les pensées qui l'obsédaient, semblait être dissocié de tout le reste. Il entendit de la musique, de la musique de danse, et ses pieds le dirigèrent vers le bruit. Il ne distingua que très vaguement les danseurs qui formaient un cercle à la lueur vacillante d'un grand feu.

Puis une femme se détacha du cercle et, soudain, sa vision se fit plus précise tandis que ses yeux se fixaient sur elle. Ayla. Il la regarda danser, avec plusieurs partenaires. Elle riait, visiblement ivre. Puis elle s'éloigna en titubant, suivie par trois hommes qui se mirent à palper son corps, puis à lui arracher ses vêtements. Perdant l'équilibre, elle s'effondra par terre, au milieu des trois hommes. L'un d'eux l'enjamba, lui écarta rudement les jambes, et enfonça en elle son organe dressé. Jondalar le reconnut : c'était Laramar !

Bouche bée, incapable de faire un geste, Jondalar le regarda s'agiter sur elle, en elle. Laramar ! Cet ivrogne puant, sale et paresseux ! Ayla ne daignait pas lui adresser la parole, et voilà ce qu'elle était en train de faire avec lui. Elle qui refusait désormais de l'aimer, lui, Jondalar, de partager les Plaisirs avec lui... Et de commencer à faire un bébé avec lui !

Et si Laramar était en train de commencer à faire un bébé avec elle ?

Un afflux de sang lui monta à la tête. Dans un brouillard rougeâtre, tout ce qu'il était capable de voir, c'était Laramar en train de besogner Ayla, de besogner *sa* compagne. Et soudain, pris d'une fureur démente, le jeune homme poussa un véritable rugissement :

— IL EST EN TRAIN DE FAIRE MON BÉBÉ !

Il couvrit en trois enjambées la distance qui les séparait, arracha Laramar d'Ayla, le redressa et écrasa son poing sur le visage stupéfait qui se tournait vers lui. Laramar s'effondra par terre, pratiquement inconscient, sans avoir réellement eu la possibilité de voir qui l'avait frappé, ni même comment cela était arrivé.

Jondalar lui sauta dessus et, ivre de fureur et de jalousie, se mit à le frapper, encore et encore, incapable de s'arrêter. D'une voix rendue suraiguë par la colère, il ne cessait de hurler : « Il est en train de faire mon bébé ! Il est en train de faire mon bébé ! »

Plusieurs hommes tentèrent de le tirer en arrière, mais il les repoussa avec violence. Dans sa fureur démente, sa force était presque surhumaine. D'autres personnes s'en mêlèrent, essayant de l'arracher à sa victime, mais furent incapables d'y parvenir.

Puis, alors qu'il projetait son épaule en arrière pour asséner une fois encore son poing sur la masse sanglante qui n'avait déjà pratiquement plus l'apparence d'un visage, une main énorme le saisit au poignet. Jondalar se débattit en se sentant tiré loin de l'être inanimé, étendu sur le sol, au bord de la mort. Il lutta pour se libérer des deux bras puissants qui le retenaient, mais se révéla incapable de se dégager de leur étreinte.

Tandis que Danug continuait de le tenir, Zelandoni se mit à crier :

— Arrête, Jondalar ! Arrête ! Tu vas le tuer !

Il reconnut vaguement la voix familière de la femme qu'il avait jadis connue sous le nom de Zolena, et se rappela avoir frappé jadis de la même façon un jeune homme dans la même situation. Après quoi son esprit cessa de fonctionner. Tandis que plusieurs membres de la Zelandonia se précipitaient pour prendre soin de Laramar, le géant aux cheveux rouges saisit Jondalar dans ses bras, comme un bébé, et l'entraîna au loin.

14

Zelandoni tendit à Ayla l'un de ces gobelets en roseau étroitement tressé confectionnés tout spécialement pour la fête, rempli presque à ras bord d'une concoction d'herbes connues pour être relaxantes. Elle en posa un autre sur une table basse avant d'aller prendre place sur le grand tabouret proche de celui sur lequel était installée Ayla. Les deux femmes étaient seules dans le vaste local de la Zelandonia si l'on exceptait l'homme inconscient qui reposait non loin, sur une litière, le visage enveloppé dans des peaux de bêtes assouplies qui maintenaient en place plusieurs emplâtres. Des lampes éclairaient le blessé d'une lueur chaude mais pas trop intense, deux autres étaient disposées sur la table basse à côté des gobelets de tisane.

— Je ne l'ai jamais vu dans cet état, dit Ayla. Mais pourquoi a-t-il fait ça, Zelandoni ?

— Parce que tu étais avec Laramar.

— Mais c'était dans le cadre d'une Fête de la Mère. Je suis Zelandoni, désormais. On attend de moi que je partage le Don de la Mère lors des Fêtes données en Son honneur, non ? demanda la jeune femme.

— Tout le monde est censé honorer la Mère durant les Fêtes que l'on donne pour Elle, et tu ne t'en es jamais privée, mais jamais jusqu'alors avec un autre homme que Jondalar, lui rappela la Première.

— Mais le fait que je ne l'aie jamais fait auparavant ne devrait pas faire la moindre différence. Après tout, il s'est accouplé avec Marona, lâcha Ayla.

À son ton, Zelandoni décela qu'elle était sur la défensive.

— C'est vrai, mais tu n'étais pas disponible lorsqu'il l'a fait. Tu n'ignores pas que les hommes partagent souvent le Don des Plaisirs accordé par la Mère avec d'autres femmes lorsque leurs compagnes ne se trouvent pas à portée immédiate, n'est-ce pas ? demanda la Première.

— Non, bien sûr, admit Ayla en baissant les yeux et en avalant une gorgée de tisane.

— Est-ce que l'idée que Jondalar choisisse une autre femme te dérange, Ayla ?

— Eh bien, en fait il n'en a jamais choisi d'autre. Pas depuis que je le connais, ajouta Ayla, regardant la Première avec une inquiétude non feinte. Comment pouvais-je le méconnaître à ce point ? Je n'arrive pas à croire qu'il ait fait ça. Jamais je ne l'aurais cru si je n'en avais pas été témoin. D'abord il batifole avec Marona… et je découvre que c'est le cas depuis un bon bout de temps. Puis il… Mais pourquoi Marona ?

— Réagirais-tu différemment s'il s'agissait de quelqu'un d'autre ?

La jeune femme baissa une fois de plus les yeux.

— Je ne sais pas, avoua-t-elle avant de les lever de nouveau vers Zelandoni. Pourquoi n'est-il pas venu me trouver s'il souhaitait satisfaire ses désirs ? Je ne me suis jamais refusée à lui. Jamais.

— C'est peut-être ça la raison. Peut-être savait-il que tu étais fatiguée, ou profondément investie dans un apprentissage quelconque ; dès lors, il n'a pas voulu s'imposer à toi, sachant que tu ne le refuserais pas, expliqua Zelandoni. Il y a eu des moments où on te demandait de renoncer à un certain nombre de choses pendant un temps. Plaisirs, nourriture, eau, même.

— Mais pourquoi Marona ? Si ç'avait été une autre, n'importe quelle autre, je crois que j'aurais compris. Je n'aurais peut-être pas apprécié, mais j'aurais compris. Pourquoi cette femme précisément ?

— Peut-être parce qu'elle s'est offerte, avança Zelandoni qui, devant l'air stupéfait d'Ayla, poursuivit son explication : Tout le monde a bien vu que ni toi ni Jondalar ne choisissiez un autre partenaire, Ayla, pas même durant les Fêtes de la Mère. Avant qu'il ne parte, Jondalar était toujours disponible, en particulier à l'époque. Son appétit était tel qu'il était rare qu'une seule femme parvienne à le satisfaire. Il donnait l'impression de ne jamais être complètement rassasié, jusqu'à ce qu'il réapparaisse avec toi. Peu après son retour, les femmes ont cessé de le solliciter. Si une personne ne se rend pas disponible, on cesse de lui faire des propositions. La plupart des femmes n'aiment pas qu'on leur oppose un refus. Marona, elle, s'en moquait. Dans la mesure où il lui était facile d'avoir tous les hommes qu'elle voulait, un refus représentait pour elle un défi. À mon avis, Jondalar est devenu pour elle un défi très particulier.

— Je n'arrive pas à croire que je le connais si mal, dit Ayla en secouant la tête. Zelandoni, il a failli tuer Laramar, poursuivit-elle après une nouvelle gorgée d'infusion. Son visage ne sera plus jamais le même. Si Danug n'avait pas été là, je ne suis pas certaine que Laramar serait encore en vie. Personne d'autre n'aurait pu l'arrêter.

— C'était l'une des conséquences que je redoutais après que nous avons révélé aux gens le rôle joué par l'homme dans la conception d'une nouvelle vie. Mais je ne m'attendais pas à ce que cela se passe de cette façon, ni si tôt. Je savais que des problèmes se poseraient avec les hommes dès lors que ceux-ci disposeraient de l'information, mais je pensais que nous aurions un peu plus de temps devant nous pour nous préparer.

— Je ne comprends pas, dit Ayla en fronçant une fois de plus les sourcils. J'aurais pensé que les hommes seraient contents de savoir qu'on avait besoin d'eux pour qu'une nouvelle vie commence, qu'ils étaient aussi indispensables que les femmes, et que c'était pour cette raison que la Mère les avait créés.

— Ils seront peut-être contents, mais une fois qu'ils auront compris ce qui en découle, ils voudront sans doute s'assurer que les enfants de leur foyer sont plus que ceux de leur compagne. Ils souhaiteront peut-être avoir la certitude que les enfants aux besoins desquels ils pourvoient viennent bien d'eux.

— Mais pourquoi cela aurait-il de l'importance ? Ça n'en a jamais eu jusqu'à présent. Les hommes ont toujours veillé à procurer ce dont ils avaient besoin aux enfants de leurs compagnes. La plupart étaient satisfaits quand celles-ci apportaient des enfants à leurs foyers. Pourquoi voudraient-ils soudain ne s'occuper que des leurs ? s'étonna Ayla.

— Cela peut très bien devenir une simple question d'orgueil. Ils risquent de se croire propriétaires de leurs compagnes et de leurs enfants.

Ayla but une gorgée de tisane et réfléchit un moment, le front plissé.

— Comment pourraient-ils avoir la certitude que ce sont bien les leurs ? C'est la femme qui donne la vie. La seule chose qu'un homme puisse savoir avec certitude, c'est qu'un bébé est l'enfant de sa compagne.

— La seule façon dont un homme peut avoir cette certitude, c'est si sa compagne ne partage les Plaisirs qu'avec lui, expliqua Zelandoni. Comme toi, Ayla.

Les plis se creusèrent plus profondément sur le front de la jeune femme.

— Mais les Fêtes de la Mère, alors ? La plupart des femmes les attendent avec impatience. Elles souhaitent honorer la Mère, partager le Don des Plaisirs qu'Elle leur a accordé, avec plus d'un homme.

— Oui, c'est en effet le cas de la plupart des femmes, ainsi que des hommes, d'ailleurs. Cela ajoute du piment et de l'intérêt à leur existence. Et dans leur grande majorité, les femmes souhaitent également avoir un compagnon qui aide à prendre soin de leurs enfants, ajouta Zelandoni.

— Mais certaines n'ont pas de compagnon, fit remarquer Ayla. Leurs mères, leurs tantes, leurs frères leur apportent leur aide, en particulier lorsqu'elles ont un nouveau-né. Même la Caverne aide les femmes à prendre soin de leurs enfants. On a toujours pourvu aux besoins des enfants.

— C'est vrai, mais les choses peuvent changer. On a connu dans le passé des années difficiles, où les animaux se faisaient plus rares et les plantes dont on pouvait se nourrir moins abondantes. Quand il commence à y avoir pénurie, certaines personnes sont parfois moins enclines à partager. Si tu n'avais assez de nourriture que pour un unique enfant, auquel souhaiterais-tu la donner ?

— Je serais prête à donner ma propre nourriture à n'importe quel enfant, répondit Ayla.

— Durant un moment, peut-être. La plupart des gens en feraient autant. Mais pendant combien de temps ? Si tu ne mangeais rien, tu deviendrais faible, et malade. Qui alors s'occuperait de ton enfant ?

— Jonda… commença Ayla avant de s'arrêter net et de porter la main à sa bouche.

— Eh oui.

— Mais Marthona nous viendrait en aide, Willamar aussi, et même Folara. Et l'ensemble de la Neuvième Caverne apporterait aussi son soutien ! lança la jeune femme avec force.

— C'est vrai. Marthona et Willamar donneraient un coup de main, en tout cas aussi longtemps qu'ils seraient capables de le faire. Mais tu sais que Marthona ne va pas très bien, quant à Willamar, il ne rajeunit pas. Folara va devenir la compagne d'Aldanor à l'occasion des dernières Matrimoniales de cette saison. Lorsqu'elle aura un bébé à elle, qui nourrira-t-elle en premier ?

— Jamais la situation ne se présente aussi mal, Zelandoni. Il arrive que l'on manque de certaines choses au printemps, mais l'on trouve toujours de quoi se nourrir, rétorqua Ayla.

— J'espère que ce sera toujours le cas, il n'empêche qu'une femme se sent en général plus en sécurité si elle a un compagnon pour lui venir en aide.

— Il arrive que deux femmes partagent un foyer. Dans ce cas, elles s'aident mutuellement pour leurs enfants, poursuivit Ayla, qui pensait au peuple d'Aldanor, les S'Armunaï, et à Attaroa, qui avait essayé de se débarrasser de tous les individus mâles.

— Et elles peuvent devenir compagnes l'une pour l'autre. Il est toujours préférable d'avoir quelqu'un non loin pour donner un coup de main, quelqu'un qui s'intéresse à l'autre, mais la grande majorité des femmes préfère les hommes. C'est ainsi que la Mère a créé la plupart d'entre nous, et tu nous as dit pourquoi, Ayla.

La jeune femme jeta un coup d'œil vers l'homme alité.

— Mais si tu savais que tout allait changer, Zelandoni, pourquoi as-tu laissé faire ? s'étonna Ayla. Tu es la Première. Tu aurais pu tout arrêter…

— Peut-être, pendant un temps. Mais la Mère ne t'aurait jamais rien confié si Elle n'avait pas souhaité que Ses enfants soient informés. Et une fois qu'Elle avait pris cette décision, cela devenait inévitable. Il aurait été impossible de garder le secret. Quand une vérité est prête à être dévoilée, on peut retarder sa divulgation, mais il est impossible de l'arrêter, expliqua Zelandoni.

Ayla ferma les paupières, plongée dans ses réflexions, et finit par dire, les larmes aux yeux :

— Jondalar était si… si furieux. Si violent.

— La violence est présente en lui depuis toujours, Ayla. Elle l'est chez la plupart des hommes. Tu es au courant de ce que Jondalar a fait à Madroman, et il n'était alors guère plus qu'un jeune garçon. Il a tout simplement appris à la garder sous contrôle, la plupart du temps.

— Mais il ne pouvait pas s'arrêter de le frapper. Il a failli tuer Laramar. Pourquoi ?

— Parce que c'est lui que tu avais choisi, Ayla. Tout le monde a entendu Jondalar hurler « Il est en train de faire mon bébé ! » Tu peux être certaine qu'aucun homme n'a oublié ces mots. Mais d'ailleurs, pourquoi as-tu choisi Laramar ?

Ayla baissa la tête et des larmes coulèrent sur son visage.

— Parce que Jondalar avait choisi Marona, finit-elle par avouer, secouée de sanglots silencieux.

Les larmes qu'elle avait si longtemps contenues avaient rompu leur digue et elle était incapable d'en arrêter le flot.

— Oh, Zelandoni, j'ignorais ce qu'était la jalousie jusqu'à ce moment où je les ai vus tous les deux. Je venais de perdre mon bébé, je n'arrêtais pas de penser à Jondalar, j'avais hâte de le retrouver et peut-être de faire un nouveau bébé avec lui. Ça m'a fait si mal de le voir avec Marona, ça m'a mise tellement en colère que j'ai eu envie de le faire souffrir à son tour.

La Première prit un morceau de tissu souple, destiné à panser les plaies, et le tendit à la jeune femme pour qu'elle sèche ses yeux et son nez.

— Ensuite, il a refusé de me parler. Il ne m'a pas dit qu'il était désolé que j'aie perdu le bébé. Il ne m'a pas prise dans ses bras pour me consoler. Il ne m'a même pas touchée, pas une seule fois. Il ne m'a pas dit un mot. C'est ce qui m'a fait le plus mal : qu'il refuse de me parler. Il ne m'a même pas laissé l'occasion d'exprimer ma colère. De lui dire ce que je ressentais. Je n'étais même plus sûre qu'il m'aimait toujours… Lorsqu'il m'a vue à la fête, poursuivit-elle après avoir reniflé et séché ses pleurs, il est enfin venu me voir pour me dire qu'il voulait me parler. Il se trouve que Laramar était tout près. Je sais que Jondalar n'a aucun respect pour lui. Il n'y a pas d'homme pour qui il ressente plus d'antipathie. Il estime que Laramar traite mal sa compagne et ses enfants, mais pas seulement : que d'autres font de même à cause de lui. Je savais que si je choisissais Laramar cela rendrait Jondalar furieux, que cela le blesserait terriblement. Mais je ne me doutais pas qu'il deviendrait si brutal, qu'il essaierait de le tuer.

Zelandoni tendit les bras vers Ayla et l'attira contre elle.

— Je pensais bien qu'il s'agissait de quelque chose de ce genre, dit-elle, tapotant le dos de la jeune femme en pleurs, tout en réfléchissant à ce qu'elle venait d'entendre.

J'aurais dû être plus attentive, se dit-elle. Je savais qu'elle venait de perdre son bébé, ce qui entraîne chez toute femme qui en est victime des accès de mélancolie, et je savais que, comme à son habitude, Jondalar était incapable de maîtriser ce genre de situation. Mais Ayla me donnait l'impression d'avoir surmonté ce moment difficile. Je savais qu'elle était contrariée à propos de Jondalar, mais j'ignorais à quel point. J'aurais dû le comprendre, mais il est difficile de la jauger. J'ai été surprise qu'elle soit appelée. Je ne la croyais pas tout à fait prête, mais j'ai su qu'elle avait été appelée dès que je l'ai vue.

Je pensais qu'elle traversait une passe délicate, surtout avec la perte de son bébé, mais elle s'est toujours montrée si forte. Je n'ai pas apprécié à quel point elle était affectée jusqu'à ce que j'en parle avec Marthona. Et lorsqu'elle a fait savoir à l'ensemble de la Zelandonia qu'elle avait été appelée – ce qui m'a surprise –, j'ai compris qu'il fallait prendre des mesures sans plus attendre. J'aurais dû en parler d'abord avec elle, ce qui m'aurait permis de comprendre à quoi m'attendre, et m'aurait laissé le temps de réfléchir à toutes les implications. Il est vrai qu'il se passe tellement de choses durant ces Réunions d'Été… Mais ça n'est pas une excuse. J'aurais dû être là pour l'aider, pour les aider tous les deux, et ça n'a pas été le cas. Je dois accepter la responsabilité d'une large part de toute cette malheureuse affaire.

Appuyée contre la douce épaule de la Première, le corps agité de sanglots et le visage baigné de ces pleurs qu'elle avait si longtemps retenus, Ayla ne cessait de penser à la question que venait de poser Zelandoni.

Pourquoi donc ai-je choisi Laramar ? Pourquoi ai-je choisi le pire représentant des hommes de la Caverne, et peut-être même de tous ceux qui participent à la Réunion d'Été ?

Jamais je n'ai connu une Réunion aussi horrible, se dit-elle. Au lieu de m'y précipiter, j'aurais bien mieux fait de ne pas y venir du tout. Ce qui m'aurait permis de ne pas voir Jondalar et Marona ensemble. Si je ne les avais pas vus de mes yeux, si quelqu'un s'était contenté de m'en informer, cela serait mieux passé. J'aurais été furieuse, certes, mais au moins je ne les aurais pas vus.

Peut-être que c'est ce qui m'a fait choisir Laramar, ce qui m'a donné envie de faire souffrir Jondalar. Je voulais qu'il connaisse ce que j'avais moi-même ressenti. À quel stade en suis-je arrivée, pour vouloir me venger, faire du mal ? Est-ce digne d'une Zelandoni ? Si je l'aimais à ce point, pourquoi aurais-je voulu lui faire du mal ? Parce que j'étais jalouse. Je comprends maintenant pourquoi les Zelandonii s'efforcent d'enrayer ce sentiment.

La jalousie est quelque chose de terrible. Je n'avais aucun droit de me sentir si blessée. Jondalar ne faisait rien de mal. C'était son droit de choisir Marona s'il le souhaitait. Il ne rompait pas son engagement, il continuait de contribuer aux besoins du foyer, d'aider à pourvoir aux miens et à ceux de Jonayla. Il est toujours allé au-delà de ce qu'il devait faire. Il s'est sans doute plus que moi occupé de Jonayla. Je sais qu'il n'a jamais cessé de se reprocher ce qu'il avait fait subir à Madroman quand il était plus jeune. Il continue de s'en vouloir terriblement, et il doit maintenant être profondément abattu. Et puis que va-t-il lui arriver, désormais ? Quel sort lui réserve la Neuvième

Caverne ? Ou la Zelandonia, ou tous les Zelandonii, pour avoir fait frôler la mort à Laramar ?

La jeune femme alla se rasseoir, s'essuya les yeux et le nez, reprit sa tasse de tisane. Zelandoni se prit à espérer que cet épanchement lui avait fait du bien, mais le cerveau d'Ayla était toujours en ébullition.

Tout est de ma faute, se disait-elle.

Elle continua de boire sa tisane désormais froide, sans se rendre compte qu'elle s'était remise à pleurer.

Laramar est grièvement blessé, il ne sera plus jamais le même, et cela à cause de moi. Jamais il ne se serait retrouvé dans cet état si je ne l'avais pas encouragé, enjôlé, en lui faisant croire que je le désirais.

Et pourtant, elle avait dû se contraindre pour en arriver là. L'idée même que ses mains sales, humides de sueur, l'avaient touchée lui faisait horreur. Elle en avait la chair de poule, des démangeaisons, se sentait couverte d'une crasse dont elle était incapable de se débarrasser alors même qu'elle s'était lavée des pieds à la tête, récurée jusqu'au sang. En outre, alors même qu'elle savait que c'était dangereux, elle avait bu une décoction de feuilles de gui et d'herbes diverses qui l'avait fait vomir et lui avait donné des crampes douloureuses, afin d'expulser tout ce qui avait peut-être été entamé. Mais rien de tout ce qu'elle avait entrepris n'avait pu lui faire oublier cette affreuse sensation de Laramar la touchant, la pénétrant.

Pourquoi avait-elle fait ça ? Pour faire souffrir Jondalar ? C'était pourtant elle qui n'avait pas daigné lui consacrer ne serait-ce qu'un peu de son temps. C'était elle qui était restée debout toutes les nuits et avait passé l'essentiel de ses journées à mémoriser les chansons, les histoires, les symboles, les mots à compter. Si elle l'aimait tant, pourquoi n'avait-elle pas trouvé de temps à lui consacrer, à lui aussi ?

Était-ce parce qu'elle avait bien apprécié cette période de formation ? Car elle l'avait adorée, elle avait adoré apprendre toutes ces choses qu'il lui fallait connaître pour devenir Zelandoni. Toutes les connaissances qui pouvaient être révélées, et toutes celles qui devaient être tenues secrètes. Les symboles qui avaient un sens caché, ceux que l'on pouvait graver sur une pierre, peindre sur un tissu, tisser dans une natte. Elle connaissait leur signification. Tous les membres de la Zelandonia connaissaient leur signification. Elle pouvait adresser une pierre ornée de symboles à un autre Zelandoni, et la personne qui la transporterait ignorerait qu'elle pouvait avoir un sens, à la différence de son destinataire.

Et puis elle appréciait énormément toutes les cérémonies. Elle se rappelait à quel point elle avait été émue, impressionnée, durant la première, organisée dans les profondeurs de cette grotte, à laquelle elle avait assisté en la seule présence des membres de la Zelandonia. Elle savait maintenant comment les rendre inoubliables, impressionnantes. Elle avait appris tous les trucs, mais il ne s'agissait pas seulement de trucs. La réalité, souvent effrayante, était loin d'être absente. Elle savait que certains membres de la Zelandonia, les plus âgés en particulier, ne croyaient plus à grand-chose. Ils l'avaient pratiquée tant de fois qu'ils s'étaient habitués à leur propre magie. Tout le monde pouvait la mettre en œuvre, prétendaient-ils. C'était bien possible, mais assurément pas sans une formation préalable. Pas sans aide, pas sans les remèdes magiques.

Ayla se rappela soudain sa cérémonie d'initiation, lorsqu'elle avait entendu Celle Qui Était la Première annoncer qu'elle deviendrait un jour Première. Alors, Ayla n'en avait tenu aucun compte : elle ne pouvait pas s'imaginer devenir Première, d'autant qu'elle avait un compagnon et un enfant. Comment pouvait-on être Première et avoir dans le même temps un compagnon et un enfant ? Certains membres de la Zelandonia avaient certes des enfants, mais ils étaient peu nombreux.

Tout ce qu'elle avait vraiment désiré, depuis sa plus tendre enfance, c'était avoir un compagnon et des enfants, sa famille à elle. Iza lui avait bien dit qu'elle ne pourrait jamais avoir d'enfants, son totem, le Lion des Cavernes, était trop puissant, mais elle les avait tous surpris : elle avait eu un fils. Broud aurait été furieux s'il avait su qu'en la forçant il lui avait donné la seule chose qu'elle désirait. Mais il n'y avait pas eu de Don des Plaisirs à l'époque. Broud ne l'avait pas choisie parce qu'il s'intéressait à elle. Il la détestait. S'il l'avait forcée, c'était uniquement pour lui prouver qu'il pouvait lui faire tout ce qu'il voulait, et parce qu'il savait que cela lui faisait horreur.

Et aujourd'hui, c'était elle-même qui s'était forcée. Forcée à choisir un homme qu'elle détestait pour faire du mal à un homme qu'elle aimait. Et voilà ce qu'elle avait fait à Jondalar à cause de sa jalousie : il avait failli tuer un homme par sa faute à elle. Elle ne méritait pas sa famille. Elle n'était même pas capable de prendre soin de sa famille en tant qu'acolyte, ce serait donc encore plus difficile en tant que Zelandoni à part entière. La vie de Jondalar serait plus simple sans sa présence. Peut-être vaudrait-il mieux qu'elle le laisse reprendre sa liberté, trouver une nouvelle compagne.

D'un autre côté, pouvait-elle ne serait-ce qu'envisager de ne plus être la compagne de Jondalar ? Comment vivre sans lui ? Cette seule pensée déclencha une nouvelle crise de larmes, ce qui rendit Zelandoni perplexe : Ayla avait versé tant de pleurs qu'elle pensait que la jeune femme en avait tari la source.

Comment vivre sans Jondalar ? se demandait donc Ayla. Mais comment Jondalar pourrait-il vivre avec elle désormais ? Elle n'était pas digne de lui. Elle l'avait pratiquement poussé à donner la mort, uniquement parce qu'il avait besoin de satisfaire ses désirs. Des désirs que, manifestement, elle n'avait pas été en mesure de satisfaire. Même les femmes du Clan en étaient capables, chaque fois que leurs compagnons le souhaitaient. Oui, Jondalar méritait décidément une femme meilleure qu'elle.

Mais Jonayla ? C'était sa fille, à lui aussi, et il l'aimait tant. Il s'était occupé d'elle bien plus que sa propre mère. Elle aussi méritait d'avoir une mère meilleure qu'elle. Si je romps le lien, il pourra trouver une nouvelle compagne. Il est toujours le plus bel homme... non, le plus merveilleux de toutes les Cavernes. Tout le monde en convient. Il n'aurait aucun mal à trouver une autre femme, même moins vieille que moi. Je ne suis déjà plus toute jeune et une femme moins âgée pourrait avoir plus d'enfants avec lui. Il peut même choisir... Marona... s'il le souhaite.

Ayla avait mal rien que d'y penser, mais elle voulait se flageller, et il s'agissait là de la pire des punitions qu'elle pouvait imaginer s'infliger.

Oui, c'est ce que je vais faire. Je vais rompre le lien, confier Jonayla à Jondalar et le laisser trouver une autre femme afin de fonder une famille avec elle. Quand je serai de retour à la Neuvième Caverne, je ne reviendrai pas chez moi : j'irai m'installer chez Zelandoni, ou je me ferai construire un autre foyer, ou je déménagerai pour être Zelandoni d'une autre Caverne... à condition qu'une autre Caverne veuille bien de moi. Mais peut-être vaudrait-il mieux que je m'en aille, tout simplement, et que je trouve une autre vallée où vivre toute seule.

Zelandoni regardait le visage d'Ayla refléter toutes ces émotions fugitives, mais elle avait beaucoup de mal à les déchiffrer. Cette femme a décidément quelque chose d'insondable, se disait-elle. Mais il n'y avait aucun doute : elle deviendrait Première. Zelandoni n'avait jamais oublié ce jour chez Marthona où Ayla, jeune et non formée, n'en avait pas moins pris l'ascendant mental sur elle, la Première. Ce qui l'avait secouée plus encore qu'elle ne voulait bien se l'avouer.

— Si tu te sens mieux, nous devrions y aller, Ayla… Zelandoni de la Neuvième Caverne. Il ne faut pas que nous soyons en retard à la réunion. Nous allons devoir répondre à bon nombre de questions, surtout après ce qui vient de se passer entre Jondalar et Laramar, dit Celle Qui Était la Première parmi Ceux Qui Servent la Grande Terre Mère.

— Tu viens, Jondalar ? On doit aller à la réunion. J'ai l'intention d'y poser un certain nombre de questions, expliqua Joharran.

— Vas-y, je t'y rejoindrai, répliqua son cadet, sans faire mine de bouger de la natte sur laquelle il était assis.

— Non, Jondalar, il n'en est pas question. On m'a demandé tout spécialement de veiller à ce que tu viennes avec moi, expliqua Joharran.

— Et qui est ce « on » ?

— À ton avis ? Zelandoni et Marthona.

— Et si je ne veux pas y aller, à cette réunion ? lança Jondalar sans grande conviction.

Il se sentait affreusement malheureux et n'avait aucune envie de bouger.

— Alors je crois que je serai obligé de demander à notre ami le colosse mamutoï ici présent de t'y emmener de la même façon qu'il t'a transporté ici, répliqua son aîné en adressant à Danug un sourire sans joie.

Ils se trouvaient dans un refuge situé non loin des tentes où logeaient les familles de la Neuvième Caverne, et où s'étaient installés Danug, Druwez, Aldanor et quelques autres.

— Tu n'as pratiquement pas bougé depuis. Que tu le veuilles ou non, Jondalar, tu vas bien être obligé d'affronter les autres. Cette réunion est ouverte à tous. Personne n'abordera le problème de ta situation. Cela viendra plus tard, lorsqu'on pourra apprécier comment se remet Laramar.

— Il devrait se nettoyer un peu, intervint Solaban. Ses vêtements sont encore tout tachés de sang.

— Oui, tu as raison, approuva Joharran. As-tu l'intention de t'en occuper ou préfères-tu que quelqu'un te trempe dans l'eau ? demanda-t-il en se tournant vers son frère.

— Je m'en moque. Si tu veux qu'on me trempe, vas-y, fit Jondalar d'une voix morne.

— Jondalar, enfile une tunique propre et viens à la rivière avec moi, dit Danug, en mamutoï.

C'était une façon de faire savoir à Jondalar qu'il avait à ses côtés quelqu'un à qui il pouvait parler en privé s'il souhaitait que personne d'autre n'entende ce qu'il avait à dire, outre le fait qu'il était soulagé de parler sa propre langue plutôt que de se battre avec le vocabulaire zelandonii.

— Bien, dit Jondalar, qui se releva en poussant un profond soupir. De toute façon, tout cela n'a plus aucune importance.

De fait, il ne se souciait aucunement de ce qui risquait de lui arriver, convaincu qu'il était d'avoir perdu tout ce qui était important : sa famille, y compris Jonayla, le respect de ses amis et de son peuple, mais plus encore l'amour d'Ayla. Et il estimait avoir bien mérité de perdre tout cela.

Danug observait Jondalar, qui marchait d'un pas lourd à ses côtés, oublieux de tout ce qui l'entourait. Le jeune Mamutoï avait vu le malheur accabler les deux personnes pour lesquelles il était venu de si loin, deux êtres qu'il appréciait énormément et qui, il le savait, s'aimaient plus que tous les autres couples qu'il avait eu l'occasion de rencontrer jusqu'alors. Il aurait bien aimé trouver le moyen de leur dessiller les yeux pour qu'ils puissent découvrir ce que tout le monde savait autour d'eux, mais le fait de le leur dire ne les aiderait en rien. Il faudrait qu'ils s'en rendent compte sans intervention extérieure et, par ailleurs, ils n'étaient plus seuls en jeu : Jondalar avait grièvement blessé un homme et, sans être au fait des coutumes des Zelandonii, Danug savait que cela ne resterait pas impuni.

Zelandoni repoussa la tenture, écarta le rideau et jeta un coup d'œil rapide depuis l'issue privée bien dissimulée qui se trouvait à l'arrière du vaste local de la Zelandonia, très précisément en face de la grande entrée. Elle parcourut du regard l'espace réservé à l'assemblée, qui descendait en pente douce à flanc de colline et ouvrait sur le campement. Les participants s'y rassemblaient depuis le début de la matinée et l'endroit était désormais presque plein.

Elle avait eu raison de s'attendre à de nombreuses questions. Les gens commençaient à comprendre la signification tant de la cérémonie de la veille que de la nouvelle strophe du Chant de la Mère, mais ils n'en demeuraient pas moins dans l'incertitude : il était troublant de songer aux changements que tout cela impliquait, en particulier après ce qui venait de se passer avec Jondalar. Zelandoni jeta un nouveau coup d'œil pour s'assurer que certaines personnes étaient bien arrivées, puis attendit encore un peu pour laisser aux retardataires le temps de prendre place. Enfin, elle adressa un geste à un jeune Zelandoni qui transmit à ses semblables le signe qui voulait dire « Elle est prête », et quand tout fut au point la Première fit son apparition.

Zelandoni Qui Était la Première était une femme dont la présence ne passait pas inaperçue, et sa stature majestueuse, tant par sa taille que par sa masse, lui donnait une allure à nulle autre pareille. Elle maîtrisait par ailleurs un vaste répertoire de techniques, de tactiques et de trucs divers qui lui permettait de garder les participants aux rassemblements comme celui-là concentrés sur les points qu'elle souhaitait mettre en avant, et elle n'hésitait pas à user de tout son savoir-faire, donné et acquis, pour faire passer sa confiance, son assurance, à la foule qui la fixait avec une telle intensité.

Sachant que les gens ne craignaient pas de s'exprimer très directement, elle annonça que, les participants étant fort nombreux, la meilleure solution pour que les échanges se passent dans de bonnes conditions consistait à laisser les responsables des Cavernes, ou des membres choisis par chacune des familles présentes, poser les questions. Cela étant, si quelqu'un ressentait vivement le besoin de dire quelque chose, la personne en question ne devait pas hésiter à intervenir.

Joharran posa la première question, soulevant un point que chacun des participants souhaitait voir clarifier au plus vite :

— C'est à propos de cette nouvelle strophe : si j'ai bien compris, elle signifie que Jaradal et Sethona sont mes enfants, et pas uniquement ceux de Proleva…

— Exactement, répondit la Première. Jaradal est ton fils, et Sethona est ta fille, Joharran, autant qu'ils sont le fils et la fille de Proleva.

— Et c'est le Don du Plaisir accordé par la Grande Terre Mère qui fait que la vie commence à l'intérieur d'une femme ? intervint Brameval, le chef de la Quatorzième Caverne.

— Le Don que nous a fait Doni n'est pas seulement celui du Plaisir. C'est également le Don de la Vie.

— Mais les Plaisirs sont souvent partagés, et les femmes ne tombent pas si souvent enceintes ! lança un autre intervenant, incapable d'attendre plus longtemps.

— C'est la Grande Terre Mère qui décide, au bout du compte. Doni n'a pas cédé tout Son savoir, toutes Ses prérogatives. C'est toujours Elle qui décide quand une femme se verra gratifier d'une vie nouvelle, expliqua la Première.

— Mais alors quelle est la différence entre l'utilisation par un homme de son esprit et celle de l'essence de son organe pour concevoir un bébé ? interrogea Brameval.

— C'est très clair. Si une femme ne partage jamais les Plaisirs avec un homme, elle n'aura jamais d'enfant. Elle ne pourra pas se contenter d'espérer qu'un jour la Mère choisisse l'esprit d'un homme pour l'en gratifier. Une femme doit absolument honorer la Mère en partageant le Don des Plaisirs. L'homme doit libérer son essence à l'intérieur de son corps, afin qu'elle se mélange avec celle de la femme, exposa la Première.

— Certaines femmes ne tombent jamais enceintes, fit valoir Tormaden, le chef de la Dix-Neuvième Caverne.

— Oui, c'est exact. Je n'ai jamais eu d'enfant. J'ai pourtant honoré la Mère à de nombreuses reprises, mais je ne suis jamais tombée enceinte. J'en ignore la raison, avoua la Première. Peut-être la Mère a-t-Elle choisi de m'assigner un but différent. Je sais que j'aurais eu beaucoup de mal à servir la Mère comme je l'ai fait si j'avais eu un compagnon et des enfants. Ce qui ne veut pas dire que les membres de la Zelandonia ne doivent en aucun cas avoir d'enfants. Certains en ont et continuent de bien La servir, même s'il semble plus facile à un homme qu'à une femme de la Zelandonia d'avoir des enfants à son foyer : un homme n'a pas à porter l'enfant, à lui donner naissance ni à lui donner le sein. Certaines femmes sont en mesure de remplir ces deux tâches, de mère et de Zelandoni, en particulier si leur vocation est forte, mais à la condition qu'elles aient des compagnons et des familles qui sachent les entourer d'une grande affection et qui soient en mesure de leur apporter leur aide.

La Première remarqua que plusieurs personnes regardaient du côté de Jondalar, assis avec les visiteurs mamutoï un peu en amont de la Neuvième Caverne, et non à côté de la femme qui était sa compagne. Ayla, qui tenait Jonayla sur ses genoux, était pour sa part assise à côté de Marthona, le loup se tenant entre elles deux, dans les premiers rangs de l'assistance. Elle se trouvait près du groupe de la Neuvième Caverne, mais également à proximité des membres de la Zelandonia. La plupart des participants étaient persuadés que la vocation d'Ayla, du fait de sa maîtrise des animaux et de ses dons de guérisseuse, devait être singulièrement profonde, avant même qu'elle devienne acolyte, et jusqu'à cet été, quand tous ses ennuis avaient commencé, tout le monde savait à quel point Jondalar s'était bien occupé d'elle. Nombreux étaient ceux qui pensaient que c'était Marona, assise avec sa cousine, Wylopa, et plusieurs de ses amis de la Cinquième Caverne, qui était à l'origine de leurs problèmes, mais la situation s'était considérablement aggravée depuis lors : même si la rumeur selon laquelle Laramar avait repris conscience s'était largement répandue, seuls les membres de la Zelandonia, dans le local desquels le blessé tentait de se remettre, étaient au courant de la gravité de son état.

— Ma compagne partage le Don des Plaisirs avec d'autres hommes, pas seulement avec moi, lors des Fêtes de la Mère et des autres cérémonies en Son honneur, intervint un homme dans l'assistance.

Bon, on en vient aux questions un peu plus délicates, songea Zelandoni.

— Les Fêtes et les Cérémonies ont lieu pour des motifs sacrés, répondit-elle. Et le partage des Plaisirs est un acte sacré, qui honore la Grande Terre Mère. Si un enfant est conçu à ce moment-là, c'est avec Son assentiment, et l'enfant en question peut être considéré comme une faveur qu'Elle accorde. Ne l'oubliez surtout pas : Doni choisit toujours quand une femme devient grosse.

Un brouhaha de commentaires divers parcourut l'assistance. Kareja, le chef de la Onzième Caverne, se leva alors pour prendre la parole.

— Willadan m'a demandé de poser une question pour lui, mais j'estime préférable qu'il s'en charge lui-même, dit-elle.

— Si tu le penses, il doit en effet la poser, approuva Zelandoni.

— Ma compagne est devenue doniate un été après que nous avons noué le lien, commença l'homme. Devant son incapacité à concevoir un bébé, elle a voulu faire une offrande pour honorer la Mère et L'encourager à lui permettre d'en concevoir un. Cela a, semble-t-il, bien fonctionné. Elle a eu un enfant après cela, suivi depuis de trois autres. Mais j'en viens maintenant à me poser la question : est-ce que l'un ou l'autre de ces enfants vient bien de moi ?

Cette fois, il va falloir jouer finement, se dit la Première.

— Tous les enfants auxquels ta compagne a donné naissance sont les tiens, répondit-elle.

— Mais comment puis-je savoir qu'ils ont été conçus par moi et pas par un autre homme ?

— Dis-moi, Willadan, quel âge a ton premier-né ?

— Il compte douze années. C'est presque un homme maintenant, répondit l'intéressé, d'une voix emplie de fierté.

— T'es-tu réjoui quand ta compagne a été enceinte de lui, et quand il est né ?

— Oui. Nous souhaitions des enfants à notre foyer.

— Donc, tu l'aimes.

— Bien sûr que je l'aime.

— L'aimerais-tu encore plus si tu savais avec certitude que c'est ton essence qui l'a conçu ?

— Non, bien sûr que non, répondit l'homme en fronçant les sourcils, après avoir jeté un coup d'œil à son fils.

— Si tu savais que c'est ton essence qui a conçu tes autres enfants, les aimerais-tu plus ?

— Non, répondit Willadan après avoir réfléchi un moment aux implications de la question que la Première venait de lui poser. Je ne pourrais sûrement pas les aimer plus.

— En ce cas, cela fait-il une différence si l'essence qui les a conçus est venue de toi ou de quelqu'un d'autre ? demanda Zelandoni qui, voyant les rides qui barraient le front de son interlocuteur se creuser de plus en plus, n'en décida pas moins de poursuivre : Je n'ai jamais été enceinte, je n'ai jamais conçu d'enfant, même si, à une époque, j'en désirais un, plus qu'on ne peut se l'imaginer. Je suis satisfaite désormais, je sais que la Mère a choisi ce qui était le mieux pour moi. Mais il est fort possible, Willadan, que tu aies partagé le même sort que le mien. Peut-être que, pour une raison connue de Doni, et d'Elle seule, ton essence n'a pas pu concevoir un bébé avec ta compagne à ce moment-là. Mais la Grande Terre Mère, dans Sa grande sagesse, vous a accordé à toi et à ta compagne les enfants que vous désiriez. Même si ce n'était pas toi qui les avais conçus, serais-tu prêt à les rendre si tu découvrais le nom de l'homme qui aurait pu, lui, les concevoir ?

— Non. J'ai pourvu à leurs besoins depuis leur naissance, répondit Willadan.

— Exactement. Tu t'es occupé d'eux avec amour, ce sont les enfants de ton foyer, ce qui veut dire que ce sont *tes* enfants, Willadan.

— Ce sont en effet les enfants de mon foyer, mais tu as dit « même si » ce n'est pas moi qui les ai conçus. Est-ce que tu veux dire qu'ils auraient pu l'être par mon essence ? demanda l'homme non sans une certaine mélancolie.

— Il est fort possible que l'honneur que ta compagne a rendu à la Mère ait été accepté comme une offrande suffisante, et qu'Elle a permis à ton essence de les concevoir tous. Il est impossible de le savoir. Mais dis-moi, Willadan, si tu ne peux les aimer plus que tu ne le fais, quelle différence cela fait-il ?

— Eh bien… aucune, j'imagine.

— Il se peut qu'ils aient été conçus par ton essence comme il est possible que ça n'ait pas été le cas, poursuivit Zelandoni, mais ils seront toujours beaucoup plus que les enfants de ton foyer. Ce sont *tes* enfants.

— Pourrons-nous un jour en être sûrs ?

— Je l'ignore. Dans le cas d'une femme, c'est l'évidence même : elle est grosse ou elle ne l'est pas. Dans le cas d'un homme, ses enfants sont toujours les enfants de sa compagne. Il en a toujours été ainsi. Rien n'a changé. Aucun homme ne peut être certain de l'identité de celui qui a conçu les enfants de son foyer.

— Jondalar le peut, lui, fit une voix dans l'assistance.

Tout le monde se figea et se tourna vers l'homme qui venait d'intervenir. Il s'agissait de Jalodan, un jeune homme membre de la Troisième Caverne. Il était assis à côté de l'amie de Folara, Galeya, avec qui il avait noué le lien deux ans plus tôt. L'attention soudaine qu'il s'était attirée, y compris le regard sévère de Zelandoni, le fit rougir sensiblement.

— Mais si, il le peut, insista-t-il, sur la défensive. Tout le monde ici sait qu'Ayla n'a jamais choisi personne d'autre que lui, jusqu'à hier soir en tout cas. Si les enfants sont conçus à partir de l'essence de l'organe d'un homme, et qu'Ayla n'a jamais partagé les Plaisirs avec quelqu'un d'autre que Jondalar, alors l'enfant de son foyer est forcément le sien, il vient forcément de son essence. C'est pour cela qu'il s'est battu, la nuit dernière, non ? Il n'arrêtait pas de crier : « Il est en train de faire mon bébé ! » chaque fois qu'il tapait sur Laramar.

Toute l'attention s'était désormais reportée sur Jondalar, qui ne savait plus où se mettre sous le poids de tous ces regards insistants. Certains regards se portèrent sur Ayla, mais celle-ci demeurait immobile, bien droite sur son siège, les yeux baissés.

Joharran se leva brusquement.

— Jondalar ne se maîtrisait plus. Il s'est laissé aller à boire plus que de mesure, ce qui lui a brouillé la cervelle, dit-il d'un ton où perçaient à la fois le sarcasme et l'exaspération.

Il y eut des sourires et des ricanements dans l'assistance.

— Je suis prêt à parier que sa tête était encore tout embrumée lorsque le soleil s'est levé ! lança un autre homme, jeune lui aussi, non sans laisser percer une certaine admiration, comme s'il trouvait plutôt louable le comportement violent de Jondalar.

— Dans la mesure où Jondalar et Laramar sont tous deux de la Neuvième Caverne, cette affaire sera réglée par la Neuvième Caverne. Ceci n'est pas le lieu adéquat pour discuter des actes de Jondalar, ajouta Joharran pour essayer de mettre un terme au débat.

Il avait cru entendre une certaine approbation dans la voix de nombreux jeunes hommes, et voir l'un ou l'autre imiter la conduite de son frère était bien la dernière chose qu'il souhaitait.

— Avec cette différence, Jemoral, que j'ai bien peur que Jondalar ne souffre de beaucoup plus que d'un gros mal de tête, intervint Zelandoni. Cette affaire ne restera pas sans suites, et des suites sérieuses, tu peux en être sûr.

Il était difficile de reconnaître tous les participants à la réunion, mais elle s'y efforçait. Les vêtements donnaient toujours des indications précieuses, de même que les bracelets, ceintures, colliers et autres colifichets. Le jeune homme qui venait de s'exprimer était membre de la Cinquième Caverne et parent de son Zelandoni. Lui et ses semblables avaient tendance à se vêtir de façon un peu voyante et portaient de nombreux bijoux, dans la fabrication et le commerce desquels ils étaient passés maîtres. Il était assis dans les premiers rangs, ce qui avait permis à la Première de le voir assez précisément pour le reconnaître.

— Mais je crois comprendre ce qu'il a ressenti, insista Jemoral. Quel comportement dois-je adopter si je veux que l'enfant de ma compagne vienne de moi ?

— Oui, intervint un autre. C'est une bonne question.

— Et si je désire que les enfants de mon foyer soient les miens ? lança un autre.

Zelandoni attendit que le brouhaha s'apaise un peu, embrassant l'assistance du regard pour constater que la plupart des commentaires émanaient de la Cinquième Caverne. Elle fixa alors le groupe tout entier d'un regard sévère.

— Tu veux que les enfants de ton foyer soient les tiens, Jemoral ? lança-t-elle, regardant le jeune homme droit dans les yeux. Tu veux donc qu'ils t'appartiennent, comme t'appartiennent tes vêtements, tes outils, tes bijoux ?

— N... non. Je... je n'ai pas voulu dire ça, bredouilla Jemoral.

— Je suis ravie de l'entendre, car les enfants ne peuvent pas appartenir à quelqu'un. Ni à toi ni à ta compagne. Ils n'appartiennent à personne. Si nous avons des enfants, c'est pour les aimer, nous occuper d'eux, pourvoir à leurs besoins, leur apprendre des choses, comme la Mère le fait pour nous, et cela dans tous les cas, qu'ils proviennent de ton essence ou de celle d'un autre homme. Nous sommes tous les enfants de la Grande Terre Mère, et nous recevons Son enseignement. Rappelle-toi cette strophe du Chant de la Mère :

> *Femme et Homme la Mère enfanta*
> *Et pour demeure Elle leur donna la Terre,*
> *Ainsi que l'eau, le sol, toute la création,*
> *Pour qu'ils s'en servent avec discernement.*
> *Ils pouvaient en user, jamais en abuser.*

Plusieurs membres de la Zelandonia reprirent avec la Première le dernier vers, et tous poursuivirent :

> *Aux Enfants de la Terre, la Mère accorda*
> *Le Don de Survivre, puis Elle décida*
> *De leur offrir celui des Plaisirs,*
> *Qui honore la Mère par la joie de l'union.*
> *Les Dons sont mérités quand la Mère est honorée.*

— Elle pourvoit à nos besoins, veille sur nous, nous prodigue Son enseignement ; et en retour de Ses dons, nous L'honorons, poursuivit la Première. Le Don de la Connaissance de la Vie accordé par Doni ne l'a pas été pour te permettre d'être le propriétaire des enfants nés à ton foyer, et de prétendre qu'ils t'appartiennent. Elle nous l'a accordé afin que nous sachions que les femmes ne sont pas les seules à en avoir été gratifiées. Les hommes ont un rôle qui est aussi important que celui des femmes. Ils ne sont pas là juste pour pourvoir à leurs besoins et pour leur venir en aide, ils leur sont indispensables. Sans les hommes, il n'y aurait pas d'enfants. Cela ne te suffit-il pas ? Tes enfants doivent-ils absolument être les tiens ? Dois-tu en être propriétaire ?

Les jeunes hommes du groupe échangèrent des coups d'œil penauds, mais Zelandoni n'était pas certaine qu'ils aient vraiment compris la leçon. Une jeune femme prit alors la parole :

— Et avant ? Nous connaissons nos mères et nos grand-mères. Je suis la fille de ma mère, mais qu'en est-il des hommes ?

Le visage de l'intervenante n'évoqua rien sur le coup à Zelandoni mais, par réflexe, l'esprit acéré de la Première se mit en branle pour la situer. Elle était assise avec le groupe de la Vingt-Troisième Caverne et tant les motifs que la coupe de sa tunique indiquaient qu'elle en était membre et se tenait au milieu de ses amis. Bien que sa tenue la désignât comme une femme et non comme une fille, elle n'en était pas moins à l'évidence très jeune. Elle venait sans doute de subir ses Premiers Rites, estima la doniate. Pour prendre ainsi la parole à un âge aussi tendre au milieu d'une foule importante, il fallait qu'elle soit téméraire et pleine d'impétuosité, ou courageuse et habituée à se trouver en compagnie de gens n'hésitant pas à s'exprimer librement, ce qui sous-entendait un comportement de chef. Le chef de la Vingt-Troisième Caverne était une femme du nom de Dinara. Zelandoni se souvint alors que la fille aînée de cette dernière faisait partie des jeunes filles ayant subi leurs Premiers Rites cette année, et elle remarqua que Dinara souriait à la jeune femme. C'est alors que le nom de celle-ci lui revint en mémoire.

— Rien n'a changé, Diresa, dit la Première. Les enfants ont toujours été le résultat de l'union d'un homme et d'une femme. Ce n'est pas parce que nous l'ignorions jusqu'à présent que ça n'a pas toujours été le cas. Doni a tout simplement choisi de nous le faire savoir maintenant. Elle a dû estimer que nous étions prêts à recevoir cette nouvelle. Sais-tu qui était le compagnon de ta mère quand tu es née ?

— Bien sûr, tout le monde le sait. C'est Joncoran, répondit la jeune femme.

— Eh bien alors, Joncoran est ton père, dit Zelandoni, qui avait attendu l'occasion favorable pour annoncer le mot qui avait été choisi. « Père » est le nom que l'on donne à l'homme qui a des enfants. Pour qu'une vie commence, un homme est indispensable, ce n'est certes pas lui qui porte le bébé dans son ventre, qui lui donne naissance ou qui l'allaite, mais il est capable de l'aimer autant que sa mère. C'est un *père*. Ce mot a été choisi pour indiquer que, si les femmes sont gratifiées par Doni, les hommes peuvent désormais se considérer comme Ses préférés.

Cette révélation suscita une vive animation dans l'assistance. Au beau milieu de la foule, Ayla entendit ce nouveau mot répété à de nombreuses reprises, comme si les gens le testaient, s'efforçaient de s'y accoutumer. Zelandoni attendit une fois de plus que le brouhaha se calme un peu.

— Donc toi, Diresa, tu es la fille de ta mère, Dinara, et tu es la fille de ton père, Joncoran. Ta mère a des fils et des filles, tout comme ton père. Ces enfants peuvent l'appeler « père » tout comme ils appellent « mère » celle qui leur a donné naissance.

— Et si l'homme qui s'est accouplé avec ma mère et m'a conçu n'était pas celui qu'elle a pris pour compagnon ? demanda Jemoral, le jeune homme de la Cinquième Caverne.

— L'homme qui est le compagnon de ta mère, celui qui est l'homme de ton foyer, est ton père, répondit Zelandoni sans l'ombre d'une hésitation.

— Mais s'il ne m'a pas conçu, comment peut-il être mon père ? insista Jemoral.

Ce jeune homme va être la source de bien des ennuis, se dit Celle Qui Était la Première.

— Tu ne peux savoir avec certitude qui t'a conçu, mais tu connais l'homme qui vit avec toi et ta mère. C'est plus que probablement lui qui t'a engendré. Si tu n'as aucune certitude quant à l'existence d'un autre homme, c'est probablement parce que celui-ci n'existe pas, et il est inutile de qualifier une relation qui n'a pas d'existence. Le compagnon de ta mère est celui qui s'est engagé à pourvoir à tes besoins. C'est lui qui s'est occupé de toi, t'a entouré de son amour, a aidé à t'élever. Ce n'est pas l'accouplement, ce sont les soins dont il t'a entouré qui font de cet homme ton père. Si l'homme dont ta mère est la compagne était mort, et si elle était devenue la compagne d'un autre qui t'aurait entouré d'autant de soins et d'amour, l'en aimerais-tu moins ?

— Mais lequel serait mon vrai père ?

— Tu peux toujours appeler « père » l'homme qui pourvoit à tes besoins. Quand tu énumères tes relations, dans une présentation officielle, ton père est l'homme qui était le compagnon de ta mère lorsque tu es né, l'homme de ton foyer. Si celui qui pourvoit à tes besoins n'est pas celui qui était là quand tu es né, tu pourras le désigner comme ton « second père », afin d'établir une distinction entre les deux si c'est nécessaire, expliqua Zelandoni, qui ne regrettait pas d'avoir consacré une nuit d'insomnie à réfléchir à toutes les ramifications en termes de parentèle que cette nouvelle révélation allait entraîner.

Mais la Première avait une autre annonce à faire :

— Le moment est peut-être bien choisi pour soulever un autre problème que je me dois de mentionner : la Zelandonia a estimé que les hommes devaient être inclus dans certains des rituels, certains des usages associés à l'arrivée d'un nouveau bébé, et ce afin qu'ils comprennent et apprécient mieux le rôle qui est

422

le leur dans la création d'une vie nouvelle. Or donc, à partir de ce jour, les hommes choisiront le nom des enfants mâles nés à leur foyer ; quant aux femmes, elles continueront bien sûr à choisir celui des filles.

Cette déclaration reçut un accueil mitigé : les hommes eurent l'air surpris, mais certains d'entre eux se prirent à sourire. À leur expression, Zelandoni constata en revanche que certaines des femmes n'étaient pas prêtes à abandonner cette prérogative consistant à donner leur nom à tous leurs enfants. Personne ne semblait avoir envie d'en faire une affaire sur le moment, et aucune question ne fut posée, mais la Première comprit que le problème n'était pas réglé : il y aurait des suites, elle en avait la certitude.

— Et que dire des enfants nés de femmes qui n'ont pas de compagnon ? demanda une femme d'apparence très jeune qui n'en tenait pas moins un bébé dans ses bras.

Deuxième Caverne, se dit Zelandoni au vu de ses vêtements et de ses bijoux. Était-ce un enfant fruit des Premiers Rites de l'été précédent ?

— Les femmes qui donnent la vie avant de trouver un compagnon sont gratifiées par la Mère, comme celles qui sentent une nouvelle vie grandir en elles au moment où elles en prennent un. Une femme gratifiée d'un enfant apporte la démonstration qu'elle est capable de porter un bébé sain et d'en accoucher, et elle est souvent choisie pour en être de nouveau gratifiée par la suite. Jusqu'à ce qu'elle noue le lien, c'est sa famille, ou sa Caverne, qui pourvoit aux besoins de ses enfants, dont le « père » est Lumi, le compagnon de Doni, la Grande Terre Mère. Rien n'a vraiment changé, Shaleda, dit-elle en souriant à la jeune femme, dont le nom venait de lui revenir. La Caverne pourvoit toujours aux besoins d'une femme qui a des enfants mais pas de compagnon, que ce dernier soit passé dans le Monde d'Après ou qu'elle ne l'ait pas encore choisi. Mais sache que la plupart des hommes trouvent fort désirable une jeune femme qui a déjà un bébé. La plupart du temps, celle-ci ne tarde pas à trouver un compagnon, car elle apporte aussitôt dans le foyer de cet homme un enfant qui fait d'emblée partie des favoris de Doni. L'homme en question devient bien sûr le père de cet enfant, expliqua la Première, qui vit l'adolescente, tout juste sortie de l'enfance, jeter un timide coup d'œil à un jeune homme de la Troisième Caverne qui la regardait avec une adoration éperdue.

— Mais qu'en est-il de l'homme qui est réellement le père ? retentit la voix désormais familière du jeune homme de la Cinquième Caverne qui avait déjà posé plusieurs questions. Celui-ci n'est-il pas l'homme dont l'essence a de fait conçu le bébé ?

Zelandoni remarqua qu'il regardait cette même jeune femme qui, tenant son bébé, était tournée vers un autre homme.

Ah, je comprends, maintenant, se dit la doniate. Cet enfant n'est sans doute pas un fruit des Premiers Rites, mais d'une première passion. Elle était un peu surprise par la facilité avec laquelle elle avait formé l'idée que la conception d'un enfant était provoquée par l'accouplement d'un homme et d'une femme. Tout cela semblait s'ajuster si logiquement maintenant.

Ayla avait remarqué elle aussi le jeune homme de la Cinquième Caverne, ainsi que le manège entre la jeune femme et les deux hommes. Pense-t-il que c'est lui qui a conçu le bébé ? se demanda-t-elle. Et se peut-il qu'il soit jaloux ?

Elle se rendait compte qu'elle connaissait désormais intimement non seulement l'existence de ce sentiment, mais aussi les conséquences extrêmes qui pouvaient en découler.

Je ne pensais pas que ce Don de la Connaissance accordé par la Grande Terre Mère aurait tant d'implications compliquées, se dit-elle in petto. Je ne suis pas sûre du tout que ce soit un cadeau si merveilleux.

— Si une femme qui a un enfant n'a pas encore eu de compagnon, dans ce cas celui avec qui elle noue le lien, qui promet de s'occuper de l'enfant et de pourvoir à ses besoins, devient le père du bébé, poursuivait Zelandoni. Bien sûr, si celle-ci choisit non pas un mais deux compagnons, ceux-ci partagent le titre de « père » à égalité.

— Mais une femme n'est pas obligée de prendre pour compagnon quelqu'un qu'elle ne choisit pas ? interrogea la même jeune femme.

La Première remarqua que le Zelandoni de la Cinquième Caverne était en train de rejoindre l'endroit où était rassemblé son groupe, en amont.

— Bien sûr, répondit-elle. Cela a toujours été le cas, et rien n'a changé.

Voyant que le doniate était allé s'asseoir à côté du jeune homme qui avait posé toutes ces questions, elle se tourna vers une autre partie de l'assemblée.

— Quel nom donner au père de mon père ? interrogea un membre de la Onzième Caverne.

Zelandoni poussa un discret soupir de soulagement. Celle-là était facile…

— La mère d'une mère, mais aussi d'un père, est une grand-mère, le père d'un père, mais aussi d'une mère, un grand-père. Lors des présentations de vos liens, il vous faudra donc préciser : « Ma grand-mère du côté de mon père », « Mon grand-père du côté de ma mère », par exemple.

— Et si on ne sait pas de qui vient l'essence qui a conçu sa mère ? s'enquit le chef de la Cinquième Caverne. Et s'ils passent dans le Monde d'Après, comment désigner les liens ?

— Si tu connais l'homme qui était le compagnon de la mère de ta mère, tu l'appelleras ton grand-père. Même chose pour ce qui concerne ton père. Même s'il se trouve dans le Monde d'Après, ton père aura été conçu par un homme qui se sera accouplé avec sa mère, tout comme ta mère aura été conçue par un homme qui aura déversé l'essence de son organe dans le corps de sa mère, expliqua très précisément Zelandoni.

— NON ! Noooon ! s'écria quelqu'un dans l'assistance. Je ne peux pas y croire ! Elle l'a fait, une fois de plus. Elle m'a encore trahi, juste au moment où je recommençais à lui faire confiance !

Tout le monde se tourna vers l'intervenant : un homme qui s'était levé, dans les tout derniers rangs du groupe imposant de la Neuvième Caverne.

— C'est un mensonge ! Tout cela n'est que mensonge ! Cette femme essaie de vous tromper ! hurla-t-il en montrant Ayla du doigt. Jamais la Mère n'aurait pu lui dire ça ! C'est une menteuse, une malfaisante !

S'abritant les yeux de la main, Ayla releva la tête et reconnut Brukeval.

Brukeval ? Pourquoi crie-t-il ainsi après moi ? se demanda-t-elle. Je ne comprends pas. Que lui ai-je donc fait ?

— J'ai été conçu par l'esprit d'un homme qui a été choisi par la Grande Terre Mère pour s'unir à celui de ma mère, proféra Brukeval. Ma mère, elle, a été conçue par l'esprit d'un homme qui a été choisi par Doni pour s'unir à celui de sa mère à elle. Elle n'a pas été conçue par l'organe d'un animal, par l'essence d'un organe, quel qu'il soit. Je suis un homme, non une Tête Plate ! Je ne suis pas une Tête Plate !

Incapable de poursuivre plus longtemps sur une note aussi aiguë, la voix de Brukeval se brisa sur ces derniers mots et sa plainte s'acheva sur un sanglot déchirant.

15

Brukeval dévala alors la colline, traversa le petit champ et continua de courir à toutes jambes, quittant le site du campement sans jamais regarder en arrière. Plusieurs hommes, la plupart, dont Jondalar et Joharran, de la Neuvième Caverne se lancèrent à sa poursuite en espérant que, lorsqu'il serait hors d'haleine, ils pourraient lui parler, le calmer, le convaincre de réintégrer l'assemblée. Mais le fuyard courait comme si tous les esprits des morts étaient à ses trousses. Malgré toute l'horreur qu'il en avait, il avait hérité de l'endurance et de la vigueur de l'homme du Clan qu'était son grand-père. Même si au début ses poursuivants couraient plus vite et commençaient à le rattraper, ils n'avaient pas sa résistance et furent incapables de maintenir le rythme qu'il leur imposait.

Ils finirent par s'arrêter, haletants, courbés en deux, certains s'agenouillant ou s'allongeant par terre, s'efforçant de reprendre leur souffle, la gorge sèche, se tenant les côtes.

— J'aurais dû a... aller chercher... Rapide, souffla Jondalar, qui avait du mal à parler. Il n'aurait tout de même pas... battu un cheval à la course...

Ils revinrent en traînant les pieds vers le lieu de l'assemblée, pour trouver une assistance en pleine confusion : tout le monde s'était levé, et discutait par petits groupes. Peu désireuse de voir la réunion s'achever de cette façon, Zelandoni avait annoncé une pause en attendant le retour des hommes qui s'étaient lancés à la poursuite de Brukeval, en espérant que celui-ci serait du nombre. Lorsqu'elle constata que ce n'était pas le cas, elle décida d'en finir sans délai :

— Il est regrettable que Brukeval, de la Neuvième Caverne des Zelandonii, éprouve le sentiment qui est le sien. Sa susceptibilité concernant ses origines est bien connue, mais personne ne sait avec certitude ce qui est vraiment arrivé à sa grand-mère. Tout ce que nous savons c'est qu'elle s'est perdue pendant un certain temps, qu'elle a fini par retrouver son foyer et que par la suite elle a donné naissance à la mère de Brukeval. Toute personne s'étant égarée pendant un laps de temps aussi long ne pouvait qu'avoir enduré bien des choses pénibles durant cette épreuve et, de fait, la grand-mère de Brukeval avait l'esprit dérangé lorsqu'elle est réapparue. Les craintes qui l'agitaient en permanence étaient si fortes que personne ne pouvait croire, ni même comprendre, l'essentiel de ce qu'elle racontait.

« Sans doute du fait de ce qu'elle avait subi, la fille qu'elle mit au monde était frêle, et lorsque celle-ci fut en âge d'être enceinte à son tour sa grossesse puis la naissance de Brukeval ont été si dures pour elle qu'elle en est morte. Il est probable que, tant dans sa stature que dans son apparence, Brukeval porte les marques de la grossesse difficile de sa mère, même s'il est heureux qu'il soit devenu fort et en bonne santé. Je crois que Brukeval a entièrement raison lorsqu'il affirme qu'il est un homme. C'est un Zelandonii de la Neuvième Caverne, un homme bon, qui a beaucoup à apporter. Je suis certaine qu'il décidera de revenir vers nous, parmi nous, une fois qu'il aura pris le temps de réfléchir, et je sais que la Neuvième Caverne l'accueillera comme il le mérite, à son retour, dit Celle Qui Était la Première, avant de poursuivre : Je pense qu'il est temps de conclure cette réunion. Nous avons soulevé bon nombre de sujets qui méritent réflexion, et vous pourrez tous poursuivre avec vos Zelandonia la discussion que nous avons entamée ici.

Tandis que les participants se levaient pour quitter les lieux, la Première s'adressa au chef de la Cinquième Caverne :

— La Cinquième Caverne peut-elle rester encore un peu et me rejoindre ici, près de l'abri ? demanda-t-elle. Je souhaite vous entretenir d'une affaire importante qui vous concerne.

Autant en terminer avec cette désagréable corvée pendant que j'y suis, se dit-elle.

La réunion ne s'était pas du tout déroulée comme elle l'avait souhaité. La rixe avec Jondalar la veille au soir avait d'emblée créé une mauvaise ambiance, et l'assemblée s'était séparée sur un sentiment de malaise provoqué par le départ abrupt de Brukeval.

— Je suis navrée de devoir vous imposer cela… commença la Première en s'adressant au groupe d'hommes et de femmes de tous âges qui constituaient la Cinquième Caverne.

Madroman en était, ainsi que son Zelandoni. La Première saisit un sac qui se trouvait sur une table à l'arrière de l'abri, et se tourna pour faire face à l'acolyte.

— Est-ce que ceci te dit quelque chose, Madroman ? demanda-t-elle.

Celui-ci regarda le sac, pâlit puis regarda autour de lui, visiblement inquiet et sur ses gardes.

— C'est à toi, n'est-ce pas ? Ce sac porte des marques.

Plusieurs membres de l'assistance hochèrent la tête. Tout le monde savait que l'objet lui appartenait. Il était parfaitement reconnaissable et Madroman ne s'en séparait presque jamais.

— Où l'as-tu trouvé ? demanda-t-il.

— Ayla l'a déniché tout au fond des Rochers de la Fontaine, après que tu y as été appelé, répondit la Première d'une voix lourde de sarcasmes.

— J'aurais dû deviner que c'était elle, marmonna Madroman.

— Elle ne cherchait rien. Elle était assise par terre près de la grande niche ronde, tout au fond, et a mis la main dessus tout à fait par hasard, à un endroit bien caché, en bas d'une paroi. Elle a cru que quelqu'un l'avait oublié et a voulu le lui rendre, expliqua Zelandoni.

— Pourquoi aurait-elle pensé que quelqu'un l'avait oublié s'il était caché ? rétorqua Madroman, estimant à l'évidence qu'il était désormais inutile de feindre l'ignorance.

— Parce qu'elle avait l'esprit embrumé. Elle venait de perdre son bébé, et elle avait côtoyé la mort de très près dans cette grotte, expliqua la Première.

— Qu'est-ce que c'est que cette histoire ? s'enquit le chef de la Caverne.

— Madroman est acolyte depuis longtemps. Il désirait vivement rejoindre les rangs de la Zelandonia et s'est lassé d'attendre son appel...

Elle vida le sac sur la table, laissant apparaître les restes de nourriture, l'outre, la lampe et le matériel servant à faire le feu, ainsi que le manteau.

— Il a caché tout cela dans la grotte, puis a prétendu qu'il avait entendu l'appel. Après quoi il est resté enfermé à l'intérieur un peu plus de deux jours, avec de la nourriture, de l'eau, de quoi s'éclairer et même quelque chose pour se protéger du froid. Puis il a fait semblant d'être sonné et désorienté et a prétendu qu'il était prêt.

— Tu veux dire qu'il a menti, pour son appel ?

— Oui. Absolument.

— Si elle n'avait pas été là, jamais tu ne l'aurais su ! cracha Madroman.

— Tu te trompes, Madroman, répliqua Zelandoni. Nous le savions. Ceci n'a fait que le confirmer. Qu'est-ce qui te fait croire que tu peux abuser la Zelandonia ? Nous avons tous subi les épreuves. Crois-tu que nous sommes incapables de faire la différence ?

— Dans ce cas, pourquoi n'as-tu rien dit jusqu'à aujourd'hui ?

— Certains d'entre nous souhaitaient te laisser toutes tes chances. D'autres pensaient, ou espéraient, que ça n'était pas intentionnel de ta part. Ils voulaient avoir la certitude que tu ne t'étais pas abusé toi-même dans ton désir si vif de devenir l'un de Ses serviteurs... jusqu'à ce qu'Ayla nous apporte ce sac. Tu n'aurais pas pu devenir Zelandoni, en aucun cas, mais tu aurais pu demeurer acolyte, Madroman. Dorénavant, ça n'est plus possible. La Grande Terre Mère ne veut pas être servie par un menteur, par un tricheur, proféra la Première sur un ton qui ne laissait planer aucun doute sur ce qu'elle ressentait. Kemordan, Homme Qui Commande la Cinquième Caverne des Zelandonii, poursuivit-elle, toi et les membres de ta Caverne, êtes-vous prêts à témoigner ?

— Nous le sommes, répondit le chef.

— Nous le sommes, reprirent à l'unisson les membres de la Caverne.

— Madroman, de la Cinquième Caverne des Zelandonii, précédemment acolyte, psalmodia la Première, plus jamais tu ne pourras prétendre appartenir à la Zelandonia, ni au titre de membre à part entière ni à celui d'acolyte ou en quelque autre manière. Plus jamais tu ne pourras tenter de soigner les maux de quiconque, ni donner des conseils concernant les enseignements de la Mère, ni assumer les droits et devoirs de la Zelandonia.

— Mais qu'est-ce que je vais bien pouvoir faire, désormais ? gémit Madroman. Je n'ai rien appris d'autre. Je ne peux pas être autre chose qu'acolyte.

— Si tu restitues tout ce que tu as reçu de la Zelandonia, tu pourras retourner dans ta Caverne pour y réfléchir à l'apprentissage d'autre chose, Madroman. Et estime-toi heureux que je ne t'aie pas infligé une punition que j'aurais pu annoncer à tous les participants de la Réunion d'Été.

— Ils seront au courant, de toute façon, grommela Madroman, qui haussa alors la voix : Jamais tu ne m'aurais laissé devenir un Zelandoni, dit-il. Vous m'avez toujours détesté, toi, Jondalar et ta petite favorite, Ayla, l'amoureuse des Têtes Plates. Dès le début tu n'as jamais pu me souffrir... Zolena.

Un murmure horrifié monta des rangs des membres de la Cinquième Caverne. Aucun n'aurait osé se montrer irrespectueux envers Celle Qui Était la Première au point de l'appeler par le nom qui avait été jadis le sien. L'immense majorité aurait eu trop peur des conséquences. Même Madroman s'arrêta dans son réquisitoire en voyant l'expression qu'avait prise le visage de la Première. Qui était, après tout, une femme aux pouvoirs formidables.

Il se dépêcha de tourner les talons et s'éloigna à grands pas rageurs, se demandant ce qu'il allait bien pouvoir faire tout en se dirigeant vers la lointaine qu'il partageait à l'occasion avec Laramar, Brukeval et leurs semblables.

Il y arriva pour trouver l'endroit désert. La plupart des campements étaient en train de servir des repas après la longue réunion qui venait de s'achever, et presque tout le monde était occupé à se sustenter. Il lui vint soudain à l'esprit que ni Laramar ni Brukeval ne reviendraient de sitôt. Laramar mettrait à coup sûr longtemps à se rétablir, quant à Brukeval, qui sait ce qu'il allait faire ? Madroman pénétra dans le local et alla prendre dans le sac de voyage de Laramar une petite outre remplie de barma. Il alla ensuite s'asseoir sur une natte et vida son contenu en quelques gorgées, avant d'aller en chercher une autre.

Laramar ne le saura jamais, se disait-il.

Tout ça, c'est la faute de cette grosse brute qui m'a cassé les dents, se dit-il en touchant de sa langue le trou qui s'ouvrait sur le devant de sa bouche.

Il avait appris à compenser l'absence de ses incisives et ne songeait plus guère à ses dents manquantes, même s'il en avait souffert lorsqu'il était plus jeune et que les femmes l'ignoraient, pour cette raison pensait-il. Il avait découvert depuis lors que certaines s'intéressaient à lui lorsqu'elles apprenaient qu'il était membre de la Zelandonia, même s'il n'était qu'un acolyte en période d'apprentissage. Plus aucune de ces femmes ne voudrait de lui, désormais. Le visage rouge de honte, il ouvrit la seconde outre à barma.

Mais pourquoi donc Jondalar est-il revenu ? se disait-il. S'il n'était pas rentré de son fameux Voyage et n'avait pas ramené cette étrangère, jamais elle n'aurait trouvé ce sac. Et jamais la Zelandonia n'aurait été au courant de son existence, quoi qu'en dise cette vieille bonne femme obèse. Maintenant, pas question que je retourne à la Cinquième Caverne, et pas question que j'apprenne un nouveau métier. Pourquoi me donner ce mal ? Je ne ferais pas un plus mauvais Zelandoni que tous ceux qui sont fiers de l'être, et d'ailleurs, je me demande si tous ont réellement été appelés. En fait, je suis sûr que bon nombre d'entre eux ont fait semblant de l'avoir été. Et de toute façon, qu'est-ce que c'est que cette histoire d'appel ? Ils ont tous probablement simulé, y compris cette amoureuse des Têtes Plates. Elle a perdu un bébé ? Et alors ? Les femmes n'arrêtent pas de perdre des bébés. Qu'y a-t-il de si spécial là-dedans ?

Il avala une nouvelle gorgée de barma, lorgna du côté de l'emplacement que s'était réservé Brukeval puis se releva et s'en approcha. Toutes ses possessions étaient là, soigneusement rangées comme à son habitude. Il n'est même pas revenu les récupérer, songea Madroman. Il va avoir froid cette nuit, à dormir sans couvertures. Je me demande si j'arriverais à le retrouver. Il pourrait m'être reconnaissant si je lui apportais ses affaires.

Madroman revint à sa place et fit des yeux le tour de tout le matériel qu'il avait accumulé en sa qualité d'acolyte.

Et cette sale grosse bonne femme qui veut que je lui rende tout ! se dit-il. Eh bien non, elle n'aura rien ! Je vais plier bagage et partir.

Il s'arrêta dans ses réflexions, regarda de nouveau du côté de l'emplacement où dormait Brukeval.

Si j'arrive à le retrouver, on pourra peut-être entreprendre un Voyage tous les deux, ou quelque chose dans ce genre, trouver un autre peuple. Je pourrais alors leur dire que je suis Zelandoni, ils ne sauraient jamais la vérité.

Oui, c'est ce que je vais faire, je vais prendre les affaires de Brukeval et j'irai le retrouver. Je connais un certain nombre d'endroits où j'aurais de bonnes chances de tomber sur lui. Ce serait intéressant de rester avec quelqu'un comme lui, il est bien meilleur chasseur que moi. Ça fait si longtemps que je n'ai pas chassé. Peut-être que je pourrais prendre également certaines des affaires de Laramar. Elles ne lui manqueront pas et il ne saura même pas qui les lui a prises. Ce pourrait être n'importe quel occupant de cette tente. Et de toute façon, il est clair qu'il ne rentrera pas de sitôt.

Tout ça, c'est de la faute de Jondalar. D'abord il me fait presque mon affaire, puis il recommence avec Laramar. Et le pire, c'est qu'il va s'en tirer, cette fois-ci comme la précédente. Je hais Jondalar, je l'ai toujours détesté. Il faudrait que quelqu'un se charge un peu de lui. Qu'on lui démolisse sa jolie petite gueule. On verrait s'il apprécie. J'aimerais bien aussi m'occuper un peu d'Ayla. Je connais un certain nombre de gens qui l'empêcheraient de se débattre. Je lui donnerais quelque chose d'autre en plus, une bonne giclée de mon essence, songea-t-il avec un sourire mauvais. On verrait si elle ferait encore la fière après ça. Plus jamais elle ne partagerait les Plaisirs avec quelqu'un d'autre, pas même pendant les Fêtes de la Mère. Elle se croit si parfaite, cette garce qui a trouvé mon sac et l'a apporté à la Zelandonia. Sans elle, jamais je n'en aurais été expulsé. Je serais Zelandoni. Je hais cette femme !

Madroman acheva de boire le contenu de la deuxième outre de barma, en prit plusieurs autres et regarda autour de lui pour voir ce qu'il voulait emporter d'autre. Il trouva des vêtements de rechange, usagés mais toujours en bon état. Il les essaya et comme ils lui allaient bien, il s'en empara sans hésiter. Sa tenue d'acolyte était très caractéristique et lui donnait belle allure, mais il n'était guère pratique pour de longs trajets. La natte à dormir avait connu des jours meilleurs, c'était d'ailleurs une natte de rechange, la bonne qu'utilisait Laramar se trouvait dans la tente de sa compagne, mais il y avait d'autres objets tout à fait intéressants, dont une superbe couverture en fourrure. Il tomba ensuite sur un vrai trésor, un costume d'hiver tout neuf, dont Laramar avait fait récemment l'acquisition en le troquant contre du barma : la boisson qu'il préparait était toujours fort recherchée et il n'avait jamais eu de problème pour en troquer certaines quantités en échange de quelque chose qu'il souhaitait absolument se procurer.

Madroman retourna ensuite à l'emplacement de Brukeval et entreprit de ramener vers le sien tout ce qui s'y trouvait. Il enfila les vêtements, plus pratiques que les siens, qu'il avait trouvés à l'emplacement de Laramar : leurs ornements étaient caractéristiques de la Neuvième Caverne et non de la Cinquième, mais cela importait peu : il n'avait l'intention de s'installer ni dans l'une ni dans l'autre. Il prit de la nourriture ici et là, puis fouilla dans les affaires des autres occupants du local, faisant main basse sur d'autres aliments et sur certains objets, dont un excellent couteau au manche bien solide, une hachette en pierre, une paire de mitaines toutes neuves, bien chaudes, que quelqu'un venait à l'évidence d'acquérir. Il n'en possédait pas, et l'hiver approchait.

Qui sait où je me trouverai à ce moment-là, se dit-il.

Il fut obligé de refaire plusieurs fois son paquetage, se débarrassant chaque fois d'un certain nombre de choses moins utiles que d'autres. Une fois prêt, il n'avait plus qu'une hâte : quitter les lieux au plus vite.

Il passa la tête au dehors et regarda autour de lui : le campement était plein de monde, comme d'habitude, mais personne ne se trouvait à proximité immédiate. Il fit passer sur son dos le lourd sac et se mit en route d'un pas alerte. Il envisageait de prendre la direction du nord, celle dans laquelle il avait vu s'enfuir Brukeval.

Il approchait tout juste de la limite du campement de la Réunion d'Été, près de l'endroit où était installée la Neuvième Caverne, quand Ayla sortit d'un bâtiment. Elle semblait préoccupée, avoir la tête ailleurs, mais elle leva les yeux et l'aperçut. Il lui lança un regard empreint de la haine la plus pure, la plus absolue, et poursuivit son chemin.

Le campement de la Neuvième Caverne semblait désert. Tout le monde s'était rendu à celui des Lanzadonii pour un déjeuner en commun, un festin prévu depuis un certain temps, mais Ayla avait prétendu qu'elle n'avait pas faim et promis qu'elle les rejoindrait plus tard. Elle était assise sur sa natte, le moral au plus bas : elle pensait à Brukeval, à sa violente sortie à la fin de la réunion, et elle se demandait si elle aurait pu y changer quelque chose. Elle se disait que Zelandoni n'avait pas prévu qu'il aurait pu avoir ce genre de réaction, et elle-même ne l'avait pas envisagé, même si elle se disait maintenant qu'elle aurait dû le faire, sachant à quel point l'homme était sensible à toutes les insinuations selon lesquelles il était lié en quelque manière aux Têtes Plates.

Il les qualifiait d'animaux, songea-t-elle, mais ils ne l'étaient en rien ! Pourquoi certains les appellent-ils ainsi ? Elle se demanda si Brukeval continuerait d'éprouver une telle répulsion s'il les connaissait mieux. Mais non, cela ne changerait sans doute rien. Beaucoup de Zelandonii partageaient son sentiment.

La Première avait rappelé à tous les participants à la réunion que la grand-mère de Brukeval avait l'esprit dérangé lorsqu'elle avait enfin réintégré son foyer, et qu'elle était enceinte.

Tout le monde dit qu'elle avait passé quelque temps au sein du Clan, songea Ayla, et c'est certainement vrai. Il est évident que Brukeval a un mélange de Clan en lui : elle a donc dû tomber enceinte alors qu'elle se trouvait avec eux. Ce qui veut dire qu'un homme du Clan a dû déverser son essence en elle.

Et soudain une idée qui ne l'avait jamais traversée jusqu'alors lui vint à l'esprit : un homme du Clan l'aurait-il forcée, encore et encore, comme j'ai moi-même été forcée par Broud ? Je n'avais pas toute ma tête quand Broud m'a fait subir cela, mais jamais je ne me suis dit que j'avais affaire à des animaux. Ce sont eux qui m'ont élevée, je les aimais. Pas Broud. Lui, je le détestais, avant même qu'il ne me force, mais je les aimais presque tous.

Ayla n'avait pas envisagé cette hypothèse la première fois qu'elle avait entendu l'histoire de la grand-mère de Brukeval, mais celle-ci était vraisemblable. L'homme en question avait pu lui faire subir cette épreuve par pure méchanceté, comme Broud, ou parce qu'il pensait lui faire une faveur, en la prenant peut-être comme seconde femme, afin de la faire accepter au sein du Clan, mais pour elle, cela n'avait dû faire aucune différence. Ce n'est pas ainsi qu'elle avait dû voir les choses, se dit Ayla. Elle était dans l'incapacité de leur parler, ou de les comprendre. Pour elle, ils n'étaient que des animaux. La grand-mère de Brukeval a dû avoir plus horreur encore de ce qu'elle subissait que moi lorsque Broud me forçait.

Et même si je désirais terriblement avoir ce bébé quand Iza m'a dit que j'étais enceinte, j'ai connu des moments difficiles. J'ai été tout le temps malade lorsque j'attendais Durc, et j'ai bien failli mourir quand j'ai accouché de lui. Les femmes du Clan n'avaient que rarement ce genre de problème, mais la tête de Durc était incomparablement plus grosse et plus dure que celle de Jonayla.

Ayla avait vu suffisamment de femmes attendant des enfants au cours des quelques années écoulées pour se rendre compte que pour Jonayla sa grossesse et son accouchement avaient été bien plus aisés que ne l'avait été la naissance de Durc.

Je ne sais toujours pas comment j'ai réussi à l'expulser, songea-t-elle avec un hochement de tête. Les têtes des Autres sont plus petites, leurs os sont plus fins et plus souples. Nos jambes et nos bras sont plus longs, mais leurs os sont plus fins eux aussi, se dit Ayla en contemplant ses propres membres. Tous les os des Autres sont plus fins.

La grand-mère de Brukeval a-t-elle été malade durant sa grossesse ? A-t-elle eu du mal à accoucher, comme cela a été mon cas ? Est-ce cela qui lui est arrivé ? Est-ce pour cette raison qu'elle est morte ? Parce que son accouchement a été si difficile ? Même Joplaya a failli mourir en donnant naissance à Boko-van, et Echozar n'est qu'à moitié issu du Clan. Est-ce que les femmes des Autres ont toujours du mal à accoucher d'un bébé aux « esprits mêlés », d'un bébé qui est un mélange du Clan et des Autres ?

Cette interrogation plongea Ayla dans un abîme de réflexions.

Est-ce pour cette raison que ces bébés ont été dès le départ qualifiés d'abominations ? Parce que leurs mères mouraient parfois en leur donnant naissance ?

Il existe des différences entre le Clan et les Autres. Peut-être pas suffisamment pour empêcher de concevoir un bébé, mais assez pour que la mère souffre beaucoup si elle fait partie des Autres et a l'habitude d'accoucher de bébés aux têtes plus petites. Les femmes du Clan ne connaissent peut-être pas ce genre de problème. Elles ont l'habitude d'avoir des bébés aux têtes longues, grosses et dures, aux arcades sourcilières proéminentes. Elles avaient sans doute moins de mal à donner naissance à des enfants mélangés.

Mais ce n'est sans doute pas bon pour les bébés, continua-t-elle de méditer, que la mère fasse partie du Clan ou des Autres. Durc était fort et en bonne santé, même s'il m'a donné beaucoup de mal quand j'ai accouché de lui, mais Echozar aussi, alors que sa mère était du Clan. Bokovan est en bonne santé, lui aussi, mais ça n'est pas tout à fait pareil : Echozar, son père, représentait le premier mélange, il est donc comme Brukeval, ce qui n'empêche pas que Joplaya a failli mourir.

Ayla constata qu'elle utilisait aisément le mot « père », ce qui était logique puisqu'elle avait compris depuis longtemps le rôle joué par les hommes dans la conception des enfants.

Mais Rydag, lui, était de faible constitution, et sa mère était du Clan, se dit-elle. Elle est morte après avoir accouché de lui, mais Nezzie n'a jamais dit qu'elle avait eu des problèmes lors de sa naissance. Non, ce n'est sans doute pas pour cette raison qu'elle est morte. À mon avis, elle n'avait plus envie de vivre depuis qu'elle avait été bannie de son clan, d'autant plus qu'elle pensait sans doute que son bébé était déformé. La mère de Brukeval était un premier mélange, et sa mère à elle faisait partie des Autres. Elle était faible, si faible qu'elle est morte en donnant naissance à son fils. Qu'il l'accepte ou pas, Brukeval sait très bien ce qui est arrivé à sa grand-mère, c'est pour cette raison qu'il a été si prompt à saisir les implications du Don de Vie lors de la réunion. Je me demande s'il lui est déjà venu à l'esprit que c'était ce mélange qui était à l'origine de la faiblesse de sa mère...

Je suppose que je ne devrais pas en vouloir à Brukeval de haïr le Clan. Il n'a jamais eu de mère pour l'aimer, ou le consoler quand les gens l'insultaient sous prétexte qu'il avait l'air un peu différent. Cela a été difficile pour Durc, aussi : il était si différent des autres membres du Clan que ceux-ci pensaient qu'il était déformé. Certains allaient même jusqu'à ne pas vouloir qu'on le laisse vivre, mais au moins il y avait des gens qui l'aimaient. J'aurais dû être plus attentive à ce qu'éprouvait Brukeval. J'ai un peu trop tendance à être persuadée d'avoir toujours raison. À en vouloir aux gens de traiter ceux du Clan de Têtes Plates et d'animaux. Je sais qu'ils ne le sont pas, mais la plupart des gens ne les connaissent pas comme moi. C'est de ma faute si Brukeval s'est enfui. Je ne lui en veux pas de me détester.

Ayla se leva. Elle en avait assez de rester assise. L'atmosphère était sombre et sinistre dans le bâtiment dépourvu de fenêtres, et la lampe était sur le point de s'éteindre, ce qui ne faisait qu'ajouter à l'obscurité. Elle avait envie de sortir, de faire autre chose que de songer à ses défauts et à leurs conséquences.

Dehors, elle jeta un coup d'œil aux alentours et c'est à cet instant qu'elle eut la surprise de voir Madroman faire son apparition, l'air fort pressé. Lorsqu'il l'aperçut, il la regarda d'un air si méchant qu'elle sentit son sang se glacer, ses poils se hérisser sur sa nuque, et sous l'effet de l'appréhension son corps tout entier fut saisi d'un tremblement irrépressible.

Elle le suivit du regard tandis qu'il s'éloignait.

Il a quelque chose de différent, songea-t-elle, avant de remarquer qu'il ne portait plus ses vêtements d'acolyte. Ceux qu'il avait sur lui lui paraissaient pourtant étrangement familiers... Elle fronça les sourcils, essayant de se concentrer, puis cela lui revint : les motifs de ses vêtements étaient ceux de la Neuvième Caverne ! Mais Madroman était de la Cinquième, alors pourquoi donc portait-il des vêtements de la Neuvième ? Et vers où se hâtait-il ainsi ?

Oh, ce regard qu'il m'a lancé...

Ayla frissonna en y repensant.

Pourquoi tant de haine ? Mais que lui ai-je donc fait pour qu'il m'en veuille ainsi ? Et pourquoi ne portait-il pas ses vêtements d'aco...

Bien sûr ! se rappela-t-elle soudain. Zelandoni lui a certainement dit qu'il ne pouvait plus conserver le titre d'acolyte. Est-ce pour cela qu'il m'en veut ? Mais il n'a aucune raison de le faire, c'est lui qui a menti. Ça ne peut pas être à cause de Jondalar. Bien sûr, Jondalar l'a rossé jadis – il lui a même cassé plusieurs dents –, mais c'était à cause de Zelandoni, et non de moi. Me déteste-t-il parce que j'ai trouvé son sac en cuir dans la grotte ? Et aussi parce qu'il ne comptera jamais au rang des Zelandonia, et que je viens juste d'en devenir une...

Cela fait deux personnes qui me haïssent, Madroman et Brukeval, songea Ayla. Trois si je compte Laramar, qui doit me détester, lui aussi. Quand il a fini par se réveiller, il a dit qu'il ne voulait pas retourner à la Neuvième Caverne lorsqu'il se sentirait assez remis pour pouvoir quitter l'abri de la Zelandonia et que ceux qui le soignent lui en auraient donné la permission. Je suis bien contente que ceux de la Cinquième Caverne aient dit qu'ils acceptaient de l'accueillir. Je ne pourrais pas lui en vouloir s'il ne voulait plus jamais me voir. Je mérite sa haine. C'est de ma faute si Jondalar l'a roué de coups comme il l'a fait. Jondalar doit maintenant me détester, lui aussi.

La jeune femme était plongée dans un tel désespoir qu'elle commençait à être persuadée que tout le monde la haïssait. Elle accéléra l'allure, sans se soucier de l'endroit où ses pas la menaient, et ne releva la tête qu'en entendant un léger hennissement, très doux ; elle se rendit compte alors qu'elle se trouvait devant l'enclos des chevaux. Elle avait été si occupée tous ces derniers jours qu'elle avait à peine eu le temps d'aller les voir. Et lorsqu'elle entendit le hennissement de bienvenue de sa jument gris-jaune, elle sentit une douleur familière annonciatrice des larmes derrière ses globes oculaires. Elle escalada la clôture et alla enlacer le cou solide de sa vieille complice.

— Oh, Whinney ! Comme je suis contente de te voir ! dit-elle, parlant dans cette langue étrange qu'elle utilisait toujours avec la jument, celle qu'elle avait inventée il y avait si longtemps, dans la vallée, avant que Jondalar arrive et lui apprenne la sienne. Toi au moins tu m'aimes toujours, dit-elle, les larmes commençant à déborder. Pourtant tu aurais des raisons de me détester, toi aussi : je t'ai complètement négligée ces derniers temps. Mais je suis si heureuse que tu m'aimes toujours. Tu as toujours été mon amie, Whinney, dit-elle en usant de ce nom qu'elle avait appris de la jument elle-même, et qui reproduisait avec une exactitude si remarquable son hennissement. Quand je n'avais personne d'autre, tu étais là. Peut-être devrais-je partir avec toi. Nous pourrions nous trouver une vallée et y vivre toutes les deux, comme nous l'avons fait jadis.

Tandis qu'elle sanglotait dans la crinière épaisse de la jument jaune, la jeune pouliche grise et l'étalon brun les rejoignirent. Grise essaya de fourrer ses naseaux sous la main d'Ayla tandis que Rapide lui donnait des petits coups de tête sur le dos pour lui faire savoir qu'il était là. Puis il s'appuya contre elle, comme il l'avait fait si souvent auparavant, la coinçant entre lui et sa mère. Ayla les enlaça tous, les caressa, leur gratta le cou, puis trouva une feuille de cardère desséchée susceptible de lui servir d'étrille et entreprit de nettoyer la robe de Whinney.

Nettoyer et soigner les chevaux était une activité qui l'avait toujours détendue, et lorsqu'elle en eut terminé avec Whinney et commença à s'occuper de Rapide qui, impatient, n'avait cessé de lui donner des petits coups de tête pour se rappeler à son attention, ses pleurs avaient séché et elle se sentait nettement mieux. Elle bouchonnait Grise quand Joharran et Echozar vinrent la retrouver.

— Tout le monde se demandait où tu étais passée, Ayla, dit Echozar, souriant de la voir au milieu des trois chevaux.

Il était toujours ébahi de la voir avec ses animaux.

— Je n'ai pas passé beaucoup de temps avec les chevaux dernièrement, et leurs robes avaient besoin d'un bon nettoyage. Elles s'épaississent nettement à l'arrivée de l'hiver, expliqua la jeune femme.

— Proleva a bien essayé de te garder au chaud ta part de nourriture, mais elle dit qu'elle est en train de se dessécher, expliqua Joharran. Tu devrais revenir manger un peu, tu sais.

— J'en ai presque terminé. J'ai déjà brossé Whinney et Rapide, il ne me reste plus qu'à finir Grise, après quoi il faudra que j'aille me laver les mains, dit Ayla en les tendant pour lui montrer ses paumes noircies de poussière mêlée à la sueur huileuse des chevaux.

— Nous t'attendrons, dit Joharran.

Il avait reçu des instructions strictes lui interdisant de rentrer sans elle.

Lorsque Ayla reparut, tout le monde finissait de déjeuner et commençait à quitter le campement des Lanzadonii pour aller vaquer aux diverses activités de l'après-midi. Ayla fut déçue d'apprendre que Jondalar n'avait pas assisté au grand festin, mais personne n'avait pu l'extirper de la lointaine réservée aux hommes seuls, il eût fallu pour cela s'emparer de lui et le traîner de force au-dehors. Une fois sur place, Ayla ne regretta pas d'être venue. Après qu'on lui eut passé l'énorme assiettée de nourriture qu'on avait gardée pour elle, elle eut le plaisir de pouvoir bavarder à loisir avec Danug et Druwez, et de faire un peu mieux connaissance avec Aldanor, même si, à l'évidence, elle allait dans l'avenir avoir tout le temps nécessaire pour cela.

Folara et Aldanor allaient en effet nouer le lien à l'occasion des prochaines Matrimoniales, juste avant la fin de la Réunion d'Été, et, à la grande joie de Marthona, il allait devenir un Zelandonii, un membre de la Neuvième Caverne. Danug et Druwez promirent de faire une halte à son camp lorsqu'ils rentreraient chez eux afin d'annoncer la nouvelle aux siens, mais ce ne serait pas avant l'été suivant. Ils allaient en effet hiverner avec les Zelandonii, et Willamar avait promis de les emmener, avec quelques autres privilégiés, voir les

Grandes Eaux de l'Ouest, peu après que tous seraient de retour à la Neuvième Caverne.

— Tu veux bien rentrer avec moi à l'abri de la Zelandonia, Ayla ? demanda la Première. Il y a certaines choses dont je souhaiterais m'entretenir avec toi.

— Bien sûr, Zelandoni, dit Ayla. Mais auparavant je dois dire quelques mots à Jonayla.

Elle alla retrouver sa fille, qui était en compagnie de Marthona et de Loup.

— Tu sais que Thona est ma grand-mère parce qu'elle est la mère de mon père ? lança la fillette en voyant arriver Ayla.

— Mais oui, je suis au courant, répondit celle-ci. C'est intéressant de savoir ça, tu ne trouves pas ?

Elle tendit la main pour caresser Loup, visiblement tout excité de la voir. L'animal n'avait pratiquement pas quitté Jonayla depuis leur arrivée au campement, comme pour compenser leur longue séparation, mais chaque fois qu'elle se trouvait dans les parages, il semblait fou de joie de voir Ayla, dont il recherchait frénétiquement les signes d'affection. Il était nettement plus calme lorsque la mère et la fille se trouvaient ensemble en sa compagnie, ce qui ne se produisait d'ordinaire que la nuit.

— Même si j'ai toujours eu le sentiment que je l'étais, il m'est agréable d'être enfin reconnue comme la grand-mère des enfants de mon fils, dit Marthona. Et bien que je t'aie depuis longtemps considérée comme ma propre fille, Ayla, je suis ravie de savoir que Folara a enfin trouvé un homme acceptable dont elle puisse faire son compagnon, et qu'il soit envisageable qu'elle me donne un petit-fils, ou une petite-fille, avant que je ne passe dans le Monde d'Après.

Elle prit la main d'Ayla et la regarda droit dans les yeux.

— Je veux te remercier une fois de plus d'avoir demandé à ces hommes de venir me chercher, Ayla, poursuivit-elle en adressant un beau sourire à Hartalan et à certains des autres jeunes gens qui l'avaient amenée sur une litière à la Réunion d'Été, et transportée à plusieurs reprises ici et là dans le campement depuis son arrivée. Je suis sûre qu'on s'inquiétait de mon état de santé et qu'on voulait bien faire, mais seule une femme peut comprendre qu'une mère a besoin d'être avec sa fille quand elle envisage de participer aux Matrimoniales.

— Tout le monde était ravi que tu te sentes assez forte pour venir, répondit Ayla. Tu nous manquais terriblement, Marthona.

La vieille femme évita d'aborder le sujet de l'absence criante de Jondalar, et le motif vraisemblable de cette absence, bien qu'elle fût à l'évidence terriblement peinée à l'idée que son fils avait une fois de plus perdu le contrôle de soi et gravement blessé une autre personne. Ayla l'inquiétait beaucoup, elle aussi : elle avait appris à bien connaître la jeune femme, et elle comprenait à quel point celle-ci était tourmentée, même si elle se comportait remarquablement bien dans de telles circonstances.

— Zelandoni m'a demandé de la raccompagner à la hutte de la Zelandonia, reprit Ayla. Elle m'a dit qu'elle voulait me parler d'un certain nombre de choses. Peux-tu garder encore quelque temps Jonayla, Marthona ?

— Avec joie. Elle m'a manqué, cette petite, même si Loup est sans doute un meilleur gardien que je ne le suis.

— Tu reviendras dormir avec moi cette nuit, mère ? demanda Jonayla, l'air inquiet.

— Bien sûr. Il faut juste que j'aie une petite discussion avec Zelandoni, expliqua sa mère.

— Et Jondi va dormir avec nous, lui aussi ?

— Je ne sais pas, Jonayla. Il est probablement occupé.

— Pourquoi il est toujours occupé avec ces hommes dans l'autre tente, là-bas, et il ne peut pas venir dormir avec nous ?

— Les hommes sont parfois très, très occupés, intervint Marthona, remarquant qu'Ayla avait quelque mal à cacher son trouble. Va voir Zelandoni, Ayla, tu nous rejoindras plus tard. Viens donc, Jonayla. Nous allons toutes les deux remercier tous ceux qui ont préparé ce magnifique festin et ensuite, si cela t'amuse, tu pourras faire un tour avec moi sur cette litière quand on me ramènera d'ici.

— C'est vrai ? s'exclama la petite fille, qui trouvait particulièrement merveilleux qu'un groupe de jeunes gens se trouve toujours à proximité pour transporter Marthona partout où elle souhaitait aller, en particulier si le lieu en question était assez éloigné.

Ayla et Zelandoni partirent donc ensemble vers l'abri de la Zelandonia, discutant de la réunion et des mesures qu'il convenait de prendre pour que le sentiment général concernant les changements que le Don de la Connaissance allait entraîner devienne un peu plus positif.

La Première trouva Ayla très abattue même si, comme à son habitude, elle le cachait particulièrement bien.

Lorsqu'elles arrivèrent au local, la première chose que fit Zelandoni consista à faire chauffer de l'eau afin de préparer une infusion. Les deux femmes constatèrent que Laramar avait déjà quitté le bâtiment de la Zelandonia, et qu'il avait sans doute été transféré au campement de la Cinquième Caverne. Quand la tisane fut prête, la Première entraîna Ayla dans un coin tranquille où étaient disposés quelques tabourets et une table basse. Elle se demanda s'il convenait d'interroger Ayla sur ce qui la troublait ainsi, mais décida de n'en rien faire : elle avait sa petite idée sur ce qui préoccupait la jeune femme, même si elle n'avait pas entendu Jonayla interroger sa mère sur l'absence de Jondalar et ignorait donc à quel point cela avait ajouté à son désespoir. En fin de compte, la doniate décida que le mieux était de parler d'autre chose afin qu'Ayla laisse de côté, pour un temps, ses soucis et ses ennuis.

— Je ne suis pas sûre de t'avoir bien entendue sur le moment, Ayla… non, je devrais dire « Zelandoni de la Neuvième Caverne », mais j'ai cru comprendre que tu avais dit avoir conservé quelques-unes de ces racines que le Zelandoni de ton Clan – comment l'appelles-tu, déjà ? Mogor ? – utilisait pour des cérémonies particulières. C'est bien ça ?

Ces racines n'avaient cessé d'intriguer la Première depuis qu'Ayla en avait parlé.

— Crois-tu qu'elles seraient encore bonnes après toutes ces années ?

— Dans cette région, ceux du Clan le dénomment Mogor, mais nous l'avons toujours appelé Mog-ur. Oui, en effet, j'ai gardé certaines de ces racines, et je suis sûre qu'elles ont conservé tout leur pouvoir. En fait, elles se bonifient avec l'âge, à condition qu'on les entrepose comme il convient. Je sais qu'Iza conservait souvent les siennes durant les sept années qui séparaient les Rassemblements du Clan, et parfois même plus longtemps encore, répondit Ayla.

— Ce que tu en as dit a retenu mon attention. J'ai bien compris que leur utilisation n'était pas exempte de risques, mais je pense qu'une petite expérimentation pourrait être intéressante.

— Je me le demande, répliqua Ayla, visiblement plus que réservée. Comme tu l'as compris, elles ne sont pas sans danger, et je ne suis pas sûre d'être capable de préparer une « petite » expérimentation... Je ne connais qu'une seule méthode pour les préparer, en fait.

— Si tu estimes que ce n'est pas une bonne idée, oublions-la, dit Zelandoni, qui ne voulait surtout pas accroître le désarroi de la jeune femme.

Elle avala une gorgée de tisane pour se laisser un petit moment de réflexion, avant de poursuivre :

— As-tu toujours ce petit sac d'herbes mélangées que nous devions expérimenter toutes les deux ? Tu sais, celles que t'a données la Zelandoni qui est venue nous rendre visite depuis cette Caverne si lointaine ?

— Oui, bien sûr, je vais les chercher, dit Ayla en se levant pour aller prendre le sac à remèdes qu'elle conservait dans le coin du local de la Zelandonia qui lui était réservé.

Elle le considérait comme son sac à remèdes de la Zelandonia, même s'il ne ressemblait pas à celui qui était le sien lorsqu'elle vivait au sein du Clan.

Plusieurs années auparavant, elle en avait confectionné un dans le style du Clan à partir d'une peau de loutre, mais elle le conservait dans le local du campement de la Neuvième Caverne. Celui qu'elle gardait ici, dans le bâtiment de la Zelandonia, était identique à ceux qu'utilisaient tous les doniates : il s'agissait d'une simple sacoche en cuir brut, une version plus petite de celle qu'elle utilisait pour transporter la viande. Seule différence, de taille : la décoration était loin d'être élémentaire. Chaque sac était unique et comportait un certain nombre d'éléments indispensables, obligatoires, mais aussi d'autres, exclusivement choisis par son utilisateur.

Ayla rapporta le sien dans le coin où Zelandoni sirotait sa tisane en l'attendant. La jeune femme ouvrit le sac en cuir et fouilla à l'intérieur. Son front se plissa. Au bout d'un moment, elle le vida sur la table basse et retrouva le sachet qu'elle cherchait, pour découvrir toutefois qu'il n'était qu'à moitié plein.

— On dirait que tu as déjà expérimenté ces herbes, constata Zelandoni.

— Je ne comprends pas… s'inquiéta Ayla. Je ne me rappelle pas avoir ouvert ce sachet. Comment a-t-on pu s'en servir ?

Elle ouvrit le sachet, versa un peu de son contenu sur la paume de sa main et le huma.

— On dirait une odeur de menthe, constata-t-elle.

— Si ma mémoire est bonne, la Zelandoni qui te l'a donné a dit qu'elle avait ajouté de la menthe afin que l'on puisse identifier ce mélange. Elle ne gardait pas sa menthe dans des sachets comme celui-là mais dans des récipients plus importants, ce qui fait que lorsqu'elle ouvrait un sachet qui sentait la menthe, elle savait qu'il contenait ce mélange, expliqua Zelandoni.

Ayla se pencha en arrière et regarda le plafond, des rides barrant son front, essayant de se souvenir, puis elle se redressa brusquement.

— Ça y est, je me souviens ! s'exclama-t-elle. Je crois que j'ai bu une décoction de ces herbes la nuit où j'ai vu le soleil se coucher, puis se lever. La nuit où j'ai été appelée. Je croyais que c'était une infusion de menthe…

Elle plaqua soudain sa main contre sa bouche.

— Oh, Grande Mère ! Je n'ai peut-être pas été appelée du tout, Zelandoni. Tout cela a peut-être été provoqué par cette mixture ! dit-elle, effondrée.

Zelandoni se pencha en avant et tapota la main de la jeune femme.

— Tout va bien, Ayla, la rassura-t-elle avec un sourire. Tu n'as pas à t'en inquiéter. Tu as été appelée, et tu es maintenant Zelandoni de la Neuvième Caverne. Bon nombre de membres de la Zelandonia ont utilisé des herbes et des mélanges similaires qui les ont aidés à trouver le Monde des Esprits. Après en avoir usé, certaines personnes se retrouvent parfois dans un lieu différent, mais on ne peut se considérer comme appelé que si l'on y est prêt. Il ne fait pas de doute que ce que tu as vécu était un véritable appel de la Grande Mère, même si, je l'avoue, je ne m'attendais pas à ce que Celle-ci te touche si vite. Cette mixture t'a peut-être encouragée à La recevoir un peu plus tôt que je ne l'avais prévu, mais cela n'empêche en aucun cas ce qui t'est arrivé d'être parfaitement significatif et ne lui retire nullement de son sens.

— Tu sais ce qu'elle contenait ? demanda Ayla.

— La Zelandoni m'a énuméré les ingrédients, mais je ne connais pas les proportions. Même si nous aimons bien partager nos connaissances, la plupart des membres de la Zelandonia souhaitent garder pour eux certains secrets, répondit avec un sourire Celle Qui Était la première. Pourquoi cette question ?

— Je suis sûre qu'elle devait être très puissante, répondit Ayla, baissant le nez sur la tasse qu'elle tenait à la main. Je me demande si elle contenait un ingrédient qui aurait pu entraîner la perte de mon bébé…

— Cesse donc de te faire des reproches, Ayla, la tança gentiment Zelandoni, se penchant de nouveau en avant pour prendre sa main. Je sais qu'il est très dou-

loureux de perdre un bébé, mais tu n'étais pas maîtresse de la situation. C'était sans doute le sacrifice
que la Mère exigeait de toi, peut-être parce qu'Elle
devait te rapprocher suffisamment du Monde d'Après
pour te transmettre Son message. Peut-être y avait-il
dans ce mélange un ingrédient susceptible de te faire
perdre ton bébé, mais il n'y avait sans doute pas
d'autre moyen. C'est probablement Elle qui t'a incitée
à boire cette mixture afin que tout se déroule comme
Elle le souhaitait.

— Je n'ai jamais commis une erreur pareille avec
les médecines qui se trouvaient dans mon sac. J'ai été
négligente. Négligente au point d'en perdre mon bébé,
souffla Ayla comme si elle n'avait pas entendu ce que
venait de dire la Première.

— C'est justement parce que tu ne commets jamais
ce genre d'erreur que l'on peut être pratiquement certain que c'était Sa volonté. Chaque fois qu'Elle appelle
quelqu'un afin de La servir, c'est toujours inattendu, et
la première fois que l'on se rend seul dans le Monde
des Esprits, le voyage est particulièrement dangereux.
Beaucoup ne parviennent pas à rebrousser chemin.
Certains laissent quelque chose à quoi ils tiennent derrière eux, comme cela a été ton cas. C'est une épreuve
pleine de dangers, Ayla. Même si c'est un voyage que
tu entreprends plusieurs fois, tu ne peux jamais savoir
si tu parviendras à revenir sur tes pas.

Ayla sanglotait sans bruit, les larmes luisant sur ses
joues.

— Il est bon que tu te laisses enfin aller. Tu t'es trop
longtemps retenue, or tu as besoin de faire le deuil de
ce bébé, expliqua la doniate.

Elle se leva et alla vers l'arrière de l'abri, là où
étaient entreposées les peaux utilisées comme ban-
dages. Elle en prit quelques-unes et revint.

— Tiens, dit-elle en tendant à Ayla les bandelettes.

Ayla s'essuya les yeux et le nez, inspira profondément pour essayer de se calmer puis avala une gorgée de l'infusion maintenant tiédasse que lui avait resservie la Première, s'obligeant à reprendre le contrôle d'elle-même. La perte de son bébé n'avait pas été l'unique raison de cette crise de larmes, même si elle en avait été le catalyseur. Non, elle avait tout simplement l'impression d'être incapable de faire quoi que ce soit de bien : Jondalar avait cessé de l'aimer, les gens la détestaient et elle s'était montrée si négligente qu'elle en avait perdu son bébé. Elle avait certes entendu ce que venait de lui dire Zelandoni, mais elle n'avait pas tout saisi et, de toute manière, cela ne modifiait en rien ce qu'elle ressentait.

— Peut-être comprends-tu maintenant pourquoi je m'intéresse tant à ces racines dont tu m'as parlé, reprit la Première. À condition que l'expérience soit surveillée et contrôlée avec le plus grand soin, nous disposons peut-être d'un autre moyen efficace et utile nous permettant d'atteindre le Monde d'Après quand nous en avons besoin, grâce au mélange de ce sachet ainsi qu'à d'autres herbes dont nous nous servons quelquefois.

Ayla ne réagit pas immédiatement à ces paroles. Lorsque celles-ci parvinrent enfin à son cerveau, elle se rappela qu'elle n'avait plus jamais voulu expérimenter ces racines. Le Mog-ur avait certes été en mesure de maîtriser les effets de cette puissante substance, mais elle avait la certitude qu'elle n'en serait pas capable, convaincue que seul le pourrait un esprit originaire du Clan, avec ses caractéristiques uniques, et disposant surtout de la mémoire du Clan. Elle ne pensait pas que quiconque né au sein des Autres pourrait être en mesure de contrôler le néant obscur, quelles que soient les précautions dont on entourerait l'expérience.

Elle savait que la Première était fascinée. Mamut, lui aussi, avait été intrigué par les plantes spéciales dont seuls usaient les Mog-ur du Clan, mais après la périlleuse expérience qu'ils avaient entreprise tous les deux, il avait juré de ne plus jamais y recourir. Il avait avoué à Ayla qu'il avait eu peur de perdre son âme dans ce néant obscur et paralysant, et lui avait vivement conseillé de ne plus les utiliser. Le fait d'avoir revécu ce voyage terrifiant dans cet endroit inconnu, lourd de menaces, alors qu'elle se trouvait au plus profond de la grotte, et de se l'être rappelé avec une telle précision durant son initiation, rendait ce souvenir trop proche et d'autant plus troublant qu'elle savait que celui-ci, aussi perturbant soit-il, n'avait que peu de rapports avec ce qu'elle avait vécu en réalité.

Dans l'état d'esprit qui était en ce moment le sien, plongée dans le désespoir le plus noir, elle n'avait plus les idées claires. Elle avait sans doute eu tout le temps nécessaire pour recouvrer toute sa maîtrise, mais il lui était arrivé trop de choses trop vite : la terrible épreuve qu'elle avait endurée lorsqu'elle avait été appelée, y compris la perte de son bébé, l'avait affaiblie tant physiquement que sur un plan émotionnel. La douleur, la déception de trouver Jondalar en compagnie d'une autre femme, la jalousie qu'elle en avait éprouvée avaient pris une intensité particulière après ce qu'elle avait vécu dans la grotte, et la perte qu'elle y avait subie. Elle avait attendu avec une telle impatience la caresse de ses mains, la proximité de son corps, la possibilité de remplacer le bébé qu'elle venait de perdre, la chaleur apaisante de son amour.

Au lieu de quoi, elle l'avait retrouvé avec une autre femme, et pas n'importe laquelle, celle qui, méchamment et en toute connaissance de cause, avait voulu la blesser lorsqu'elle était arrivée à la Neuvième Caverne. Dans des circonstances normales, elle aurait été capable d'accepter cette infidélité sans se laisser démonter, encore plus aisément si cela s'était produit avec une autre que Marona. Elle n'en aurait pas été ravie, ils avaient été trop exclusifs l'un envers l'autre. Mais elle comprenait les usages, au fond fort peu différents de ceux des hommes du Clan, qui se permettaient de choisir toutes les femmes qu'ils désiraient.

Elle savait à quel point Jondalar s'était montré jaloux pour elle et Ranec, lorsqu'ils vivaient chez les Mamutoï, même si elle ignorait alors l'origine de la violence de sa réaction, qu'il n'avait qu'à grand-peine maîtrisée. Ranec lui avait demandé de le suivre, et elle avait obéi, car elle avait été élevée au sein du Clan. Elle n'avait pas encore appris que, chez les Autres, elle aurait eu le droit de dire « non ».

Lorsque, en fin de compte, ils avaient résolu le problème et qu'elle était partie avec Jondalar pour rejoindre son foyer, elle avait décidé de son propre chef de ne plus jamais lui donner de raison d'être jaloux. Elle n'avait jamais choisi un autre homme, même si elle savait que cela aurait été parfaitement admissible, et à sa connaissance il ne s'était jamais accouplé avec une autre. En tout cas pas ouvertement, comme le faisaient les autres hommes. Confrontée au fait qu'il avait choisi quelqu'un d'autre, et particulièrement cette femme, et cela en secret et depuis longtemps, elle s'était sentie complètement trahie.

Mais là n'était certainement pas l'intention de Jondalar : ce qu'il voulait, c'était l'empêcher de le découvrir pour ne pas la blesser. Il savait que jamais elle ne choisirait quelqu'un d'autre et, jusqu'à un certain point, il savait même pourquoi : tout en se disant qu'il lui faudrait se battre contre lui-même pour se maîtriser, il savait qu'il serait effroyablement jaloux si elle portait son choix sur un autre homme. Et il n'avait certainement pas envie qu'elle connaisse l'intensité de la douleur qui aurait été la sienne. Lorsqu'elle les avait trouvés ensemble, il n'était plus lui-même : il n'avait tout simplement pas su quoi faire, car il n'avait jamais appris.

Au fil des années, Jondalar était devenu un homme incroyablement beau – mesurant près de deux mètres, parfaitement proportionné, doté en outre, sans qu'il le sache, d'un charisme indiscutable que ses yeux d'un bleu intense et profond ne faisaient que renforcer. Son intelligence naturelle, sa dextérité manuelle innée s'étaient révélées très tôt, et il avait été encouragé à appliquer ces qualités dans de nombreux domaines jusqu'à ce qu'il découvre qu'il aimait par-dessus tout tailler le silex et fabriquer des outils. Mais ses pulsions puissantes étaient également plus fortes que chez la plupart de ses semblables, beaucoup trop intenses, et sa mère ainsi que ceux qui l'aimaient avaient fait tout ce qui était en leur pouvoir pour lui apprendre à les maîtriser. Même lorsqu'il n'était encore qu'un enfant ses amitiés, ses désirs, ses sentiments étaient excessifs. Il pouvait être submergé par la pitié, être malade de désir, fou de haine, consumé d'amour. Il avait reçu trop de Dons en partage, et rares étaient ceux qui comprenaient que cela pouvait être un fardeau.

Jeune homme, Jondalar avait appris à donner du plaisir à une femme, mais c'était une pratique normale dans sa culture : tous les garçons de son âge recevaient cet enseignement. S'il avait si bien retenu ces leçons, c'était en partie parce que l'enseignante était remarquable, mais également du fait de son inclination naturelle : il avait découvert à un âge tendre comment donner du plaisir à une femme mais n'avait jamais appris comment on éveille leur intérêt.

Et pour cause... À la différence de la plupart des hommes, il n'avait jamais eu à se donner la moindre peine pour se faire remarquer des femmes : celles-ci ne manquaient jamais de le faire, au point qu'il devait plus souvent qu'à son tour trouver des biais pour les repousser. Jamais il n'avait eu à réfléchir au meilleur moyen de rencontrer une représentante de l'autre sexe ; celles-ci se donnaient beaucoup de mal pour faire sa connaissance, certaines se jetaient même carrément à son cou. Jamais il n'avait eu à séduire une femme, à la convaincre de passer un moment avec lui. Et jamais il n'avait appris non plus à gérer une rupture qui n'était pas de son fait, la colère d'une femme, ou ses propres erreurs. Et personne ne pouvait s'imaginer qu'un homme aussi manifestement doué pût ignorer à ce point ce genre de chose.

Quand quelque chose ne tournait pas rond, la réaction de Jondalar consistait à se replier sur lui-même, en lui-même, à essayer de maîtriser ses sentiments en espérant que tout cela se réglerait tout seul. Qu'on finirait par lui pardonner, qu'on excuserait ses bourdes. Et c'était d'ailleurs ainsi que tout se terminait, le plus souvent. Aussi n'avait-il pas su quoi faire quand Ayla l'avait surpris avec Marona, or Ayla elle-même n'était guère plus douée pour traiter ce genre de situation.

Depuis l'époque où, à l'âge de cinq ans, elle avait été découverte par le Clan, elle s'était toujours efforcée de s'adapter, de se faire accepter pour qu'on ne la rejette pas. Ceux du Clan ne pleuraient pas sous le coup de l'émotion, et comme ses larmes les troublaient beaucoup, elle avait appris à les réprimer. Ceux du Clan étaient incapables de montrer leur colère, leur douleur ou d'autres sentiments forts, cela n'était pas considéré comme convenable, elle avait donc appris à les refouler. Afin d'être une digne représentante du Clan, elle avait appris ce que l'on attendait d'elle et s'était efforcée de se comporter comme elle était censée le faire. Elle avait essayé de faire la même chose chez les Zelandonii.

Mais là, elle ne savait plus comment agir. Il lui semblait évident qu'elle n'avait pas bien appris à devenir une digne représentante des Zelandonii. Les gens étaient troublés par son comportement, certains la détestaient, et Jondalar ne l'aimait plus. Il l'avait soigneusement ignorée et elle avait essayé de le provoquer pour qu'il réagisse à son égard, mais son agression brutale sur la personne de Laramar l'avait totalement prise au dépourvu et elle avait le sentiment qu'elle en était sans l'ombre d'un doute responsable. Lorsqu'ils vivaient chez les Mamutoï, elle avait vu en lui un être capable de compassion, d'amour, et de maîtrise de soi. Elle croyait bien le connaître, et voilà qu'elle avait désormais la conviction que ce n'était pas du tout le cas. Grâce à la seule force de sa volonté, elle avait essayé de présenter l'apparence d'un semblant de normalité, mais elle en avait assez de rester éveillée pendant toutes ces nuits, trop préoccupée, trop triste, trop furieuse pour trouver le sommeil. Tout ce dont elle avait besoin désormais, c'était d'être au calme et de se reposer.

Peut-être Zelandoni s'était-elle montrée un peu trop intéressée par les vertus de cette racine du Clan, sans quoi elle aurait fait preuve d'un peu plus de perspicacité, mais il est vrai qu'Ayla avait toujours été un cas à part : elles n'avaient pas assez de références communes, leurs origines, leur milieu étaient par trop différents. Au moment précis où elle pensait être vraiment en mesure de comprendre la jeune femme, elle commençait à comprendre qu'elle en était peut-être loin.

— Je ne veux surtout pas t'ennuyer avec cela si tu estimes que cela n'en vaut pas la peine, Ayla, dit-elle, mais si tu pouvais me donner quelques précisions sur la façon de préparer cette racine, nous pourrions mettre au point une petite expérience. Juste histoire de voir si cela peut se révéler de quelque utilité. Pour l'information de la Zelandonia, et d'elle seule, bien sûr. Qu'en dis-tu ?

Dans l'état de trouble où se trouvait Ayla, même le néant obscur, pourtant si terrifiant, lui apparaissait soudain comme un endroit paisible, un lieu où trouver refuge, loin de toute l'agitation ambiante. Et si elle était incapable de revenir, quelle différence cela pourrait-il faire ? Jondalar ne l'aimait plus. Sa fille lui manquerait – Ayla sentit ses entrailles se nouer –, mais elle se dit aussitôt que Jonayla se trouverait probablement beaucoup mieux sans elle. La fillette regrettait l'absence de Jondalar. Si elle n'était plus là, celui-ci reviendrait et s'occuperait de nouveau d'elle. Et d'ailleurs, il y avait énormément de gens qui l'aimaient et sauraient prendre soin d'elle.

— Ce n'est pas bien compliqué, Zelandoni, dit-elle. Pour l'essentiel, cela consiste à mâcher les racines jusqu'à en faire une sorte de bouillie que l'on crache dans un bol d'eau. Mais comme elles sont très dures, cela prend beaucoup de temps, et la personne qui s'occupe de la préparation n'est pas censée avaler une seule goutte du suc ainsi produit. Il se peut que le jus qui s'accumule dans la bouche soit un ingrédient indispensable, expliqua Ayla.

— C'est tout ? J'ai l'impression que si on en utilisait une toute petite quantité, comme pour expérimen-

461

ter quelque chose de nouveau, ça ne devrait pas être si dangereux, fit valoir la Première.

— Il faut respecter certains rituels du Clan. La femme-médecine qui prépare la racine pour les Mog-ur est censée se purifier d'abord : elle doit se baigner dans une rivière, se laver avec de la saponaire et ensuite ne plus porter de vêtements. Iza m'a expliqué que c'était afin que la femme soit sans tache et ouverte, sans rien pouvoir dissimuler, et ce afin de ne pas contaminer les saints hommes, les Mog-ur. Le Mog-ur, Creb, a peint mon corps de couleurs rouges et noires, en entourant de cercles les parties féminines, pour les isoler, j'imagine. Pour le Clan, c'est une céré-monie hautement sacrée.

— Nous pourrions utiliser la nouvelle grotte que tu as découverte, dit la Première. C'est un lieu tout à fait sacré, et isolé. Ce serait parfait. Vois-tu autre chose ?

— Non, sinon que lorsque j'ai testé la racine avec Mamut, il a veillé à ce que ceux du Camp du Lion n'arrêtent pas de chanter, de façon que nous ayons en permanence quelque chose à quoi nous accrocher, quelque chose qui continue de nous relier à ce monde, et nous aide à retrouver le chemin du retour.

Elle eut une hésitation, baissa les yeux sur la tasse qu'elle tenait toujours à la main, et ajouta, d'une toute petite voix :

— J'ignore comment, mais Mamut a dit que Jonda-lar nous avait probablement aidés à revenir.

— Nous veillerons à ce que tous les membres de la Zelandonia soient présents. Les longues litanies ne leur font pas peur. Tu as une idée de ce qu'ils devront chanter ?

— Pas vraiment. Juste quelque chose de familier, répondit Ayla.

— Quand devons-nous organiser l'expérience, d'après toi ? demanda Zelandoni, plus excitée qu'elle ne l'aurait cru possible.

— À mon avis, cela n'a pas grande importance.

— Demain ? Dès que tu auras eu le temps de tout préparer ?

Ayla haussa les épaules, comme si elle s'en moquait. Ce qui, sur le moment, était en effet le cas.

— Ça devrait faire l'affaire, j'imagine, conclut-elle.

16

Comme Ayla, Jondalar était plongé dans l'angoisse et le désespoir. Depuis la grande cérémonie marquée par la révélation faite à l'assemblée tout entière sur le rôle des hommes et la raison de leur création, il s'était efforcé d'éviter autant que possible tout contact avec autrui. Il ne se rappelait que vaguement certaines bribes de ce qui s'était passé cette nuit-là : il se rappelait avoir frappé Laramar au visage, encore et encore, et ne pouvait effacer de son esprit l'image de l'ivrogne s'agitant en cadence sur le corps d'Ayla.

Lorsqu'il s'était réveillé, le lendemain, le sang battait violemment à ses tempes et il se sentait pris de vertiges et de nausées. Il n'avait pas souvenir d'avoir été aussi malade un lendemain d'excès et se demandait de quoi étaient faites les boissons qu'il avait absorbées en si grande quantité.

Danug se trouvait à ses côtés, et il avait eu le sentiment qu'il convenait de lui manifester sa gratitude, sans toutefois savoir pourquoi. Il lui avait donc posé des questions pour essayer de remplir les blancs. En apprenant ce qu'il avait fait, il avait commencé à se rappeler certains détails de l'incident et en avait été à la fois effrayé et plein de remords et de honte. Il n'avait certes jamais éprouvé la moindre sympathie pour Laramar, mais rien de ce que celui-ci lui avait fait ne pouvait justifier le traitement qu'il lui avait infligé. La haine qu'il en éprouva alors envers lui-même submergea toute autre pensée. Il était certain que tout le monde partageait maintenant ce sentiment à son égard, et qu'il était impossible qu'Ayla continue de l'aimer : comment aurait-elle pu éprouver un tendre sentiment envers quelqu'un de si méprisable ?

Une partie de lui-même avait envie de tout laisser derrière lui et de s'enfuir, le plus loin possible, mais quelque chose le retenait. Il se disait qu'il devrait au moins avoir le courage d'affronter le châtiment qui allait lui être infligé, en tout cas de savoir en quoi il allait consister, puis de faire amende honorable, si cela était encore possible. Mais au fond de lui-même, il n'était pas sûr de pouvoir purement et simplement abandonner Ayla et Jonayla. L'idée de ne plus jamais les voir, même de loin, lui était insupportable.

La douleur, la culpabilité, le désespoir s'entremêlaient dans son esprit : impossible de penser à quoi que ce soit qui fût susceptible de lui permettre de remettre sa vie en ordre. Chaque fois qu'il croisait quelqu'un, il était sûr qu'on le regardait avec le même sentiment de dégoût et de mépris qu'il éprouvait envers lui-même. Mais s'il s'en voulait autant, c'était en bonne partie parce que même s'il savait qu'il s'était comporté de façon méprisable, et même si la honte le submergeait, chaque fois qu'il fermait les yeux pour essayer de trouver le sommeil, il ne cessait de voir Laramar besognant Ayla, et alors il ressentait la même bouffée de fureur et de frustration qui l'avait assailli sur le moment. Il savait, au plus profond de lui-même, qu'il se comporterait de la même façon dans des circonstances identiques.

Impossible de penser à autre chose qu'à ses propres problèmes : ceux-ci ne cessaient de le tourmenter, comme une perpétuelle démangeaison, une plaie que l'on ne peut s'empêcher de gratter, sans lui laisser la moindre chance de cicatriser, au point de la faire empirer, encore et encore, jusqu'à ce qu'elle se transforme en infection généralisée.

Afin d'éviter le plus possible les rencontres, il s'était mis à faire de longues marches, le plus souvent sur les bords de la Rivière, en général vers l'amont. Chaque nouvelle promenade l'entraînait un peu plus loin, durait un peu plus longtemps, même s'il y avait toujours un moment où il se sentait obligé de s'arrêter, de faire demi-tour et de rentrer au campement. Parfois, il lui arrivait d'aller retrouver Rapide et, plutôt que de marcher au bord de la rivière, de le monter et de galoper dans les vastes prairies. Il résistait à la tentation de prendre son cheval trop souvent car c'est alors qu'il était le plus tenté de partir loin, très loin. Trop loin.

Dès qu'elle se sentit bien éveillée, Ayla se leva et alla à la Rivière. Elle avait mal dormi, d'abord trop nerveuse et agitée pour pouvoir trouver le sommeil, puis tourmentée par des rêves dont elle ne se souvenait pas très bien, mais qui l'avaient laissée mal à l'aise. Elle passa en revue dans sa tête ce dont elle avait besoin pour que la cérémonie du Clan se déroule au mieux, dans les formes. Tout en cherchant de la saponaire pour se purifier, elle gardait l'œil ouvert, à l'affût d'un rognon de silex ou même d'un éclat d'une taille raisonnable qui lui permettrait d'obtenir un tranchoir à la manière du Clan. Elle s'en servirait pour couper un morceau de cuir dans lequel elle se taillerait une amulette du Clan.

En arrivant au confluent du petit ruisseau et de la Rivière, elle décida de remonter le ru vers l'amont. Après une assez longue marche, elle tomba sur une touffe de saponaire, dans les bois situés juste derrière le campement de la Neuvième Caverne. La saison étant largement avancée, la plupart des plantes avaient déjà été arrachées et, par ailleurs, il s'agissait d'une variété différente de celle qu'utilisaient ceux du Clan. Or elle voulait absolument que le rituel soit respecté sinon à la lettre du moins le mieux possible : dans la mesure où elle était une femme, ce ne serait de toute manière jamais une cérémonie du Clan puisque seuls ses membres mâles consommaient les racines. Le travail de la femme ne consistait qu'à les préparer. En se penchant pour arracher les tiges de saponaire, elle crut apercevoir Jondalar dans les bois, marchant au bord du petit ruisseau, mais lorsqu'elle se releva il avait disparu, au point qu'elle se demanda si son imagination ne lui avait pas joué un tour.

L'étalon était visiblement content de voir Jondalar. Les deux juments l'étaient tout autant, mais c'était d'une longue chevauchée en solitaire qu'il avait envie. Lorsqu'ils atteignirent l'immensité de la plaine, il poussa Rapide à un galop d'enfer, le cheval paraissant avoir très envie de justifier le nom qui lui avait été donné. Jondalar ne prêtait guère attention à l'endroit vers lequel ils se dirigeaient, pas plus qu'à celui où ils se trouvaient, jusqu'au moment où il fut brutalement tiré de ses sombres pensées. Il entendit un hennissement belliqueux, le bruit de sabots frappant nerveusement le sol, et sentit sa monture commencer à se cabrer : ils se trouvaient au milieu d'un troupeau de chevaux. Seuls ses excellents réflexes et ses années d'expérience lui permirent de ne pas être désarçonné : plongeant en avant, il agrippa de la main la crinière du cheval des steppes et tint bon, s'efforçant d'apaiser son étalon et de le maîtriser. Jeune et en parfaite santé, Rapide n'avait jamais eu l'occasion de partager la vie des mâles de son espèce qui, assemblés en troupeau, ne s'éloignaient jamais beaucoup de celui constitué par les juments et leurs poulains, sous la garde permanente de l'étalon dominant, toujours prêt à défendre son bien et ses prérogatives. Il n'avait pas davantage expérimenté leurs jeux. Et pourtant il se sentait instinctivement prêt à défier le mâle dominant.

La première réaction de Jondalar fut d'entraîner sa monture le plus loin et le plus vite possible du troupeau, ce qu'il fit, reprenant le chemin du campement. Lorsque Rapide se fut calmé et qu'ils eurent tous deux repris un rythme plus raisonnable, Jondalar commença à se demander s'il était juste de garder son étalon à l'écart de ses congénères et, pour la première fois, il songea sérieusement à lui rendre sa liberté.

Sur le chemin du retour, la mélancolie le reprit : il se rappelait le jour de la grande réunion, et Ayla, assise bien raide à sa place tandis que Brukeval l'insultait. Oh, comme il avait désiré la réconforter, contraindre Brukeval à cesser ses éructations, lui expliquer qu'il avait tort. Il avait compris absolument tout ce qu'avait révélé Zelandoni – au fil des années, il en avait déjà entendu l'essentiel de la bouche d'Ayla et était sans doute plus préparé que la plupart des autres hommes à l'accepter. Les seules nouveautés avaient été d'abord le nom donné à la relation entre l'homme et l'enfant, père, puis la dernière annonce de Zelandoni, selon laquelle les hommes donneraient leur nom aux garçons ; les pères nommeraient leurs fils. Il répéta le mot dans sa tête. Père. Il était père. Le père de Jonayla.

Mais non, il n'était pas digne d'être le père de Jonayla ! La fillette aurait honte de l'appeler « père ». Il avait failli tuer un homme, avec ses poings. Sans Danug, c'est ce qui se serait produit. Ayla avait perdu un bébé lorsqu'elle s'était retrouvée seule, dans les profondeurs de la Grotte des Rochers de la Fontaine, et il n'avait pas été là pour lui venir en aide. Et si l'enfant qu'elle avait perdu était un garçon ? Si cela avait été le cas, et si elle ne l'avait pas perdu, est-ce lui qui lui aurait donné son nom ? Quel sentiment éprouvait-on lorsqu'on devait trouver un nom pour son fils ?

Mais maintenant, quelle importance ? Il ne serait plus jamais en mesure de donner son nom à un enfant. Il avait perdu sa compagne, il allait devoir quitter son foyer. Après que Zelandoni avait clos la réunion, il avait évité de prendre part aux conversations qui rassemblaient la quasi-totalité de ceux qui y avaient assisté et s'était empressé de rentrer à la lointaine des hommes seuls afin de ne pas avoir à s'expliquer avec Ayla et Jonayla.

C'était toujours ce sentiment qui l'animait lorsqu'il revint à sa tente, vide de ses occupants habituels, partis vaquer à leurs occupations. Au bout d'un certain temps, incapable de s'empêcher de ressasser ses torts, il n'y tint plus et ressortit, sans cesser de se faire des reproches, se flagellant moralement, et prit la direction de la Rivière pour entreprendre de nouveau une longue promenade, à pied cette fois.

Il se dirigeait vers l'amont lorsque Loup surgit à ses côtés. Jondalar fut content de voir l'animal et s'arrêta pour le saluer, prenant entre ses mains la tête du carnivore, dont la fourrure s'était déjà bien épaissie à l'approche de l'hiver.

— Loup ! Qu'est-ce qui t'amène ici ? Tu en as assez toi aussi du bruit et de la foule ? Eh bien, sois le bienvenu, dit-il avec enthousiasme.

L'animal lui répondit par un grondement de plaisir.

Loup n'avait pratiquement pas quitté Jonayla ces derniers jours, pas plus qu'Ayla, à qui il était lié depuis le jour où celle-ci avait arraché le pauvre petit louveteau, alors âgé d'un mois à peine, de sa tanière glaciale et solitaire pour le prendre sous son aile. Il n'avait donc guère eu de temps à consacrer au troisième être humain qu'il considérait comme un membre essentiel de sa meute.

En rentrant au campement de la Neuvième Caverne après avoir dévoré le repas qu'on lui avait préparé, il avait vu Jondalar prendre la direction de la Rivière et lui avait couru après, précédant Jonayla. Il s'était retourné vers la fillette et l'avait regardée en poussant un gémissement.

« Vas-y, Loup, lui avait dit l'enfant avec un geste de la main. Va rejoindre Jondalar. »

La grande tristesse de l'homme n'avait pas échappé à Jonayla, pas plus que celle de sa mère, tout aussi profonde même si celle-ci s'efforçait de ne rien laisser paraître. Sans savoir exactement de quoi il s'agissait, la fillette savait que quelque chose n'allait pas, quelque chose de très grave qui lui donnait l'impression que son ventre se nouait, se rétrécissait. Ce qu'elle souhaitait par-dessus tout, c'était que sa famille soit de nouveau réunie, ce qui incluait sa chère Thona, Wiimar, Loup, ainsi que les chevaux.

Peut-être que Jondi a besoin de te voir, Loup, et de rester en ta compagnie, comme moi, se disait Jonayla.

Ayla venait de penser à Jondalar, ou plus exactement elle s'était dit que pour son bain de purification en prévision de la cérémonie la pièce d'eau dans le ruisseau serait parfaite, ce qui lui avait tout de suite fait penser à son compagnon. Assez éloigné de l'agitation, discret et tranquille, le lieu serait idéal, mais elle avait été incapable d'y revenir depuis qu'elle y était tombée sur Jondalar et Marona. Elle savait qu'il y avait du silex dans le coin, Jondalar en avait trouvé, mais jusque-là elle n'en avait pas vu et elle ne pensait pas avoir assez de temps pour aller en chercher un peu plus loin. Elle n'ignorait pas, bien sûr, que Jondalar en conservait toujours par-devers lui, mais elle n'envisageait pas une seconde d'aller lui en demander. Il lui faudrait donc se contenter d'utiliser un couteau zelandonii et une alêne pour découper la peau et percer des trous sur le bord pour y passer le cordon, même s'il s'agissait encore d'un écart par rapport aux coutumes du Clan.

Lorsqu'elle eut trouvé un caillou un peu plat, elle le porta jusqu'à la pièce d'eau et là, avec une autre pierre, plus ronde celle-là, elle écrasa les tiges de saponaire, qui se mirent aussitôt à produire de la mousse. Elle en recueillit le suc, qu'elle mélangea avec un peu d'eau, puis s'accroupit dans le ruisseau et s'enduisit le corps du produit moussant. Après s'en être bien frottée, elle s'éloigna du bord pour aller se rincer un peu plus loin. Le ruisseau prenant rapidement de la profondeur, elle plongea sa tête sous l'eau, nagea quelques brasses, puis regagna le bord pour se laver les cheveux. Durant toute l'opération, elle ne cessa de songer au Clan.

Son enfance au sein du clan de Brun s'était déroulée dans la paix et la sécurité, Iza et Creb avaient toujours été là pour l'entourer d'amour et de soins. Dès sa venue au monde, chacun savait ce qu'on attendait de lui, et aucun écart n'était toléré. Les rôles étaient clairement définis. Chacun connaissait celui qui lui était assigné, son rang, sa tâche, sa place. La vie se déroulait sous le double signe de la stabilité et de la sécurité. Personne n'avait à se soucier de nouvelles idées susceptibles de bouleverser la routine établie.

Pourquoi donc fallait-il que ce soit à elle qu'il revienne d'introduire des changements affectant la totalité de ses semblables ? Au point que certains en venaient à la haïr ? En revenant sur le passé, à sa vie si rassurante au sein du Clan, elle se demandait ce qui l'avait poussée à se battre si durement contre ces servitudes. Aujourd'hui, la vie si ordonnée du Clan lui paraissait bien séduisante : une sécurité confortable en échange d'une existence strictement réglée.

Et pourtant, elle était contente d'avoir appris toute seule à chasser, bien que cela contrevînt aux traditions du Clan. Elle était femme, or les femmes du Clan ne chassaient pas. Mais si elle n'avait pas appris elle ne serait plus en vie maintenant, même si cela l'avait conduite tout près du trépas lorsqu'ils l'avaient découvert : la première fois qu'ils l'avaient maudite, lorsque Brun l'avait bannie du Clan, il avait limité à une lune sa période d'exclusion. C'était le début de l'hiver, et tout le monde s'attendait à ce qu'elle périsse, mais cette connaissance de la chasse qui lui avait valu d'être maudite lui avait permis de rester en vie.

Il aurait peut-être mieux valu que je disparaisse alors, se dit-elle.

Elle avait une fois de plus bravé les traditions du Clan lorsqu'elle s'était enfuie avec Durc, mais elle n'avait tout simplement pas pu les laisser abandonner son fils nouveau-né à la merci des éléments et des bêtes carnivores simplement parce qu'ils pensaient qu'il était difforme. Brun leur avait fait grâce, malgré les objections de Broud. Celui-ci ne lui avait jamais facilité la vie : lorsqu'il s'était retrouvé à la tête du Clan et l'avait maudite, cela avait été sans raison valable, et sans espoir de retour. Cette fois, elle avait été contrainte de quitter le Clan pour toujours. Sa connaissance de la chasse lui avait une fois de plus sauvé la vie, à l'époque. Jamais elle n'aurait pu survivre dans la vallée si elle n'avait pas maîtrisé cet art, et si elle n'avait pas eu la conviction qu'elle serait capable de survivre seule si elle y était contrainte.

En retournant au campement, Ayla songeait toujours au Clan et à la meilleure façon de gérer les rituels associés aux racines. Elle aperçut Jonayla, en compagnie de Proleva et de Marthona. Toutes trois lui firent de grands gestes l'invitant à les rejoindre.

— Viens donc manger un morceau ! lui lança Proleva.

Loup s'était lassé de suivre cet homme si triste qui ne faisait rien d'autre que de marcher d'un pas lourd, et il était parti retrouver Jonayla. Il était en train de ronger un os de l'autre côté du feu et releva la tête pour voir Ayla arriver parmi eux. Celle-ci embrassa sa fille, puis, la tenant à bout de bras, elle la regarda avec une étrange lueur de chagrin au fond des yeux avant de l'enlacer à nouveau, presque trop fort.

— Tu as les cheveux mouillés, mère, dit la fillette en se dégageant de son étreinte.

— Je viens de les laver, expliqua Ayla en caressant le grand loup qui s'était approché d'elle pour lui souhaiter la bienvenue.

Elle prit entre ses mains la tête magnifique de l'animal, le fixa au fond des yeux, l'enlaça avec ferveur. Lorsqu'elle se redressa, le loup leva la tête vers elle, attendant avec impatience ce qui allait suivre : dès qu'elle se tapota l'épaule, il bondit, affermit ses pattes sur les deux épaules de sa maîtresse et lui lécha le cou et le visage avant de prendre sa mâchoire dans sa gueule, avec une extrême douceur. Il la tint ainsi un bon moment. Lorsqu'il la relâcha, elle lui rendit à son tour le signe de son appartenance à la meute en prenant un moment la mâchoire de la bête entre ses dents. Cela faisait longtemps qu'elle n'avait pas fait cela, et elle eut le sentiment que Loup appréciait fort.

Proleva avait retenu son souffle pendant toute la durée de ce manège, et elle expira avec soulagement lorsque Loup retomba sur ses pattes. Ce n'était pas la première fois qu'elle assistait à ce spectacle, mais ce comportement si particulier d'Ayla, si proche de celui des loups, ne cessait de la troubler : voir cette femme exposer son cou aux dents de l'énorme animal la perturbait toujours autant et lui rappelait que cette bête si amicale, si obéissante, n'était autre qu'un loup capable de tuer sans difficulté n'importe lequel des humains qu'il côtoyait si librement.

— Sers-toi, Ayla, dit-elle une fois qu'elle eut repris son souffle et calmé ses appréhensions. Tu n'as que l'embarras du choix. Le repas de ce matin a été facile à préparer. Il y avait des tas de restes du festin d'hier. Je suis bien contente qu'on ait décidé de l'organiser avec les Lanzadonii, j'ai adoré travailler avec Jerika, Joplaya et certaines des autres. J'ai l'impression de les connaître un peu mieux après cela.

Ayla éprouva une pointe de regret : si elle n'avait pas été si prise avec la Zelandonia, elle aurait apprécié de participer à la préparation du festin. Travailler en commun était en effet une excellente façon de nouer des liens avec les autres, de les connaître un peu mieux. Ressasser ses propres problèmes, comme cela avait été son cas, n'y aidait pas, se dit-elle en prenant une des tasses en surplus disponibles pour ceux ou celles qui avaient oublié la leur, et en la remplissant de camomille contenue dans un gros récipient à cuire, en bois rainuré. On préparait de l'infusion avant toute chose, le matin.

— L'aurochs est particulièrement bon et juteux, Ayla. Ils commencent à faire leur graisse d'hiver, et Proleva vient juste de le réchauffer. Tu devrais y goûter, l'incita Marthona, remarquant qu'elle ne se servait pas. Les plats à nourriture sont là, poursuivit-elle en montrant du doigt une pile d'ustensiles en bois, en os ou en ivoire, de tailles diverses, qui faisaient office d'assiettes.

Les arbres abattus et fendus pour obtenir du bois de chauffe laissaient parfois de gros éclats que l'on pouvait très vite tailler et aplanir ; de la même façon, et aux mêmes fins, les os du pelvis ou les omoplates des cerfs, bisons et autres aurochs pouvaient être rognés à une taille raisonnable. Les plus gros éclats qui sautaient lorsqu'on taillait les défenses de mammouth, un peu comme du silex, pouvaient eux aussi servir d'assiettes. Les tailleurs d'ivoire de mammouth commençaient par creuser au burin une entaille circulaire. Ils y glissaient ensuite, en la disposant à un angle adéquat, la pointe d'un solide morceau de corne ou de bois de cerf, après quoi, avec de la pratique et un peu de chance, ils étaient en mesure d'en détacher un éclat d'un bon coup de marteau en pierre. Il s'agissait toutefois d'un travail délicat, que l'on ne pratiquait que pour obtenir des objets destinés à être offerts en cadeau ou à d'autres fins très spéciales. De tels éclats d'ivoire, à la surface extérieure légèrement arrondie et aplanie, servaient à d'autres usages que celui d'assiettes pour les repas. On pouvait graver dessus des images décoratives.

— Je te remercie, Marthona, mais je dois prendre un certain nombre de choses et aller retrouver Zelandoni, s'excusa Ayla.

Elle s'arrêta toutefois dans son élan pour aller s'accroupir devant la vieille femme, assise sur un petit tabouret fait de tiges et de feuilles de roseaux tressées.

— Je veux vraiment te remercier de t'être montrée si gentille avec moi depuis le premier jour de mon arrivée, dit-elle. Je ne me rappelle pas ma propre mère, je ne me souviens que d'Iza, la femme du Clan qui m'a élevée, mais je me plais à penser que ma vraie mère devait te ressembler.

— Je te considère comme ma fille, Ayla, répliqua Marthona, plus émue qu'elle ne l'aurait pensé. Mon fils a eu bien de la chance de te trouver. Je souhaiterais parfois qu'il te ressemble plus, ajouta-t-elle avec un hochement de tête.

Ayla la serra dans ses bras, puis se tourna vers Proleva.

— Merci aussi à toi, Proleva, dit-elle. Tu t'es montrée une amie très sûre et j'apprécie plus que je ne saurais dire la façon dont tu as veillé sur Jonayla quand j'ai été obligée de rester à la Neuvième Caverne et que j'ai été si occupée ici.

Elle alla enlacer à son tour la jeune femme.

— J'aurais bien aimé que Folara soit là, mais je sais qu'elle est prise par la préparation de sa cérémonie Matrimoniale. Je suis ravie pour elle, Aldanor est l'homme qu'il lui faut. Maintenant, je dois vous quitter, lança-t-elle soudain avant de serrer une fois de plus sa fille contre elle puis de partir à grandes enjambées vers le local de la Zelandonia, retenant à grand-peine les larmes qui lui venaient aux yeux.

— J'ai du mal à comprendre, dit Proleva.

— Si je m'écoutais, je penserais presque qu'elle nous disait au revoir, lâcha Marthona, pensive.

— Mère va quelque part, Thona ? demanda Jonayla.

— Je ne crois pas. En tout cas, personne ne m'a rien dit.

Ayla resta un bon moment dans le local pour y faire ses préparatifs. Elle découpa tout d'abord un cercle grossier dans la peau de cerf qu'elle avait apportée avec elle à la Réunion d'Été. La veille, elle avait retrouvé, pliée sur sa natte de nuit, la pièce taillée dans le cuir tendre du ventre de l'animal. Et lorsqu'elle avait demandé à sa fille qui s'était occupé de préparer la peau du cervidé, celle-ci lui avait répondu : « Tout le monde y a participé. »

Les cordages en tous genres, câbles, fils de toutes tailles, faits de fibres végétales, de tendons ou de bandes de cuir, étaient toujours d'un usage pratique, et d'une confection aisée qui ne nécessitait guère d'y réfléchir pour peu que l'on possédât les techniques idoines. Presque tous les habitants des Cavernes avaient les mains occupées à fabriquer quelque chose lorsqu'ils discutaient ou écoutaient raconter des histoires, à partir de matériaux ramassés partout où l'on pouvait les trouver. Toute personne ayant besoin d'un cordage quelconque pouvait par conséquent en trouver à sa disposition.

Ayla prit donc plusieurs lanières de cuir ainsi qu'un long morceau de fine corde bien flexible, tout cela accroché à des patères fichées dans des poteaux près de l'entrée du local. Après avoir découpé sa pièce de cuir et lui avoir donné une forme circulaire, elle plia ce qu'il restait de la peau puis enroula la corde et la déposa dessus. Cela fait, elle mesura une portion de lanière en la passant autour de son cou, en ajouta une autre, de longueur équivalente, puis la faufila dans les trous qu'elle venait de percer sur le rebord de la pièce en cuir circulaire.

Elle ne portait plus guère d'amulettes, pas même sa plus récente. La plupart des Zelandonii arboraient des colliers, et il n'était guère facile de porter à la fois l'un de ces bijoux et un sachet en cuir plutôt encombrant. Ayla préférait donc conserver son amulette dans son sac à remèdes, qu'elle portait d'ordinaire attaché à sa ceinture. Ce n'était pas un sac à médecines du Clan. Elle avait bien songé à plusieurs reprises à s'en confectionner un autre, mais n'en avait jamais vraiment trouvé le temps. Dénouant le cordon qui tenait fermé son sac à remèdes, elle farfouilla dedans et en sortit la petite bourse décorée, son amulette, pleine d'objets de formes diverses. Elle défit là encore les nœuds et versa dans sa main l'étrange collection d'objets : il s'agissait de signes d'appartenance de son totem qui, tous, symbolisaient des moments importants de son existence. La plupart, mais pas tous, lui avaient été donnés par l'Esprit du Grand Lion des Cavernes après une décision capitale qu'elle venait de prendre, pour lui manifester que son choix avait été le bon. Entièrement poli à la suite d'innombrables manipulations, le morceau d'ocre rouge fut le premier objet qu'elle fourra dans le sac. Il lui avait été donné par Iza lorsqu'elle avait été acceptée au sein du Clan. Ayla le glissa dans sa nouvelle amulette. L'éclat de dioxyde de manganèse, d'un noir de jais, qui lui avait été donné lorsqu'elle était devenue femme-médecine était lui aussi lisse à force d'être resté si longtemps dans le sachet au contact des autres objets. Les matières rouges et noires dont elle se servait fréquemment pour teindre avaient laissé leurs traces sur les autres articles qui se trouvaient à l'intérieur. Ceux qui étaient à base minérale pouvaient être aisément nettoyés, comme ce fossile de coquillage, signe de son totem signifiant que sa décision de chasser était recevable, même si elle était femme.

Même alors, il devait savoir que j'aurais besoin de chasser pour survivre, songea-t-elle. Mon Lion des Cavernes a même dit à Brun de me laisser chasser, mais uniquement à la fronde. Le disque en ivoire de mammouth, son talisman de chasse qui lui avait été donné lorsqu'elle avait été déclarée Femme Qui Chasse, avait été imprégné d'un colorant qui ne pouvait être effacé, essentiellement de l'ocre rouge.

Elle prit le morceau de pyrite et le frotta contre sa tunique. C'était son symbole préféré, celui qui signifiait qu'elle avait eu raison de s'enfuir avec Durc. Si elle ne l'avait pas fait, il aurait été abandonné en pleine nature, puisqu'on l'avait jugé difforme. Lorsqu'elle l'avait pris et s'était enfuie avec lui, sachant pertinemment qu'ils pouvaient mourir tous les deux, cela avait amené Brun et Creb à réfléchir à leur décision. La poussière colorée collait au cristal de quartz transparent mais ne le décolorait pas ; ce signe qu'elle avait trouvé était le symbole qu'elle avait pris la bonne décision en cessant de rechercher son peuple et en restant un temps dans la Vallée des Chevaux. Elle se sentait toujours mal à l'aise chaque fois qu'elle voyait le morceau de manganèse noir. Elle le reprit dans sa main et referma son poing dessus : il contenait l'esprit de tous les membres du Clan. Pour l'obtenir, elle avait échangé un morceau de son esprit afin que, lorsqu'elle sauvait la vie de quelqu'un, celui-ci ne lui doive rien dans la mesure où elle possédait déjà une partie de l'esprit de chacun.

À la mort d'Iza, Creb, le Mog-ur, lui avait pris sa pierre de femme-médecine pour qu'on ne l'enterre pas avec elle et qu'elle n'entraîne pas le Clan tout entier à sa suite dans le Monde des Esprits et il l'avait confiée à Ayla, mais personne ne lui avait réclamé l'objet lorsque Broud l'avait condamnée à la mort. Tout le monde avait été si choqué par la décision de Broud que personne n'avait eu l'idée de demander à Ayla de la rendre. Quant à elle, elle avait oublié de la restituer. Qu'arriverait-il au Clan si cette pierre était toujours en sa possession lorsqu'elle passerait dans le Monde d'Après ?

Elle déposa tous les symboles de son totem dans sa nouvelle bourse, sachant qu'elle les y laisserait dès cet instant : il était normal et juste que les signes totémiques du Clan se trouvent dans une amulette du Clan. En nouant fermement le cordon qui l'entourait, elle se demanda, et ce n'était pas la première fois, pourquoi elle n'avait pas reçu un nouveau signe de son totem lorsqu'elle avait décidé de quitter les Mamutoï et de partir avec Jondalar. Était-elle déjà à cette époque devenue un enfant de la Mère ? Celle-ci avait-Elle annoncé à son totem qu'elle n'avait pas besoin qu'on lui donne un nouveau signe ? Ou s'agissait-il d'un signe beaucoup plus subtil qu'elle n'avait pas été capable de reconnaître ? À moins que, songea-t-elle avec effroi, à moins qu'elle n'ait tout simplement pris la mauvaise décision. Elle sentit un frisson la parcourir. Pour la première fois depuis longtemps, elle serra l'amulette contre elle et envoya un message silencieux implorant l'Esprit du Grand Lion des Cavernes de la protéger.

Lorsqu'elle quitta la hutte de la Zelandonia, elle portait une peau de cerf pliée en quatre, un sac à dos en cuir lourd des objets qu'il contenait et enfin son sac à remèdes du Clan. Plusieurs personnes étaient installées autour du foyer central, et elle leur adressa en passant un signe de la main. Il ne s'agissait pas toutefois du geste habituel, paume dirigée vers elle afin de signifier qu'il ne s'agissait là que d'une absence temporaire et qu'elle serait de retour sous peu. Elle avait cette fois levé sa main en tournant sa paume vers l'extérieur et en la remuant de gauche à droite. Marthona fronça les sourcils, se demandant avec inquiétude ce que cela pouvait bien signifier.

En commençant à remonter le cours du ruisseau, raccourci menant à la grotte qu'elle avait découverte quelques années plus tôt, Ayla se surprit à se demander si elle devait vraiment se plier à cette cérémonie. Bien sûr, Zelandoni serait déçue, de même que tous les autres membres de la Zelandonia qui se préparaient à y assister, mais elle présentait plus de dangers qu'ils ne se l'imaginaient. Lorsqu'elle avait accepté d'organiser cette cérémonie, la veille, elle était profondément déprimée, au point de ne pas se soucier de se perdre dans le néant obscur. Mais ce matin elle se sentait mieux, surtout après son bain rituel dans la Rivière et sa rencontre avec Jonayla et Loup, sans même parler de Marthona et Proleva. Et maintenant, elle ne se sentait pas prête à affronter ce néant obscur si terrifiant. Elle devrait peut-être dire à Zelandoni qu'elle avait changé d'avis.

Elle n'avait absolument pas pensé aux dangers auxquels elle allait être confrontée lorsqu'elle s'était lancée dans les préparatifs préliminaires, mais n'avait pu s'empêcher de ressentir un certain malaise devant son incapacité à respecter comme il convenait tous les rituels inhérents à la cérémonie. Pour le Clan, il s'agissait là d'un élément extrêmement important, contrairement à ce qui se passait chez les Zelandonii, plus tolérants sur les écarts à la règle. Même les paroles du Chant de la Mère variaient légèrement d'une Caverne à l'autre, alors qu'il s'agissait de la plus importante de toutes les Légendes des Anciens, ce qui constituait d'ailleurs l'un des sujets de discussion favoris au sein de la Zelandonia.

Si une telle légende avait été une partie très sacrée des cérémonies du Clan, elle aurait dû être mémorisée et psalmodiée très précisément de la même façon chaque fois qu'on la récitait, en tout cas au sein des clans qui entretenaient des contacts directs réguliers avec les autres. Et encore : même ceux des régions plus lointaines auraient dû disposer d'une version très proche. C'est la raison pour laquelle Ayla était en mesure de communiquer dans le langage des signes sacrés du Clan avec les clans de cette région même si ceux-ci se trouvaient à une bonne année de marche de celui dans lequel elle avait grandi.

Dans la mesure où elle allait pratiquer une cérémonie du Clan, en utilisant des racines aux pouvoirs considérables préparées selon les procédures propres au Clan, elle avait le sentiment que tout devait se faire en suivant au plus près la tradition du Clan. C'était, à son sens, la seule façon pour elle de maîtriser les différents stades de l'opération, et elle commençait à se demander si les précautions qu'elle prenait y suffiraient.

Profondément plongée dans ses pensées, elle était sur le point de quitter la zone boisée lorsqu'elle faillit heurter quelqu'un qui sortait de derrière un arbre. Elle eut alors la stupeur de se retrouver pratiquement dans les bras de Jondalar. Celui-ci parut encore plus surpris qu'elle et sembla ne pas du tout savoir quoi faire. Son premier réflexe fut d'achever ce que l'incident avait commencé, et de l'enlacer, ce qu'il avait envie de faire depuis si longtemps. Mais il lui suffit de voir l'air choqué d'Ayla pour faire un bond en arrière, convaincu que sa surprise était une marque de dégoût, qu'elle ne voulait surtout pas qu'il la touche. Quant à elle, elle prit le mouvement de recul de son compagnon comme la confirmation qu'il ne voulait plus d'elle, au point de ne plus souhaiter se trouver en sa compagnie.

Ils se regardèrent un long moment. Jamais ils n'avaient été aussi proches l'un de l'autre depuis qu'Ayla avait trouvé Jondalar en compagnie de Marona. Au plus profond d'eux-mêmes, ils ne désiraient rien plus au monde que de prolonger cet instant, de franchir cette distance qui, émotionnellement en tout cas, semblait les séparer. Mais un enfant qui courait sur le chemin fit distraction. Leurs regards se quittèrent un moment et, dès lors, il n'était plus question de revenir en arrière.

— Euh, désolé, lâcha Jondalar, qui mourait d'envie de la prendre dans ses bras mais avait trop peur qu'elle le repousse.

Éperdu, il regardait autour de lui, à gauche, à droite, tel un animal pris au piège.

— Aucune importance, souffla Ayla, baissant les yeux pour cacher les pleurs qui, décidément, menaçaient de déborder à tout moment ces derniers temps.

Elle ne voulait surtout pas qu'il voie à quel point elle était affectée à l'idée qu'il ne puisse plus supporter de se trouver près d'elle, au point de ne plus penser qu'à une chose : s'en éloigner au plus vite. Sans relever les yeux, elle se remit en route, pressant le pas avant que ses larmes ne jaillissent, ne la trahissent. De son côté, Jondalar dut lui aussi lutter contre les larmes en la regardant presque courir sur le chemin dans sa hâte à s'éloigner de lui.

La jeune femme continua donc de suivre ce qui était devenu un sentier à peine visible menant à la nouvelle grotte. Bien que, selon toute probabilité, chacun des membres de toutes les familles zelandonii ait visité l'endroit au moins une fois depuis sa découverte, il n'était guère utilisé. Du fait de sa beauté et de son aspect inhabituel, avec ses parois rocheuses d'un blanc presque parfait, la grotte était considérée comme un lieu très sacré, un endroit où soufflait l'esprit, et où l'on hésitait donc à pénétrer. Les membres de la Zelandonia et les responsables des différentes Cavernes en étaient encore à mettre au point les moments et les modalités de visite. La nouveauté était trop grande et les traditions n'avaient pas encore eu le temps de se mettre en place.

En approchant de l'éminence où se trouvait la grotte, Ayla remarqua que les amas de broussaille qui en obstruaient l'entrée avaient été poussés sur le côté, de même que l'arbre abattu dont les racines arrachées avaient permis d'apercevoir les différentes salles souterraines. La terre et les pierres autour de l'ouverture avaient également été dégagées, ce qui élargissait l'entrée.

Sans aller jusqu'à attendre impatiemment la cérémonie dont elle avait assuré la préparation, elle avait éprouvé par moments une certaine excitation à l'idée de revoir la grotte, mais ce sentiment avait maintenant cédé la place à une tristesse assimilable au néant obscur qu'elle allait devoir affronter. Elle allait peut-être s'y perdre ? Et alors, quelle importance ? Rien ne pourrait être pire que ce qu'elle éprouvait en cet instant. Elle devait lutter de toutes ses forces pour reprendre la maîtrise d'elle-même, qui semblait toujours sur le point de lui échapper ces derniers temps. Et elle avait l'impression d'être en permanence au bord des larmes depuis qu'elle s'était éveillée, ce matin.

Elle retira de son sac en cuir une écuelle en pierre, peu profonde, ainsi qu'un paquet emballé dans de la fourrure. Celui-ci contenait un petit sachet de graisse pratiquement étanche, muni d'un bouchon à une extrémité, soigneusement ficelé et enveloppé dans le morceau de fourrure afin d'empêcher que la graisse ne souille ce qui se trouvait à côté. Elle prit ensuite son paquet de mèches en lichen, versa un peu d'huile dans l'écuelle, y trempa une mèche pendant quelques secondes puis l'ôta et la posa contre le rebord de la lampe ainsi constituée. Elle se préparait à utiliser sa pierre à feu pour l'allumer lorsqu'elle aperçut deux autres membres de la Zelandonia qui gravissaient le sentier menant à la grotte.

Cette vision lui fit immédiatement recouvrer son sang-froid : nouvelle dans leurs rangs, elle souhaitait vivement conserver leur respect. Les trois Zelandonia se saluèrent, discutèrent de choses et d'autres, après quoi l'un d'eux tint la lampe tandis qu'Ayla démarrait un petit feu à l'aide de sa pierre. Une fois la lampe allumée, elle éteignit le foyer avec une poignée de terre et tous trois pénétrèrent dans la grotte.

Lorsqu'ils eurent franchi la zone proche de l'entrée et se retrouvèrent dans l'obscurité totale, ils constatèrent que la température ambiante avait fraîchi d'un coup. Leur conversation se réduisit au minimum tandis qu'ils cheminaient péniblement en contournant les amas rocheux et en évitant de glisser sur le sol argileux, avec leur unique lampe pour éclairer le chemin. Lorsqu'ils arrivèrent dans une salle assez vaste, leurs yeux s'étaient si bien habitués à la pénombre que la lumière des multiples lampes à huile leur parut presque éblouissante. La plupart des membres de la Zelandonia étaient déjà là et attendaient Ayla.

— Ah, te voilà, Zelandoni de la Neuvième Caverne, la salua la Première. As-tu mené à bien tous les préparatifs que tu estimais nécessaires ?

— Pas tout à fait, répondit Ayla. Je dois encore procéder à des modifications. Pendant la cérémonie du Clan, je devais être nue pendant tout le temps de la préparation de la boisson, et ne porter que mon amulette et les couleurs peintes sur mon corps par le Mog-ur. Mais il fait trop froid dans la grotte pour rester nue très longtemps et comme par ailleurs les Mog-ur qui buvaient le liquide étaient habillés, eux, je le resterai moi aussi. Mais comme il est, à mon avis, important de se tenir le plus près possible de la cérémonie du Clan, j'ai décidé de porter un pagne dans le style de ceux que portaient les femmes du Clan. J'ai confectionné une amulette du Clan pour mes symboles totémiques et, pour montrer que je suis une femme-médecine, je porterai mon sac à remèdes du Clan, bien que ce soient les objets contenus dans mon amulette qui aient le plus d'importance. Cela permettra aux esprits du Clan de me reconnaître non seulement comme une femme du Clan mais aussi comme une femme-médecine.

Sous le regard fasciné des membres de la Zelandonia, Ayla ôta ses vêtements et entreprit de s'envelopper de la peau de cerf bien souple qu'elle avait apportée, la nouant avec une longue cordelière de façon à laisser des poches et des plis susceptibles d'abriter un certain nombre d'objets. Elle pensait à tous les gestes qu'elle faisait qui avaient peu à voir avec le Clan, principalement dans la préparation de la boisson, laquelle était destinée à sa propre personne et non aux Mog-ur. Elle n'était pas Mog-ur, aucune femme du Clan ne pouvait l'être, et elle ignorait les rituels qu'ils observaient pour se préparer à la cérémonie qui allait suivre. Mais elle était une Zelandoni et elle espérait que cela ne serait pas indifférent lorsqu'elle aurait atteint le Monde des Esprits.

Elle sortit une petite bourse de son sac à remèdes. Les nombreuses lampes disposées dans la salle diffusaient une lumière suffisante pour que l'on puisse distinguer sa couleur, ocre rouge profond, la plus sacrée aux yeux de ceux du Clan. Puis elle prit dans son sac à dos en cuir un bol en bois, qu'elle avait façonné quelque temps plus tôt dans le style du Clan et montré à Marthona. Avec son sens de l'esthétique très sûr, celle-ci en avait apprécié à la fois le travail et la simplicité. Sur le moment, Ayla avait pensé le lui offrir mais elle était maintenant bien contente de l'avoir gardé. Ce n'était certes pas le bol spécial qui avait été utilisé pour cette racine, et uniquement pour elle, par Iza et les innombrables générations qui l'avaient précédée, mais c'était en tout cas un bol en bois réalisé avec tout le soin que mettaient ceux du Clan pour confectionner les leurs.

— J'aurais besoin d'un peu d'eau, dit Ayla en défaisant les nœuds de la bourse rouge vif puis en vidant le sachet de racines dans sa main.

— Je peux les voir ? demanda Zelandoni.

Ayla les lui tendit, mais elles n'avaient rien de particulier, ce n'étaient que des racines séchées.

— Je ne sais pas exactement combien il en faut, dit-elle en en prenant deux et en espérant qu'il n'y en aurait ni trop ni trop peu. Je n'ai pratiqué que deux fois cette cérémonie, et je ne possède pas les souvenirs d'Iza.

Un petit nombre de membres de la Zelandonia présents dans l'assistance l'avaient entendue parler de la mémoire du Clan, mais la plupart n'avaient aucune idée de ce qu'elle évoquait. Elle avait bien essayé d'expliquer à Zelandoni Qui Était la Première en quoi cela consistait, mais comme elle-même était incapable de se montrer très précise sur la question, elle avait eu beaucoup de mal à se faire comprendre.

Quelqu'un versa de l'eau dans son bol en bois, et Ayla en but une gorgée pour s'humecter la bouche. Elle se rappelait à quel point les racines étaient sèches et difficiles à mâcher.

— Je suis prête, annonça-t-elle.

Avant d'avoir pu revenir sur sa décision, elle fourra les racines dans sa bouche et commença à les mâcher.

Il lui fallut un certain temps pour les ramollir suffisamment afin de pouvoir les mastiquer. Elle s'efforçait bien de ne pas avaler sa salive mais cela n'allait pas de soi. Et puis, se disait-elle, comme c'est moi qui vais devoir boire le résultat, cela n'a sans doute pas vraiment d'importance. Elle mâcha, broya, mastiqua, encore et encore. Elle eut l'impression que l'opération n'en finissait pas mais, en fin de compte, elle obtint une sorte de bouillie pâteuse, qu'elle cracha dans le bol. Elle remua le liquide avec son doigt et constata que celui-ci devenait d'un blanc laiteux.

Zelandoni avait suivi toute l'opération en regardant par-dessus l'épaule d'Ayla.

— C'est donc cela le résultat ? demanda-t-elle, essayant visiblement de détecter une odeur quelconque.

— Oui, confirma Ayla, qui sentait toujours dans sa bouche le goût primitif des racines. Tu veux sentir ?

— C'est un arôme qui me fait penser à une forêt pleine de mousse et de champignons après la pluie, indiqua la Première. Je peux y goûter ?

Ayla faillit refuser. Pour le Clan, cette opération était si sacrée qu'Iza n'avait jamais accepté de lui montrer en quoi elle consistait et, l'espace de quelques secondes, Ayla fut effrayée par la requête de Zelandoni. Mais elle se rendit compte très vite que l'expérience était si éloignée des pratiques du Clan que le fait que Zelandoni goûte à la décoction n'avait probablement aucune importance. Elle porta donc le bol aux lèvres de la Première et la regarda absorber du liquide. Beaucoup plus d'une gorgée… Elle s'empressa de le lui retirer avant qu'elle ait pu en boire trop.

Cela fait, elle porta le bol à sa bouche et avala rapidement ce qu'il restait de son contenu, s'assurant de boire tout le suc, jusqu'à la dernière goutte, afin que plus personne ne puisse en absorber « pour voir ». C'était en effet comme cela qu'elle avait eu des ennuis, la première fois : Iza lui avait dit qu'il ne devait pas en rester, mais elle en avait préparé un peu trop, or, après y avoir goûté, le Mog-ur avait constaté que le produit était trop fort. Il avait alors soigneusement contrôlé la quantité absorbée par chacun des participants à la cérémonie et en avait laissé un peu au fond du bol. Alors qu'elle en avait déjà absorbé une quantité non négligeable en mâchant la racine, et qu'elle avait bu en outre un peu trop du liquide réservé aux femmes, Ayla avait récupéré le bol un peu plus tard et, l'esprit déjà confus, avait avalé jusqu'à la dernière goutte ce qui restait au fond. Cette fois, elle allait veiller à ce que personne ne soit tenté d'en faire autant.

— Quand faudra-t-il nous mettre à chanter pour toi ? demanda la Première.

Ayla avait presque oublié cette phase de la cérémonie.

— Cela aurait dû commencer, dit-elle, d'une voix déjà légèrement pâteuse.

La Première commençait elle aussi à ressentir les effets de la décoction dont elle avait absorbé une bonne rasade, et c'est en s'efforçant de contrôler sa voix et ses gestes qu'elle fit signe aux membres de la Zelandonia qu'ils pouvaient se mettre à chanter. *Cette racine est décidément très puissante*, se disait-elle, *et encore, je n'en ai bu qu'une gorgée... Je me demande ce que doit ressentir Ayla après tout ce qu'elle a absorbé.*

Le goût de la décoction avait paru familier à Ayla, lui rappelant des sentiments qu'elle n'était pas près d'oublier, souvenirs, associations d'idées évoquant les fois précédentes où elle avait goûté au liquide, en des temps désormais fort lointains. Elle avait le sentiment de se retrouver dans la fraîcheur et l'humidité d'une forêt profonde, comme si celle-ci l'enveloppait de toutes parts, avec des arbres tellement larges qu'elle avait du mal à en faire le tour et à trouver un chemin au milieu d'eux alors qu'elle gravissait la pente abrupte d'une montagne, suivie par sa jument. Des lichens d'un gris-vert argenté recouvraient les arbres, la mousse tapissait le sol, les rochers et les troncs d'arbres abattus, symphonie éclatante regroupant toute la palette des verts, de l'émeraude au jade en passant par des teintes plus sombres, virant au brun, du plus cru au plus tendre.

Lui montaient aux narines des odeurs de champignons, de toutes tailles et de toutes formes : fragiles chapeaux blancs surgis sur les innombrables troncs d'arbres tombés à terre, épaisses couches ligneuses accrochées telles des étagères à de vieilles souches pourrissantes, pédicules frêles et délicats surmontés de bulbes brun sombre ; il y avait çà et là des amas d'espèces toutes différentes : sphères rondes et compactes, chapeaux d'un rouge vif piqueté de points blancs ; bulbes lisses et pourrissants, corolles d'un blanc parfait annonciateur pourtant d'une mort violente. Elle les connaissait tous, les tâtait tous, les goûtait tous.

Elle se retrouva dans le delta sans limites d'un fleuve immense, emportée par le courant violent, irrésistible, d'une eau d'un brun boueux, se frayant un passage au milieu de faisceaux de roseaux d'une taille gigantesque, d'îles flottantes recouvertes d'arbres auxquels des loups s'efforçaient de grimper, tournoyant telle une toupie dans une petite coquille de noix ronde, montant et descendant comme si elle flottait sur un coussin d'air.

Ayla ne savait pas que ses genoux l'avaient lâchée, qu'elle était devenue toute molle et était tombée à terre. Plusieurs Zelandonia la prirent sous les bras et la traînèrent vers une natte que Zelandoni avait eu l'idée d'apporter dans la caverne en prévision d'une urgence. En se mettant en devoir de retrouver non sans mal son solide tabouret en osier muni d'un bon coussin, la Première se prit à songer qu'elle aurait bien aimé disposer elle aussi d'un endroit où s'allonger. Elle luttait pour rester consciente, pour ne pas perdre Ayla des yeux, et sentait l'angoisse commencer à naître quelque part dans un coin de son cerveau.

Ayla de son côté se sentait en paix, tranquille, sombrant dans une douce brume qui l'attirait insensiblement en son sein, jusqu'à ce qu'elle en soit complètement enveloppée. Puis la brume s'épaissit en un brouillard dense obscurcissant toute vision, avant de devenir un nuage lourd, chargé d'humidité. Elle eut l'impression d'être littéralement absorbée par la nuée et se mit aussitôt à suffoquer, essayant de toutes ses forces de respirer, d'avaler de grandes goulées d'air frais, avant de sentir qu'elle commençait à se mouvoir.

Au milieu du nuage suffocant, ses mouvements se firent de plus en plus vifs, au point qu'elle en eut très vite le souffle court, avant qu'il ne soit carrément coupé. La nue s'enroula littéralement autour d'elle, la comprimant, la poussant de tous côtés, se contractant, se relâchant avant de se comprimer à nouveau, comme quelque chose de vivant. Ce qui la contraignit à bouger avec une vélocité redoublée jusqu'à ce qu'elle finisse par tomber dans un espace sans fond, vide, d'un noir absolu comme au plus profond d'une grotte, un noir infini, terrifiant.

C'eût été moins terrifiant si elle avait tout simplement sombré dans le sommeil, dans l'inconscience. Ceux qui observaient la scène pensaient que c'était le cas, mais il n'en était rien. Elle ne pouvait plus bouger, et n'en avait d'ailleurs aucune envie dans les premiers instants, mais lorsqu'elle tenta de mobiliser toutes les forces de sa volonté pour bouger quelque chose, ne fût-ce qu'un doigt, elle en fut incapable. Elle ne pouvait même pas sentir ce doigt, ou toute autre partie de son corps. Elle n'avait même pas la possibilité d'ouvrir les yeux, ni de tourner la tête. Elle était dépourvue de toute capacité d'exécution. Mais elle restait capable d'entendre. À un certain niveau, elle était consciente. Comme venant de très loin, et pourtant avec une absolue clarté, elle pouvait entendre les chants de la Zelandonia, les murmures de voix dans un coin de la salle, sans toutefois comprendre ce qui se disait. Elle était même capable d'entendre les battements de son propre cœur.

Chacun des doniates avait choisi un son, un ton, un timbre qu'il était en mesure de conserver confortablement durant un laps de temps assez long. Lorsqu'ils souhaitaient chanter de façon continue, plusieurs d'entre eux lançaient leur voix. La combinaison pouvait se révéler harmonieuse, ou non, selon les cas, mais cela importait peu. Avant que le premier soit hors d'haleine, une autre voix prenait le relais, puis une autre, une autre encore, à intervalles irréguliers. Cela donnait une sorte de vrombissement, une fugue faite de sons entremêlés qui pouvait se prolonger indéfiniment pour peu qu'il y eût suffisamment d'intervenants à même de permettre à ceux qui étaient contraints de s'arrêter un moment de souffler un peu.

Pour Ayla, c'était un bruit de fond réconfortant, mais qui tendait à disparaître à l'arrière-plan, tandis que son esprit observait des scènes qu'elle seule était en mesure de voir derrière ses paupières closes, visions présentant l'incohérence lucide de songes terriblement pénétrants. Elle avait le sentiment de rêver éveillée. Au début, elle ne cessait de se mouvoir à un rythme de plus en plus accéléré dans l'espace obscur ; elle le savait, bien que le vide demeurât immuable. Elle était terrifiée, et seule. Douloureusement seule. Et dépourvue du moindre sens, goût, odorat, ouïe, vision, toucher, comme s'ils avaient disparu à jamais. Seul demeurait son esprit conscient, hurlant sa terreur.

Il s'écoula une éternité. Puis, très loin, à peine discernable, apparut un faible éclat de lumière. Elle tendit la main pour l'atteindre, de toutes les forces qu'elle était capable de mobiliser. N'importe quoi était préférable au néant absolu qui l'entourait. Ces efforts accélérèrent encore sa vitesse, la lumière se dilata, jusqu'à devenir une tache aux contours imprécis, à peine perceptible, et l'espace d'un moment elle se demanda si son cerveau était capable d'influer sur l'état dans lequel elle se trouvait. La lueur indistincte s'épaissit jusqu'à devenir une sorte de nuage, moiré de teintes insensées, des couleurs aux noms inconnus, qui ne semblaient pas de ce monde. Elle sombrait dans le nuage, le traversant à une vitesse de plus en plus grande, jusqu'à ce qu'elle tombe par le fond. Un paysage étrangement familier s'offrit alors à elle, empli de formes géométriques répétitives, carrés et angles aigus, claires, éclatantes, lumineuses. Aucune forme de ce genre n'existait dans le monde naturel, celui où elle vivait depuis toujours. De blancs rubans semblaient flotter sur le sol dans ce lieu étrange, s'étirant loin, très loin, parcourus par d'étranges animaux.

En s'approchant, elle vit une foule immense, une masse de gens qui s'agitaient bizarrement en pointant leurs doigts vers elle et en répétant sans cesse « Toi, toi, toi », comme s'ils psalmodiaient une prière. Elle distingua une silhouette solitaire. C'était un homme, un esprits-mêlés. En s'approchant un peu plus, elle se dit qu'il lui rappelait quelqu'un qu'elle connaissait, mais pas tout à fait. Elle crut au début qu'il s'agissait d'Echozar, puis que c'était Brukeval, et tout autour les gens ne cessaient de répéter « C'est toi, c'est toi qui as apporté la Connaissance, c'est toi ».

« Non ! hurla son cerveau. C'est la Mère. C'est Elle qui m'a donné la Connaissance. Où donc est la Mère ? »

« La Mère est partie. Seul demeure le Fils, répondirent les gens. C'est toi qui l'as apportée. »

Elle regarda l'homme et comprit soudain de qui il s'agissait, bien que son visage demeurât dans l'ombre et qu'elle ne pût le voir distinctement.

« Je n'ai pas pu faire autrement. J'étais maudite. J'ai dû abandonner mon fils. Broud m'a chassée ! » s'écria-t-elle d'une voix dépourvue de son.

« La Mère est partie. Seul demeure le Fils. »

Plongée dans ses pensées, Ayla plissa le front. Qu'est-ce que cela pouvait bien vouloir dire ?

Soudain le monde au-dessous d'elle prit une dimension différente, mais il demeurait toujours aussi sinistre et surnaturel. Les gens avaient disparu, de même que les étranges figures géométriques. Il ne restait plus qu'une sorte de prairie vide, désolée, balayée par le vent. Deux hommes firent leur apparition, des frères, bien que personne n'eût pu les reconnaître comme tels. L'un était grand et blond, comme Jondalar, l'autre, plus âgé, n'était autre que Durc, elle en eut la certitude, bien que son visage demeurât dans l'ombre. Les deux frères s'approchèrent l'un de l'autre, venant de directions opposées, et elle se sentit saisie d'une angoisse atroce, comme si quelque chose de terrible allait se produire, quelque chose qu'elle devait absolument empêcher. Avec un frisson de terreur, elle eut la certitude que l'un de ses fils allait tuer l'autre. Les bras levés, comme pour frapper, ils se rapprochèrent encore l'un de l'autre. Elle tenta de tout son être de les atteindre.

Et soudain Mamut apparut et la retint. « Ce n'est pas ce que tu crois, dit-il. C'est un symbole, un message. Attends et vois. »

Un troisième homme apparut dans la steppe désolée. Broud, en train de la regarder avec dans les yeux une lueur de haine indicible. Les deux premiers hommes se rejoignirent, puis tous deux se retournèrent pour faire face à Broud.

« Maudis-le, maudis-le, condamne-le à la mort », indiqua Durc.

« Mais c'est ton père, Durc, pensa Ayla avec une appréhension silencieuse. Ce n'est pas à toi de le maudire. »

« Il est déjà maudit, intervint son autre fils. Tu l'as fait, tu as gardé la pierre noire. Ils sont tous condamnés. »

« Non, non ! s'écria silencieusement Ayla. Je vais la rendre. Je peux toujours la rendre. »

« Il n'y a rien que tu puisses faire, Ayla. C'est ta destinée », dit Mamut.

Lorsqu'elle se tourna pour lui faire face, Creb se trouvait à côté de lui.

« Tu nous as donné Durc, expliqua par signes le vieux Mog-ur. C'était également ta destinée. Durc appartient en partie aux Autres, mais aussi en partie au Clan. Le Clan est condamné à disparaître, il n'existera plus, seule ton espèce perdurera, ainsi que ceux qui sont comme Durc, les enfants aux « esprits mêlés ». Ils seront peut-être peu nombreux, mais il y en aura assez. Ce ne sera pas pareil, il deviendra comme les Autres, mais ce sera déjà ça. Durc est le fils du Clan, Ayla. C'est l'unique fils du Clan. »

Ayla entendit une femme pleurer et lorsqu'elle regarda, la scène avait encore changé. Il faisait noir et ils se trouvaient au plus profond d'une grotte. Puis on alluma des lampes et elle vit une femme tenant un homme dans ses bras. L'homme était son fils, le grand blond, et lorsque la femme leva la tête, Ayla eut la surprise de se voir, elle, mais très floue, comme si elle se regardait dans un miroir. Un homme arriva alors et les regarda. Elle leva les yeux et vit Jondalar.

« Où est mon fils ? lui demanda-t-il. Où est mon fils ? »

« Je l'ai confié à la Mère ! s'écria le reflet d'Ayla. La Grande Terre Mère le voulait. Son pouvoir est immense. Elle me l'a pris. »

Et soudain, elle entendit la foule, vit de nouveau les étranges formes géométriques.

« La Terre Mère s'affaiblit, chantèrent les voix. Ses enfants L'ignorent. Lorsqu'ils ne L'honoreront plus, Elle nous sera enlevée. »

« Non ! supplia le reflet d'Ayla. Qui nous nourrira ? Qui veillera sur nous ? Qui pourvoira à nos besoins si nous ne L'honorons plus ? »

« La Mère est partie. Seul le Fils demeure. Les enfants de la Mère ne sont plus des enfants. Ils ont abandonné la Mère. Ils ont la Connaissance, ils sont devenus adultes, ainsi qu'Elle savait qu'ils le deviendraient un jour. »

La femme continuait de pleurer, mais ça n'était plus Ayla. C'était la Mère, qui pleurait parce que Ses enfants l'avaient quittée.

Ayla se sentit tirée hors de la grotte. Elle pleurait, elle aussi. Les voix se firent plus faibles, comme si elles chantaient depuis un lieu très éloigné. Elle avait recommencé à se mouvoir, très haut au-dessus d'une vaste plaine herbeuse, parcourue par d'immenses troupeaux. Des aurochs galopaient par centaines, suivis par des chevaux en aussi grand nombre, qui s'efforçaient de ne pas se laisser distancer. Des bisons et des cerfs couraient eux aussi, ainsi que des ibex. Elle se rapprocha, commença à distinguer chacun des animaux, ceux qu'elle avait vus lorsqu'elle avait été appelée pour la Zelandonia, ainsi que les déguisements qu'ils avaient portés pendant la cérémonie lorsqu'ils avaient offert le nouveau Don de la Mère à Ses enfants, lorsqu'elle avait récité la dernière strophe du Chant de la Mère.

Deux bisons mâles galopant côte à côte, deux grands aurochs mâles se précipitant l'un vers l'autre, une énorme femelle volant presque dans les airs, une autre mettant bas, un cheval arrivant au bout d'un défilé et tombant du haut d'une falaise, d'innombrables chevaux, de couleurs variées, bruns, rouges et noirs, et Whinney avec sa peau tachetée sur le dos et la tête, et les deux bois de cerf raides comme des bâtons.

17

Zelandoni ne se trouvait pas avec Ayla durant son obscur voyage intérieur, mais elle en avait senti la force d'attraction. Si elle avait absorbé le suc magique en quantité plus importante, elle aurait peut-être été aspirée comme Ayla dans le néant obscur et, comme elle, se serait sans doute perdue dans l'énigmatique paysage suscité par la racine. Quoi qu'il en soit, elle perdit la maîtrise de ses facultés pendant un certain laps de temps et connut ses propres difficultés.

Les membres de la Zelandonia s'interrogeaient avec perplexité sur ce qui se passait sous leurs yeux : Ayla avait apparemment sombré dans l'inconscience, et la Première ne semblait pas en être bien loin. Elle ne s'assoupissait pas vraiment, mais ne cessait de s'affaisser sur elle-même, ses yeux se faisaient par moments vitreux, comme si elle fixait quelque chose, le regard perdu au loin. Elle ne paraissait pas contrôler l'expérience, ce qui en soi était inhabituel, elle n'était à l'évidence plus maîtresse d'elle-même, ce qui les inquiétait tous beaucoup. Ceux qui la connaissaient le mieux étaient les plus alarmés, mais ils ne voulaient surtout pas faire voir leur anxiété aux autres, ce qui aurait aggravé encore les choses.

La Première se secoua, tentant de reprendre ses esprits par la seule force de sa volonté.

— Froid, froid, eut-elle le temps de souffler avant de s'affaisser de nouveau, ses yeux reprenant leur aspect vitreux.

Peu après, elle se redressa brusquement, comme si elle était tout à fait éveillée, et cria :

— Couverture… fourrure… couvrir Ayla… froid… si froid. Réchauffer…

Elle perdit conscience une fois de plus.

Les participants à la cérémonie avaient apporté des couvertures pour leur tenir chaud, tout simplement parce qu'il faisait toujours frais dans une grotte. Ils en avaient déjà déposé une sur Ayla, mais le Zelandoni de la Onzième Caverne décida d'en ajouter une seconde. Ce faisant, il frôla la jeune femme et recula, stupéfait :

— Elle est glacée. Presque comme si elle était morte.

— Est-ce qu'elle respire ? demanda la Zelandoni de la Troisième Caverne.

Le Zelandoni de la Onzième se pencha, scruta longuement le corps étendu et remarqua que la poitrine s'élevait et s'abaissait très légèrement. Un infime souffle d'air sortait par ailleurs de la bouche d'Ayla, tout juste entrouverte.

— Oui, mais à peine, répondit-il.

— Croyez-vous que nous devrions préparer quelque chose de chaud ? Une infusion quelconque ? demanda le Zelandoni de la Cinquième Caverne.

— Oui, je le pense, pour toutes les deux, répondit la Zelandoni de la Troisième Caverne.

— Quelque chose d'apaisant ou quelque chose de stimulant ? reprit le Zelandoni de la Cinquième Caverne.

— Je ne sais pas. L'une ou l'autre pourrait réagir différemment, et d'une façon inattendue, aux effets de cette racine, expliqua la Zelandoni de la Troisième Caverne.

— Essayons d'abord de poser la question à la Première. C'est à elle de décider, intervint le Zelandoni de la Onzième Caverne.

Ses compagnons approuvèrent de la tête. Les trois Zelandonia entourèrent alors la Première, toujours assise sur son tabouret, tassée sur elle-même. La Zelandoni de la Troisième Caverne posa sa main sur l'épaule de la Première et commença à la secouer, d'abord doucement, puis plus fort. Zelandoni se redressa brusquement, reprenant conscience.

— Veux-tu une infusion ? demanda la Zelandoni de la Troisième Caverne.

— Oui ! Oui ! répondit la Première d'une voix très forte, comme si le fait de crier l'aidait à rester éveillée.

— Doit-on en donner aussi à Ayla ?

— Oui. Chaude !

— Des herbes stimulantes ou apaisantes ? demanda le Zelandoni de la Onzième Caverne, haussant la voix lui aussi.

La Zelandoni de la Quatorzième Caverne s'approcha, le front barré d'une ride soucieuse.

— Stimul… Non ! fit la Première, arrêtant sa phrase pour tenter de se concentrer. De l'eau ! Juste de l'eau chaude ! reprit-elle avant de se secouer pour essayer de rester éveillée. Aidez-moi à me lever !

— Es-tu sûre de pouvoir tenir debout ? demanda la Zelandoni de la Troisième Caverne. Il ne faudrait surtout pas que tu tombes…

— Aidez-moi à me lever ! Il ne faut pas que je dorme. Ayla a besoin… a besoin d'aide.

Elle sembla sur le point de s'affaisser une fois de plus et se secoua violemment.

— Aidez-moi à me lever. Allez chercher de l'eau… chaude. Pas d'infusion.

Les Zelandonia entourèrent alors l'énorme femme qui était la Première et, non sans mal, la remirent sur ses pieds. Elle oscilla un moment sur elle-même, comme quelqu'un pris de boisson, s'appuya lourdement sur deux des Zelandonia et hocha de nouveau la tête. Elle ferma les yeux et son visage refléta une intense concentration. Elle les rouvrit au bout d'un moment, les dents serrées, visiblement déterminée. Elle avait cessé de tanguer.

— Ayla est en danger, dit-elle. C'est ma faute. J'aurais dû le savoir…

Elle avait encore du mal à se concentrer, à avoir l'esprit clair, mais le fait d'être de nouveau debout et capable de se mouvoir l'aidait. De même que l'eau chaude, du simple fait qu'elle la réchauffait. Elle avait froid, terriblement froid, un froid à glacer les os, et elle savait que cela ne venait pas du simple fait qu'elle se trouvait dans une grotte.

— Trop froid, poursuivit-elle. La bouger. Faire du feu. De la chaleur.

— Souhaites-tu que nous sortions Ayla de la grotte ? demanda la Zelandoni de la Quatorzième Caverne.

— Oui. Trop froid.

— Faut-il la réveiller ? s'enquit le Zelandoni de la Onzième Caverne.

— Je ne crois pas que ce soit possible, répondit la Première. Mais essayez.

Ils tentèrent d'abord de secouer Ayla doucement, puis un peu plus rudement. Elle ne bougeait toujours pas. Ils essayèrent alors de lui parler, puis de hurler à son oreille, sans résultat.

— Crois-tu que nous devrions continuer de chanter ? demanda la Zelandoni de la Troisième Caverne.

— Oui ! Chantez ! Ne vous arrêtez pas ! C'est tout ce qui lui reste ! cria la Première.

Les membres de la Zelandonia du rang le plus élevé donnèrent certaines instructions et, soudain, il y eut dans la grotte un débordement d'activité : plusieurs participants à la cérémonie quittèrent les lieux en toute hâte pour se rendre à la hutte de la Zelandonia, d'autres se mirent à préparer un feu pour faire chauffer de l'eau, d'autres encore se mirent en devoir de trouver une litière pour transporter la jeune femme hors de la grotte. Les autres reprirent avec ferveur leur litanie.

De nombreuses personnes se trouvaient près de l'abri de la Zelandonia. Une réunion des couples envisageant de nouer le lien à l'occasion des futures Matrimoniales, les dernières de la saison, était prévue un peu plus tard dans la journée, et certains avaient déjà commencé à se regrouper. Folara et Aldanor en faisaient partie. En voyant plusieurs Zelandonia arriver en courant, ils échangèrent un regard inquiet.

— Que se passe-t-il ? demanda Folara. Pourquoi tout le monde est si pressé ?

— C'est la nouvelle Zelandoni ! répondit un jeune homme, l'un des tout récents acolytes.

— Tu parles d'Ayla ? La Zelandoni de la Neuvième ? s'inquiéta Folara.

— Oui. Elle a préparé une boisson spéciale à base d'une espèce de racine, et la Première a dit que nous devions la faire sortir de la grotte parce qu'il y faisait trop froid. Elle ne s'est pas réveillée, expliqua l'acolyte.

Tous se retournèrent en entendant un grand bruit : deux jeunes et vigoureux doniates aidaient la Première à quitter la grotte. Celle-ci avait du mal à conserver son équilibre et à avancer sans trébucher. Jamais Folara n'avait vu Zelandoni dans cet état. Une vague d'appréhension la submergea. Celle Qui Était la Première était toujours si sûre d'elle-même, si positive. Même en dépit de sa stature, elle se mouvait toujours avec aisance, et une grande assurance. La jeune femme avait déjà été fort affectée en voyant sa mère s'affaiblir, mais là, elle était littéralement saisie d'effroi en voyant une femme qu'elle avait toujours prise pour une force inébranlable, un parangon de sécurité et de puissance, faire soudain preuve d'une faiblesse aussi extrême.

Le temps que la Première rejoigne le local, un autre groupe de Zelandonia fit son apparition sur le sentier descendant de la grotte, portant une litière recouverte de fourrures. Quand la procession se rapprocha, Folara et Aldanor commencèrent à entendre de plus en plus distinctement les sons entremêlés des voix des membres de la Zelandonia. Quand la litière passa devant elle, Folara regarda la jeune femme qu'elle avait appris à connaître et à aimer, la compagne de son frère. Le visage d'Ayla était d'une pâleur de craie et sa respiration si faible que sa poitrine semblait à peine bouger.

Folara en fut horrifiée, ce qui n'échappa pas à Aldanor.

— Il faut aller retrouver mère, Proleva et Joharran, dit-elle. Et Jondalar...

Bien que cela ne se soit pas fait sans peine, ni sans embarras pour elle, le trajet entre la grotte et l'abri de la Zelandonia avait aidé la Première à reprendre totalement ses esprits. Elle se laissa tomber avec soulagement sur son large siège confortable et accepta la tasse d'eau chaude qu'on lui tendait. Avant d'avoir récupéré toute sa tête, elle n'avait pas osé suggérer qu'on lui prépare une décoction d'herbes médicinales ou quelque autre remède susceptible de contrebalancer les effets de la racine, de peur que ceux-ci n'aggravent son état plutôt qu'ils ne l'améliorent. Maintenant qu'elle avait les idées plus claires, et même si son corps ressentait encore les puissants effets de la terrible racine, elle décida de procéder à une expérience sur elle-même : elle ajouta quelques herbes stimulantes à une seconde tasse d'eau chaude et la sirota sans hâte, essayant de jauger ce qu'elle ressentait. Elle n'était pas sûre que celles-ci amélioreraient son état, mais pensait qu'elles ne l'aggraveraient pas.

Elle se releva et, avec un peu d'aide, s'approcha du lit récemment libéré par Laramar où l'on avait étendu Ayla.

— Vous avez essayé de lui faire boire un peu d'eau chaude ? demanda-t-elle.

— Nous n'avons même pas pu lui ouvrir la bouche, répondit un jeune acolyte.

La Première essaya de desserrer les mâchoires d'Ayla, mais celles-ci demeuraient obstinément bloquées, comme si la jeune femme luttait de toutes ses forces contre une puissance inconnue. La doniate repoussa alors les couvertures et remarqua que son corps, d'une rigidité absolue, était en outre d'un froid glacial au toucher malgré toutes les fourrures qui le recouvraient.

— Verse de l'eau chaude dans ce grand bol, ordonna-t-elle au jeune homme.

Plusieurs autres personnes présentes se précipitèrent pour l'aider.

Elle ne parvint pas à ouvrir la bouche d'Ayla. Dans l'incapacité de lui faire absorber quelque chose de chaud, elle allait devoir tenter de la réchauffer par l'extérieur. La Première prit donc plusieurs morceaux de matériau servant à bander les plaies, des peaux de bêtes bien souples qui se trouvaient toujours à proximité, les plongea dans le liquide brûlant et appliqua le bandage ainsi réalisé sur le bras gauche d'Ayla. Le temps qu'elle en pose un autre sur son bras droit, le premier était déjà complètement froid.

— Apportez-moi encore de l'eau chaude, demanda-t-elle.

Elle dénoua ensuite la cordelière qui retenait le vêtement de la jeune femme et, la soulevant avec l'aide de plusieurs Zelandonia, le lui ôta en remarquant le système ingénieux qui retenait la peau de bête. La Première remarqua qu'Ayla n'était pas complètement nue au-dessous : toute une série de lanières retenaient le tampon en cuir garni de bourre d'osier absorbante qu'elle portait entre les jambes.

Soit elle a ses lunes, soit elle ne s'est pas encore remise de la perte de son bébé, songea Zelandoni. Quoi qu'il en soit, cela veut dire que Laramar n'a pas conçu une nouvelle vie en elle. De façon très prosaïque, la doniate s'assura qu'elle n'avait pas besoin d'être changée, mais elle approchait apparemment du terme de son flux. Le tampon était à peine taché et elle le laissa à sa place.

Avec l'aide de plusieurs autres doniates, elle entreprit alors de recouvrir le corps d'Ayla de peaux humides et chaudes afin de dissiper le froid extrême dans lequel était toujours plongée la jeune femme. Elle-même n'avait eu qu'un avant-goût de ce que subissait Ayla, mais cela lui avait suffi pour apprécier l'état dans lequel celle-ci devait se trouver. Finalement, au bout de multiples et longues applications, le corps de la jeune femme parut se détendre quelque peu. En tout cas, ses mâchoires se desserrèrent. Zelandoni espéra que c'était bon signe, mais elle n'avait aucun moyen d'en être sûre. Elle couvrit Ayla de fourrures bien chaudes : c'était tout ce qu'elle pouvait faire pour elle dans l'instant.

On apporta son siège, solide et large, à Celle Qui Était la Première, et celle-ci y prit place à côté de la toute nouvelle Zelandoni, pour y entamer une veille lourde d'inquiétude. Elle prit conscience pour la première fois des chants qui, depuis le début de la cérémonie, n'avaient cessé de se faire entendre, certains des participants relayant ceux qui s'arrêtaient sous l'effet de la fatigue.

Il faudra sans doute faire appel à d'autres volontaires pour que ces chants se poursuivent en permanence si l'attente est trop longue, se dit Zelandoni, évitant de penser à la suite. Quand elle ne pouvait s'en empêcher, c'était pour se dire qu'Ayla finirait bien par revenir à elle et qu'elle serait de nouveau fraîche et dispose. Toute autre hypothèse était trop pénible à envisager. Si je n'avais pas été si curieuse quant à ces nouvelles racines si fascinantes, me serais-je montrée plus perspicace ? se demandait-elle. Ayla avait semblé assez perturbée et nerveuse lorsqu'elle était arrivée dans la grotte, mais les membres de la Zelandonia étaient tous là, attendant avec impatience la cérémonie exceptionnelle qui allait s'y dérouler. La Première avait regardé Ayla mâcher longuement les racines, puis recracher le suc ainsi obtenu dans le bol d'eau, et elle avait décidé de tester elle-même le produit.

Cela avait constitué pour elle un premier avertissement. Les effets de la boisson avaient été infiniment plus puissants que ceux auxquels elle s'attendait. Mais même si elle avait traversé de rudes moments, elle ne regrettait nullement d'avoir pris cette initiative. L'expérience qu'elle venait de tenter lui donnait une bonne idée de ce qu'Ayla était en train de vivre. Qui aurait pu croire que des racines séchées d'aspect si inoffensif pouvaient avoir des effets aussi redoutables ? Quelle était leur nature ? La plante poussait-elle quelque part dans les environs ? À l'évidence, elle possédait des propriétés absolument uniques, certaines susceptibles de présenter quelque intérêt pour des utilisations spécifiques. Mais s'il devait y avoir d'autres expérimentations, celles-ci devraient être beaucoup mieux surveillées et contrôlées. Car cette racine présentait des dangers évidents.

La Première venait tout juste de se plonger dans l'état de méditation qui était d'ordinaire le sien durant ses longues veilles lorsqu'un membre de la Zelandonia vint la voir : accompagnées de Folara, Marthona et Proleva venaient d'arriver et demandaient à être reçues.

— Qu'elles viennent, bien sûr, dit-elle. Elles peuvent nous apporter leur aide, et celle-ci ne sera pas de trop avant que cette affaire se termine.

Les trois femmes remarquèrent dès leur entrée que plusieurs membres de la Zelandonia chantaient non loin d'un lit installé à l'arrière du bâtiment. Zelandoni était assise juste à côté.

— Qu'est-il arrivé à Ayla ? s'inquiéta Marthona en voyant la jeune femme allongée sur la couche, immobile et d'une pâleur extrême.

— J'aimerais bien le savoir, répondit Zelandoni. Et je crains d'avoir largement ma part de responsabilité.

Ces dernières années, Ayla m'a parlé à diverses reprises d'une racine utilisée par les... les Mog-ur, comme je crois qu'elle les appelle, les hommes du Clan qui sont en contact avec les Esprits. Ils s'en servaient pour entrer dans le Monde des Esprits en question, mais uniquement dans le cadre de certaines cérémonies très particulières, d'après ce que j'ai compris. À la façon dont elle parlait de ces racines, j'étais certaine qu'elle les avait testées, mais elle se montrait toujours extrêmement mystérieuse lorsqu'elle les évoquait. Elle disait que leurs effets étaient particulièrement puissants, ce qui m'a intriguée, bien sûr. Tout ce qui peut aider la Zelandonia à communiquer avec le Monde d'Après présente toujours de l'intérêt.

On apporta des tabourets pour les trois femmes ainsi qu'une infusion de camomille.

— J'ignorais jusqu'à une époque très récente qu'Ayla avait toujours certaines de ces racines en sa possession, et qu'elle pensait que leur efficacité avait de bonnes chances d'être encore réelle, poursuivit la Première lorsque ses interlocutrices se furent installées. Très franchement, j'avais des doutes : la plupart des herbes et des plantes médicinales perdent de leur efficacité au fil du temps. Mais elle affirmait qu'à la condition qu'elles soient convenablement conservées et mises à l'abri, leurs pouvoirs se concentrent, se renforcent avec le temps. Je me suis dit qu'une petite expérience pourrait peut-être l'aider à penser à autre chose qu'à ses ennuis du moment. Je savais qu'elle était préoccupée par Jondalar, et par ce triste incident de la nuit de la fête, en particulier après la perte qu'elle a subie lorsqu'elle a été appelée.

— Tu n'imagines pas à quel point cela a été difficile pour elle, Zelandoni, expliqua Marthona. Je sais que ce n'est jamais facile d'être appelée, et c'est inévitable, j'imagine, mais avec la perte de son bébé et tout ce qui s'en est suivi, je peux te dire qu'il y a eu des moments où j'ai craint que nous ne la perdions : elle saignait tellement que j'ai bien cru qu'elle allait en mourir. J'étais d'ailleurs sur le point de faire appel à toi. Je l'aurais fait si ses saignements s'étaient prolongés…

— Tu n'aurais peut-être pas dû la laisser revenir si tôt, dit Zelandoni, l'air pensive.

— Impossible de l'arrêter. Tu sais comment elle est lorsqu'elle a décidé quelque chose, dit Marthona.

La Première approuva de la tête.

— Elle avait tellement hâte de retrouver Jondalar, et Jonayla. Après avoir perdu son bébé, elle voulait revoir son enfant au plus vite, et je crois qu'elle souhaitait en commencer un autre. Et elle était sûre de savoir comment s'y prendre. Je crois que c'est en partie pour cette raison qu'elle avait une telle envie de revoir Jondalar.

— Ça pour le voir, elle l'a vu, intervint Proleva. Avec Marona…

— J'ai parfois du mal à comprendre Jondi, dit Folara. Pourquoi donc a-t-il choisi celle-là et pas une autre, si vraiment il lui fallait une femme ?

— Sans doute parce qu'elle l'a poussé à la choisir, expliqua Proleva. Jondalar a toujours eu des besoins très forts. Elle s'est rendue disponible, voilà tout.

— Et que fait-il lorsque Ayla décide de tenter sa chance pendant la fête ? reprit Folara. Alors qu'elle en avait tout à fait le droit…

— Droit ou pas, ce n'est pas pour célébrer la Mère lors de la fête qu'elle a fait cela, dit Zelandoni. Si elle a choisi cet homme en particulier, c'est uniquement par colère et par dépit. Ce n'était pas de Laramar qu'elle avait envie, c'était de Jondalar. Ce qui n'était pas fait pour honorer la Mère, et elle le savait. Aucun des deux n'est exempt de reproches, mais je crois bien que l'un et l'autre ont voulu assumer toute la responsabilité de la situation, ce qui n'a aidé en rien à la régler.

— Quel que soit le responsable, Jondalar va devoir en payer le prix, et il sera lourd, intervint Marthona.

— Je ne peux pas en vouloir à Laramar de ne pas avoir souhaité retourner à la Neuvième Caverne, et je suis ravie que la Cinquième ait accepté de le recevoir, mais sa compagne ne veut pas déménager, expliqua Proleva. Elle dit que son foyer, c'est la Neuvième Caverne. Mais si elle se retrouve sans compagnon, qui va prendre soin de toute sa nichée ?

— Et qui lui fournira sa ration quotidienne de barma ? glissa perfidement Folara.

— C'est peut-être cela qui la poussera à rejoindre la Cinquième, dit Zelandoni.

— À moins que son aîné ne prenne la relève, dit Proleva. Cela fait des années qu'il apprend les secrets de la fabrication du barma. D'après certains, celui qu'il produit est meilleur que celui de son père et je connais pas mal de gens dans la partie de la Rivière qui est la nôtre qui apprécieraient d'en avoir une source pas trop éloignée.

— Inutile en tout cas de le lui suggérer, dit Marthona.

— Quelle importance ? répliqua Proleva. Si nous sommes capables d'y penser, d'autres y parviendront aussi.

Zelandoni remarqua que deux autres personnes rejoignaient les rangs des chanteurs, alors qu'une les quittait. Elle leur manifesta sa satisfaction d'un signe de tête et jeta un coup d'œil à Ayla. Sa peau n'avait-elle pas pris une teinte plus grise ? Elle n'avait pas bougé d'un pouce mais, étrangement, semblait s'être un peu enfoncée dans sa couche. Bien qu'inquiète de la tournure que prenaient les choses, la doniate revint à ses explications :

— Je disais donc que je voulais essayer d'aider Ayla à penser à autre chose qu'à ses problèmes, à parler de sujets qui, d'ordinaire, l'intéressent beaucoup. C'est la raison pour laquelle je lui ai posé des questions sur cette racine du Clan. Cela étant, j'ai ma part de responsabilité : j'avais terriblement envie d'en savoir plus sur elle, sur ses effets, alors que j'aurais dû prêter à Ayla plus d'attention, remarquer à quel point elle était bouleversée. Et j'aurais dû la croire lorsqu'elle a évoqué la puissance de cette racine du Clan. Je n'ai bu qu'une petite gorgée de suc et j'ai dû me battre pour ne pas perdre la maîtrise de moi-même. Ses effets sont considérablement plus forts que tout ce que je pouvais imaginer.

« J'ai bien peur qu'Ayla ne soit maintenant perdue quelque part dans le Monde des Esprits, poursuivit la Première. La seule chose qu'elle m'ait dite dont je garde le souvenir, c'est que le chant était le seul lien qui pouvait la maintenir en contact avec ce monde, et j'ai pu en effet en avoir la confirmation lorsque je me suis sentie perdre pied après juste une petite gorgée de liquide. Je vais être honnête avec vous : je ne sais pas quoi faire d'autre pour elle, sinon la maintenir bien au chaud, demander aux Zelandonia de ne pas s'arrêter de chanter, et espérer que les effets de la racine se dissiperont au plus vite.

— Je me souviens en effet qu'elle m'a parlé de cette racine du Clan, dit Marthona. Celui qu'elle appelle Mamut lui a dit que plus jamais il n'aurait recours à elle, qu'il avait trop peur de se perdre à jamais. D'après lui, ses effets étaient trop puissants, et il a mis Ayla en garde : jamais elle ne devrait en user.

La Première fronça les sourcils.

— Pourquoi donc ne m'a-t-elle pas dit que Mamut lui avait demandé de ne pas utiliser cette racine ? Il était l'un de Ceux Qui Servent, et parlait certainement en connaissance de cause. Ayla paraissait peu enthousiaste au début à l'idée d'y recourir, mais jamais elle ne m'a dit pourquoi. Et ensuite elle n'a plus manifesté la moindre réticence. Au contraire, elle a même pratiqué plusieurs rituels du Clan. Jamais elle n'a évoqué cette mise en garde de Mamut, expliqua Zelandoni, visiblement perturbée.

Sur ce, elle se leva et alla une fois de plus voir dans quel état se trouvait Ayla. La jeune femme avait toujours la peau moite et glacée, et son souffle était à peine perceptible. Si la doniate s'était contentée de la regarder, et même de la toucher, elle aurait pu la croire morte. Elle souleva sa paupière, n'obtenant qu'une faible réaction. Zelandoni avait cru, espéré que tout ce dont Ayla avait besoin, c'était du temps nécessaire pour que les effets de la racine se dissipent. Elle en était maintenant à se demander si quelque chose était susceptible de l'aider à surmonter son état.

Elle regarda autour d'elle et fit signe à un acolyte de venir auprès d'elle.

— Masse-la, doucement, ordonna-t-elle. Essaie de redonner un peu de couleur à sa peau, nous allons tenter de lui faire avaler un peu d'infusion bien chaude, quelque chose de stimulant.

Puis, d'une voix plus forte, afin que chacun puisse entendre, elle lança :

— Quelqu'un sait-il où se trouve Jondalar ?

— Il fait de longues promenades ces derniers temps, le plus souvent au bord de la Rivière, dit Marthona.

— Je l'ai vu en effet aller dans cette direction ; il courait presque, intervint un acolyte.

Zelandoni se redressa et tapa dans ses mains pour attirer l'attention de toutes les personnes présentes :

— L'esprit d'Ayla est perdu dans le néant, et elle est incapable de retrouver son chemin, expliqua-t-elle. Il se peut même qu'elle soit incapable de trouver celui qui mène à la Mère. Nous devons mettre la main sur Jondalar. Si nous ne parvenons pas à l'amener jusqu'ici, jamais elle ne pourra revenir, elle n'aura même pas la volonté d'essayer. Cherchez dans tout le campement, fouillez chaque tente, demandez à tout le monde de le retrouver. Inspectez avec soin les bois, les bords de la Rivière, la Rivière elle-même s'il le faut. Mais ramenez-le ici. Au plus vite.

La plupart des personnes présentes dans l'abri n'avaient jamais vu la Première aussi agitée, aussi inquiète.

Toutes, à part celles qui devaient chanter, quittèrent le bâtiment en hâte et s'éparpillèrent dans toutes les directions. Après leur départ, Celle Qui Était la Première pour Servir la Mère examina Ayla une fois de plus : sa peau était toujours aussi froide, et devenait de plus en plus grise.

Elle est en train d'abandonner, se dit la doniate. Je ne crois pas qu'elle ait envie de continuer à vivre. Jondalar risque d'arriver trop tard.

L'un des acolytes entra précipitamment dans la tente où logeaient Jondalar et les deux visiteurs mamutoï. Il n'avait jusqu'alors qu'aperçu de loin le géant roux et eut un peu l'impression d'être un nain lorsqu'il se retrouva devant lui.

— Savez-vous où est Jondalar ? demanda-t-il aux personnes présentes.

— Moi non, répondit Danug. Je ne l'ai pas vu depuis le tout début de la matinée. Pourquoi ?

— C'est la nouvelle Zelandoni… Elle a bu un liquide qu'elle a préparé à partir d'une racine, et son esprit se trouve maintenant dans une sorte de néant obscur. La Première dit qu'il faut absolument retrouver Jondalar et l'amener au plus vite au local de la Zelandonia, sans quoi elle va mourir et son esprit errera éternellement, expliqua d'un seul trait l'acolyte avant de reprendre son souffle pour ajouter : Nous devons le chercher partout et demander à tout le monde de nous aider à le retrouver.

— Ce ne serait pas cette racine qu'elle a testée avec Mamut ? demanda Danug en regardant Druwez avec consternation.

— De quelle racine s'agit-il ? demanda Dalanar, qui avait remarqué leur air inquiet.

— Ayla avait ramené une racine qu'utilisaient les gens de son Clan, expliqua Danug. En tout cas ceux qui parlent au Monde des Esprits. Mamut voulait en voir les effets, et Ayla l'a donc préparée comme on le lui avait appris. Je ne sais pas exactement ce qui s'est passé mais personne n'a été capable de les réveiller. Tout le monde était inquiet et nous avons tous dû nous mettre à chanter. Finalement, Jondalar est arrivé et a supplié Ayla de revenir, il n'arrêtait pas de répéter à quel point il l'aimait. Ils avaient eu quelques problèmes tous les deux, un peu comme ceux qu'ils connaissent maintenant. J'ai du mal à comprendre comment deux personnes qui s'aiment à ce point peuvent être aussi aveugles sur leurs sentiments respectifs…

— Mon frère a toujours eu des ennuis avec les femmes comme elle, intervint Folara en hochant la tête. Est-ce de l'orgueil ou de la stupidité, je n'en sais trop rien. Je croyais qu'il avait dépassé ce stade lorsqu'il a ramené Ayla. Il est parfait lorsqu'il se trouve avec une femme dont il ne se soucie pas plus que cela, mais dès qu'il en aime une vraiment, on dirait qu'il perd tout sens commun et ne sait plus quoi faire. Si vous saviez toutes les histoires qu'on raconte à ce propos... mais c'est sans importance. Alors, que s'est-il passé ?

— Jondalar a donc répété encore et encore qu'il l'aimait et l'a suppliée de revenir. Elle a fini par se réveiller, tout comme Mamut. Celui-ci nous a confié par la suite qu'ils seraient restés perdus éternellement dans une espèce de néant obscur si l'amour de Jondalar n'avait pas été si intense, si fort, qu'il avait fini par atteindre Ayla ; c'est grâce à cela qu'elle est retournée dans notre monde, ainsi que Mamut, qui a dit que les racines étaient trop puissantes, que jamais il n'avait été en mesure de les maîtriser et que plus jamais il n'aurait recours à elles. Il nous a expliqué qu'il avait craint que son esprit ne se perde à jamais dans ce lieu terrifiant, et il a mis Ayla en garde elle aussi...

Le géant se sentit pâlir tout à coup.

— Elle a recommencé... lâcha-t-il en quittant précipitamment la tente.

Au début, il se demanda où aller, puis une idée lui vint et il partit en courant vers le campement de la Neuvième Caverne.

Plusieurs personnes se trouvaient autour du grand foyer où l'on préparait la nourriture, et il fut soulagé de voir Jonayla. Visiblement, celle-ci avait pleuré, et tout en poussant de petits gémissements, Loup essayait de lécher les larmes qui coulaient sur ses joues. Marthona et Folara tentaient elles aussi de la consoler. Elles rendirent son salut au grand Mamutoï, qui alla s'agenouiller devant la fillette et caressa la tête de

Loup quand l'animal, qui l'avait reconnu, le poussa du museau.

— Comment vas-tu, Jonayla ? demanda-t-il.

— Je veux ma mère, Danug, fit la petite fille en se remettant à pleurer. Ma mère est malade. Elle ne va pas se réveiller.

— Mais si, j'en suis sûr. Je crois connaître un moyen de l'aider, dit le géant roux.

— Lequel ? demanda Jonayla qui le regarda en ouvrant de grands yeux.

— Elle est tombée malade de la même façon il y a longtemps, quand elle habitait avec nous au Camp du Lion. Je crois que Jondalar devrait pouvoir la réveiller. C'est lui qui y est arrivé, la fois précédente. Sais-tu où il se trouve, Jonayla ?

La fillette fit non de la tête.

— Je ne le vois plus beaucoup en ce moment. Il s'en va souvent, parfois pour toute la journée.

— Et sais-tu où il va ?

— Très souvent il remonte le long de la Rivière.

— Et est-ce qu'il prend Loup avec lui, parfois ?

— Oui, mais pas aujourd'hui.

— Crois-tu que Loup pourrait le retrouver, si tu le lui demandais ?

Jonayla regarda Loup, puis Danug.

— Peut-être, dit-elle, puis, avec un sourire incertain : Oui, je crois qu'il le pourrait.

— Si tu lui dis de partir à la recherche de Jondalar, je le suivrai et, lorsqu'il l'aura retrouvé, je dirai à Jondalar de revenir au campement et d'aller réveiller ta mère, dit Danug.

— Mère et Jondi ne se sont pas beaucoup parlé ces derniers temps. Peut-être qu'il n'en aura pas envie, dit la fillette, un pli soucieux barrant soudain son front.

Danug trouva qu'elle ressemblait terriblement à Jondalar lorsqu'elle fronçait les sourcils de cette façon.

— Ne t'en fais pas pour ça, Jonayla. Jondalar aime beaucoup ta mère, et elle l'aime aussi. S'il savait qu'elle a des problèmes, il se précipiterait auprès d'elle aussi vite qu'il en est capable. Je le sais, fit le géant mamutoï.

— Mais s'il l'aime, pourquoi il ne lui parle pas, Danug ?

— Parce que, même quand on aime quelqu'un, on ne le comprend pas toujours. Quelquefois on a même du mal à se comprendre soi-même. Tu veux bien dire à Loup de partir à la recherche de Jondalar ?

— Allez, Loup, viens, dit Jonayla.

Elle se leva et prit la grosse tête massive entre ses menottes, tout comme l'aurait fait sa mère. Elle ressemblait si fort à une Ayla en miniature que Danug eut du mal à ne pas sourire. Il n'était pas le seul.

— Mère est malade et Jondalar doit revenir pour aller l'aider, Loup, expliqua la fillette. Tu dois le retrouver.

Elle ôta ses mains de la tête de l'animal et indiqua du doigt la direction de la Rivière.

— Va trouver Jondalar, Loup. Trouve-le.

Ce n'était pas la première fois que le loup entendait cet ordre. Avec Ayla, il avait dû suivre la piste de Jondalar jadis, lors de leur Grand Voyage de retour, quand celui-ci avait été capturé par les guerrières d'Attaroa.

Soudain impatient, l'animal lécha une dernière fois le visage de Jonayla, puis partit en direction de la Rivière.

Il se retourna une fois vers elle et était sur le point de faire demi-tour, mais elle lui répéta « Allez, Loup ! Retrouve Jondalar ! » et il se remit en route, jetant un coup d'œil à Danug qui marchait sur ses traces, puis accéléra l'allure, la truffe collée au sol.

Après sa rencontre inopinée avec Ayla, Jondalar n'avait eu qu'une hâte : s'éloigner au plus vite du campement. Puis, lorsqu'il eut atteint la Rivière et eut commencé à suivre la rive vers l'amont, il fut incapable de penser à autre chose. Il avait bien failli la prendre dans ses bras, il l'avait quasiment fait. Cela avait presque été un réflexe, alors pourquoi s'en était-il abstenu ? Et que se serait-il passé s'il l'avait fait ? Se serait-elle mise en colère ? L'aurait-elle repoussé ? Ou non ? Elle avait eu l'air si surprise, si choquée… mais lui-même n'avait-il pas été aussi surpris qu'elle ?

Pourquoi donc ne l'avait-il pas prise dans ses bras ? Pouvait-il arriver quelque chose de pire ? Si elle s'était mise en colère et l'avait repoussé, la situation serait-elle pire que ce qu'elle était maintenant ? Il aurait au moins la certitude qu'elle ne voulait plus de lui. Tu ne veux pas savoir, hein, c'est ça ? Mais les choses ne peuvent pas rester dans cet état. Était-elle en pleurs lorsqu'elle s'est enfuie ? Ou me le suis-je simplement imaginé ? Pourquoi aurait-elle pleuré ? Parce qu'elle était bouleversée, bien sûr. Mais pourquoi aurait-elle été bouleversée à ce point ? Parce qu'elle t'avait rencontré ? Mais pourquoi cela l'aurait-il bouleversée ? Elle m'a fait savoir quels étaient ses sentiments réels, la nuit de la Fête. Elle me les a bien montrés, non ? Elle ne s'intéresse plus à moi, voilà tout. Mais alors, pourquoi pleurait-elle ?

D'habitude, lorsqu'il se promenait au bord de la rivière, Jondalar commençait à se dire qu'il était temps de rentrer au moment où le soleil atteignait son zénith, à midi. Mais ce jour-là, il était tellement plongé dans ses pensées, les ruminant encore et encore, repassant dans sa tête le moindre détail dont il pouvait se souvenir, qu'il ne remarqua même pas le temps qui passait, la hauteur du soleil dans le ciel.

Danug, qui marchait à grandes enjambées pour se maintenir à la hauteur du loup, en venait à se demander si l'animal suivait la bonne piste. Jondalar avait-il pu s'éloigner à ce point ? Midi était passé depuis longtemps lorsque le Mamutoï s'arrêta brièvement pour boire un peu d'eau avant de se remettre en chemin. Après s'être désaltéré, il se redressa et au loin, sur une portion de rive assez droite, il crut apercevoir quelqu'un qui marchait. Il s'abrita les yeux de la main pour ne pas être ébloui par le soleil, mais fut incapable de distinguer quoi que ce soit derrière ce qui semblait être un méandre du cours d'eau. Le loup avait encore accéléré l'allure lorsqu'il avait fait halte pour s'abreuver, et il se trouvait désormais hors de vue. Espérant qu'il serait en mesure de le rattraper rapidement, le Mamutoï se remit en route, allongeant lui aussi le pas.

Jondalar fut soudain tiré de son intense méditation par quelque chose qui bougeait dans les buissons, près de l'eau. En scrutant avec attention, il distingua les mouvements d'un animal. En aurait-il après moi ? se demanda-t-il. Il n'avait pas emporté son arme avec lui, pas plus que des traits, et regardait par terre, fébrilement, à la recherche d'un objet quelconque, branche, bois de cerf ou pierre d'une certaine taille, quelque chose qui lui permettrait de se défendre, lorsque l'énorme bête sauta brusquement des fourrés, l'obligeant à se protéger le visage du bras avant d'être renversé sous l'impact.

Alors, plutôt que de le mordre, l'animal se mit à le lécher !

— C'est toi, Loup ? Que fais-tu ici ? s'exclama-t-il en s'asseyant et en essayant de se protéger des manifestations exubérantes de l'animal, tout excité.

Il le caressa un moment, le grattant derrière les oreilles, s'efforçant de le calmer un peu.

— Pourquoi n'es-tu pas avec Jonayla, ou avec Ayla ? lui demanda-t-il, saisi d'une soudaine inquiétude. Pourquoi m'as-tu suivi jusqu'ici ?

Lorsqu'il se releva pour reprendre sa route, Loup se mit à trotter nerveusement devant lui, avant de retourner dans la direction d'où ils venaient.

— Tu veux rentrer, Loup ? Eh bien, vas-y, dit-il.

Mais lorsqu'il se remit en marche, la bête sauta une fois de plus devant lui.

— Que se passe-t-il donc, Loup ? demanda-t-il avant de regarder le ciel pour constater que le soleil avait franchi son zénith. Tu veux que je rentre avec toi ?

— Oui, c'est ce qu'il désire, Jondalar, intervint Danug, sortant du sous-bois.

— Danug ! Mais qu'est-ce que tu fais là ? demanda Jondalar, ébahi.

— Je suis venu te chercher.

— Me chercher ? Mais pourquoi ?

— C'est Ayla, Jondalar. Il faut que tu rentres tout de suite.

— Ayla ? Il lui est arrivé quelque chose ?

— Tu te rappelles cette racine ? Celle avec laquelle elle a préparé une sorte de liquide pour elle et Mamut ? Elle a recommencé l'opération, pour en faire la démonstration à Zelandoni. Et cette fois encore, personne n'est capable de la réveiller, pas même Jonayla. La doniate dit que tu dois revenir tout de suite, sans quoi Ayla mourra et son esprit sera perdu à jamais, expliqua le Mamutoï.

— Non, pas cette racine ! s'exclama Jondalar, soudain pâle. Oh, Grande Mère, faites qu'elle ne meure pas ! Ne la laissez pas mourir, je vous en prie ! supplia-t-il avant de repartir en courant dans la direction du camp.

S'il avait été préoccupé à l'aller, ce n'était rien comparé aux sentiments qui l'assaillaient sur le chemin du retour. Il courait à toutes jambes le long de la Rivière, franchissant à toute allure les buissons d'épineux qui écorchaient ses jambes et ses bras nus, son visage. Il ne sentait rien. Il courut, courut jusqu'à perdre haleine, la gorge soudain sèche, une douleur au côté le poignardant tel un couteau chauffé à blanc, les jambes soudain prises de crampes. Mais il ne sentait presque pas la douleur, infiniment moins insupportable que celle qui affectait ses pensées. Il avait même distancé Danug, seul le loup étant capable de tenir son rythme.

Il avait du mal à croire qu'il s'était éloigné à ce point et, pire encore, qu'il mettait tout ce temps à rejoindre son point de départ. Il ralentit une ou deux fois l'allure pour reprendre son souffle, mais sans jamais faire halte, et redoubla de vitesse lorsque, à l'approche du campement, la végétation commença à s'éclaircir.

— Où... où est-elle ? demanda-t-il à la première personne qu'il rencontra.

— Dans la hutte de la Zelandonia, lui répondit-on.

Tous les participants à la Réunion d'Été s'étaient lancés à sa recherche et n'attendaient que son retour et, de fait, plusieurs personnes l'acclamèrent en le voyant se précipiter vers le local. Il ne les entendit pas et ne s'arrêta que lorsque, après avoir repoussé d'une bourrade la tenture qui cachait l'entrée, il la vit, allongée sur la litière entourée de lampes à huile. Là, la seule chose qu'il fut capable de faire fut de prononcer son nom dans un souffle :

— Ayla...

18

Jondalar pouvait à peine respirer : chaque fois que ses poumons se gonflaient d'air, sa gorge le brûlait. Tout son corps était trempé de sueur. Son point de côté n'avait pas disparu et le faisait toujours terriblement souffrir. Plié en deux, il sentait ses jambes trembler, au point de pouvoir à peine le soutenir lorsqu'il s'approcha du lit, au fond du local. Loup était littéralement collé à lui et, la langue pendante, haletait lui aussi.

— Tiens, Jondalar, assieds-toi là, dit Zelandoni en se levant et en lui montrant son siège.

L'angoisse extrême du jeune homme ne lui avait pas échappé, pas plus que le fait qu'il venait de couvrir en peu de temps une longue distance.

— Va lui chercher de l'eau, ordonna-t-elle à l'acolyte le plus proche. Apportes-en aussi pour le loup.

En se penchant sur elle, Jondalar constata que la peau d'Ayla avait pris une teinte gris pâle rappelant irrésistiblement celle d'un cadavre.

— Oh, Ayla, pourquoi as-tu recommencé ? lança-t-il d'une voix rauque, tout juste capable de parler. Tu as failli en mourir la fois précédente.

Il but une gorgée d'eau, comme par réflexe, réalisant à peine que quelqu'un lui avait mis un gobelet dans la main, puis il grimpa littéralement sur la couche. Là, il repoussa les couvertures, souleva Ayla et la prit dans ses bras, choqué de constater à quel point elle était glacée.

— Elle est toute froide, dit-il avec un hoquet proche du sanglot, sans même se rendre compte que son visage était baigné de pleurs.

Des larmes qu'il aurait d'ailleurs été bien en peine de retenir s'il en avait eu conscience.

Le loup regarda les deux humains sur le lit, leva son museau vers le ciel et se mit à pousser un long hurlement, un cri aigu et prolongé qui donnait le frisson et fit frémir tant les membres de la Zelandonia qui se trouvaient dans le local que toutes les personnes rassemblées à l'extérieur. Ceux qui étaient en train de chanter en perdirent le rythme, leur fugue jusqu'alors continue s'arrêtant brutalement l'espace d'un instant. Ce n'est qu'à cet instant que Jondalar prit conscience que la Zelandonia n'avait pas cessé de psalmodier. Loup s'avança, posa ses deux pattes avant sur le rebord de la couche et se mit à pousser des gémissements pour attirer l'attention de celle qui l'avait recueilli.

— Ayla, Ayla, je t'en conjure, ne me quitte pas, supplia Jondalar. Tu ne peux pas mourir. Qui me donnera un fils ? Oh, Ayla, mais qu'est-ce que je raconte ? Je me fiche bien que tu me donnes un fils. C'est toi que je veux. Je t'aime. Tu peux même cesser de me parler, je m'en moque, à condition que je puisse te voir une fois de temps en temps. Reviens-moi, Ayla. Oh, Grande Mère, ramenez-la-moi. Ramenez-la-moi, je vous en supplie. Je ferai tout ce que vous voudrez, mais ne me l'enlevez pas !

Sous le regard de Zelandoni, ce grand et bel homme dont le visage, les jambes et les bras saignaient, couverts d'égratignures, se mit alors à bercer la femme inerte qu'il tenait dans ses bras, les yeux baignés de larmes, suppliant qu'elle lui revienne. La doniate ne l'avait plus vu pleurer depuis qu'il avait quitté l'enfance. Jondalar ne pleurait jamais, il faisait en sorte de contrôler ses émotions, de les garder pour lui.

Après qu'il fut revenu de son séjour chez Dalanar, elle s'était souvent demandé s'il serait de nouveau capable d'aimer une femme, et se l'était reproché. Elle savait qu'il l'aimait toujours à cette époque et avait été tentée plus d'une fois d'abandonner la Zelandonia pour devenir sa compagne, mais au fil du temps, et en constatant qu'elle ne pouvait pas tomber enceinte, elle avait compris qu'elle avait fait le bon choix. Elle était sûre qu'il trouverait un jour la compagne qui lui conviendrait et, tout en doutant parfois qu'il fût en mesure de lui accorder un amour exclusif, avait la conviction qu'il souhaiterait qu'elle lui donne des enfants. Des enfants qu'il pourrait aimer librement, complètement, sans la moindre réserve, un amour qu'il pourrait enfin épancher comme il le souhaitait.

Elle avait été réellement ravie pour lui lorsqu'il était revenu de son long voyage avec une femme qu'il aimait de toute évidence, une femme digne de son amour. Mais jamais jusqu'alors elle n'avait réalisé à quel point il l'aimait. La Première sentit une pointe de remords : peut-être n'aurait-elle pas dû inciter si fortement Ayla à devenir Zelandoni. Peut-être aurait-elle dû les laisser tous les deux en paix. Mais, après tout, c'était le choix de la Mère…

— Elle est toute froide. Pourquoi est-elle si froide ? gémissait Jondalar.

Il s'étendit de tout son long sur la litière, se coucha à côté d'elle puis recouvrit du sien le corps nu de sa compagne avant de ramener sur eux les couvertures. Le loup les rejoignit sur la couche et s'allongea à son tour à la droite de la femme. La chaleur de Jondalar se diffusa rapidement dans le faible espace, avec celle de l'animal. L'homme serra sa compagne contre lui un long moment, la regardant, embrassant son visage pâle et immobile, lui parlant, la suppliant, priant la Mère qu'elle lui revienne… Et au bout d'un long moment sa voix, ses pleurs, la chaleur de son corps ainsi que celle du loup parvinrent à pénétrer jusqu'aux profondeurs les plus secrètes d'Ayla.

Ayla pleurait en silence. « C'est toi qui l'as fait ! C'est toi qui l'as fait ! » l'accusaient les voix en chantant. Puis il n'y eut plus que Jondalar, là, devant elle. Elle entendit un loup hurler non loin.

« Je regrette, Jondalar ! cria-t-elle. Je regrette de t'avoir fait du mal ! »

« Ayla ! suffoqua-t-il en lui tendant les bras. Ayla, je t'aime. Donne-moi un fils ! »

Elle se dirigea vers la silhouette de Jondalar et de Loup, qui se trouvait à ses côtés, puis se mit à cheminer entre eux, jusqu'à ce qu'elle sente quelque chose qui l'attirait. Et soudain elle commença à se mouvoir, vite, très vite, beaucoup plus vite qu'auparavant, tout en se sentant clouée sur place. Les mystérieux nuages semblant provenir d'un autre monde apparurent et disparurent en un clin d'œil, qui lui fit pourtant l'effet d'une éternité. Le néant d'un noir profond réapparut, l'enveloppant dans un vide d'une obscurité qui elle non plus n'était pas de ce monde. Un moment qui semblait ne jamais devoir prendre fin. Puis elle se sentit tomber dans la brume et, l'espace d'un instant, se vit dans un lit entouré de lampes, en compagnie de Jondalar, avant de se retrouver brutalement à l'intérieur d'une coquille où régnait une humidité glaciale.

Elle essaya bien de bouger, mais elle était si raide, et elle avait si froid… Finalement, ses paupières se mirent à battre : elle ouvrit les yeux et aperçut le visage baigné de larmes de l'homme qu'elle aimait, juste avant de sentir la langue chaude et râpeuse du loup qui léchait ses joues.

— Ayla ! Ayla ! fit Jondalar, un sanglot gonflant sa poitrine. Tu es de retour ! Zelandoni ! Elle est réveillée ! Oh Doni, Grande Mère, merci ! Merci de me l'avoir rendue !

Il la tenait dans ses bras, pleurant de soulagement et d'amour, craignant de lui faire mal en la serrant trop fort, mais ne voulant surtout pas la lâcher. Ce qu'elle ne souhaitait pas plus que lui.

Finalement, il relâcha son étreinte pour laisser la doniate la regarder.

— Descends maintenant, Loup, dit-il en poussant l'animal vers l'extrémité de la couche. Tu l'as bien aidée, maintenant laisse Zelandoni la voir.

Le loup sauta du lit et s'assit sur le plancher pour les regarder.

La Première parmi Ceux Qui Servent se pencha sur Ayla et, voyant celle-ci la fixer de ses beaux yeux gris-bleu et lui prodiguer un sourire las, eut un hochement de tête stupéfait.

— Jamais je n'aurais cru cela possible, dit-elle. J'étais sûre qu'elle était partie, partie pour toujours dans un lieu d'où l'on ne peut jamais revenir, où je n'aurais moi-même jamais pu aller la retrouver pour la conduire à la Mère. Je craignais que les chants ne servent à rien, qu'il n'y ait rien que nous puissions entreprendre pour la sauver. Je doutais que quoi que ce soit puisse la ramener parmi nous, ni mes espérances les plus vives, ni les souhaits ardents de chacun des Zelandonii, ni même ton amour, Jondalar. Tous les membres de la Zelandonia ensemble n'auraient pu obtenir ce que tu as réussi à faire. Je suis presque prête à croire que tu aurais pu la tirer des tréfonds les plus inaccessibles du domaine de Doni. J'ai toujours dit que la Grande Terre Mère ne refuserait jamais d'accéder à aucune de tes requêtes. Je crois que la preuve vient d'en être administrée sous nos yeux.

La nouvelle se répandit dans le campement comme un feu de broussailles : Jondalar venait de ramener Ayla. Jondalar avait réussi ce que tous les membres de la Zelandonia réunis avaient été incapables d'obtenir. Parmi toutes les femmes assistant à la Réunion d'Été, il n'y en avait pas une seule qui ne souhaitât au plus profond de son cœur être l'objet d'un amour aussi profond ; et pas un seul homme qui ne souhaitât connaître une femme qu'il fût capable d'aimer à ce point. On commençait déjà à élaborer des histoires, de celles que l'on raconterait des années durant autour des feux de camp, ou des âtres des foyers, des histoires tournant autour de l'amour de Jondalar, un amour si grand qu'il avait réussi à faire revenir Ayla du Monde d'Après.

Jondalar songeait à ce que venait de dire Zelandoni à son propos : il l'avait déjà entendue prononcer ce genre de chose, et n'était pas absolument sûr de ce que cela signifiait exactement, mais le fait de s'entendre dire qu'il était si favorisé par la Mère qu'aucune femme ne pouvait rien lui refuser, y compris Doni Elle-Même, le laissait quelque peu mal à l'aise.

Durant les quelques jours qui suivirent, Ayla était tellement épuisée, au point d'être à peine capable de remuer, qu'à certains moments la doniate se demanda si la jeune femme serait en mesure de se remettre complètement de l'épreuve qu'elle venait de subir. Elle dormait beaucoup, parfois complètement inerte, parfois d'un sommeil agité.

Il lui arrivait ainsi de sombrer dans des accès de délire : elle se tournait et se retournait alors sans cesse, parlait tout haut dans son sommeil, mais chaque fois qu'elle rouvrait les yeux, Jondalar était là, à ses côtés. Il ne l'avait pas quittée depuis qu'elle s'était réveillée, sinon pour des besoins élémentaires. Il dormait sur ses fourrures de nuit qu'il étendait par terre, près de sa couche.

Chaque fois qu'elle paraissait faiblir, Zelandoni se demandait si, au bout du compte, Jondalar n'était pas l'unique lien qui la rattachait au monde des vivants. C'était en effet le cas, même s'il convenait d'y ajouter sa volonté bien ancrée de continuer à vivre, ainsi que ses années de chasse et d'exercice physique qui l'avaient dotée d'un corps sain et solide capable de se remettre d'expériences particulièrement éprouvantes.

Loup passait lui aussi l'essentiel de ses journées auprès d'elle, et semblait deviner les moments où elle était sur le point de se réveiller. Après que Jondalar l'eut empêché de sauter sur le lit et d'y poser ses pattes sales, l'animal avait découvert que la couche était tout juste assez haute pour lui permettre de poser sa tête sur le bord et de la regarder juste avant qu'elle n'ouvre les yeux. Jondalar et Zelandoni n'avaient plus dès lors qu'à l'observer pour prévoir le moment de son réveil.

Jonayla était si contente que sa mère se soit éveillée, et que Jondalar et elle se retrouvent ensemble, qu'elle venait souvent leur tenir compagnie dans le local de la Zelandonia. Elle n'y passait jamais la nuit mais, si aucun des deux ne dormait, elle restait un moment avec eux, confortablement installée dans le giron de Jondalar, ou allongée à côté de sa mère, faisant même à l'occasion un petit somme avec elle. Il lui arrivait également de ne faire une apparition que pour un court instant, comme pour avoir la confirmation que tout se passait toujours pour le mieux. Après qu'elle se fut suffisamment rétablie, Ayla envoyait souvent Loup raccompagner Jonayla, même si, au début en tout cas, l'animal était partagé entre le désir de rester avec la jeune femme et celui de suivre la fillette.

Même la doniate n'était jamais bien loin. La Première continuait de se reprocher de n'avoir pas veillé sur la jeune femme avec l'attention qu'elle méritait dès le moment où elle était revenue. Il est vrai que ces Réunions d'Été sollicitaient l'essentiel de son temps et de son attention et que, par ailleurs, elle avait toujours eu le plus grand mal à décrypter le comportement d'Ayla, qui ne parlait que très rarement d'elle-même ou de ses problèmes, et ne cachait que trop bien ses sentiments profonds. Autrement dit, il était aisé de passer à côté de ses manifestations de mal-être.

Ayla leva la tête et sourit au géant à la chevelure et à la barbe aussi rousses que touffues qui la regardait avec attention. Bien qu'elle ne fût pas encore tout à fait rétablie, on l'avait ramenée au campement de la Neuvième Caverne. Elle était réveillée quand, un peu plus tôt, Jondalar lui avait dit que Danug avait émis le souhait de lui rendre visite, mais elle s'était assoupie un petit moment avant d'entendre quelqu'un prononcer son nom d'une voix douce. Jonayla sur ses genoux, Jondalar était assis à côté d'elle et lui tenait la main. Loup battit le sol de sa queue pour saluer à sa manière l'arrivée du jeune Mamutoï.

— Je suis chargé de te dire, Jonayla, que Bokovan et d'autres enfants vont au foyer de Levela pour y jouer et y manger quelque chose, dit Danug. Elle a également gardé des os pour Loup.

— Pourquoi ne les rejoindrais-tu pas avec Loup, Jonayla ? dit Ayla en se redressant. Ils ont sûrement hâte de te voir, et cette Réunion d'Été est sur le point de se terminer. Une fois que nous serons rentrés chez nous, tu ne les reverras sans doute pas avant l'été prochain.

— Bien, mère. De toute façon, j'ai faim et je pense que Loup mangerait bien quelque chose, lui aussi.

La fillette étreignit son père et sa mère avant de se diriger vers l'entrée de la hutte, Loup sur ses talons. L'animal poussa un petit gémissement à l'intention d'Ayla avant de quitter les lieux et de rejoindre Jonayla.

— Assieds-toi, Danug, invita Ayla en désignant un siège au nouveau venu. Mais où est Druwez ? s'étonna-t-elle.

Le jeune Mamutoï prit place à côté d'Ayla.

— Aldanor avait besoin d'un ami qui ne soit pas un parent pour quelque chose ayant un rapport avec les prochaines Matrimoniales. Druwez a accepté de jouer ce rôle, puisque je suis désormais considéré comme un parent d'adoption, expliqua-t-il.

Jondalar fit un signe de tête expliquant qu'il avait compris le dilemme.

— Ce n'est pas commode d'apprendre toute une nouvelle série de coutumes, dit-il. Je me souviens de ce qui s'est passé quand Thonolan a décidé de prendre Jetamio pour compagne. Comme j'étais son frère, je devenais apparenté moi aussi aux Sharamudoï. Et comme j'étais son unique parent, je devais absolument être partie intégrante de la cérémonie.

Même si, maintenant, il était en mesure de parler plus facilement du frère qu'il avait perdu, Ayla remarqua le regret que reflétait le visage de son compagnon. Elle savait que jamais il ne pourrait penser à lui sans éprouver une profonde tristesse.

Jondalar se rapprocha d'Ayla et la prit dans ses bras. Danug leur sourit à tous deux.

— J'ai d'abord quelque chose de grave à dire, commença-t-il avec une sévérité feinte. Quand allez-vous tous les deux comprendre que vous vous aimez ? Vous devez cesser de vous créer des problèmes qui n'ont pas lieu d'être. Écoutez-moi avec attention : Ayla aime Jondalar, et n'en aime aucun autre ; Jondalar aime Ayla, et n'en aime aucune autre. Vous pensez être capables de vous mettre ça dans la tête ? Pour l'un comme pour l'autre, vous serez le seul, ou la seule, et l'unique. Je vais édicter une règle que vous devrez respecter jusqu'à la fin de vos jours : je me moque que chacun puisse s'accoupler avec celui ou celle qu'il veut, vous ne pourrez dans votre cas vous accoupler que l'un avec l'autre. Si on m'apprend que vous avez enfreint cette règle, je reviendrai ici vous attacher solidement l'un à l'autre. C'est bien compris ?

— Oui, Danug, répondirent Jondalar et Ayla d'une même voix.

La jeune femme se tourna pour adresser un sourire à son compagnon, qui le lui rendit, puis tous deux sourirent à l'unisson à Danug.

— Et je vais te dire un secret, annonça Ayla. Le plus tôt possible, nous allons tous les deux concevoir un bébé…

— Bientôt, mais pas tout de suite, intervint Jondalar. Pas avant que Zelandoni ait décidé que tu étais suffisamment rétablie pour cela. Mais ce jour-là, femme, tu vas voir ce que tu vas voir.

— Je me demande quel Don est le plus appréciable, fit Danug avec un large sourire. Celui des Plaisirs, ou celui de la Connaissance. À mon avis, la Mère doit nous aimer beaucoup pour que la conception d'une vie nouvelle soit un tel Plaisir !

— Tu as bien raison, approuva Jondalar.

— J'ai essayé de traduire le Chant de la Mère des Zelandonii en mamutoï afin de pouvoir le faire connaître à tout le monde, et dès mon retour je vais me mettre en quête d'une compagne afin de pouvoir concevoir un fils... commença Danug.

— Tu as quelque chose contre les filles ? le coupa Ayla.

— Rien, à ceci près que ce n'est pas moi qui pourrai lui donner un nom. Je veux un fils afin de pouvoir le nommer. Je n'ai jamais nommé un enfant jusqu'à présent, expliqua Danug.

— Mais tu n'as jamais eu d'enfant à nommer jusqu'à présent, le contra Ayla en éclatant de rire.

— Oui, c'est vrai, admit Danug, légèrement contrarié. Pour autant que je le sache, en tout cas, mais tu comprends bien ce que je veux dire. Je n'en ai jamais eu l'occasion, jusqu'à présent.

— Je comprends ce qu'il ressent, intervint Jondalar. Je me moque bien de savoir si notre prochain enfant sera un garçon ou une fille, mais je me demande l'effet que ça ferait de donner son nom à un fils... Dis-moi, Danug, que se passera-t-il si les Mamutoï n'acceptent pas l'idée que les hommes nomment leurs fils ?

— Je devrai simplement m'assurer que la femme que je déciderai de prendre pour compagne sera d'accord, dit Danug.

— Très juste, approuva Ayla. Mais dis-moi, Danug, pourquoi attendre de retourner chez toi pour trouver une compagne ? Pourquoi ne resterais-tu pas avec nous, comme Aldanor ? Je suis certaine que tu pourrais trouver une Zelandonii qui serait ravie de devenir ta compagne.

— Il est certain que les femmes zelandonii sont très belles, mais à beaucoup d'égards je suis comme Jondalar : j'adore voyager, mais j'ai besoin de retourner chez moi pour m'installer. Et puis, il n'y a ici qu'une femme pour qui je resterais volontiers afin de la prendre pour compagne, Ayla, reprit le Mamutoï en adressant à Jondalar un clin d'œil complice. Et elle est déjà prise, apparemment.

Jondalar eut un petit rire mais une lueur dans l'œil de Danug, une nuance dans le ton de sa voix conduisirent Ayla à se demander si cette déclaration faite sur le ton de la plaisanterie ne recelait pas plus qu'une parcelle de vérité.

— Je suis simplement heureux qu'elle ait accepté de m'accompagner chez les miens, dit Jondalar, la regardant de ses beaux yeux bleus d'une telle façon qu'elle se sentit émoustillée jusque dans son intimité la plus secrète. Danug a raison. Doni doit vraiment nous aimer pour avoir fait de la conception des enfants un Plaisir aussi intense.

— Pour une femme, il n'y a pas que le seul Plaisir, Jondalar, dit Ayla. Donner la vie est parfois extrêmement douloureux.

— Mais je croyais que tu m'avais dit que donner la vie à Jonayla ne t'avait pas demandé d'efforts, s'étonna Jondalar, le front marqué de son pli désormais familier.

— Même un accouchement sans problème n'est pas totalement indolore, Jondalar, expliqua Ayla. C'était simplement moins douloureux que je ne m'y attendais.

— Je ne veux surtout pas que tu souffres à cause de moi, s'inquiéta-t-il en se tournant vers elle pour la regarder droit dans les yeux. Tu es sûre que nous devons avoir un autre bébé ?

Jondalar venait de se rappeler que la compagne de Thonolan était morte en accouchant.

— Ne dis pas de bêtises, Jondalar. Bien sûr que nous allons en avoir un autre. Je le veux, moi aussi, tu sais. Tu n'es pas le seul. Et ce n'est pas si terrible. Cela dit, si tu n'as pas envie d'en concevoir un, je peux peut-être trouver un autre homme qui y sera disposé, dit-elle avec un sourire malicieux.

— Ça, c'est absolument impossible, répliqua Jondalar en lui serrant l'épaule. Danug vient de te dire que tu ne pourras t'accoupler avec aucun autre que moi, tu l'as déjà oublié ?

— Jamais je n'ai voulu m'accoupler avec un autre que toi, Jondalar. Tu es celui qui m'a appris le Don des Plaisirs que nous a accordé la Mère. Personne ne pourrait m'en donner plus que tu ne le fais, peut-être parce que je t'aime passionnément, dit Ayla.

Jondalar se détourna pour cacher les larmes qui lui venaient aux yeux, mais Danug avait pris soin de regarder ailleurs et fit semblant de ne rien avoir remarqué. Quand Jondalar se retourna, il fixa Ayla et lui dit, avec le plus grand sérieux :

— Je ne t'ai jamais dit à quel point j'étais désolé, pour Marona. Ce n'est pas que j'avais vraiment envie d'elle, mais elle s'est montrée si disponible… Je ne voulais pas te le dire parce que je craignais de te blesser. Quand tu nous as surpris tous les deux, je n'ai pas cessé de me dire que tu devais me détester. Mais ce que je veux que tu saches, c'est que je n'aime que toi.

— Je sais que tu m'aimes, Jondalar, répliqua Ayla. Tous les participants à cette Réunion d'Été le savent, eux aussi. Je ne serais pas là si ce n'était pas le cas. Malgré ce que vient de dire Danug, sache que si tu en éprouves le besoin, ou même simplement le désir, tu peux t'accoupler avec qui tu le souhaites, Jondalar. Et je n'éprouve plus la moindre rancune envers Marona. Je ne lui en veux pas de t'avoir désiré. Quelle femme n'aurait pas envie de toi ? Partager le Don des Plaisirs ne revient pas à aimer quelqu'un. C'est ce qui donne les bébés, mais pas l'amour. L'amour peut rendre les Plaisirs encore plus intenses, mais lorsqu'on aime quelqu'un, quelle différence cela peut-il bien faire si la personne en question s'accouple avec une autre ? Comment un accouplement, qui ne dure qu'un moment plus ou moins long, pourrait-il être plus important qu'un amour de toute une vie ? Même au sein du Clan, un homme pouvait s'accoupler simplement pour satisfaire ses besoins. Tu ne t'attendrais tout de même pas à me voir briser notre lien juste sous prétexte que tu t'es accouplé avec une autre, j'espère ?

— Si c'était une raison suffisante, intervint Danug en riant, tout le monde devrait briser ses liens. Beaucoup de gens attendent avec impatience les Fêtes pour honorer la Mère afin de partager les Plaisirs avec d'autres une fois de temps en temps. J'ai entendu raconter que Talut pouvait ainsi s'accoupler successivement avec une demi-douzaine de femmes différentes à l'occasion de ces Fêtes. Mère avait l'habitude de dire que cela lui permettait de voir si un autre homme était en mesure de l'égaler. Personne n'y est jamais arrivé.

— Talut est bien plus puissant que je ne le suis, dit Jondalar. Il y a quelques années, je ne dis pas, mais je n'ai plus la vigueur nécessaire aujourd'hui. Et pour dire la vérité, je n'en éprouve pas, ou plus, le désir.

— Ce ne sont d'ailleurs peut-être que des histoires, reprit Danug. Je dois dire que, personnellement, je ne l'ai jamais vu avec une autre femme qu'avec mère. Il passe beaucoup de temps avec d'autres responsables de camps, et quant à elle, elle consacre l'essentiel de son temps à rendre visite à des parents et à des amis durant ces Réunions. Si vous voulez mon avis, la plupart des gens adorent se raconter des histoires.

La conversation s'arrêta un moment, durant lequel les trois jeunes gens échangèrent des regards entendus.

— Je n'irais pas jusqu'à briser le lien pour cette seule raison, reprit Danug, mais en toute honnêteté je préfère que la femme que je prendrai pour compagne ne s'accouple pas avec un autre que moi.

— Même pendant les Fêtes en l'honneur de la Grande Terre Mère ? demanda Jondalar.

— Je sais que nous sommes tous censés honorer la Mère à l'occasion de ces Fêtes, répondit Danug, mais comment saurai-je que les enfants que ma compagne apporte à mon foyer sont bien les miens si elle partage les Plaisirs avec un autre homme ?

Ayla les regarda tous les deux et se rappela les paroles de la Première :

— Si un homme aime les enfants qu'une femme apporte à son foyer, pourquoi le fait de savoir qui les a conçus ferait une différence ?

— Ça ne devrait sans doute pas en faire, mais je voudrais quand même être sûr que ce sont les miens, insista Danug.

— Si tu conçois un enfant, est-ce que cela signifie qu'il est à toi ? Qu'il t'appartient, comme un bien personnel ? demanda Ayla. N'aimerais-tu pas un enfant qui ne t'appartiendrait pas, Danug ?

— Quand je dis « à moi », cela ne veut pas dire que j'en revendiquerais la propriété, cet enfant serait mien en ce sens qu'il viendrait de moi, tenta d'expliquer le Mamutoï. Je serais sans doute capable d'apprendre à aimer n'importe quel enfant de mon foyer, y compris ceux qui ne viendraient pas de moi, ni même de ma compagne. J'aimais Rydag comme un frère, et même plus encore, alors qu'il n'était ni à Talut ni à Nezzie, mais tout de même j'aimerais bien savoir si tel enfant de mon foyer a bien été conçu par moi. Une femme n'a pas ce genre de préoccupation. Elle sait toujours.

— Je comprends ce que ressent Danug, Ayla, intervint Jondalar. Je suis content de savoir que Jonayla a été conçue par moi. Et tout le monde sait que c'est bien le cas parce que personne n'ignore que tu n'as jamais choisi un autre que moi. Nous avons toujours honoré la Mère à l'occasion des Fêtes, mais nous nous sommes toujours choisis l'un l'autre.

— Je me demande si vous seriez l'un comme l'autre aussi désireux d'avoir des enfants à vous si vous pouviez partager la douleur de votre compagne pour les mettre au monde, dit Ayla. Certaines femmes seraient heureuses de ne jamais avoir à faire des enfants. Elles ne sont pas nombreuses, mais il y en a.

Les deux hommes échangèrent un regard, mais sans oser affronter directement Ayla, visiblement un peu gênés par cette notion qui entrait à l'évidence en contradiction avec les croyances et les coutumes de leurs peuples respectifs.

— À propos, avez-vous entendu dire que Marona allait reprendre un compagnon ? lança Danug, histoire de changer de sujet.

— Vraiment ? s'étonna Jondalar. Non, je n'étais pas au courant. Quand cela ?

— Dans quelques jours, à l'occasion des dernières Matrimoniales de la saison, quand Folara et Aldanor noueront le lien, répondit Proleva, qui venait d'entrer, suivie par Joharran.

— C'est ce que m'a dit Aldanor, confirma Danug.

On échangea des saluts, les deux femmes s'étreignirent, et le chef de la Neuvième Caverne se pencha pour toucher la joue d'Ayla de la sienne. On approcha des tabourets du lit sur lequel reposait la jeune femme.

— Et qui sera son prochain compagnon ? s'enquit celle-ci après que chacun se fut installé pour entendre la suite de cette surprenante révélation.

— Un ami de Laramar, qui était installé avec lui et d'autres de ses amis dans cette lointaine réservée aux hommes seuls, et qui est d'ailleurs abandonnée maintenant, annonça Proleva. C'est un étranger, mais un Zelandonii, si j'ai bien compris.

— Il est originaire d'un groupement de Cavernes installées le long de la Grande Rivière, à l'ouest d'ici. J'ai entendu dire qu'il était venu à notre Réunion d'Été avec un message pour quelqu'un, et qu'il a décidé de rester. Je ne sais pas s'il les connaissait d'avant, mais apparemment il s'est fort bien entendu avec Laramar et sa bande de copains, expliqua Joharran.

— Ah oui, je crois voir de qui il s'agit, dit Jondalar.

— Depuis qu'ils ont quitté cette tente, il s'est installé au campement de la Cinquième Caverne, tout comme Marona, d'ailleurs. C'est là qu'il a fait sa connaissance, précisa Proleva.

— Je ne pensais pas que Marona souhaitait reprendre un compagnon, fit Jondalar. Si c'est celui à qui je pense, il me paraît bien jeune. Je me demande pour quelle raison c'est lui qu'elle aurait choisi...

— Elle n'avait peut-être pas vraiment le choix, glissa Proleva.

— Mais tout le monde dit qu'elle est si belle qu'elle peut avoir presque tous les hommes qu'elle veut ! s'étonna Ayla.

— Pour une nuit, mais pas pour une vie, intervint Danug. J'ai entendu certaines rumeurs. Les hommes qu'elle a eus pour compagnons ne disent pas grand bien d'elle.

— Et elle n'a jamais eu d'enfants, dit Proleva. À ce qu'on dit, elle serait incapable d'en avoir. Certains hommes pourraient la trouver moins désirable pour cette raison, mais je suppose que cela n'a guère d'importance aux yeux de celui qui l'a choisie. Elle a l'intention de le suivre dans sa Caverne.

— Je crois l'avoir rencontré quand je rentrais un soir avec Echozar du campement des Lanzadonii, dit Ayla. Je ne peux pas dire qu'il m'ait fait grande impression. Pourquoi donc a-t-il quitté la lointaine des hommes seuls ?

— Ils sont tous partis après avoir découvert que leurs affaires avaient disparu, expliqua Joharran.

— Ah oui, j'ai entendu parler de ça, intervint Jondalar, mais il est vrai que, sur le moment, je n'y ai pas vraiment prêté attention.

— On a pris des choses ? interrogea Ayla.

— Oui, quelqu'un a pris des affaires personnelles appartenant à presque tous les occupants de cette tente, confirma Joharran.

— Mais pourquoi quelqu'un aurait-il fait cela ? s'étonna Ayla.

— Je l'ignore. En tout cas, Laramar a été furieux de découvrir qu'un vêtement d'hiver dont il venait de faire l'acquisition avait disparu, de même d'ailleurs que son sac à porter et presque tout son barma. Un autre occupant de la tente n'a pas retrouvé ses mitaines toutes neuves, un autre un bon couteau, et par ailleurs la quasi-totalité de la nourriture s'était volatilisée, ajouta Joharran.

— Et on sait qui a fait cela ? demanda Jondalar.

— Deux personnes ont disparu : Brukeval et Madroman, répondit Joharran. Brukeval est parti sans rien, d'après ce qu'on sait. Les autres occupants de la tente affirment que presque toutes ses affaires étaient encore là après son départ, mais que, ensuite, la plupart avaient disparu, de même que les affaires de Madroman.

— J'ai entendu Zelandoni dire à quelqu'un que Madroman n'avait pas restitué les objets sacrés qu'il avait reçus en sa qualité d'acolyte, intervint Proleva.

— Je l'ai vu partir ! s'exclama Ayla, retrouvant soudain la mémoire.

— Quand ? s'enquit Joharran.

— Le jour où la Neuvième Caverne a partagé un festin avec les Lanzadonii. J'étais la seule à être restée au campement, et je sortais tout juste du bâtiment. Il m'a jeté un regard si lourd de haine que j'en ai eu des frissons, mais il semblait très pressé. Je me rappelle m'être dit qu'il avait quelque chose de bizarre. Puis je me suis rendu compte que je ne l'avais pratiquement jamais vu sans sa tunique d'acolyte, or cette fois-là, il était vêtu normalement. Mais j'ai trouvé étrange que ses vêtements portent les symboles de la Neuvième Caverne, et pas de la Cinquième.

— C'est de là que provenait le nouveau costume de Laramar, dit Joharran. Je me demande si c'était celui-là…

— Tu crois que c'est Madroman qui l'a pris ?

— J'en suis sûr, de même que tous les autres objets qui ont disparu.

— Je crois que tu as raison, Joharran, dit Jondalar.

— À mon avis, après la honte d'avoir été rejeté par la Zelandonia, il n'a pas voulu affronter le regard des autres, en tout cas de ceux qui le connaissaient, intervint Danug.

— Je me demande où il a bien pu aller, fit Proleva.

— Il va sans doute essayer de trouver des gens dont il pourrait partager la vie, dit Joharran. C'est la raison pour laquelle il a pris tout ça. Il sait que l'hiver approche et il se demandait sans doute où il pourrait s'installer.

— Mais qu'est-ce qu'il peut bien trouver pour inciter des étrangers à l'accepter ? Il ne sait pas faire grand-chose et n'a jamais été vraiment chasseur, dit Jondalar. À ce que j'ai entendu dire, il n'a jamais participé à une partie de chasse après qu'il eut rejoint la Zelandonia, pas même à un rabattage.

— Et pourtant tout le monde en est capable, et tout le monde le fait, dit Proleva. Les enfants adorent partir en expédition et battre les buissons, faire beaucoup de bruit pour faire peur aux lapins et aux autres animaux, et les obliger à courir vers les chasseurs ou à se précipiter dans les filets.

— Mais si, Madroman est capable de faire quelque chose, intervint Joharran. C'est d'ailleurs pour cela qu'il n'a pas restitué les objets sacrés que la Zelandonia lui avait confiés. Oui, je suis sûr que c'est cela qu'il va faire : il va devenir Zelandoni.

— Mais il ne l'est pas, et il ne peut plus l'être ! s'insurgea Ayla. Il a menti en prétendant avoir été appelé !

— S'il tombe sur des étrangers, ceux-ci ne le sauront pas, expliqua Joharran.

— Il fricote avec la Zelandonia depuis si longtemps qu'il sait quel comportement adopter pour se faire passer pour l'un des siens. Il n'hésitera pas à mentir de nouveau, avança Proleva.

— Tu crois vraiment qu'il serait capable de faire ça ? demanda Ayla, consternée à cette idée.

— Il faut que tu dises à Zelandoni que tu l'as vu partir, Ayla, dit Proleva.

— Et les autres responsables des Cavernes doivent eux aussi être mis au courant, insista Joharran. Nous devrions peut-être soulever le sujet avant la réunion de demain te concernant, Jondalar. Cela donnera au moins l'occasion aux gens de parler d'autre chose que de toi.

— Si vite ? s'inquiéta Ayla en ouvrant de grands yeux. Il faudra absolument que je sois là, Proleva.

Ils se trouvaient un peu à l'extérieur, dans les premiers rangs, tout en bas du vaste amphithéâtre naturel. Laramar était assis et, bien que son visage fût encore enflé, il semblait avoir pour l'essentiel récupéré de la raclée reçue des mains de l'homme qui se trouvait en face de lui, si l'on exceptait ses cicatrices et son nez cassé, dont les traces ne disparaîtraient pas de sitôt. Debout sous le soleil brûlant de ce début d'après-midi, Jondalar essaya de demeurer impassible en regardant l'homme dont le visage était si gravement meurtri. S'ils ne l'avaient pas connu depuis si longtemps, jamais ses amis ne l'auraient reconnu. Au début, le bruit avait couru que Laramar risquait de perdre un œil, et Jondalar était soulagé qu'il n'en fût rien.

Cette réunion devait en principe regrouper les Neuvième et Cinquième Cavernes, les membres de la Zelandonia devant jouer les médiateurs, mais dans la mesure où toutes les parties intéressées étaient libres d'y assister la quasi-totalité des participants à la Réunion d'Été avaient manifesté leur « intérêt », par pure curiosité. Bien que la Neuvième Caverne eût préféré retarder quelque peu cette confrontation, après la fin de la Réunion d'Été des Zelandonii par exemple, la Cinquième Caverne avait insisté pour qu'elle ait lieu au plus vite. Dans la mesure où on lui demandait d'accueillir Laramar en son sein, elle voulait savoir quelle compensation ils – elle et Laramar – obtiendraient de la part de Jondalar et de la Neuvième Caverne.

Jondalar et Laramar s'étaient retrouvés, pour la première fois depuis l'incident et juste avant la réunion publique, dans l'abri de la Zelandonia, en présence de Joharran, de Kemordan, le chef de la Cinquième Caverne, du ou de la Zelandoni de chacune des autres Cavernes, ainsi que de plusieurs autres responsables et membres de la Zelandonia. Sachant que Marthona était quelque peu affaiblie, on lui avait fait savoir que sa présence à cette réunion de préparation n'était pas indispensable, en particulier dans la mesure où la mère de Laramar n'était plus de ce monde, mais elle n'avait rien voulu savoir : Jondalar était son fils et elle voulait absolument être là. Les compagnes des protagonistes, elles, n'avaient pas eu la possibilité d'y assister, car leur présence aurait pu créer de nouvelles complications : Ayla parce qu'elle avait joué un grand rôle dans l'incident, et la compagne de Laramar parce qu'elle ne souhaitait pas aller s'installer avec lui au sein de la Cinquième Caverne, un autre aspect qu'il allait bien falloir traiter par la suite.

Jondalar se hâta de faire savoir à quel point il était désolé, combien il regrettait ses actes, mais Laramar traita par le mépris le grand et bel homme qui était le frère du chef de la Neuvième Caverne. C'était l'une des premières fois de sa vie que Laramar avait le beau rôle : il était dans son bon droit, n'avait absolument rien fait de mal, et il n'avait en conséquence nullement l'intention de céder tout ou partie de son avantage.

Lorsque les participants à la première moitié de la réunion quittèrent la hutte de la Zelandonia, une rumeur diffuse circula dans l'assistance : Ayla avait vu Madroman quitter le campement vêtu d'habits qu'il avait très probablement volés à Laramar. Celle-ci fut rapidement suivie de diverses spéculations quant aux ramifications possibles : l'histoire passée de Jondalar et de la Première avec Madroman, son éviction de la Zelandonia et le rôle qu'y avait joué Ayla, la raison pour laquelle elle avait été la seule à l'avoir vu partir. Les participants s'installèrent confortablement, attendant avec une impatience gourmande la suite des événements : ils n'avaient que très rarement l'occasion d'assister à un drame aussi intense. Décidément cet été se révélait riche en incidents excitants qui fourniraient non seulement d'excellents sujets de discussion pour les longues soirées d'hiver, mais aussi de la matière susceptible d'épicer bien des histoires pour les saisons à venir.

— Nous avons aujourd'hui à résoudre plusieurs questions d'importance, commença la Première. Ce ne sont pas des affaires d'ordre spirituel, mais des problèmes opposant des enfants de la Mère ; c'est pourquoi nous demandons à Doni de suivre nos délibérations et de nous aider à faire éclater la vérité, à penser clairement et à prendre de justes décisions.

Elle sortit d'un sac une petite figurine sculptée, qu'elle présenta à la foule. C'était la statuette d'une femme dont les jambes se terminaient par des pieds qui n'étaient qu'à peine suggérés. Bien qu'ils fussent dans l'incapacité de distinguer clairement l'objet qu'elle tenait dans sa main, tous les participants savaient qu'il s'agissait d'une donii, une représentation abritant l'esprit omniscient de la Grande Terre Mère, ou en tout cas une partie essentielle de Sa nature. Quelque chose comme un grand cairn, presque aussi droit qu'un pilier, constitué de grosses pierres et dont le sommet aplani était recouvert de gravier sablonneux, avait été érigé au centre de l'amphithéâtre.

D'un geste théâtral, la Première planta les pieds de la statuette dans le gravier et la redressa afin que chacun puisse la voir. Dans ce contexte, l'objectif premier de cet objet sacré était d'empêcher les mensonges délibérés, et son effet était, de fait, puissamment dissuasif. Lorsqu'on invoquait expressément l'esprit de la Mère pour lui demander d'être témoin de ce qui allait suivre, chacun savait qu'Elle découvrirait les mensonges qui seraient proférés et qu'Elle les dévoilerait aussitôt comme tels. On pouvait certes mentir et s'en tirer, mais ce ne pouvait être que provisoire : au bout du compte, la vérité finirait par éclater, en général avec des répercussions terribles. En l'occurrence, il y avait cette fois peu de risques de voir quelqu'un proférer des mensonges, mais la statuette inciterait à coup sûr les parties en présence à ne pas céder à leurs tendances naturelles à l'exagération.

— Nous pouvons commencer, reprit la Première. Comme il y a eu de nombreux témoins, je ne pense pas qu'il soit indispensable d'évoquer en détail les circonstances de l'incident. Durant la Fête organisée récemment pour honorer la Mère, Jondalar a trouvé sa compagne Ayla partageant avec Laramar le Don des Plaisirs accordé par la Mère. Tant Ayla que Laramar avaient choisi de s'unir sous le seul effet de leur commun désir. Il n'y a eu ni manifestation de force, ni contrainte d'aucune sorte. Est-ce exact, Ayla ?

La jeune femme ne s'attendait pas à être questionnée aussi vite, à attirer aussi soudainement sur elle l'attention de l'assistance tout entière. Elle en fut surprise, mais, même dans le cas contraire, elle n'aurait pu se résoudre à répondre par un mensonge.

— Oui, Zelandoni, c'est exact.

— Est-ce exact, Laramar ?

— Oui, elle était plus que consentante. C'est elle qui m'a sollicité, répondit l'intéressé.

La Première réprima une légère envie de le mettre en garde contre toute forme d'exagération et préféra poursuivre :

— Et ensuite, que s'est-il passé ?

Elle se demandait si cette question s'adressait plutôt à Ayla ou à Jondalar, mais Laramar s'empressa d'y répondre :

— Tout le monde a pu voir ce qui s'est passé. On venait à peine de commencer quand Jondalar s'est mis à me donner des coups de poing dans la figure.

— Jondalar ?

Le grand blond baissa la tête et déglutit avant de répondre :

— C'est en effet ce qui s'est passé. Quand je l'ai vu avec Ayla, je l'ai arraché à elle et j'ai commencé à le frapper. Je sais que c'était mal. Je n'ai aucune excuse, ajouta Jondalar, sachant au plus profond de son cœur que si la situation se reproduisait, il referait exactement la même chose.

— Sais-tu pourquoi tu l'as frappé, Jondalar ? demanda la Première.

— J'étais jaloux, balbutia-t-il.

— Tu étais jaloux, c'est bien ce que tu viens de dire ?

— Oui, Zelandoni.

— Si tu avais souhaité exprimer ta jalousie, Jondalar, n'aurais-tu pas pu te contenter de les séparer ? Étais-tu obligé de le frapper ?

— Je n'ai pas pu m'en empêcher. Et une fois que j'ai commencé…

Il secoua la tête plutôt que de terminer sa phrase.

— Une fois qu'il a commencé, personne ne pouvait l'arrêter, il m'a même frappé, moi ! intervint le chef de la Cinquième Caverne. Il était hors de lui, comme fou ! Je ne sais pas ce que nous aurions pu faire si ce grand Mamutoï ne s'était pas emparé de lui…

— C'est pour ça qu'il n'a pas hésité à accueillir Laramar, murmura Folara à Proleva, tous ceux qui se trouvaient autour d'elle l'entendant néanmoins. Il est furieux de n'avoir pas pu arrêter Jondi et d'avoir été frappé lorsqu'il a essayé de le faire.

— Et puis il aime bien le barma de Laramar. Mais il y a des chances qu'il découvre rapidement que cet homme n'est pas exactement un cadeau. En tout cas ce n'est pas lui que j'accueillerais en priorité dans ma Caverne, dit Proleva avant de se retourner vers la scène.

— … la raison pour laquelle nous nous efforçons de faire comprendre à quel point la jalousie est un sentiment aberrant, qui peut nous amener à commettre des actes insensés, expliquait la Première. Tu comprends cela, Jondalar ?

— Oui. J'ai été stupide, et j'en suis navré. Je ferai tout ce que tu me demanderas de faire pour expier ma faute. Je veux me racheter.

— C'est impossible, intervint Laramar. Il ne peut pas réparer mon visage, pas plus qu'il n'a pu rendre à Madroman les dents qu'il lui avait cassées.

La Première regarda Laramar d'un air contrarié. Ce genre de réflexion n'était vraiment pas indispensable. Il n'a pas la moindre idée de la provocation qu'a subie Jondalar à l'époque, songea-t-elle, mais elle garda ses réflexions pour elle-même.

— Des dons ont été faits à titre de réparations, dit Marthona d'une voix forte.

— Et j'espère bien qu'on en fera encore, rétorqua Laramar.

— Qu'est-ce que tu attends ? demanda la Première. Quel genre de réparations escomptes-tu ? Fais-nous connaître tes souhaits, Laramar.

— Ce que je souhaite, c'est démolir sa jolie petite gueule, répondit celui-ci.

L'assistance en eut le souffle coupé.

— Je n'en doute pas une seconde, dit la doniate sans se démonter, mais ce n'est pas une solution que la Mère puisse accepter. As-tu d'autres idées sur la façon dont Jondalar pourrait se racheter envers toi ?

La compagne de Laramar se leva et prit la parole :

— Il n'arrête pas de se construire des habitations de plus en plus grandes. Pourquoi tu ne lui demanderais pas d'en construire une nouvelle, plus grande, pour notre famille, Laramar ? demanda-t-elle d'une voix forte.

— Ce serait en effet une possibilité, Tremeda, intervint la Première. Mais où voudrais-tu la faire construire, Laramar ? À la Neuvième ou à la Cinquième Caverne ?

— Pour moi, ce ne serait pas une compensation, répondit Laramar. Je me fiche bien de savoir dans quel genre de logement elle vit. Elle transformerait n'importe quoi en tas d'ordures, de toute façon.

— Tu te fiches de l'endroit où vivent tes enfants, Laramar ? interrogea la Première.

— Mes enfants ? Ce ne sont pas les miens, si ce que tu as dit l'autre jour est vrai. S'ils sont conçus à la suite d'un accouplement, je n'en ai conçu aucun… à part le premier, peut-être. Cela fait des années que je ne me suis pas accouplé et encore moins n'ai partagé les Plaisirs avec elle. Vivre avec elle n'a rien d'un Plaisir, vous pouvez me croire. Je ne sais pas d'où sont venus tous ces enfants, peut-être des Fêtes de la Mère – donnez à un homme suffisamment à boire et même celle-ci lui paraîtra désirable ! –, mais en tout cas ce n'est sûrement pas moi qui les ai conçus. La seule chose que cette femme sache faire mieux que personne, c'est boire mon barma, conclut Laramar avec un ricanement méprisant.

— Ce n'en sont pas moins les enfants de ton foyer, Laramar, le chapitra la Première. Il est de ta responsabilité de pourvoir à leurs besoins. Tu ne peux pas décréter tout simplement que tu ne veux pas d'eux.

— Et pourquoi ne le pourrais-je pas ? Je n'en veux pas. Ils ne sont rien pour moi, et ne l'ont jamais été. Elle ne s'occupe même pas d'eux, alors pourquoi le ferais-je, moi ?

Le chef de la Cinquième Caverne avait l'air aussi horrifié que l'ensemble de l'assistance après les ignobles invectives que venait de proférer Laramar envers les enfants de son foyer.

— Je t'avais bien dit que ce n'était pas vraiment un cadeau, murmura Proleva à sa voisine.

— Et qui, dans ces conditions, devrait prendre soin des enfants de ton foyer, d'après toi ? demanda Zelandoni.

L'ivrogne réfléchit un court instant, le front plissé, avant de répondre :

— Ce n'est pas vraiment mon problème, mais je trouve que Jondalar ferait tout à fait l'affaire. Quoi qu'il propose, il ne pourra pas compenser ce qu'il m'a fait. Il ne pourra pas me rendre mon visage, et je ne pourrai pas avoir le plaisir de lui rendre ce qu'il m'a infligé. Puisqu'il est si désireux de se racheter, qu'il s'occupe donc de cette mégère manipulatrice, de cette feignante, de cette grande gueule et de sa progéniture !

— Il te doit sans doute beaucoup, Laramar, mais c'est probablement demander un peu trop à un homme qui est déjà chargé de famille que de prendre la responsabilité d'une autre, par ailleurs aussi nombreuse que l'est la tienne, intervint Joharran.

— Ne t'inquiète pas, Joharran, je suis prêt à l'assumer, dit Jondalar. Si c'est ce qu'il veut, je le ferai. S'il refuse de prendre la responsabilité de son propre foyer, il faudra bien que quelqu'un la prenne à sa place. Ces enfants ont besoin que quelqu'un se charge d'eux.

— Tu ne crois pas que tu devrais d'abord en parler à Ayla ? interrogea Proleva depuis sa place dans l'assemblée. Avec une telle responsabilité, elle aura moins de temps pour s'occuper de sa propre famille.

De toute façon, ils s'en occupent déjà bien mieux que Laramar ou Tremeda, songea-t-elle.

— Aucun problème, Proleva, Jondalar a raison, intervint Ayla. Je suis moi aussi responsable de ce qu'il a fait subir à Laramar. Je ne me suis pas rendu compte sur le moment des conséquences que cela pouvait avoir, mais ma faute est aussi lourde que la sienne. S'il faut prendre la responsabilité de sa famille pour donner satisfaction à Laramar, alors je pense que nous devons le faire.

— C'est bien ce que tu souhaites, Laramar ? demanda la Première.

— Oui. Si ça me permet de ne plus vous avoir tous sur le dos, pourquoi pas ? répondit Laramar. Je te souhaite bien du plaisir avec elle, Jondalar, ajouta-t-il en éclatant de rire.

— Et toi, Tremeda, qu'en penses-tu ? Cette solution te paraît-elle satisfaisante ? s'enquit Zelandoni.

— Est-ce qu'il me construira un nouvel abri, comme celui qu'il prépare pour elle ? demanda l'intéressée en montrant Ayla du doigt.

— Oui, je veillerai à t'en construire un nouveau, répondit Jondalar. Veux-tu que cela se fasse à la Neuvième Caverne ou à la Cinquième ?

— Ben, si je dois devenir ta deuxième femme, Jondalar, autant que je reste à la Neuvième, répondit la jeune femme d'une voix faussement timide. C'est là que j'ai toujours vécu, de toute façon.

— Entendons-nous bien, Tremeda, fit Jondalar en la regardant droit dans les yeux. Il n'est pas question que je te prenne comme deuxième femme. J'ai dit que j'assumerais la responsabilité de pourvoir aux besoins de tes enfants et aux tiens. J'ai dit que je te construirais un abri. Mes obligations envers toi se limiteront à cela. Je ferai cela pour réparer les maux que j'ai infligés à ton compagnon. Mais tu ne seras en aucun cas ma deuxième femme, Tremeda. C'est bien compris ?

Laramar éclata de rire.

— Ne dis pas que je ne t'ai pas prévenu, Jondalar ! Je t'ai bien dit que ce n'était qu'une mégère manipulatrice. Elle se servira de toi autant qu'elle le pourra ! lança-t-il avec un nouveau ricanement. Mais tu sais, ça peut devenir assez drôle. En tout cas, cela m'amuserait assez de te voir essayer de t'en dépêtrer.

— Tu es sûre de vouloir te baigner ici, Ayla ? demanda Jondalar.

— C'était notre endroit préféré avant que tu y emmènes Marona, et c'est encore le meilleur pour nager, surtout maintenant que la rivière est si agitée et boueuse en aval. Je n'ai pas eu l'occasion de nager vraiment depuis mon arrivée, et comme nous allons repartir bientôt…

— Mais tu es sûre d'être assez solide pour nager ?

— Absolument, le rassura la jeune femme. Mais ne t'inquiète donc pas. J'ai bien l'intention de passer plus de temps à me dorer sur la rive, au soleil, que dans l'eau. Tout ce dont j'ai envie, c'est de quitter ce camp et passer un peu de temps avec toi, loin de la foule, maintenant que j'ai réussi à convaincre Zelandoni que j'étais suffisamment rétablie. De toute façon, j'envisageais d'aller retrouver sous peu Whinney et de faire une balade avec elle. Je sais que Zelandoni est inquiète, mais vraiment, je vais bien. J'ai simplement besoin de sortir de là et de bouger un peu.

Si elle s'en était voulu de ne pas avoir veillé sur Ayla avec assez d'attention, la Première se montrait maintenant excessivement protectrice, ce qui n'avait pourtant jamais été sa caractéristique première. Se sentant plus qu'un peu responsable d'avoir failli perdre la jeune femme, elle n'était pas prête à ce que cela se reproduise. Jondalar était entièrement d'accord avec elle et pendant un temps Ayla avait apprécié l'attention inhabituelle dont tous deux l'entouraient. Toutefois, au fur et à mesure qu'elle recouvrait sa vigueur, cette préoccupation de tous les instants s'était mise à lui peser. Elle avait bien essayé de convaincre la doniate qu'elle était complètement remise, qu'elle avait repris assez de forces pour pouvoir aller de nouveau nager et monter à cheval, il avait fallu le problème posé par Loup pour que celle-ci accède finalement à sa demande.

Jonayla et les jeunes de son âge préparaient d'arrache-pied avec la Zelandonia une petite fête qu'ils donneraient dans le cadre des cérémonies d'adieu organisées pour clore la Réunion d'Été. Non seulement Loup constituait une distraction lorsque tous les enfants étaient rassemblés, ce qui les empêchait de se concentrer convenablement, mais Jonayla avait du mal tout à la fois à le maîtriser et à retenir ce qu'elle était censée apprendre. Lorsque Zelandoni avait laissé entendre à Ayla que, si le loup était évidemment toujours le bienvenu, il était peut-être préférable qu'elle le garde avec elle, cela avait donné à la jeune femme le prétexte dont elle avait besoin pour convaincre la doniate de la laisser emmener Loup, et les chevaux, prendre un peu d'exercice à l'écart du campement.

Donc, dès le lendemain matin, la jeune femme avait veillé à partir le plus tôt possible avant que Zelandoni ne change d'avis. Jondalar avait abreuvé et bouchonné les chevaux avant le repas du matin et lorsqu'il avait attaché les couvertures sur Whinney et Rapide, puis passé leur licou à Rapide et à Grise, les animaux avaient compris qu'ils étaient de sortie et en avaient piaffé d'impatience. Même s'ils n'envisageaient pas de la monter, Ayla ne voulait pas laisser la pouliche seule ; elle était sûre que Grise se sentirait abandonnée s'ils ne la prenaient pas avec eux : les chevaux appréciaient la compagnie, surtout celle de leurs semblables, et Grise avait elle aussi besoin de prendre de l'exercice.

Lorsque Jondalar saisit une paire de paniers destinés à être accrochés sur l'arrière-train d'un cheval, Loup le regarda avec espoir. Les porte-bagages étaient pleins d'objets divers et de mystérieux paquets enveloppés dans le matériau marron clair à base de fibres de lin tissées par Ayla pour passer le temps durant sa convalescence. Marthona s'était débrouillée pour lui faire fabriquer un petit rouet et lui avait appris à tisser. L'un des paniers était recouvert d'une grande pièce de cuir destinée à être étalée par terre, l'autre par les peaux souples, de couleur jaunâtre, servant à se sécher, que leur avaient offertes les Sharamudoï.

Loup bondit en avant lorsque l'homme lui fit signe qu'il pouvait les accompagner. Près de l'enclos aux chevaux, Ayla s'arrêta pour ramasser quelques baies bien mûres pendant de buissons aux extrémités rouges. Elle frotta contre sa tunique les fruits tout ronds, d'un bleu profond, remarqua que leur peau tirait nettement sur le noir, les fourra dans sa bouche et les croqua avec un sourire de satisfaction, savourant leur goût sucré et juteux. Elle grimpa sur une souche pour monter sur Whinney, heureuse d'être simplement dehors, sachant qu'elle ne serait pas obligée de réintégrer avant un moment le bâtiment de la Neuvième Caverne. Elle était sûre de connaître dorénavant par cœur la moindre craquelure fendillant les motifs peints ou sculptés qui décoraient chacun des solides piliers en bois soutenant le toit de chaume de leur habitation, la plus petite trace de suie noircissant les bords du trou permettant à la fumée de s'échapper. Elle était heureuse de revoir le ciel et les arbres, un paysage préservé de toute présence humaine.

Dès qu'ils se mirent en chemin, Rapide se montra exceptionnellement turbulent, et même un peu hargneux. Cette indiscipline se communiqua aux deux juments, les rendant plus délicates à maîtriser. Lorsqu'ils eurent franchi la zone boisée, Ayla ôta son licou à Grise de façon à pouvoir avancer au rythme qu'elle souhaitait et, par un accord tacite, Jondalar et elle lancèrent leur monture au galop, jusqu'à atteindre leur allure maximale. Lorsque les animaux décidèrent à l'unisson de ralentir, ils avaient épuisé leur excès d'énergie et étaient redevenus plus calmes, ce qui était loin d'être le cas pour Ayla. La jeune femme se sentait euphorique. Elle avait toujours aimé galoper à fond et se sentait d'autant plus excitée par cette course folle qu'elle sortait d'une longue période de réclusion.

Côte à côte, ils avancèrent à un rythme plus raisonnable dans un paysage délimité par des collines assez élevées, des falaises de craie et des vallées encaissées. Bien que le soleil à son zénith fût encore très chaud, la saison estivale touchait visiblement à son terme : les matinées étaient souvent d'une fraîcheur mordante, les soirées nuageuses, voire pluvieuses. Du beau vert qu'elles arboraient au summum de l'été, les feuilles viraient au jaune, parfois même au rouge automnal. Les herbages des vastes plaines passaient de la profondeur de l'or ou de la richesse des bruns à la pâleur des jaunes ou à l'ocre tirant sur le gris : ce seraient désormais les couleurs dominantes du foin naturel qui peuplerait les champs durant presque tout l'hiver. Toute cette palette de coloris réjouissait Ayla, mais c'étaient les pentes boisées des collines exposées au sud qui lui coupaient le souffle : de loin, les bosquets et les taillis lui apparaissaient comme autant de bouquets de fleurs aux couleurs éclatantes.

Sans cavalier sur le dos, Grise se contentait de suivre le rythme, s'arrêtant çà et là pour paître, tandis que Loup furetait un peu partout, fourrant son museau dans des terriers, des buissons, des herbes hautes, suivant les traces de fumets ou des bruits que lui seul était en mesure de percevoir. Leur itinéraire formait un grand cercle qui depuis le cours de la Rivière, vers l'amont, finirait par les ramener au campement. Mais, plutôt que de retourner vers le site de la Réunion d'Été, ils préférèrent couper vers le ruisseau qui serpentait dans les bois jusqu'au nord du campement de la Neuvième Caverne. Le soleil était au zénith lorsqu'ils arrivèrent devant la mare profonde qui occupait un méandre du petit cours d'eau. Au bord, des arbres offraient leur ombre protégeant du soleil la discrète plage de gravier sablonneux.

Le soleil était d'une chaleur agréable lorsque Ayla passa sa jambe sur le dos de Whinney et se laissa glisser à terre. Elle dénoua les paniers, ôta la couverture de cheval et, tandis que Jondalar étendait la grande pièce de cuir, elle sortit un sac aux fines mailles tressées et fit manger à sa jument gris-jaune un mélange de graines, d'avoine pour l'essentiel, avant de la caresser et de la grattouiller avec affection. Au bout d'un moment, elle réitéra l'opération avec Grise, qui la poussait du museau pour attirer son attention.

De son côté, Jondalar nourrit et flatta Rapide. L'étalon était encore plus difficile à maîtriser que d'habitude. Même si les graines et les caresses le calmèrent quelque peu, Jondalar n'avait pas envie de devoir se lancer à sa recherche s'il décidait de s'éloigner un peu trop. À l'aide d'une longe nouée à son licou, il attacha le cheval à un arbuste. Jondalar se rappela soudain qu'il s'était demandé s'il ne devait pas laisser l'étalon se faire une place au sein des troupeaux qui rassemblaient ses congénères dans les vastes plaines et si ce moment n'était pas venu, mais il décida en fin de compte de n'en rien faire : il n'était absolument pas déterminé à se priver de la compagnie du magnifique animal.

Loup, qui était parti vaquer à ses occupations, surgit soudain de derrière un bosquet. Ayla avait apporté pour lui un bel os encore plein de viande, mais avant de le retirer du panier elle décida de s'occuper un peu de l'animal : elle tapota son épaule et se prépara à recevoir le choc du poids de l'énorme bête. Celle-ci sauta sur ses pattes arrière et se tint en équilibre en posant ses pattes avant sur les deux épaules de la jeune femme, avant de lui lécher le cou et de prendre sa mâchoire entre ses dents, avec une grande douceur. Elle reproduisit le même manège avec l'animal, puis lui fit signe de se remettre à quatre pattes avant de s'agenouiller devant lui et de saisir sa tête entre ses deux mains. Elle le flatta, le gratta derrière les oreilles, caressant à rebrousse-poil l'épaisse fourrure de son cou avant de s'asseoir carrément par terre et de le serrer très fort contre elle. Elle savait que le loup avait été là pour elle, lui aussi, au même titre que Jondalar, alors qu'elle se remettait de son périlleux voyage vers le Monde des Esprits.

Même s'il en avait été le témoin d'innombrables fois, le grand homme blond s'émerveillait toujours de la façon dont elle se comportait avec le loup : car s'il se sentait lui-même tout à fait à l'aise avec l'animal, il lui arrivait de se rappeler que Loup était une bête fauve. Un chasseur. Un tueur. Ses semblables traquaient, tuaient, dévoraient des animaux bien plus gros qu'eux. Loup aurait pu tout aussi bien déchiqueter la gorge d'Ayla que la caresser tendrement de ses dents, et pourtant Jondalar se fiait absolument à cet animal pour tout ce qui concernait cette femme et leur enfant. Il avait pu percevoir l'amour que Loup ressentait pour elles et, tout en étant incapable de concevoir comment une telle chose était possible, il la comprenait au plus profond de lui-même. Il était par ailleurs intimement persuadé que Loup éprouvait pour lui un sentiment aussi profond que celui que lui-même éprouvait pour l'animal. Celui-ci lui faisait confiance dans ses rapports avec la femme et l'enfant qu'il aimait, mais Jondalar avait la conviction absolue que si, à un moment, Loup croyait l'homme sur le point de faire du mal à l'une ou à l'autre, il n'hésiterait pas une seconde à l'en empêcher avec tous les moyens dont il disposait, même si cela impliquait de le tuer. Et lui-même ferait la même chose.

Jondalar aimait beaucoup regarder Ayla avec son loup. Il est vrai qu'il adorait la regarder, quoi qu'elle fasse, surtout maintenant qu'elle était redevenue complètement elle-même et qu'ils étaient de nouveau ensemble. Il s'était senti affreusement malheureux lorsqu'il l'avait quittée pour partir avec la Neuvième

Caverne à la Réunion d'Été, et elle lui avait terriblement manqué, malgré sa brève passade avec Marona. Après avoir eu la certitude de l'avoir perdue, à cause de ce qu'il avait fait et par la faute de ces racines dont elle avait bu le suc, il avait du mal à croire qu'ils étaient de nouveau unis. Il s'était si bien mis dans la tête qu'il l'avait perdue pour toujours qu'il n'arrêtait pas de la contempler, de lui sourire, de la regarder lui rendre son sourire, afin de se persuader qu'elle était toujours sa compagne, la femme de sa vie, qu'ils chevauchaient tous les deux, qu'ils nageaient côte à côte, bref qu'ils étaient tout simplement ensemble, comme si rien ne s'était passé.

Ce qui l'amena à repenser au long voyage qu'ils avaient mené à bien tous les deux, aux aventures et aux gens qu'ils avaient rencontrés dans leur périple. Il y avait les Mamutoï, ces chasseurs de mammouths qui avaient adopté Ayla, les Sharamudoï, ce peuple au sein duquel son frère Thonolan avait trouvé une compagne, même si, par la suite, la mort de celle-ci avait anéanti son esprit. Comme tant d'autres, Tholie et Markeno auraient bien aimé qu'ils restent parmi eux, surtout après qu'Ayla avait fait montre de ses talents de guérisseuse pour redresser le bras cassé de Roshario, qui se réparait mal. Ils avaient également fait la connaissance de Jeran, un chasseur hadumaï, le peuple à qui il avait rendu visite en compagnie de Thonolan. Sans oublier bien sûr les S'Armunaï, dont les chasseresses, les Femmes Louves, s'étaient emparées de lui. Attaroa, leur chef à toutes, avait tenté de se débarrasser d'Ayla et Loup l'en avait empêchée en recourant à la seule solution qui lui était offerte : en la tuant. Et puis il y avait eu les Losadunaï...

Il se rappela soudain leur halte chez les Losadunaï, lors de leur long voyage de retour depuis les terres des

Chasseurs de Mammouths : ceux-ci vivaient de l'autre côté des hauts plateaux glacés, à l'est, là où la Grande Rivière Mère prenait sa source, et leur langue présentait assez de points communs avec le zelandonii pour qu'il ait pu aisément en comprendre l'essentiel. Même si Ayla, avec son don pour les langues, l'avait apprise plus vite et maniée encore mieux que lui. Parmi les voisins des Zelandonii, les Losadunaï faisaient partie de ceux qu'ils connaissaient le mieux, et de nombreux voyageurs des deux peuples se rendaient souvent visite, même si parfois la traversée des glaciers n'allait pas sans risque.

Lors de leur visite, une Fête de la Mère avait eu lieu, et juste avant qu'elle ne commence, Jondalar et Losaduna avaient participé à une cérémonie privée. Jondalar avait demandé à la Grande Mère un enfant d'Ayla, un enfant né à son foyer, à partir de son esprit, ou de son essence, comme Ayla l'avait toujours affirmé. Il avait à cette occasion présenté une requête particulière : il avait demandé, si Ayla tombait enceinte d'un enfant de son esprit, qu'il puisse avoir la certitude que cet enfant était bien de lui. Jondalar s'était souvent entendu dire qu'il bénéficiait des faveurs de la Mère, au point qu'aucune femme ne pouvait rien lui refuser, pas même Doni Elle-même.

Il avait l'absolue conviction que, lorsque Ayla s'était égarée dans les immensités du néant après avoir absorbé une fois encore le suc des si redoutables racines, la Grande Mère avait accédé à sa supplique passionnée, qu'Elle lui avait accordé ce qu'il souhaitait, ce dont il rêvait, ce qu'il demandait depuis si longtemps, et intérieurement il La remercia une fois de plus. Mais il comprit aussi, tout à coup, que la Mère avait également accédé à la requête qu'il Lui avait adressée lors de la cérémonie spéciale avec Losaduna :

il savait désormais que Jonayla était sa fille, l'enfant de son essence, et il en fut fort aise.

Il comprenait désormais que tous les enfants qu'Ayla viendrait à mettre au monde seraient les siens, seraient issus de son esprit, de son essence, et cela parce que c'était elle et non une autre, parce qu'elle l'aimait, et cette certitude l'enchantait. Il comprit aussi qu'il n'aimerait qu'elle, quoi qu'il advienne. Mais il savait également que ce nouveau Don de la Connaissance allait changer bien des choses, et il ne put s'empêcher de se demander jusqu'à quel point.

Il était loin d'être le seul dans ce cas. Tout le monde y réfléchissait, une personne en particulier : installée paisiblement dans le local de la Zelandonia, la femme qui était la Première parmi Ceux Qui Servent la Mère songeait à ce nouveau Don de la Connaissance.

Elle savait qu'il allait changer le monde.

Remerciements

Pour écrire ma saga des « Enfants de la Terre », j'ai bénéficié de l'assistance de nombreuses personnes. Je souhaite remercier en particulier, une fois encore, deux archéologues français, les professeurs Jean-Philippe Rigaud et Jean Clottes, dont l'aide m'a été précieuse au fil des années : tous deux m'ont permis de comprendre et de visualiser les décors qui ont servi de toile de fond à mes livres.

Dès ma première visite en France, l'apport du professeur Rigaud dans le cadre de mes recherches a été considérable, et n'a fait que se confirmer avec le temps. Je me souviens avec une émotion toute particulière de la visite, organisée par ses soins, de l'abri de pierre de la Gorge d'Enfer, qui n'a guère subi de modifications depuis l'âge de glace : un espace vaste, profond et bien protégé, largement ouvert sur le devant, au sol égal et plan, au plafond rocheux et disposant d'une source naturelle sur l'arrière. Il n'était pas difficile de s'imaginer comment ce lieu pouvait être transformé en un endroit où l'on pouvait vivre confortablement. J'ai également vivement apprécié la disponibilité dont il a fait preuve pour fournir aux journalistes des médias du monde entier les informations à la fois importantes, intéressantes et pertinentes concernant certains sites préhistoriques des Eyzies-de-Tayac et de leurs environs immédiats, quand cette petite bourgade française a été le siège du lancement du cinquième tome de la série, *Les Refuges de pierre*.

Je ne saurais également remercier assez le professeur Jean Clottes d'avoir organisé pour mon mari Ray et moi-même la visite d'un certain nombre de grottes peintes particulièrement remarquables dans le sud de la France. Celle des grottes – l'Enlène, les Trois-Frères et le Tuc-d'Audoubert – situées sur la propriété du comte Robert Bégouën, dans la vallée du Volp, dont les peintures sont souvent décrites dans les textes et reproduites dans les livres d'art, a été particulièrement mémorable. Pouvoir admirer dans leur environnement certaines de ces peintures remarquables en compagnie du professeur Clottes et du comte Bégouën a été pour nous une expérience inoubliable. J'en remercie tout particulièrement le propriétaire des lieux (dont le grand-père et ses deux frères ont été les premiers à explorer les grottes avant d'entreprendre de les préserver, avec succès jusqu'à ce jour) : personne ne peut pénétrer dans les grottes en question sans l'autorisation du comte, qui accompagne le plus souvent ses visiteurs.

Nous avons visité de nombreuses autres grottes avec le professeur Clottes, en particulier Gargas, l'une de mes préférées, avec ses multiples empreintes de mains, dont celles d'un enfant, et sa niche, suffisamment vaste pour qu'un adulte puisse y pénétrer, dont les parois rocheuses sont entièrement recouvertes d'une riche peinture rouge réalisée à l'aide des ocres de la région. Je suis intimement persuadée que Gargas est une grotte de femme : on a le sentiment d'y être au sein même de la terre. Mais je suis tout particulièrement reconnaissante au professeur Clottes de nous avoir fait visiter cet endroit extraordinaire qu'est la grotte Chauvet. Même si, terrassé par la grippe, il n'a pas eu la possibilité de nous y accompagner, il s'est arrangé pour que son « inventeur », Jean-Marie Chauvet, qui a donné son nom au site, et Dominique Baffier, son administrateur, nous montrent cet endroit remarquable. Un jeune homme qui travaillait sur les lieux était également de l'expédition et m'a gentiment aidée à franchir les parties les plus délicates.

Ce fut là une expérience particulièrement émouvante qui demeurera dans ma mémoire, et je remercie tant M. Chauvet que le professeur Baffier pour leurs explications à la fois claires et pénétrantes. Nous sommes entrés par le plafond, sensiblement élargi depuis que M. Chauvet et ses collègues ont pénétré pour la première fois dans les lieux, puis sommes descendus par une échelle fixée à la paroi rocheuse, l'entrée d'origine ayant été obstruée par un glissement de terrain il y a plusieurs milliers d'années. Nos accompagnateurs nous ont fait part de certaines modifications intervenues au cours des quelque trente-cinq mille années écoulées depuis que les premiers artistes y ont peint leurs magnifiques œuvres.

Je voudrais également remercier Nicholas Conard, un compatriote américain installé en Allemagne, responsable du département d'archéologie de l'université de Tübingen, qui nous a donné l'occasion de visiter plusieurs des grottes de cette région, disséminées sur les rives du Danube. Il nous a également montré de nombreux objets en ivoire vieux de plus de trente mille ans, dont des mammouths, un très gracieux oiseau en plein vol – en deux parties retrouvées à plusieurs années d'intervalle –, ainsi qu'un étonnant personnage, mi-homme, mi-lion. Sans oublier sa dernière trouvaille, une statuette de femme du même style que d'autres qui furent retrouvées en France, en Espagne, en Autriche, en Allemagne et en République tchèque, datant de la même époque mais tout à fait unique dans sa réalisation.

Mes remerciements vont également au professeur Lawrence Guy Strauss, qui nous a si aimablement aidés à organiser certaines visites de sites et de grottes et nous a souvent accompagnés dans plusieurs de nos voyages en Europe. Ceux-ci ont été marqués par plusieurs moments remarquables, l'un des principaux étant notre visite de l'Abrigo do Lagar Velho, au Portugal, site où a été retrouvé le squelette de « l'enfant du val de Lapedo », apportant la preuve que les contacts entre hommes de Neandertal et humains « modernes » sur le plan anatomique avaient donné une descendance commune. Les discussions avec le professeur Strauss sur ces humains de l'âge de glace ont été pleines d'enseignements, mais aussi constamment fascinantes.

J'ai eu des discussions avec les nombreux archéologues, paléoanthropologues et spécialistes que j'ai eu l'occasion de rencontrer et de questionner à l'envi sur cette période particulière de la préhistoire au cours de laquelle, durant plusieurs milliers d'années, les deux espèces d'hommes ont occupé simultanément l'Europe. J'ai apprécié l'amabilité avec laquelle ils ont répondu à mes questions et leur disponibilité pour discuter des différents scénarios possibles quant à leur mode de vie.

Je souhaite remercier tout particulièrement le ministère de la Culture français pour avoir publié en 1984 un livre irremplaçable à mes yeux : il s'agit de *L'Art des cavernes. Atlas des grottes ornées paléolithiques françaises*. Cet ouvrage offre des descriptions très complètes, accompagnées de plans, photographies, dessins, tous abondamment légendés, de la plupart des grottes peintes et gravées découvertes en France jusqu'en 1984.

Ce qui signifie qu'il ne comprend pas celle de la grotte Cosquer, dont l'entrée se situe au-dessous de la surface de la Méditerranée, ni celle de la grotte Chauvet, l'une et l'autre n'ayant été découvertes qu'après 1990.

J'ai visité de nombreuses grottes, certaines à plusieurs reprises, et si je n'avais oublié ni l'ambiance ni l'atmosphère qui y régnaient, ni l'état d'esprit qui m'animait, ni encore les sentiments éprouvés à la vue de ces exceptionnelles œuvres d'art peintes sur les parois de ces différentes cavernes, je ne me rappelais pas toujours dans laquelle se trouvait précisément telle ou telle peinture, sur quelle paroi elle apparaissait, à quel endroit de la grotte elle se trouvait, la direction dans laquelle elle était orientée. Ce livre m'a donné toutes les réponses dont j'avais besoin. Le seul problème étant qu'il était rédigé en français. Or, même si j'ai acquis de bonnes notions de cette langue au fil des ans, on ne peut pas dire que je la maîtrise réellement.

J'exprime donc toute ma reconnaissance à Claudine Fisher, consul honoraire de France dans l'Oregon, professeur de français et directrice des études canadiennes à l'université d'État de Portland. De langue maternelle française – elle est née en France –, c'est elle qui s'est chargée de traduire toutes les informations dont j'avais besoin sur chacune des grottes qui retenaient mon attention. Un travail considérable. Sans son aide, jamais je n'aurais pu écrire ce livre, et ma gratitude va au-delà des mots. Outre le fait que c'est une grande amie, son aide a eu de nombreuses occasions de s'affirmer.

Je voudrais également remercier plusieurs autres amis qui ont accepté de bonne grâce de lire un long manuscrit alors qu'il n'était pas encore tout à fait au point, et de me faire part de leurs commentaires : ils ont nom Karen Auel-Feuer, Kendall Auel, Cathy Humble, Deanna Sterett, Gin DeCamp, Claudine Fisher et Ray Auel.

Toute ma gratitude *in memoriam* au professeur Jan Jelinek, archéologue né en Tchécoslovaquie, pays devenu depuis la République tchèque, qui m'a apporté un soutien multiforme, et ce depuis nos premiers échanges de lettres jusqu'à sa visite et celle de son épouse Kveta dans l'Oregon, en passant par les nombreux séjours que Ray et moi avons faits dans les sites paléolithiques proches de Brno. Son aide a été inappréciable. Toujours attentionné, généreux de son temps et de ses connaissances, il me manque beaucoup.

J'ai la chance d'avoir Betty Prashker pour éditrice : ses commentaires sont toujours pleins de sagesse, elle m'incite à donner le meilleur de moi-même et améliore encore le résultat final. Un grand merci à elle.

Et toute ma gratitude, encore et toujours, à celle qui est là depuis le début, mon merveilleux agent littéraire, Jean Naggar. À chaque nouvelle livraison je l'apprécie encore plus. Je veux remercier également Jennifer Weltz, l'associée de Jean au sein de l'agence littéraire Jean V. Naggar. Toutes deux continuent de faire des miracles pour cette saga, traduite dans de nombreuses langues et désormais accessible dans le monde entier.

Durant ces dix-neuf dernières années, Delores Rooney Pander a été ma secrétaire et mon assistante personnelle. Malade, elle a malheureusement été contrainte de me quitter, mais je souhaite la remercier pour les services qu'elle m'a rendus durant toutes ces années : on ne peut jamais savoir vraiment à quel point on peut s'appuyer sur une personne avant que celle-ci ne s'efface. Au-delà de tous les travaux qu'elle a pu effectuer pour moi, ce sont nos conversations, nos discussions, que je regrette le plus. Au fil des ans, elle est devenue une amie très chère. (Delores est morte d'un cancer en 2010.)

Et enfin, avant tout, à Ray, mon époux, qui est toujours là pour moi : mon amour et ma gratitude, au-delà de toute mesure.

Composé par Nord Compo
à Villeneuve-d'Ascq (Nord)

Imprimé en Espagne par
Liberduplex
à Barcelone
en janvier 2012

POCKET – 12, avenue d'Italie – 75627 Paris cedex 13

Dépôt légal : février 2012
S21669/01